DU MÊME AUTEUR

Aux Éditions Gallimard

LA FIN DES VENDANGES, 1989.
JAMAIS UNE OMBRE SIMPLE, 1994.
PASSAGE AU LUXEMBOURG, 2000.

Chez d'autres éditeurs

L'ÉMOTION IMPOSSIBLE, Le Temps qu'il fait, 1994.
LES FILEUSES, Le Temps qu'il fait, 1995.

Traduction

Gotthold Ephraïm Lessing, MINNA VON BARNHELM, *traduction et présentation*, José Corti, 1997.

WALTENBERG

HÉDI KADDOUR

WALTENBERG

roman

GALLIMARD

Pour Lucienne et Habib Kaddour

Chapitre 1

1914

LA CHARGE

Où l'on voit la cavalerie française se lancer à l'assaut des rêves allemands.

Où Hans Kappler se souvient de Lena Hotspur et de l'époque où elle prenait des leçons de chant chez madame Nietnagel.

Où Max Goffard diffère son entrée en scène et condamne les mitrailleuses pour enfants.

Où un commandant français se met à parler de l'Afrique et d'un duel.

Où meurt Alain-Fournier.

MONFAUBERT, 4 septembre 1914

Nos rêves font naufrage au crépuscule où chiens
Et loups pour voir la lumière s'entre-dévorent.

Robert Marteau

Le geai a cessé de crier. Hans a une pointe de sabre sur le ventre, un sabre à courbe légère. L'homme qui tient le sabre a un visage très pâle, jeune.

La lame tremble. Il y a d'autres hommes derrière, à cheval, jeunes eux aussi, culotte rouge, tunique bleu foncé, casque à cimier, des dragons français.

Dans ce bois ?

Le front est à cinquante kilomètres au sud.

Les lapins.

Hans ne crie pas, il a honte de ne pas crier. Debout, bras levés, pris d'une peur qu'il ne se connaissait pas, il voit fuir les lapins qu'il contemplait dans l'air du soir il y a quelques instants, une quinzaine de lapins gris qui roulaient et se montaient dessus, sauts, taches blanches, accouplements désinvoltes, une distance qui laissait peu distinguer mâles et femelles. *De toute façon, selon saint Maxence, ce sont d'in-contrôlables sodomites* venait de lui dire Johann.

Johann avait glissé au sol, le cou à moitié tranché par un dragon français.

Hans et Johann se sont fait surprendre par l'ennemi, à l'extrémité de la grande clairière, au cours de leur tournée du soir, une promenade plutôt, avec des pipes de tabac blond, des hirondelles, des discussions dans l'air encore tiède et les odeurs d'herbe coupée.

Hans observait les nuages, il leur trouvait des formes et se mettait à parler d'une femme dont il avait été amoureux. Des seins d'une douceur de tourterelle, il leur lançait de petits coups d'œil tandis qu'elle buvait devant lui son bol de chocolat. Elle avait disparu, on m'a même dit qu'elle était morte, ce n'est pas vrai, elle ne peut pas, la première fois que je l'ai vue elle venait de laisser claquer la porte en entrant dans la salle à manger d'un grand hôtel, pas par inadvertance, ni vulgarité, un vrai geste d'Américaine, très simple, une Allemande n'aurait jamais osé, même pas une Française, elle l'avait laissé claquer, elle n'avait pas besoin de ça pour attirer l'attention sur elle, non, c'était en toute simplicité, parce que si la porte n'était pas capable de se refermer sans bruit, avec ou sans groom, ce n'était pas à elle de s'en occuper, c'était déjà suffisamment pénible d'être une belle femme entrant seule dans une salle à manger pleine de monde, et elle n'avait pas envie d'attendre l'arrivée d'un homme qui profiterait de l'occasion pour lui sourire.

Elle avait une robe bleu sombre, des épaules très droites, je n'ai jamais compris cette disparition, un soir je suis rentré d'excursion, elle était partie, aucune adresse, je n'ai rien compris mais j'aurais pu m'en douter, il y avait eu une chose idiote, si j'ai la force je te raconterai.

Des épaules blanches, de grands cheveux roux, une voix d'alto, elle étudiait le chant, elle voulait chanter *La Belle Meunière* et le *Voyage d'hiver*; je lui disais que c'étaient des chants d'hommes, mais pour elle cela n'avait pas d'importance, ça pouvait être très musical, une voix de femme chantant une douleur d'homme, ça pouvait être encore plus fort, elle disait moins expressif, musique pure, et, au fond de la musique pure, l'émotion, nettoyée ; c'était une idée un peu compliquée mais quand elle commençait à chanter *Das Wandern* c'était superbe, surtout pas une marche, on ne peut pas marcher là-dessus, trop de silences dans la mélodie, si on marche au pas on écrase les silences, si on marche sur les croches on se dandine, si c'est sur les noires c'est trop lourd, pas une vraie marche, une mise en scène de la marche. Bon, je ne vais pas t'embêter avec ça.

C'est le chant d'un jeune meunier, il va vers la vie, il va rencontrer une belle meunière, marcher c'est une joie, une ronde, un départ, le bruit de l'eau, même les pierres entrent dans la ronde, le piano pousse en avant, en recommençant à chaque fois, à chaque fois une force nouvelle, bon, j'arrête.

O Wandern, Wandern, meine Lust, un vrai plaisir, il fallait entendre Lena dire *Lust,* c'est pour ça qu'elle voulait chanter un chant d'homme, pour pouvoir dire *Lust,* dans sa voix de femme, le plaisir. C'était superbe, *O Wandern, meine Lust.*

Hans chante, plutôt faux, en écrasant les notes et les intervalles, elle disait qu'en anglais *lust* c'est beaucoup plus fort, presque grossier, en tout cas dans une voix de femme, elle adorait ça, chanter en allemand un mot d'homme qui dans sa langue à elle était presque grossier, *lust,* elle mélangeait tout cela en riant, et elle remettait tout en place, pour chanter. J'arrête, je suis sûr qu'elle n'est pas morte, elle est repartie de l'autre côté de l'océan.

Johann écoutait, rendait aux épaules blanches, aux seins douceur de tourterelle et aux cheveux roux l'hommage contrôlé qu'un homme doit à la femme d'un ami. On était à la guerre, on parlait entre hommes, avec de plus en plus de vigueur et de précision au fur et à mesure que s'éloignait la vie dans laquelle il aurait fallu marquer de la discrétion vis-à-vis de ce qu'on appelait le moi intérieur, un intérieur qui avait désormais tendance à se répandre aux yeux de tous, sang et tripes confondus au premier coup de canon.

La conversation avançait au fil des étapes du régiment, Namur, Charleroi, Saint-Quentin, Landrecies, Chauny, Fontenoy, Monfaubert, on parlait de femmes, avec de moins en moins de pudeur mais sans vulgarité, montrer à l'ami qu'on sent bien que sa compagne est désirable mais qu'on n'irait pas pour autant lui passer la main sur les fesses.

L'ami a de plus en plus besoin de dire que sa compagne a de belles fesses, et parfois sa main à lui peut même tracer une courbe dans l'air rose et bleu de la clairière ; alors, quand on est Johann, on acquiesce en suivant la main du regard, on dit *yo*, d'un air rêveur, même si les gestes qu'on a l'habitude de faire avec sa propre main sur les fesses d'une femme sont plus précis, plus inquisiteurs, plus péremptoires que les courbes gracieuses que la main de Hans décrit sur fond de ciel ; on dit *yo*, pour reconnaître la beauté au passage, même si on ne l'a jamais vue, comme c'était le cas pour Johann qui en temps de paix n'aurait jamais pu devenir le familier de cette femme dont Hans lui parlait pendant des heures, jusqu'à en rêver tout haut, en traçant des courbes dans l'air.

Et Johann montrait qu'il voyait parfaitement les épaules, les hanches, les fesses, les jambes de la femme, tout ce que cela pouvait avoir de délicieux, et la naissance des seins, leur douceur de tourterelle ; il n'était pas d'accord sur les tourterelles, il les voyait grises mais il n'allait pas contrarier son ami, et puis les tourterelles blanches ça existe, un blanc tendre, il voyait très bien la femme, en ouvrant grand les yeux et en les levant ensuite au ciel, là où le monde reprend un peu d'innocence.

Hans s'échauffe, Johann prend un air admiratif et rêveur, il est celui que le destin a tenu et tiendra à jamais à l'écart des seins et des fesses de madame Lena Hotspur, la compagne disparue de son ami, une disparition mystérieuse.

Hans aurait cependant pu se douter de quelque chose, une alerte, ce geste incompréhensible de Lena ; et par amitié il arrivait même à Johann de relancer Hans. Elles étaient vraiment si droites, les épaules ? oui, c'est ce qui m'avait d'abord frappé, d'ordinaire les femmes ont des épaules plus discrètes, plus arrondies, Lena a des épaules de garçon, un corps, comment dire ? très ferme, elle pouvait mettre n'importe quelle robe, la robe tombait aussi impeccablement que sur des gravures de couturier, et on voyait pourtant toutes les courbes, partout, elle a dû retourner vivre de l'autre côté de l'océan.

Les deux hommes parlaient ensuite de lapins et de la place des lapins dans la mythologie.

Pour la garde, on se contentait de ranger les véhicules en cercle, grand cercle, approximatif, véhicules très espacés, rien de sérieux, la clairière faisait plus d'une cinquantaine d'hectares, il aurait fallu beaucoup de monde.

C'était toujours la guerre mais les combats les plus durs étaient passés, on ne craignait plus rien.

En quelques semaines, conformément au plan établi par l'état-major, l'armée du Kaiser s'était profondément enfoncée en territoire français, une magnifique percée stratégique en mouvement tournant, par la Belgique, quatre corps d'armée, articulés comme aux grandes manœuvres, qui marquaient une pause et se réorganisaient au bord de la Marne qu'ils allaient incessamment franchir, les camarades n'étaient pas morts pour rien, la même situation qu'en 1870, les Français en déroute et leur président Poincaré déjà replié sur Bordeaux.

On pouvait déambuler dans les prairies comme chez soi, guetter l'instant où nuages et souvenirs se mettaient à inventer une femme, observer des sarabandes de lapins excités.

Johann était intarissable sur les lièvres de Pâques, les héritiers des lapins qui escortaient la déesse du printemps chez nos ancêtres les païens, des lapins à grosses couilles, des bestiaux d'un mètre de haut, tout en granit rose, veillés par des prêtresses, les femmes stériles leur apportaient des offrandes mais je ne sais pas ce que c'était, aujourd'hui dans mon pays les femmes apportent au guérisseur une livre de beurre, une bouteille de schnaps et une culotte, la culotte le guérisseur l'accroche dans son grenier, il fait des fumigations, je ne sais pas si les femmes de nos ancêtres païens portaient des culottes, l'Église chrétienne a brûlé les prêtresses mais elle n'a pas pu se débarrasser des lapins, elle les a gardés, elle leur a enlevé les couilles et on demande aux enfants d'aller les chercher à quatre pattes dans l'ombre des buissons, les lapins, ne fais pas l'idiot, des lapins en chocolat!

Les dragons ont ligoté et bâillonné Hans, ils l'ont jeté à terre, ils se préparent pour une de ces charges dont la cavalerie française a le secret depuis des siècles. Il en vient de partout, ils s'alignent par rangs de six, dans l'espace que leur ménage la voie forestière, avant de faire irruption en colonne serrée dans la clairière occupée par les Allemands.

Manœuvre de cavaliers, avec ses ordres à mi-voix, ses froissements d'armes blanches, les chevaux qui tentent de brouter les pousses de chêne au bord du taillis en faisant claquer leur mors : un retardataire de taille moyenne, mince, cheveux bruns, avec de grandes oreilles décollées, tente de prendre place parmi eux, il porte un nom propre conforme au cliché du Français qui veut voyager en première avec un billet de seconde et trois syllabes seulement, une pour le prénom, deux pour le nom, le strict minimum qui permet à un personnage de venir errer aux marges d'une scène mais ne l'autorise peut-être pas à s'avancer au premier rang de ce qui va être une des charges les plus glorieuses de la cavalerie française.

Le capitaine des dragons surveille la mise en place, il a deux craintes : il y a moins d'un an il était à Berlin, aux grandes manœuvres, l'infanterie allemande en action. Même à la jumelle il avait eu du mal à distinguer sur fond de feuillage les uniformes *feldgrau*. Il vient de prévenir ses hommes de bien ouvrir les yeux, il ne leur a pas parlé de sa deuxième crainte : les Allemands sont sans doute très bien équipés en mitrailleuses, comme celles qu'il a vues fonctionner à Berlin.

« La mort industrielle, mon cher Jourde », lui avait dit l'attaché militaire britannique, un fantassin.

Le capitaine avait répondu :

« Oh, les canons nous y ont habitués depuis longtemps ! » L'attaché n'a rien dit.

Plus tard, au cocktail, sans transition, il a dit au capitaine :

« La mitrailleuse, c'est la fin de votre chevalerie. »

Et le capitaine Jourde :

« Pas si la charge de mes dragons est suffisamment violente, souvenez-vous, la nouvelle doctrine, le choc prime le feu ! »

Maintenant le capitaine concentre ses hommes pour donner à leur action l'allure d'un coup de poing décisif, d'une surprise, la surprise, cette reine des figures tactiques. On ne peut plus refaire Rivoli, Marengo, les grands mouvements qui déculottent l'adversaire, à Austerlitz, à Iéna et surtout à Prentzlow :

« La plus belle charge que j'aie jamais vue », dira un expert, le prince Murat.

Les batailles entières remportées sur une charge pointe en avant, on ne peut plus refaire. Reste la surprise : on repère, on surprend, on détruit, on s'en va. Le capitaine a fait repousser le retardataire au billet de seconde et aux grandes oreilles, Max Goffard, ce serait une trop grosse *coïncidence* que de le faire apparaître ici, pour la satisfaction d'une symétrie avec Hans.

Max proteste, Hans et lui ont justement fait beaucoup de choses *en coïncidence* ces derniers temps, ils ne sont d'ailleurs pas les seuls à les avoir faites, et tout vient de là, la coïncidence.

S'il n'y avait pas eu des millions et des millions de coïncidences au cours de l'été 1914, la pittoresque scène qui se met en place aurait dû être remplacée par une partie de whist dans un salon à grands rideaux vert sombre ou le monologue d'un homme qui va s'endormir. Max accepterait même de monter sur un de ces chevaux dont le dos a été mis à vif par des jours et des jours de frottement et qui répandent déjà une odeur de mort, il est trop tard, dit le capitaine.

Mais même s'il est trop tard, pour Max il s'agit de l'amitié qui doit naître entre lui et Hans, et qui s'étendra sur une bonne partie de ce siècle dont l'année 14 marque le baptême. Et cette coïncidence doit absolument avoir lieu pour qu'ils puissent un jour en parler, c'est ce qui donnera sa chance et sa force à leur amitié qui ne prendra fin qu'en 1969, au bord du Rhin, quand l'un des deux hommes accompagnera l'autre à sa dernière demeure, le cortège funèbre pourra alors passer à travers le vignoble à feuilles charnues et gaufrées des grands *Riesling* au bord du Rhin, un beau raisin, à la fin du printemps les enveloppes feutrées de mille poils ont éclaté vers la lumière en minuscules rameaux, temps sec, venteux, belle floraison, le pollen voltige sur les grappes florales, les insectes à l'œuvre, fécondation en quinze jours, une odeur suave, puis les grains se mettent à ressembler à de grosses billes opaques, dures et glauques, la chaleur les éclaircit, les nuits se font froides, les journées grises, une buée pâle épaissit le ciel, un matin le vent venu de la mer a poussé devant lui un brouillard humide qui a verni les feuilles, à midi le grand soleil, et depuis lundi il y a cette blondeur transparente des grains prêts à être cueillis.

Pour ce cortège en 1969 il y aura même une fanfare à bannières rouge et or, beaucoup de monde, du soleil. Et là encore, une belle jeune femme. Les gens se demanderont qui est cette femme avec sa toque noire, son foulard gris perle et ses bottes, et une voix dira :

« Bien des choses se sont écroulées mais les belles femmes sont toujours à leur poste. »

Il y aura beaucoup de monde, certains hommes porteront même des hauts-de-forme sous le soleil, un vignoble en terrasses de grès rose, Alsace ou Rhénanie, une colline, le cortège serpente à flanc de coteau sous le soleil d'automne, monte jusqu'à la forêt, passe sous les arbres, le sous-bois, certains regards s'attardent sur les fougères, les feuillages, quelques effets d'or et de cendre, une toile d'araignée qui prend un instant le soleil. D'autres regards cherchent d'improbables champignons, puis le cortège redescend vers le Rhin, derrière la fanfare, les chevaux à plumet, le corbillard à l'ancienne.

Voilà pourquoi Max veut justement figurer *en coïncidence* avec Hans, dès 1914, au milieu des dragons de Monfaubert qui viennent de ligoter celui qui sera son ami. Max a pris par la bride un cheval qu'on a mis à l'écart, trop mal en point pour charger, le cheval recule ; on ne peut pas dire qu'il refuse d'être à nouveau monté, c'est un cheval militaire, il tente de s'écarter sans en avoir l'air, en cherchant de l'herbe fraîche, on ne sait jamais ; et en même temps il se résigne déjà à aller au combat avec un dos transformé en couche de pus et un cavalier qu'il ne connaît pas.

Max caresse la tête du cheval.

Hans et lui.

Une coïncidence.

Une de plus, comme ces millions d'hommes en coïncidence dans une guerre à laquelle ils s'opposaient il n'y a pas si longtemps. Et Max rappelle qu'il y a quelques mois encore il la combattait, cette guerre, auprès de Jaurès, avec les socialistes, en parfaite coïncidence avec Hans qui en faisait autant chez les Allemands. Elle était déjà là, la coïncidence, chacun tentant de défendre la civilisation et la culture en parlant des heures durant dans des cafés enfumés, en buvant des *glorias* ou du *schnaps*, en applaudissant des orateurs, en défilant, persuadés que la vérité naissait dans le bruit de leurs pas, sur des boulevards empanachés de slogans et qui sentaient bon le crottin, en achetant des journaux qui défendaient leurs idées. C'est même pour cela qu'ils sont ensuite partis au front, chacun pour défendre la civilisation et la culture, une fois pour toutes contre la barbarie, nous étions le centre du monde.

Le jour de la déclaration de la guerre, Hans et Max se sont précipités pour défiler comme tout le monde, portés comme tout le monde, l'un à Berlin, l'autre à Paris, par la même vague de coïncidences et de fierté, chacun d'eux à la fois porté par la vague et additionnant lui-même sa propre petite force d'attraction à cette vague qui les porte tous. Max a même crié :

« Vive Poincaré ! »

Dix jours auparavant, avec des millions d'hommes, il le traitait de va-t-en-guerre et d'assassin, et au café, en chœur avec ses amis, il récitait une phrase où il était question qu'on rassemblât tout le fumier de la caserne et *qu'en présence de toutes les troupes, au son de la musique militaire, le colonel vînt y planter le drapeau du régiment !*

Gustave Hervé.

Et soudain une grande vague d'hommes tendus vers la dernière des guerres. Des molécules se tendent vers la lune pour une marée d'équinoxe. Et rares sont les humains qui restent en retrait comme celui qui s'est contenté de noter dans le journal qu'il tient *2 août 1914, l'Allemagne a déclaré la guerre à la Russie — Après-midi, piscine.*

Tous les autres sont pris dans le mouvement des molécules, l'alimentant et se laissant porter derrière les drapeaux en agitant un canotier, le chapeau des guinguettes, du plaisir, de l'été, qu'est-ce qui, dans l'allure fière et insouciante que ce chapeau donnait à son porteur (en août, on en mettait même aux chevaux de fiacre en faisant des trous pour les oreilles), dans la légèreté et l'origine doucement champêtre de sa texture, sa couleur de crème légère rehaussée par le noir du bandeau, qu'est-ce qui incitait à faire ce rude mouvement de la main qui le projetait vers Berlin, Paris ou Vienne, dans le ciel où se tenaient les grandes idées, les grandes croyances et les images qui vous donnaient envie de courir sans casque à travers champs pour déboucher d'un seul élan au milieu des avenues de la capitale adverse ? au beau milieu, ne riez pas.

Ils sont partis à la guerre. Hans pendant quelque temps en a presque oublié cette femme qu'il voulait tant revoir, qu'il reverrait certainement, un jour, à force de travaux sur lui-même, le corps, l'âme, il serait bien meilleur qu'il n'était au moment de cette chose idiote, quand ils se sont séparés. Des semaines de route, des camps qui ne duraient qu'une ou deux nuits, rythme à vider toutes les têtes, puis cette grande pause dans la clairière, en attendant le franchissement de la Marne et l'ultime offensive, et la femme est revenue.

Parfois elle surgissait au milieu du sommeil de Hans. Sensation d'un corps sur le sien. Il se réveillait, personne, et quelqu'un au creux de l'épaule, sur le ventre ; elle était là, le poids d'un corps sur lui, la peur de trop se réveiller, de ne plus rien sentir, fermer les yeux, repartir dans le rêve, la chaleur revient sur la poitrine, le ventre, un mouvement.

Et si l'on se rendort vraiment, c'est fini. D'autres fois, c'était en plein jour, dans le feuillage, à quelques mètres devant lui, une robe d'automne, des tons ocre et du vert sombre, une laine légère, il sentait moins sa présence que dans le demi-sommeil mais il la voyait mieux, elle venait vers lui, comme elle le faisait naguère, des fleurs dans les bras.

Ou alors c'était plus volontaire, Hans se mettait à parler à la femme, et elle était là où il décidait qu'elle devait être. Elle répondait, elle était juste à côté de lui, ils regardaient le paysage ensemble, elle avait des fleurs dans les bras. Il n'aimait pas cette façon de faire des bouquets, sentimentalisme des bouquets. Maintenant il en pleurerait.

Ou alors elle vient vers moi en riant, elle joue, elle fait de grands mouvements de hanches, exprès, le beau temps des promenades, parfois cela se détériorait, une faute de ton. Hans s'en veut de plus en plus, quelques incidents, de belles fin d'après-midi quand même. Et ici aussi, dans cette clairière, fumer, être à soi et seul à soi, triste.

En même temps il pouvait y avoir du plaisir à parler à cette ombre de femme, à la faire venir, même si cela se terminait mal, sans elle. Puis Johann le rejoignait, ils observaient le sabbat des lapins, les nuages aux formes mobiles. Et dans cette douceur d'avant l'orage, Lena revenait.

Des dragons français, quatre pelotons, ordre du général Maisonneuve, commandant la 3ᵉ division de cavalerie, ordre au 2ᵉ escadron du 12ᵉ dragons d'opérer une mission de reconnaissance et harcèlement.

Opération à la Sherman, du nom du général nordiste qui pendant la guerre de Sécession désorganisa les arrières des sudistes avec ses cavaliers. Sa signature c'étaient des rails de chemin de fer arrachés au ballast, chauffés à blanc, repliés en épingles autour des poteaux télégraphiques pour qu'ils ne puissent pas resservir, *les épingles à Sherman.*

Les dragons sont allés vers le nord, au-delà de Soissons, une incursion de plus de cinquante kilomètres dans les lignes allemandes, devise du 12ᵉ dragons : *L'occasion de resplendir.*

En cette fin d'après-midi, le bilan de l'escadron Jourde, du nom de son chef, est maigre. Moral affaibli. On rentre sans gloire, sous des rires de grives, sans avoir désorganisé quoi que ce soit, en repassant au milieu de cadavres français, entassés ou alignés, chairs gonflées, uniformes tendus à craquer sur des corps boursouflés, grotesques, faces noires, entrailles noires, bourdonnantes, bouches en bourrelets de chair violâtre. On utilise comme on peut l'ombre engourdie des forêts, cavaliers harassés, trois nuits de suite sans vrai sommeil, bercés par les chevaux, l'œil fixé sur les croupes qui moutonnent devant nous, le sommeil nous prend comme une fièvre, il faut se pincer, parler aux voisins, voix très basse, mon adjudant-chef je me sens comme une bête, profites-en ça permet de tout supporter, le sommeil revient, on s'affaisse, le buste à toucher les sacoches, on manque de glisser de cheval, sursaut, alors c'est la tristesse, comme si elle avait attendu son heure.

Le sous-lieutenant Dutilleux essaie de prendre des notes dans son carnet, le ciel comme un mur devant soi, on voit des bâtisses imaginaires, arbres, ombres d'arbres, qui s'allongent, la marche berçante des chevaux abrutis, un officier remonte la colonne en tapant sur les casques ou en faisant exprès de demander leur nom aux hommes, puis on replonge dans le sommeil. Les chevaux sont épuisés, mal ferrés, compression de la selle, quarante heures d'affilée, poids du cavalier, de tout l'équipement, plus de cent vingt kilos dessus, ça pue, les chevaux n'ont pas pour les soutenir la force de la pensée mais ils tiennent, l'air suppliant et doux, on pourrait plonger le pouce dans les salières de leur tête, le pli de souffrance à la paupière, ils avancent, parfois ils bloquent, comme quand ils ont vu dans l'arbre, à trois mètres du sol, le cadavre d'un des leurs, projeté par un coup de 320.

Une pause. Un paysan. Il a indiqué une position allemande, trois, quatre kilomètres, une clairière, très grande :

« Ils ont détruit toutes les cultures ! »

Le capitaine Jourde a crié :

« L'occasion de resplendir ! »

Ligoté dans son fossé, Hans se dit qu'il aurait dû héroïquement crier *Alarm !* même si le sabre n'avait dû lui laisser que le temps de la première syllabe, même si cette réaction, si loin des sentinelles, n'avait servi à rien. Il aurait dû. De toute façon il va mourir, et sans héroïsme.

Hans tremble encore d'avoir senti la pointe du sabre, d'avoir entendu le grommellement d'ours de Johann se transformer en gargouillis. La plaie au cou de Johann. Hans se recroqueville. Dès que tu regardes les lapins je sais de quoi tu vas me parler disait Johann, ajoutant : c'est pour rigoler, nous ne sommes pas des bêtes, encore que si cette guerre devait durer...

Johann grommelant, se dandinant et faisant de son grommellement la caricature d'un appel d'ours en rut. Johann est joueur, enjoué, *lustig*.

Au fond Hans sait parfaitement pourquoi Lena et lui se sont séparés, il dit à ses amis qu'il n'a pas compris le départ de Lena mais lui le sait parfaitement. Une chose idiote. Il la reverra. Ce que tu veux, c'est d'abord devenir meilleur. Elle sourira avec tendresse de le voir transformé, plus musclé, plus savant, plus audacieux et plus sage ; elle lui prendra la main. Non, c'est à moi de prendre la main, savoir comment faire, attendre que les mains se frôlent par hasard, profiter du frôlement, un peu niais tout ça, il faudra bien se serrer la main.

C'est cela, un *shake hand.* Ils se tendront la main mais Hans fera un baisemain, tout à fait normal. Pas de *shake hand*, nous ne sommes pas des marchands de bestiaux. Baisemain, lèvres sur la peau et dans ce baisemain tous les baisers antérieurs.

Hans voit très bien la scène, il ne la raconte pas à Johann mais il la voit très bien. Lena est réservée, surprise, elle n'a pas changé de parfum, *Heure bleue,* ou alors elle savait que je serais là et elle a mis ce Guerlain de nos rencontres, l'heure suspendue. Mais pourquoi cet air réservé ? Parce qu'elle regrette déjà en me retrouvant d'avoir mis ce parfum. Elle veut montrer à Hans qu'il n'a pas d'illusions à se faire, politesse, elle se carre dans la politesse. Une erreur le baisemain, geste de crétin possessif, et qui renforce les préventions de Lena. Il faut étrangler le crétin, ou bien Lena veut simplement me laisser dans le doute ; elle a pris l'air réservé, c'est de la coquetterie, non, pas Lena, alors politesse, non, c'est peut-être de la coquetterie. Si froide.

Un trouble, c'est cela, Hans la trouble. Il a tellement changé, en mieux. Non, arrête de te donner le beau rôle, tu as toujours été mauvais séducteur, tu fais la roue devant des femmes que tu n'as jamais intéressées ; les vraies amantes surgissent toujours à revers, oui, mais il est devant Lena.

Répondre à la politesse par une réserve plus forte encore, poser des questions à Lena, se faire poser des questions, surtout ne pas parler de soi, ne pas mettre d'habit neuf, être à l'aise ; pas de pantalon qui gratte ou qui serre.

Qu'est-ce qui intéresse les femmes ? Justement le fait qu'on ne s'intéresse pas à elles. Jolie formule, tu peux essayer de vivre avec ça, et avec tes amantes qui viennent à revers. Cela dit on ne sait jamais, la psychologie de feuilleton ça

peut marcher, ma passion pour Lena n'est pas un feuilleton, on verra.

Donc devant Lena tu ne lui poses pas trop de questions et
tu te donnes une passion, pas une autre femme, non, plutôt
parler avec passion de ce qu'on fait, la paix sera revenue, une
fois la Marne franchie ce n'est plus qu'une question de jours,
armistice, retour au pays, la Baltique, les grandes plages, le
port, le troisième port d'Allemagne, Rosmar.

Un beau corps de femme assise, à moitié nue, la mémoire
avec la mort, Hans est derrière elle et la voit de trois quarts, il
retrouvera Lena, il se recroqueville, il a peur, honte de sa peur.
Je ne leur ai jamais pardonné de m'avoir mis dans une situation pareille, j'ai compris ce que c'était que la guerre, on a
les mains liées dans le dos, les jambes attachées, un bâillon
sur la bouche, on sait que les camarades vont se faire tuer
et on ne peut rien faire. Et c'est en partie à cause de moi que
les camarades se sont fait tuer. J'aurais dû crier, je n'ai pas
pu. Il paraît qu'après j'ai fait une belle guerre mais dès le
début j'ai cessé d'y croire.

Le jour de son départ, la mère de Hans lui avait donné deux
conseils.

« Je vais, avait-elle dit, te donner deux conseils peu allemands mais ils viennent de plus loin que ce qu'on appelle
aujourd'hui l'Allemagne ou la France, et je ne veux pas avoir
à dire un jour : pour qu'il ne soit pas mort, je donnerais
la France et l'Allemagne. Tu sais, d'aussi loin que l'on puisse
remonter dans ma famille, les femmes ont toujours donné
deux conseils à leurs fils qui partaient. »

La voix de sa mère est très calme, basse, lente et articulée.

« Ne te porte jamais volontaire, et pense toujours très
fort à ce que tu aimes. Je ne te demande pas de penser à moi
mais à ce que sur le moment tu penseras aimer de plus fort,
je serais heureuse qu'il s'agît de moi, je sais que les hommes
ne sont pas seulement des fils, pense à ce que tu aimes
vraiment, c'est cela qui te protégera, souviens-toi, ne te porte
jamais volontaire. »

Hans recroquevillé, la honte de n'avoir pas crié, n'importe quel petit tambour français aurait crié, comme dans les légendes de la Révolution française que leur racontait la gouvernante dans la maison de Rosmar. Hans et ses frères cadets s'en moquaient, pour faire de la peine à mademoiselle Françoise, les Français ne font jamais ça, ils n'ont jamais le temps d'être héroïques, ils boivent et ils dorment, et quand ils se réveillent ils courent comme des lapins, ils n'ont pas le temps de crier *Alerte!*

Hans et ses frères riaient, vous savez, mademoiselle, à l'école on ne dit pas *les Français,* on dit *les lapins,* mademoiselle Françoise n'osait pas se mettre en colère, on passait à d'autres histoires, les enfants demandaient pardon, ce petit tambour leur plaisait et dans leurs jeux ils en faisaient un tambour prussien, et ils aimaient mademoiselle Françoise, les histoires qu'elle leur lisait, des maisons à trois greniers, des pays mystérieux de collines bleues et de grandes allées, Arlequin, Pierrot, costumes, courses de poneys et jeunes filles blondes, au profil d'une finesse douloureuse.

D'autres familles avaient une gouvernante anglaise. Cela n'avait pas l'air d'être aussi bien qu'avec mademoiselle Françoise. Elle était chez eux depuis treize ans. C'est Hans qui l'a raccompagnée à la gare, il y a à peine deux mois, début juillet. Aucun autre membre de la famille n'a voulu venir.

Françoise se tenait droite, et pleurait :

« Je n'aurai pas eu le temps de finir la lecture, monsieur Hans, vous voudrez bien leur lire la fin du *Grand Meaulnes,* ils aiment beaucoup cela, l'un des héros s'appelle Frantz, Frantz, et j'ai vu dans le journal qu'un de vos grands généraux s'appelle von François, il n'y aura pas de guerre, vous pouvez reprendre la lecture au chapitre qui s'appelle *La Partie de plaisir.* »

Hans n'a jamais eu le temps de reprendre la lecture.

Les dragons sont maintenant alignés en profondeur dans le chemin forestier, trois pelotons pour la charge, article premier du *Règlement provisoire du 14 mai 1912 sur les exercices et manœuvres de la cavalerie,* la cavalerie attaque par la charge et à l'arme blanche, toutes les fois qu'elle trouve une occasion favorable.

Près de cent cavaliers, malgré les pertes des jours précédents, un peloton en réserve, un assaut au sabre et à la lance a décidé le capitaine Jourde, il a fait Saumur, toutes les situations de manœuvre se résolvaient pour nous par une charge, sous peine de mauvais classement, la lance, c'est le nouveau modèle, lance numéro trois, trois mètres d'acier, remise solennellement à la veille de la guerre pour remplacer l'ancienne lance en bambou royal mâle du Tonkin.

Elle ne devait servir qu'au premier rang des escadrons mais l'engouement fut tel que tous les hommes l'ont reçue. Aux allures ordinaires la lance se porte verticalement, la base fichée dans un support extérieur de l'étrier droit.

Pour la charge *c'est la reine des batailles,* leur a dit le colonel, surtout quand elle est tenue bien basse sur des montures d'un mètre soixante au garrot, cinq quintaux de poids moyen, quatre ans de dressage, pas un mouvement de rébellion, de l'anglo-normand mais fougueux, du caractère, de la gaieté, de la masse et du sang sous la masse, aimant l'action, jamais aussi forts que quand ils entendent le roulement du sol sous leurs sabots, sentent le cavalier approcher les jambes, à peine appliquer l'éperon, rendre la main, s'élever sur les étriers, se pencher sur l'encolure pour offrir moins de surface au feu, moins voir le danger, et crier, parce que la guerre a cessé d'être seulement la mort des autres.

Aux premiers jours de la guerre, le père de Hans lui a écrit une lettre dans laquelle il lui disait sa propre honte de n'être qu'une ombre à l'abri parmi les ombres tandis que la vivante jeunesse, c'était son mot, entrait dans la fournaise, c'était encore son mot. Et Hans est entré dans cette fournaise où Max et lui se sont, chacun de son côté et pour quelque temps, comportés en sauveurs de culture et de civilisation.

Ni Max, ni Hans n'était cependant fou ou aveugle, aucun n'avait voulu de cette folie et, quand la guerre se sera bien enterrée, à la veille de Noël 1915, Max, en permission de convalescent, saisi par la lecture d'un article du *Figaro*, se précipitera à l'angle des rues Richepance et Saint-Honoré, au *Nain Bleu*, le magasin de jouets des beaux quartiers, pour vérifier qu'on y présentait bien cette mitrailleuse pour enfants qui faisait écrire au *Figaro* :

« Aujourd'hui le jouet français a une âme. »

Max prendra tout le magasin à partie au nom de Voltaire.

Il est debout au centre du magasin, à côté du Père Noël, au milieu des bateaux à voiles, des poupées alsaciennes, des lits miniatures, des locomotives en fer-blanc, des petits jésus et des mitrailleuses pour enfants, il crie :

« Des talapoins, vous n'êtes que des talapoins ! »

Max se croit encore au pays de Voltaire, la guerre du droit, du vrai, nous vaincrons dignement, devant des dames qui trouvent assez beau ce lieutenant bras en écharpe, il a de grandes oreilles mais un visage attachant, certaines aimeraient bien l'admirer, peut-être plus, n'étaient les réflexions malsonnantes qu'il fait, à voix forte :

« Des mitrailleuses de talapoins ! »

Un vieux monsieur dit à Max qu'il porte atteinte au moral de la Nation, il faut bien que les enfants aient de quoi se défendre, les Allemands leur coupent les mains, en Belgique et dans le nord de la France, mon fils est au front, monsieur, il m'en a parlé, et monsieur Cocteau a fait un grand dessin dans le journal *Le Mot*, huit gros Teutons casque à pointe et couteau, devant une enfant agenouillée mains sur les yeux, ils lui disent :

« N'ayez pas peur ma petite, nous venons simplement vous demander votre main. »

Max répond que c'est un bobard à talapoins, les Allemands racontent et croient que les Français coupent le nez des prisonniers, les oreilles, la guerre est déjà suffisamment folle, et vous vous figurez vraiment qu'on les attire avec une tartine ?

Ils savent venir tout seuls, vous savez, et c'est toujours très dur. Max ne doit qu'à son grade et à sa médaille toute neuve de ne pas être mis à mal au beau milieu du *Nain Bleu* par les jeunes dames et les vieux messieurs à la voix enrouée de fureur, monsieur Poincaré lui-même, le président de la République, notre président à tous, vient de dénoncer la barbarie allemande, une tâche sacrée, sortez monsieur !

Pendant la dispute, un enfant s'est écarté du rayon des mitrailleuses pour se glisser près des poupées mécaniques, un peu délaissées ces temps-ci, il en a remonté une, corselet noir, jupe longue bleu drapeau avec tablier blanc, chaînette à grosse croix catholique, sabots, face ronde et nez pointu, elle transporte une pile d'assiettes, soudain les assiettes sautent en l'air, retombent, et les yeux de la poupée montent alors prendre le ciel à témoin, en roulant comme des billes. C'est une Bretonne, une *Bécassine lanceuse d'assiettes*.

Après la guerre, retour de Hans à Rosmar, la paix, la mer, écrire, écrire dix heures par jour, non huit, et deux heures de sport, comme un Anglais, ou grande promenade sur la plage, derrière un groupe de courlis qui s'envolent chaque fois qu'on arrive à proximité et vont attendre trente mètres plus loin, en suivant la lisière de l'eau, l'endroit où la vague achève de s'absorber dans le sable, on peut marcher sans trop enfoncer.

En janvier 1914, Hans a décidé de quitter définitivement les chantiers navals où il est ingénieur, son premier livre a eu du succès, il a le sentiment de n'avoir utilisé qu'une petite partie de ce qu'on peut faire avec un roman, après cette guerre il parlera à Lena de celui qu'il veut écrire, parler avec passion, cette fois ce sera le roman d'une famille, un roman total, avec le retour du monde dans le roman. Où a-t-elle pu disparaître ?

Il lui dira qu'il va se casser la figure, qu'il s'en moque, cela en vaut la peine, un grand récit, à la fois ce qui se passe dans la tête d'un personnage et ce qui se passe dans le monde, trouver le rythme pour montrer le courant même de la pensée, un nouveau type de monologue, un projet fou, un Français inconnu a déjà essayé la formule, il a appelé ça *Les lauriers sont coupés*, on peut faire beaucoup mieux, avec la prose du monde.

Mais tout cela ne sera peut-être pas. Peut-être que dans cette première scène d'une guerre dont les protagonistes se croient encore le centre du monde et dont Max sera absent malgré ses oreilles décollées, malgré la coïncidence et la résignation du cheval qu'il s'apprêtait à monter, peut-être que Hans, contrairement à ce que voulait croire Max, va lui aussi disparaître, sans avoir jamais revu Lena, se faire tuer bêtement par un de ces dragons qui sont la gloire de l'armée française et vont écrire une page d'histoire, un haut fait de guerre, une héroïque charge de cavaliers, le facteur essentiel d'une percée stratégique, comme le rappelle en 1913 la dernière annexe du règlement général des armées.

Certes, dans l'épisode qui nous occupe, les dragons font plutôt fonction de simple colonne destinée à désorganiser les arrières de l'ennemi puisque c'est l'ennemi qui a jusqu'à présent réussi ses percées stratégiques, mais les dragons sont partis dans l'espoir de briller, par la surprise et par saint Georges, avant de se replier au sud de la Marne.

Max sort du *Nain Bleu*, marche en grommelant ses refus, c'est compliqué, croire à la guerre, pas aux bobards, rester froid, avec fureur pour foutre une balle dans l'œil d'un type, et froideur pour échapper à la connerie, le retour de la superstition, le bazar aux croyances, les talapoins, qu'est-ce qui m'empêche de croire que les Boches coupent les mains des enfants ? au fond de moi je n'ai jamais eu envie de faire un truc pareil, aucun homme, et si ce vieux con y croit avec une telle émotion c'est qu'il aimerait en faire autant, talion, oreille, main, vendetta, il a un fils, qui va peut-être mourir, mort pour empêcher les Boches de couper les mains des enfants, il rêve que son fils meurt au moins pour ça, des fois je ne suis pas loin d'y croire, je me reprends, pourquoi ce vieux m'en veut-il de ne pas croire à ce qu'il croit ? Max a repris le pas de soldat, l'index bat la cadence sur chaque groupe de mots, ce vieux ne peut croire que ce qu'il croit lui-même pouvoir faire croire, si je lui dis que je n'y crois pas c'est foutu.

Max regarde son index.

Il marche. Devant lui il y a une femme qui pousse un landau d'enfant sans enfant; elle y a installé un gramophone, elle chante *la triste chose que perdre la vie quand on est femme hélas et jeune encore,* sur un air qui sort du pavillon, *O sole mio.*

La femme au landau ne quête pas, elle ne s'arrête pas pour quêter. Max arrive à sa hauteur. Il y a une soucoupe à côté du gramophone. Ils avancent tous deux sous les marronniers de la rue Royale. C'est la chanson d'une femme victime des Allemands, *triste chose* et *perdre la vie,* une victime anglaise, miss Cavell, Edith Cavell, de Norwich, devenue infirmière en Belgique; les Allemands l'ont fusillée, ils ont tué une infirmière, accusée d'avoir fait évader des soldats anglais et français; un peloton d'exécution, pour une infirmière. Toute la presse l'a raconté, miss Cavell est fière et forte, mort exemplaire, mais elle trébuche, elle plie les genoux, s'évanouit, dit le journal.

L'officier allemand qui commande le peloton lui décharge son revolver dans la tête. *L'Excelsior,* journal parisien de qualité, il sait tout, il voit tout, grand dessin pleine page. Sur la page d'à côté il y a une autre complainte d'actualité, à chanter celle-là sur l'air de *La Paimpolaise,* le neuvième couplet, *il faut venger cette héroïne, victime de cruels bourreaux, elle était sainte elle est divine, et brille au ciel de nos héros.*

Les héros on y pense aussi dans la première complainte, un autre couplet, *O sole mio,* viriles paroles, *la belle chose que donner sa vie, surtout quand on est homme et fils de France,* pour venger miss Cavell. Max ne croit pas aux détails que donnent les journaux mais il dépose une pièce dans la soucoupe, la jeune femme le regarde :

« Il faut bien, que je gagne ma vie maintenant qu'il est mort. »

Max presse le pas pour se réchauffer, ça lui fait drôle, la Madeleine derrière lui, la chanson de la femme, bobard, vérité, talapoins, il longe les rideaux rouges de chez *Maxim's*, beaucoup de sacs de sable empilés, devant lui l'Obélisque et l'Assemblée nationale, il est rue Royale, la place de la Concorde, les sacs de sable, le vent frais qui vient de la Seine, *O sole mio*.

C'est cela, la charge des dragons, un simple roulement de sabots, un trot soutenu d'abord, un trois cents pas à la minute mais pas longtemps, pour permettre aux suivants de regrouper au fur et à mesure qu'ils surgissent dans la clairière, l'ennemi à six cents mètres.

Les dragons sont bien plus que leur simple histoire, ils sont une arme moderne dit le règlement, un groupe devenu arme à force d'exercice. Ils ont l'entraînement, des trimestres et des trimestres d'entraînement au champ de manœuvres et au quartier, les reprises tous les jours, reprises de manège, reprises de carrière, reprises de sauteurs, avec les exercices, sur les cibles, les anneaux, les panneaux, les pantins et le plus terrible, le valet de bois pivotant sur un axe vertical avec une masse qui vient vous frapper dans le dos si vous ne vous baissez pas assez vite après l'avoir atteint, belles figures.

Et trois fois par an au moins on les exécute en public, un public heureux de voir son armée, des cavaliers fiers d'être en spectacle, de vaincre le valet de bois pivotant qu'on appelle le Boche, les jeunes officiers cherchant d'un regard qu'ils dissimulent sous leur visière la bonne fortune du soir, et d'autres la future épouse, la beauté bien sûr, et la dot d'au moins douze cents francs en rentes inaliénables sur l'État, le règlement de la République en a fait un seuil obligatoire, pas d'épouse à moins de douze cents francs de rente pour un officier. En 1885 autorisation de remplacer la rente par un revenu boursier de même montant.

La jeune fille de bonne famille aperçue dans les tribunes peut être revue le lendemain à la messe, ou sur le mail par le jeune officier en tenue, sabre au fourreau, porté en main gauche, dard en avant et gland en arrière, beaucoup de retenue, dard du fourreau, gland de la dragonne.

Ajoutez les permissions exceptionnelles accordées à *ceux qui ont le devoir de soutenir la réputation des dragons auprès des dames de la ville,* les dames, pas ces jeunes filles à marier, qui se savonnent une fois par semaine à travers leur chemise car on ne se met pas nue, qui ferment les yeux quand elles changent de petit vêtement, et se signent, ne regardent jamais leur nombril, mammifères à chignon qui mettent des corsets, des machins qui tiennent la gorge, abattent la croupe, pressent le ventre, tout ce qui tient la chair à l'abri des plaisirs trop précis, des bonheurs énervants, quand on porte un machin pareil mieux vaut oublier qu'on a un corps.

Quant aux dames, disait le capitaine Jourde parlant aux nouveaux lieutenants du régiment, ces bourgeoises de villes endormies sont sans pareilles, surtout quand elles sont mariées, notre camarade de Seyne pourrait nous en parler mais il est justement absent pour l'après-midi, une notairesse, une notairesse, ne riez pas, vous autres jeunes gradés vous n'avez pas encore compris, il vous faut des actrices, des danseuses, des écuyères, des femmes qui vous veulent pour le prestige, un peu légères, vous vous trompez, évidemment. Qui dira les pesanteurs de la femme légère qui veut se faire respecter? je me comprends, un geste de trop et c'est un tu me prends pour qui, et en plus elles vous coûtent cher, les actrices, et si elles paient filez, c'est qu'elles vous aiment, elles vont écrire à vos parents. La notairesse, elle, elle sait qu'elle faute, elle fait ce qu'elle a rêvé de faire, dès qu'elle vous a vu, c'est-à-dire bien avant que vous l'ayez repérée.

Excellente sentinelle la notairesse, voit tout à des kilomètres, oui, *concedo,* la femme légère sait tout faire, c'est vrai, mais froidement, et le plus souvent — même après deux ans de ménage — elle n'est pas très allante dans le détail, refuse de faire ce qu'on croit qu'elle est prête à faire, justement parce qu'elle sait qu'on le croit. Mais la notairesse, rougeur, audace, mordant, initiative, la bouche partout, Dutilleux, on ne rit pas quand un ancien convoque pour vous la vérité en costume d'Ève, la notairesse, personne ne lui a jamais dit en amour rien n'est interdit mais elle le sait, c'est ce qu'elle veut, l'interdit, elle le sait depuis toujours, profitez-en aujourd'hui, c'est le bon équilibre. Un jour, elles voudront de la tribade, les notairesses ; elles vous laisseront sur place. Aux notairesses, messieurs, et à ceux qui les montent, de cinq à sept, et dans la joie.

C'était doux, l'eau sans trêve au bord du moulin, les naïades, la demeure accueillante, trois roses à demi rouges, roue du moulin, écume de l'eau, Lena me regardait en chantant *que ne puis-je tourner toutes les meules pour que la belle meunière remarque ma constance*, et l'envie me prenait, la meunière est à moi.

Une fois par semaine, depuis le mois de février 1913, Lena et Hans faisaient le voyage de Waltenberg à Lucerne pour la leçon de chant chez madame Nietnagel. On s'installait au salon, je veux voir les canines disait madame Nietnagel, une dame volumineuse et sucrée, avec des yeux de crocodile. Lena montrait les canines en chantant, Hans gardait tout son sérieux. Madame Nietnagel était à la fois respectueuse et impitoyable. Elle aimait Lena, lui trouvait du talent. Les dollars n'étaient pas en cause : madame Nietnagel avait du bien, elle ne prenait des élèves que pour ralentir la vieillesse. Elle les aimait. Mais quand Lena résistait à l'une de ses remarques, madame Nietnagel disait calmement :

« Je ferai encore une petite remarque : ne bégayez pas des mains et mettez moins de menton, vous n'avez pas un petit menton, évitez donc de le projeter, et surveillez votre ventre. »

On faisait une pause. Madame Nietnagel souriait, racontait des anecdotes, servait le thé dans des tasses roses, avec de petits sablés. Lena reprenait *mon cœur est trop plein...*

Ce soir, dans la clairière, fini les exercices, le ciel prend des tons cerise, cavaliers par rangs de six, les sous-offs en serre-file, mes maréchaux des logis sont tous des hommes de guerre, tous vieux rengagés, cela fait plus de quarante ans que la cavalerie attend ça, fondre sur le vrai Boche, au nom de l'Alsace, de la Lorraine, au nom de toutes les cavaleries du monde, pour faire oublier la réputation d'inutilité que toutes les cavaleries du monde traînent derrière elles depuis cinquante ans, depuis la charge d'une brigade légère à Balaklava, quand les hussards anglais sont tombés sous le feu des batteries russes, la guerre de Crimée, on en a fait un poème pour les enfants et les jeunes filles mais tous les cavaliers du monde savent que le chef du corps expéditionnaire, lord Raglan, n'a eu pour les hussards anglais que cette oraison :

« Voilà ce qui arrive quand on oublie que la cavalerie, c'est seulement fait pour ramasser des prisonniers ! »

C'est la première fois que les dragons du 12e vont vraiment charger depuis le début de la guerre. Jusque-là ils ont participé à des escarmouches, fait beaucoup de reconnaissances, connu des pertes inutiles en attendant sous l'obus qu'on leur donne un ordre, n'importe lequel, mais c'est la première fois qu'ils ont l'honneur de charger par saint Georges, en formation complète, pour oublier aussi les paysans, avant-hier, qui ont refusé de leur vendre à manger.

« On n'a plus rien !

— Tu parles ! mon lieutenant ils veulent tout garder, il n'y a qu'à leur chauffer les pieds !

— Non, la devise, *L'occasion de resplendir,* en selle ! »

Max, plus loin, plus tard, d'autres blessures, dans les tranchées, le front de la Somme, il voit arriver des fumées brunâtres, à côté de Max le commandant comprend plus vite que d'autres, repli, en courant. Quelques hommes ont commencé à tousser, un coup de vent latéral venu de la mer a sauvé Max, son commandant et leurs hommes, mais il a fait beaucoup de dégâts un peu plus loin.

C'est une autre guerre qui commence, a dit le commandant, il croyait avoir tout vu en Algérie, vingt ans auparavant, les grottes, après qu'on avait mis le feu à des bottes de paille devant l'entrée, les vieux coloniaux appelaient ça chasser le crouillat, une vieille tradition dans le pays, la fumée, une bonne grosse toux, comme pour les taupes, cinquante ans qu'ils ne comprennent que ça, les coloniaux répétant *notre Pélissier avait raison, il a eu la paix,* une fois, en fond de grotte, une petite faille, un courant d'air, les sauvages s'y étaient agglutinés, femmes, enfants.

Deux ou trois seulement auraient pu respirer par là, écrasés par les autres pendant que la chimie du feu de paille transformait les poumons de sauvages en bouillie de flamme rouge, quelques hommes avaient tenté de sortir, les fusils attendaient.

« Pas de prisonniers, avait dit le colonel, personne, ils n'en font pas non plus, souvenez-vous des camarades retrouvés avec les choses dans la bouche, et puis la ferme des Morin, toute la famille, il faut faire des exemples. »

Le jour où un lieutenant a demandé si les exemples ne devenaient pas trop nombreux au point que dans le secteur il n'y aurait bientôt plus personne pour les suivre, il a pris un mois de forteresse pour insubordination, en fait simple mutation à Paris car il portait un nom à six siècles et demi, trop grand pour de la forteresse, même républicaine.

« C'est pour ça que malgré mon ancienneté je ne suis que commandant, mon cher Goffard. »

Après les gaz, deux semaines de repos puis de nouveau le front. Dans une de ces tranchées de plus en plus savantes et profondes que les hommes alignaient pour mieux disparaître, dans le calme qui suivait un énième bombardement des lignes adverses, le commandant à six siècles et demi a longuement parlé à Max, la voix sourde et précise de celui qui a bouclé la boucle :

« Avant la guerre, Goffard, j'ai tué un homme, en duel, juste après la mort de ma femme. Une lettre d'amant dans un tiroir, ça racontait des rendez-vous, jamais je n'aurais dit à une femme le centième de ce qui était écrit. J'ai retrouvé l'auteur de la lettre et je l'ai tué en duel, je lui ai foutu ma lame là où je voulais, à travers la gorge. Avant-hier j'ai reçu un mot de ma belle-sœur, elle veut défendre la mémoire de ma femme, elle n'y tient plus, elle dit que sa sœur était innocente, que j'ai tué pour rien.

« Pourquoi je vous raconte ça ? Les deux casemates boches, en face, ils appellent ça des blockhaus, c'est tout neuf, bien propre, vous voyez comme le bombardement leur a fait peu de dégâts ? Il paraît que les Boches les fabriquent avec du ciment anglais, vous vous rendez compte, plus d'un an qu'on est en guerre, du ciment anglais chez les Boches, on se demande comment. Dans vingt minutes je vais donner l'ordre qu'on vient de me transmettre, notre infanterie fera une sortie *résolument offensive* sur des blockhaus allemands en ciment anglais, à la baïonnette. Un ordre idiot, Goffard, *résolument*, saloperie d'adverbe, la mort pour rien, comme d'habitude.

« Et si ma belle-sœur a raison je n'ai même pas changé de rôle. Vous me suivrez avec la deuxième vague, vous pourrez faire retraite si c'est trop dur. Vous irez voir ma belle-sœur ? Vous trouverez ses coordonnées dans mon barda, n'attendez pas, elle vous expliquera ce qui s'est passé. Je ne serai plus là pour l'apprendre mais si elle sait la vérité il va falloir quelqu'un pour l'écouter. Vous lui direz que j'ai toujours aimé ma femme. Vous sentez cette douceur dans l'air ? C'est le moment d'aller se mettre à la queue derrière les morts. Allez préparer les hommes. »

Quelque part en Europe, ou chez elle, de l'autre côté de l'océan, la femme que veut retrouver Hans lui tendra la main, il sera devenu bien meilleur qu'il n'était, la guerre sera finie, elle chante en le regardant, *ah, si je pouvais tourner toutes les meules pour que la belle meunière remarque ma constance*, pourquoi s'étaient-ils séparés ?

Quelques incidents, sans plus. Comme ce jour où, Hans

voulant prendre congé, elle n'avait rien dit, elle l'avait vu regarder sa montre. Hans n'a jamais su regarder sa montre avec désinvolture ou discrétion, il le fait en essayant de dissimuler son geste, la main négligemment placée près du gousset, et en même temps il fait tout pour qu'on le voie, parce que cela ne se fait pas de dissimuler, il le fait de telle sorte qu'on le voie en train d'essayer de dissimuler mais pas au point qu'on puisse absolument le prendre sur le fait sinon ce ne serait pas de la dissimulation ; la main coupable glisse sur le tissu du gilet, le pouce a l'air de seulement prendre appui sur la fente de la petite poche, les autres doigts sont déjà plus bas, on ne saurait les soupçonner de vouloir s'emparer d'une montre dans la poche, la main glisse, la réprimande va jaillir.

Hans n'en donne pas l'occasion, il attend d'être dans le dos de son interlocutrice pour regarder sa montre.

Et celle qui l'a vu porter la main à la poche de son gilet est en général obligée de garder pour elle ce qu'elle ne peut pas voir, elle est prise par le doute, elle s'est peut-être trompée, cela joue sur son humeur, trouver un autre reproche, dos tourné, elle regarde par la fenêtre, le petit jeu de celle qui souffre et de celui qui s'ennuie, elle lance :

« Tu n'as pas l'air d'être là. »

Cette fois Lena avait vu le geste, et la main de Hans s'était immobilisée, prise sur le fait au lieu de glisser, Lena avait lancé en français :

« L'exactitude est la politesse des rois... »

Était-elle à ce point vexée ?

Encore plus loin, plus tard, un an, trois ans plus tard, en pleine guerre, en fin de guerre, on ne sait plus, Hans a vu un camarade revenir de la ligne de feu en portant une partie de son ventre dans ses mains, et il a pensé aux premiers mois de la guerre, au jour où il avait failli être transpercé par un sabre de dragon français, puis, devant son camarade blessé, il s'est souvenu du roi Renaud, il a pensé, presque chanté en français, dans la langue qui a toujours eu cours dans sa famille — et peu importait qu'on fût au bord de la Baltique, à Rosmar, dans un Reich qui se faisait de plus en plus entendre dans sa vraie langue, le français de Racine, de Stendhal et même de Tallemant des Réaux faisait partie de ce qu'on devait savoir respirer quand on était honnête, les jeunes gens s'échangeaient même des mots d'argot parisien — devant son camarade qui rentrait en retard, Hans a pensé *de guerre revient*, en français, en chantonnant, en coupant le mot pour la mesure, *de gue-erre revient*, malgré tout ce qu'on avait dit sur la France ces derniers temps.

Et le camarade qui se tenait les tripes comme Renaud voulait continuer à marcher sac au dos comme il avait marché naguère, au temps de la paix, les vendanges, avec sa hotte qui faisait clair dans les vignes, à Grindisheim, sous le soleil, il avait marché pour victorieusement combattre la fièvre qui l'avait pris un soir à la veillée entre la porte et le grand feu, parce que la marche guérit tout, marché comme Renaud avec ses tripes.

Et deux jours après le blessé écrirait à sa femme :

« Je ne peux plus marcher, je souffre quand on m'enlève des morceaux d'os ou de fer, personne ne sait, on m'a fait un lavement qui n'a servi à rien, je suis très mal, je n'ai rien voulu te dire dans ma lettre précédente ma chère femme, je ne voulais pas te vexer. »

À Monfaubert les dragons sont dans l'action, avec tout ce qui donne du cœur au ventre, la gloire, la Patrie, les cris du maréchal des logis, la revanche, un seul corps, avec la gueule anxieuse, fripée d'angoisse, de ceux qui ont déjà vu le feu, grimaces nerveuses, les officiers remontent les rangs pour faire passer une part de la comédie qu'ils se jouent, souples, et droits dans leurs bottes, la main légère, petit sourire d'exaltation, et commandements vieux de trois siècles, *lance basse* ou *sabre au clair*, à trois cents pas des Prussiens le capitaine a crié :

« Pour l'attaque ! »

Aller franchement à l'ennemi, sans barguigner. Une centaine de dragons, paysans soulevés de terreur, soulevés quand même, la colonne se lance vers l'endroit où l'on crève, ce n'est pas l'agencement le plus satisfaisant pour l'œil et l'âme, celui des deux grandes lignes de vingt cavaliers chacune par peloton, avec les pelotons eux-mêmes décalés en échelon pour ouvrir largement le champ, ici le capitaine les a rangés en colonne par rangs de six pour réduire la cible offerte au feu ennemi, moins spectaculaire mais rien n'y change, se lancent comme à la parade, au son des trompettes d'escadron, pour se défriper la gueule, pour tout solder, venger Sedan et Reichshoffen, oublier qu'une fois de plus la bataille a lieu en France, qu'une fois de plus, comme disent les grands journaux, l'armée allemande *a été aspirée par l'espace national.*

Face aux dragons, les sentinelles allemandes n'ont pas encore compris. Elles voient une masse colorée se détacher sur le fond de feuillages et de troncs, elles entendent des trompettes qui s'énervent, l'air n'est pas allemand, le grand galop à trois cents mètres, les dragons comme aux grandes manœuvres, la charge finale, devant la tribune, quand la vitesse arrache aux spectatrices des cris semblables à ceux qu'on entendait dans les tournois. Plusieurs dragons tombent pendant la course, et personne cette fois pour les secourir malgré les hurlements qui leur montent des tripes. Les autres foncent sur les camarades de Hans, les sentinelles du soir qui ne guettaient jusque-là qu'une odeur de pois au lard et de patates charbonnant sous la braise. Hans ne perçoit que des coups de feu et des cris, et il a honte.

Et Max, autre lieu, autre date, a vu partir vers les blockhaus son commandant qui lui a dit une dernière fois :
« Allez voir ma belle-sœur, dites-lui que j'ai été frappé d'une balle en plein front, et écoutez son histoire, celle qu'elle veut raconter sur ma femme. »
Un avant-dernier, un dernier coup de gnôle pour tout le

monde, et le commandant sort de la tranchée, à la tête de ses hommes, pantalons rouges, manteaux bleus, tout le monde en tirailleurs, zigzag dans le grand calme qui se fait quand les tireurs en face en sont à ajuster leur visée, avant les cris d'assaut qu'on pousse pour oublier, Max a vu passer avec la guerre, mêlé à elle comme la vigne à l'ormeau, tout ce qui l'avait devancée quand la mort s'appelait encore accident ou catastrophe, quand les deux trains se sont télescopés aux environs de Melun, des passagers zigzaguaient entre les flammes puis retombaient dans le brasier qui illuminait un chaos de formes imprécises, wagons éventrés, rails tordus, ballast amoncelé, et au-dessus de tout cela, la locomotive du rapide qui se dresse, énorme, cabrée, laissant échapper des jets de vapeur.

À côté du commandant marche Lazare, tailleur pour dames, il a écrit à ses enfants d'éviter tout chagrin à leur mère, il fait rire la compagnie avec ses blagues qui devancent celles de ses camarades :

« Quand je suis sûr je parie, quand je ne suis pas sûr je donne ma parole d'honneur. »

Il rit avec eux, d'un rire qu'il a provoqué, et le rire des tranchées est pour monsieur Henri Lavedan, académicien français, un rire exceptionnel :

« Il apaise la faim, rassasie et désaltère, quand on n'a rien que du Boche à se mettre au creux de l'estomac ; d'ailleurs le soldat français ne pourrait pas se passer de rire, au combat comme à la fête, il faut qu'il aille à gorge déployée, il a commencé à rire le jour de la mobilisation, allez, les joyeux, les pinsons, les lascars, riez, chantez, dansez ! »

Lazare était dans l'artillerie, il s'est fait muter ici pour être plus près du feu, c'est ce qu'il faut, disait-il, quand on est français depuis deux générations seulement.

Max sait que Lazare va tomber, nous avons tant vieilli en si peu de mois, la mort se lève au milieu de la jeunesse comme la jeunesse elle-même, ivre de joie, et la vie devenue stérile s'avance en chancelant dans ses manteaux sales à la rencontre de sa fin. Max est sur le seuil, il regarde, tout chose, comme on peut aussi être tout chose en sachant que dans trente ans la femme de Lazare ne reviendra pas de Ravensbrück.

Tous les jours qui ont précédé cette sortie résolument offensive contre les blockhaus, Lazare a écrit à sa femme, il a même rappelé dans une lettre :
« Les gourmandises que je préfère sont tout d'abord les biscuits et les cakes, puis le chocolat, le miel, les oranges et les bonbons acidulés, nous avons trois exercices obligatoires par jour, la gymnastique, la baïonnette et la chorale, on nous apprend *La Madelon*. »
Max voit s'éloigner Lazare, les fantassins, les camarades, le commandant, en rouge et bleu, on en avait fait un sujet de discussion, ces couleurs, ce rouge surtout, ne permet-taient-elles pas à l'ennemi de trop bien repérer nos soldats ? contrairement à certaines allégations, l'argument n'avait pas été ignoré mais une remarque — s'ajoutant au souci qu'on avait de préserver la production nationale de garance — avait tranché de très haut :
« Dans la tenue du soldat français, l'inconvénient des cou-leurs éclatantes est largement compensé par l'ardeur qu'elles lui transmettent. »

La légende, par saint Georges, 4 septembre, les dragons du 12e chargent à travers la clairière de Monfaubert. Trois pelo-tons de cavalerie, avec la trouille, la chamade, les trompettes, avec tout l'équipement de bataille, tout ce qui finira par disparaître, culotte garance à passepoil bleu céleste, tunique bleu foncé à collet et pattes de parements blancs, trèfles d'épaule en fil blanc, écusson bleu, boutons d'argent, chiffres rouges, casque d'acier poli à cimier, crinière noire, rouge pour les trompettes, jugulaire de laiton, housse cachou, hou-seaux noirs et cuirs bruns, bourgeron, surfaix, troussequin à palette, manteau roulé sur soixante-six centimètres, faux siège en tissu de sangle, contre-sanglons rivetés, pétard explosif, poche-à-fers et clef Marbach.

Cent vingt kilos par cheval avec le cavalier, une centaine de paysans à cheval, emmenés par des officiers à particule, pas tous, mais donnent le style, n'ont pas besoin d'être distants avec les hommes pour se faire obéir, et les paysans n'ont pas besoin de s'humilier pour rester à leur place, une vraie société celle-là, avec des valeurs, à quelque chose malheur est bon, les officiers n'ont pas trop le souci des hommes, ils connaissent mieux leurs chevaux, pas tous, les plus durs ce sont les sous-officiers.

Tout le monde en a marre de ces deux mois de marches, contremarches, retraites, nuits sans desseller, on dort casque en tête et bride à la main. La trouille vient petit à petit, pas au début, au début, c'est encore la légende, la nouvelle charge à Reichshoffen, dans la victoire, on disait *ou la mort* car on n'avait pas encore très bien vu la mort, audace, personne ne flancherait, on se foutait des gendarmes à cheval, en rideau derrière les premières lignes, prêts à ramasser les fuyards, on racontait le colonel de gendarmerie en 1870, avant la charge :

« Gendarmes, souvenez-vous que vous êtes pères de famille et propriétaires de vos chevaux ! »

Les gendarmes, juste bons à faire des emmerdes au pauvre type qui ne retrouve plus son unité après une attaque ratée !

La trouille est venue petit à petit, à rien foutre à cheval sous le canon, à se faire chambrer par les cyclistes et les fantassins, même ceux de la section des cerfs-volants, à penser aux gosses, ordre de traverser la route, comme la semaine dernière, ordre envoyé bien avant que les Allemands mettent leurs 77 en batterie, il faut pourtant traverser, c'est seulement après la traversée qu'on reçoit l'ordre de se replier, donc il faut retraverser sous le feu des mêmes 77, les ordres ça s'exécute, le bordel.

Alors à Monfaubert les cavaliers chargent pour montrer qu'ils sont bons à autre chose que de ramasser les prisonniers ou à servir de cible aux 77 des Allemands, ils chargent parce qu'ils se font dire de plus en plus souvent :

« Tu t'es trompé de guerre. »

Ils vont livrer et gagner une bataille comme il n'y en a jamais eu, vous allez voir ce qu'on en fait de votre guerre moderne, ils chargent pour la légende, ça c'est le capitaine, les lieutenants, quelques hommes.

Les autres, c'est parce qu'ils sont là, alors autant charger parce qu'on rêve, changer la trouille contre du rêve, pour un instant, comme les jeunes gens de la garde du tsar chargeaient à Austerlitz, pour faire dire à Napoléon : *Ce soir, beaucoup de belles dames vont pleurer.*

Hans bâillonné et ligoté se recroqueville sur la mousse et les feuilles mortes, on va le tuer, comme Johann, non, il est prisonnier, on ne tue pas les prisonniers, Hans en est à peu près sûr, on ne leur coupe pas non plus les oreilles avant de les tuer, on respecte les lois de la guerre, on respecte les prisonniers et la Croix-Rouge, aucun officier n'oserait encore lancer à ses hommes :

« Pas de prisonniers ! »

Hans ne va pas mourir, *das Wandern*, il marche vers un moulin, vers une femme qui chante une chanson de moulin, c'est immortel, même les pierres lourdes entrent dans la ronde, *laissez-moi partir en paix et marcher*, ruisseau où allons-nous ? plus loin madame Nietnagel, sa voix de professeur habitué à être écouté c'est-à-dire obéi dans la seconde, elle parlait de jalousie et de colère contre le chasseur, vous êtes courroucée, vous devez être courroucée chère mademoiselle Hotspur, il y a du cor de chasse dans votre voix, la mélodie résiste au chant, écoutez, écoutez, écoutez bien le piano, on joue ce qui est écrit, *staccato*, le piano est *staccato*, la voix reste liée à la main droite du piano, ne partez surtout pas, c'est très bien, c'est rapide mais on ne s'emballe pas, on va vers l'aigu, les doigts très boudinés de la Nietnagel sur le clavier, petite main, des déplacements très vifs, elle disait ce *Lied* du chasseur c'est presque un exercice, tout le premier mouvement dans le grave, mais on ne tasse pas, et on n'assombrit pas, et le deuxième mouvement dans le moyen !

Le visage de madame Nietnagel s'illuminait, elle poursuivait sur sa lancée :

« C'est le plus difficile, on croit qu'on va pouvoir reposer la voix mais c'est le plus difficile, et quand on est bien lancée on va vers l'aigu, *scheut,* elle s'effarouche, la note la plus haute, et *forte* »

Madame Nietnagel se tournait vers Hans, avec un air complice qui était pour elle le comble de l'égrillard :

« Une chevrette effarouchée par la barbe du chasseur, ne contractez pas ! »

Les doigts de madame Nietnagel se posaient sous le buste de Lena :

« Les côtes bien souples, et quand on descend il faut avoir des réserves de souffle sinon c'est l'estomac qui sort, pas très beau n'est-ce pas ? »

Elle disait cela en regardant Hans.

Une guerre où on ne tue pas les prisonniers, les officiers sont eux-mêmes trop occupés à mourir glorieusement à la tête de leurs troupes, balle en plein front, petit trou net, presque pas de sang, juste le point rouge qui sur les tableaux de peintres habiles fait office de point d'appel. Les officiers meurent pour la légende, ils ne vont pas entacher cette gloire d'un ordre obscène en faisant tuer des prisonniers ou des blessés, le président Poincaré a parlé, le jour de l'entrée en guerre, de *l'éternelle puissance morale du droit, que les peuples non plus que les individus ne sauraient impunément méconnaître,* les lieutenants et capitaines meurent comme Péguy, le 6 septembre à Villeroi, pour le droit, et d'une balle en plein front.

Péguy avait demandé qu'on fît taire Jaurès et son pacifisme *à l'aide des tambours de la guillotine.*

Les officiers entrent vivants dans la légende, même quand on ne retrouve pas leur dépouille, comme Alain-Fournier, disparu au combat, avec tant d'autres, sa mort c'était le mot d'un soldat rescapé :

« Le lieutenant est mort ! »

Puis beaucoup de phrases, Alain-Fournier est mort, la littérature blessée à jamais, la fin de notre enfance, les arbres de Sologne sont en deuil, la communale est morte, la salle de classe à goût de foin et d'écurie, tout, la maison rouge, les vignes vierges, la lampe au soir, Noël, ballots de châtaignes, tout, les victuailles, enveloppées dans des serviettes, et les odeurs de laine roussie quand un gamin s'est réchauffé trop près de l'âtre, pas de corps identifié. La dépouille de Fournier manquait à l'appel.

« Henri Alban Fournier (dit Alain-Fournier) *meurt frappé au front* », affirme son beau-frère Jacques Rivière qui tient cela d'un homme.

« Il tombe frappé au front », raconte Paul Genuist.

« Une balle au front, dans une action héroïque », précise Patrick Antoniol.

Saint-Rémy, trois semaines après Monfaubert, la balle au front, c'est l'ordonnance de Fournier qui le dit, un nommé Jacquot, il a tout vu :

« Au front, tué net. »

Fournier avait écrit :

« J'ai choisi une ordonnance, un zouave, le genre crapule et débrouillard, campagnes au Maroc, deux dents démolies par les balles, je crains qu'il ne soit hâbleur. »

Jacquot a ajouté :

« Quand je suis revenu, le lieutenant était tout froid. »

La balle au front, la sœur de Fournier n'y croit pas, Henri n'est pas mort :

« Jacquot a inventé la balle en plein front, il avait dit à mes parents « je veillerai sur le lieutenant », il n'était pas à côté, il était derrière. »

Mais la maîtresse de Fournier, Pauline Benda — en janvier, au théâtre, elle jouait Régine dans *La Danse devant le miroir,* avec une science surprenante des graduations — Pauline Benda ajoute :

« À l'heure précise où Henri fut touché, je ressentis au

milieu du front une douleur soudaine, comme due à un coup porté du dehors. »

Dans la guerre qui ne finit pas, un an, non, beaucoup plus, une autre fois, Hans a très faim, très soif, un jour il crève de soif dans un trou dont il ne peut sortir, il arrache les dernières poignées d'herbe, il mâche, la terre craque sous la dent, il continue à mâcher.

Il se promet de ne plus jamais s'énerver quand tout sera de nouveau en ordre, après la guerre, les arbres, les allées, la femme qu'il aura retrouvée, les promenades, il ne s'énervera plus quand leurs chevaux tireront sur les rênes et tendront le museau vers l'herbe que la fin du jour commence à couvrir de rosée, Hans regardera Lena, ils profiteront de l'heure.

Henri Alban Fournier, mort à la tête de la 23ᵉ compagnie du 288ᵉ régiment d'infanterie. Balle au front, visage sans reproche. Rémi Debats, autre soldat, a vu Fournier frappé d'une balle.

« Mais pas au front, *à la poitrine,* tué sur le coup. »

Un autre encore, Zacharie Bacqué, sergent, voit Fournier mener l'assaut à travers bois, sous les branches basses, foulant les orties, écrasant les valérianes comme le faisaient Seurel et ses compagnons du *Grand Meaulnes*, Seurel lui-même à la lisière du bois *comme une patrouille que son caporal a perdue,* dans les voies d'herbe verte qui coulent sous les feuilles, on court, pantalons rouges et manteaux bleus, pour faire irruption, comme on courait le gibier dans les bois de Sologne, les groseilliers vous agrippent la manche, *brusquement,* disait Seurel, *je débouche dans une sorte de clairière qui se trouve être un pré.*

Le capitaine de Gramont et le lieutenant Fournier *tirent des coups de revolver,* Bacqué voit Fournier *à terre sans vie,* il entend une voix convulsée, c'est le sous-lieutenant Imbert blessé à mort, il crie *maman,* Bacqué ne lui dit pas comme Robinson à un autre gradé mourant :

« Maman, elle t'emmerde. »

Il se contente de tirer en direction des Allemands.

Maintenant c'est un Anglais, Stephen Gurney, qui décrit Fournier :

« Soudain, arrêté par une *blessure au bras* il tomba sur un genou et disparut à jamais. »

Fournier dans la clairière de Saint-Rémy, comme son héros à la fin du *Grand Meaulnes*.

À Monfaubert les dragons vont devenir célèbres, galop à fleur de terre, saint Georges, *l'occasion de resplendir* et sept cents pas minute, le pas de cavalerie réglé à quatre-vingts centimètres, le destin qui fait déjà jouer ses muscles, à soixante pas des Prussiens le capitaine Jourde se dresse sur les étriers, pleine voix :

« Chargez ! »

Cri répété par tous les officiers. Certains cavaliers se redressent pour se rendre plus impressionnants à l'ennemi, baissent la main, enfoncent les éperons. Un cheval trébuche, trou de lapin, il tombe, sur son cavalier. Le feu ennemi éclate, encore dispersé, peu efficace. Dans la charge à six rangs de front, le premier rang seul est nettement exposé, il couvre en partie le reste de la colonne, des chevaux ou des hommes sont touchés, les coups foudroyants sont rares, un cheval blessé ça court encore assez pour venir s'abattre sur l'ennemi, nous avons retrouvé l'allant, le perçant, le mordant, galop de colonne, la queue pousse la tête, ceux qui tombent ne sauraient ralentir la masse écrasante, nous avons cessé d'être bons à seulement ramasser la racaille, ma jument tire à pleins bras, couché sur l'encolure je vise de la pointe, douleur au ventre, à la poitrine, chaud et froid, un dragon pour la première fois depuis des années qu'il a appris à monter à cheval tombe le pied coincé dans l'étrier, bloc de trouille traîné sur l'herbe par un animal qui tient à dépasser les autres.

Fournier n'est pas mort, le capitaine Juvin l'a vu, blessé, il l'a dit aux parents du lieutenant Fournier :

« Je puis vous assurer qu'à l'endroit où il tomba une ambulance allemande se trouvait postée.

— L'ambulance allemande, dit Isabelle, là continuait de résider tout l'espoir. »

Et tous s'accordent : le capitaine Boubée de Gramont a lancé une attaque inutile et dangereuse, il disait :

« Il faut absolument aller chercher les Boches. »

Témoignage du soldat Angla :

« Des sentinelles nous avaient avertis, c'est plein de Boches. Le capitaine était maboul, il avait dit j'ai le *black-rot* chez moi, confessez-vous mes amis, à ma compagnie on est tous pour mourir. »

Fournier se repliait avec ses fantassins quand le capitaine le fit repartir vers l'ennemi.

Soudain, cris, tumulte :

« C'est un poste de secours allemand qui vient d'être surpris », dit le soldat Bacqué.

« J'ai un capitaine vachard et ennuyeux à pleurer », disait Fournier.

Une ambulance.

Attaquée dans une action *désespérée et héroïque*. Le capitaine de Gramont, les lieutenants Fournier, Imbert et leurs hommes face à une ambulance, croix rouge et brancardiers allemands.

Trompettes, galop de Monfaubert, la terre vibre, Hans ne voit rien, il entend. Un cavalier français resté en réserve s'approche de lui, Hans bouge, l'homme met la main sur son sabre, une voix dit *non*, un mauvais rêve, se réveiller, changer de rêve, pas de sabre, rien n'est vrai, Hans tremble, je sais pourquoi j'ai quitté Hans, parce qu'il n'était jamais là, physiquement il était là, il m'appelait Lena, souriait quand je le regardais, mais il n'aimait pas être là, ou plutôt il n'aimait pas celui qu'il était en étant là, il m'appelait Lena mais ce n'était

pas tout à fait Hans, il me donnait toujours l'impression que
j'avais affaire à un délégué, il m'envoyait un délégué, beaucoup moins intéressant que lui, que l'être qu'il se promettait
de devenir, et ce délégué ne s'intéressait à moi que maladroi-
tement. Et moi dans cette histoire je devenais moins désirable, j'intéressais moins le Hans qui était devant moi que
celui qui viendrait plus tard, c'était un délégué qui nous
regardait, pour voir ce que nous pourrions devenir aux yeux
du Hans qui viendrait. Il ne me voulait pas comme j'étais, il
essayait de regarder sa montre, les doigts innocents vers la
poche du gilet, tout cela ce sont des cheveux en quatre, je
peux résumer en disant que c'était un casse-pieds, il n'essayait pas de me changer mais il me mettait en face de quelqu'un qui n'était pas vraiment là et pour qui je ne pouvais pas
être moi, c'était un gentil casse-pieds, énervant et adorable.

 La terre tremble, on ne va pas tuer Hans, cela ne se fait pas,
et c'est un rêve, changer de rêve, pense à ce que tu aimes.

 Quatre-vingt mille morts et deux semaines plus tard,
22 septembre, Saint-Rémy.

 « Le capitaine de Gramont n'écoutait rien, les lieutenants
Fournier et Imbert pleuraient parce qu'ils voyaient bien que
le capitaine nous menait à la mort », a dit le soldat Angla à
Jacques Rivière.

 Pour Rivière, Alain-Fournier n'a jamais attaqué d'ambulance. Le bois de Saint-Rémy est aussi appelé bois des
Chevaliers.

 Dans son fossé de Monfaubert Hans a peur et honte, il
regarde Johann, la tête à moitié tranchée, le sang a coulé à
flots du cou de Johann.

 L'ambulance qu'on attaque en courant, les ordres d'un
capitaine qui dit :

 « J'ai le *black-rot* chez moi.

— Crime de guerre français, disent les Allemands, les coupables ont été fusillés.

— Pas d'ambulance mais une charrette à brancards, dit-on côté français.

— Belle et grande et juste guerre », écrit Henri Alban Fournier à Isabelle avant sa mort.

Et à Pauline :

« Il ne faut rien penser qui nous coupe les jambes. »

Une ambulance attaquée par les Français, compte rendu du commandant Uecker, chef du 2ᵉ corps sanitaire allemand :

« À Saint-Rémy, un groupe d'infanterie française emmené par deux officiers a tué huit brancardiers et achevé les trois blessés de l'ambulance. »

Et le 24 novembre 1914, devant la justice militaire allemande, soldat Meerländer :

« Le 22 septembre j'ai vu les Français tuer les blessés sur nos brancards, les nôtres ont encerclé les Français et les ont fusillés.

— Faux, disent les officiers de l'*Association des amis de Jacques Rivière et Alain-Fournier*, jamais Alain-Fournier n'a été fusillé pour avoir attaqué une ambulance, et d'ailleurs ce n'était pas une ambulance mais une charrette à brancards. »

Chapitre 2

1914

LE LAC

Où la charge de la cavalerie française redouble de violence.

Où l'on compare l'œuvre du président Poincaré à celle des Pieds Nickelés.

Où l'on apprend comment Lena Hotspur était tombée amoureuse de Hans Kappler.

Où l'on s'interroge sur la vraie mort d'Alain-Fournier.

Où Hans et Lena entendent soudain craquer le lac sur lequel ils patinent.

MONFAUBERT, 4 septembre 1914

Cela nous submerge, nous l'organisons. Cela tombe en morceaux,
Nous le réorganisons et tombons nous-mêmes en morceaux.

Rainer Maria Rilke,
Élégies de Duino, VIII

Sept cents pas minute, Monfaubert, galop des dragons, six cents coups dans la même minute pour la cadence des mitrailleuses *Spandau*, deux mitrailleuses au moins viennent de se réveiller mais bien après le début de la charge, d'où viennent ces Français? les dragons galopent.

Colonne serrée, six cavaliers de front sur six rangs par peloton, trois pelotons, moins de trente pas de l'objectif maintenant, grand galop, emmenés par le Diable. Les mitrailleuses s'affolent, malmènent leurs trépieds, font des coupes claires parmi les cavaliers qui se rapprochent. Quelques Allemands, casquettes plates à filet rouge, courent, se décalent, manœuvrent des culasses, mettent à peine en joue, lâchent des coups à volonté, pas le temps de faire salve.

Certains passent en courant dans l'axe des mitrailleuses, prennent les balles dans le dos, la coulée des dragons est déjà sur eux dans un mélange de peur, de cris de rage déchiquetés par les coups de feu, coups de lance, coups de sabres, beaucoup de cavaliers ont gardé le sabre courbe modèle

1882, malgré la prescription officielle du sabre droit, le sabre courbe est à double fin, estoc et taille, superbes gestes, la pointe pour le premier choc, taille du tranchant pour la suite.

Dans la mêlée les coups s'abattent sur les servants d'une mitrailleuse, sur les têtes sans casque, sur les fusils portés en défense, tuer pour vivre, cris des Allemands, ou des cavaliers, on ne sait plus, on avance, on perce à l'arme blanche, au choc, à la vitesse, on saute ou on évite, faire trouée au plus vite, et frapper au cœur ou sombrer dans l'attaque.

Lena, Hans n'en est plus à l'idée de la promenade à cheval à la tombée du jour, il est avec elle à l'automne dans une maison à jardin, ils lisent ensemble des catalogues de fleurs et de légumes à répartir au printemps dans les plates-bandes, examinent les sachets de graines, les ouvrent, Hans mélange en riant les pois de senteur et le cresson, les fèves, les glaïeuls, les pensées, les épinards, elle lui tape sur la main, ils jouent ensemble à tout reclasser, ils sortent, dans le jardin, c'est le matin, ils font quelques pas, le soleil est encore un agréable disque rouge, une assiette embrumée.

Lena n'est pas morte, il ne va pas mourir, pourquoi s'étaient-ils séparés ? pas la vie. Un soir, elle n'a plus mis son dos contre son ventre.

C'était si doux avant. Ils se prenaient la main pour tourner ensemble les pages d'un magazine, les réclames, la mode même, faut-il adopter la jupe-culotte ? de grâce, mesdames, restons femmes, et laissons deviner par l'élégance de notre pied la finesse d'une jambe qu'enveloppe discrètement le bas de la jupe. Hans embrassait la jambe en remontant le bas de la jupe, hôtel *Waldhaus*, Waltenberg, 1913.

Une voiture, au centre du bivouac allemand de Monfaubert attaqué par les dragons. Une voix domine le combat, un *Offizier*, qui hurle, regroupe ses hommes. Il s'est installé sur le marchepied d'une voiture, il fait tirer par groupes, par directions, par salves, remettre de l'ordre, l'ordre est la moitié de la vie.

L'*Offizier* sait se battre, un colonial, il était à Waterberg, en Namibie, sept ans déjà, les troupes prussiennes contre les Hereros, toute l'ethnie rebelle refoulée dans la steppe d'Omaheke, pourchassée de point d'eau en point d'eau.

Et quand il n'y eut plus de points d'eau les sauvages creusaient des trous de quinze mètres pour essayer d'en trouver. Les patrouilles allemandes repérèrent beaucoup de squelettes autour des trous restés secs, quatre-vingt mille membres répertoriés de l'ethnie herero, et là-dessus quinze pour cent de survivants, 1907, début de siècle, oublié. La dureté du bilan herero s'explique, selon les milieux diplomatiques, par la relative inexpérience du Reich dans les affaires coloniales. *Les râles des mourants*, écrit l'*Oberleutnant*, Graf Schweinitz, *et leurs cris de folie furieuse résonnèrent dans le silence sublime de l'infini*. Sur son marchepied, l'*Offizier* se fait de plus en plus entendre et obéir.

Le lieutenant du 2e peloton de dragons français fait dévier de l'objectif et relance ses hommes vers cette voiture d'où partent les ordres, un cheval touché fait panache, cavalier vidé, les autres passent. Certains dragons sont maintenant entourés de Prussiens, les Prussiens se tirent dessus, s'entretuent, et tuent des dragons, les dragons entourent la voiture, *l'attaque à cheval et à l'arme blanche, qui seule donne des résultats décisifs, est le mode d'action principal de la cavalerie*, plus tard, des voix, n'aurait-on pas mieux fait d'attaquer à pied, et à la carabine ? moins de pertes, et l'ennemi vraiment décimé. Peut-être, mais moins de gueule. Avant l'attaque un des officiers français a même lancé *j'ai bien le droit de crever sur ma selle*.

Et l'urgence c'est de liquider à coups de bancal ce grand Prussien qui hurle des ordres. Devant la voiture un *Feldwebel* à casquette plate a ramassé une lance, couvre son officier, un dragon jette sa monture à gauche de la lance, le *Feldwebel* ramène sa lance vers le dragon qui s'écrase sur l'encolure de son cheval pour passer sous la pointe mais reçoit un coup terrible, au même moment son sabre rencontre la poitrine du Prussien, un autre dragon passe, choc dans les côtes, tombe sur les reins, tiré à terre à bout portant par un Prussien.

D'autres dragons ont reculé pour se relancer, reviennent sur la voiture et l'*Offizier*, un dragon tombe, un autre passe, sabre à bout de bras tendu, comme à l'entraînement avec les mannequins montés sur trépied, coup de pointe dessus vers la poitrine, la pointe rate la poitrine, trop haut, le tranchant passe à quelques centimètres du cou, réflexe d'entraînement, et le dragon ramène la lame vers lui en taillant, l'officier prussien se baisse, la lame lui scie l'oreille, la joue, toute la bouche.

Flot de sang, plus de cris, avantage du sabre courbe, coups de feu, le cheval s'abat, le dragon est indemne, trois soldats allemands se précipitent sur lui, ça hurle, le dragon sur ses jambes, il n'a plus de sabre, fuir, ne pas mourir dans cette saleté, la guerre est une saleté, le dragon hait la guerre, il est avocat, et bon cavalier.

Un soldat allemand le saisit par-derrière, lui fait une cravate, saleté de guerre, pas une parade d'honneur, la parade c'était avant, le cavalier ne veut pas mourir, saleté de guerre, revenir en avant, vite, tout refaire, le cavalier est avocat, printemps 14, on allait à la saleté de guerre, c'est là qu'il fallait tout arrêter, Poincaré élu président de la République, le cavalier ne veut pas de Poincaré, Fallières écœuré dit sur le perron de l'Élysée en voyant son successeur monter les marches, *Poincaré, c'est la guerre.*

Un autre soldat allemand a ramassé une baïonnette et tente de l'enfoncer dans le dragon que tient son camarade, Poincaré, homme de gauche, mais va-t-en-guerre, un républicain quand même, les républicains avaient entre eux désigné un autre candidat à la candidature, contre la droite, *le bon Pams*, les cochons de Français les ont surpris en plein repos, le Prussien tient mal sa baïonnette, il est mécanicien, pas vraiment tueur, Pams aurait pu faire un parfait président, Poincaré arrivé seulement second dans les suffrages du camp républicain, aurait dû retirer sa candidature, la coutume, mais on avait, paraît-il, outragé Poincaré, dans l'herbe de Monfaubert d'autres cavaliers tombent, crient, aucun secours, quand ce sera plus calme viendront quelques ambulanciers, des croix rouges, des scies, de l'eau de Javel, à Paris, dès 1912, sage précaution, les bonnes sœurs ont pu de nouveau travailler dans les hôpitaux, et elles ont appris à aider les chirurgiens qui s'entraînaient à opérer à la Javel, sans anesthésie, sur des pauvres.

La chair beaucoup plus claire, Hans regarde le dos nu de Lena, le tissu blanc rabattu jusqu'à mi-fesses, le massif de cheveux roux remonté haut au-dessus de la nuque, le grain de peau si fin sous la langue. Elle n'est pas morte. Une nuit, à Waltenberg, elle avait eu la chair de poule sur les fesses, ils avaient ri, elle avait eu un rire plus rauque qu'à l'ordinaire, plus profond, Hans, la joue posée contre sa hanche avait senti la puissance des muscles qui l'agitaient dans le rire, sa voix d'alto. Il voit la femme assise dans le contre-jour de la fenêtre, dos nu de trois quarts, le profil du sein gauche un peu lourd, qui jaillit comme un tremplin à la verticale du buste puis s'arrondit pour rejoindre le corps, il va se lever, se mettre à genou auprès du fauteuil, dire ne bouge pas et embrasser le sein à petits coups, ce n'est pas la dernière image qu'il ait eue de cette femme mais c'est celle qui doit le protéger de l'Enfer.

Le soldat allemand s'acharne sur le dragon de Monfaubert, il n'a qu'une baïonnette en main, il essaie d'enfoncer la lame dans la poitrine du dragon que son camarade cravate par-derrière, le dragon se débat, crie à l'aide, lance ses jambes en avant comme une danseuse de french cancan ou de tango qui aurait trop bu, la baïonnette l'atteint à la cuisse, aux mains, il saigne, le soldat allemand vise le cœur, la baïonnette glisse simplement sur les côtes, ça saigne de plus en plus, tout arrêter, Poincaré-la-guerre, l'élection de 1913, les républicains avaient désigné un autre candidat à la candidature, oui, mais l'outrage fait à Poincaré, quel outrage ? l'outrage lui avait donné la liberté d'aller chercher ses voix chez l'adversaire, à droite, les va-t-en-guerre, et ceux pour qui Dreyfus était encore un traître, Poincaré, la guerre, et prêt à tout pour être président de la République, traître, non, lavé d'obligation par l'outrage fait à sa femme par des ragots républicains, venus de son propre camp.

Dans le ventre ! hurle le Prussien qui tient le dragon parderrière, le sang gicle d'une estafilade au visage, le Prussien a de plus en plus de mal à serrer la cravate par-derrière mais le dragon avocat ne sait pas se battre au corps à corps, fléchir brutalement les genoux, mouvement du dos vers l'avant, faire passer par-dessus bord celui qui le cravate et l'envoyer sur la baïonnette du type en face, le dragon ne sait que donner des coups de pied à tout va, dans le ventre ! crie le Prussien, l'outrage, la femme de Poincaré n'était pas vraiment veuve aux États-Unis et son mariage civil avec Poincaré en faisait une bigame, une bigame à l'Élysée, mais l'Église était là, cardinal Andrieu, appuyant Poincaré pour la morale, pour la croix, pour la Lorraine et une promesse.

La baïonnette glisse, entaille même les mains du Prussien qui la tient, le dragon hurle à l'aide, lance ses jambes en avant, dansons, disait *Le Figaro*, puisque tout danse, les morts eux-mêmes se mettront au tango, la promesse d'un mariage religieux des Poincaré, bénédiction dans le semestre qui suivrait, qui suivit l'élection présidentielle, deux cavaliers français démontés se rapprochent en écartant les Prussiens, moulinets de sabre, le cardinal à l'œuvre auprès des députés et sénateurs catholiques, Poincaré, votez pour lui, il a changé de camp, son âme est avec nous.

Baïonnette enfin bien prise par le soldat prussien, putain, ne me laissez pas, la voix du dragon se casse, ses deux camarades tournent autour des Prussiens qui ne le lâchent pas, autour d'eux d'autres Prussiens arrivent, l'un deux se fait fendre le crâne par en haut jusqu'aux dents, un cheval blessé passe au triple galop, cavalier cramponné au pommeau, l'Élysée vaut bien un sacrement, le peuple est calme, il ira à la guerre, vous savez, même les condamnés de la bande à Bonnot avaient été exécutés sans faire aucun incident, il a suffi de leur tenir la tête par les oreilles, Poincaré-la-guerre élu président, un républicain mais qui s'était fait élire *par la réaction*, trahison !

Non, aucune trahison, la gauche avait, disait Poincaré, outragé sa femme, bon argument, volte-face et passage à droite, le Prussien qui tient le dragon par-derrière relâche sa prise, Poincaré président restaient deux espoirs de paix, le premier s'appelait Caillaux, devait devenir Premier ministre, il avait déjà écarté une guerre avec l'Allemagne.

Le dragon est presque libre, un autre dragon arrive sur le Prussien qui tient la baïonnette, la baïonnette entre au dernier moment dans le ventre du dragon qui se croyait sauf, toute une longueur de baïonnette dans le mou, le dragon hurle, le Prussien reçoit un coup de sabre, les autres dragons prennent leur camarade sous les épaules, fuir, coups de sabre en courant, à droite à gauche, les Prussiens n'insistent pas, les deux dragons voient la blessure de leur camarade, ne me laissez pas, Caillaux Premier ministre ce serait la paix malgré Poincaré président, et Henriette Caillaux, grand chapeau sombre à plume et manchon noir, tire six coups de feu.

« Je couvre ton corps entier de tendres baisers », avait écrit Caillaux à Henriette dans des lettres du temps où elle n'était que sa maîtresse.

Calmette, patron du *Figaro*, cinq ou six coups de feu, voulait les publier, ne risque plus, trois balles dont deux mortelles dans le corps de Calmette.

À Monfaubert, coup de baïonnette au ventre, plus lent

qu'une balle au front, seulement plus lent, les deux dragons français posent leur camarade à terre, tout arrêter, au printemps, il ne sait pas encore qu'il mettra quatre heures à mourir, Poincaré-la-guerre a remplacé Fallières, et Caillaux ne sera pas Premier ministre.

Une femme assise à l'aube à moitié nue, un fauteuil de cuir, un rouge un peu froid, le contre-jour, pense à ce que tu aimes avait dit sa mère, Hans sait qu'il n'aurait ni le temps ni le droit de se souvenir de ses amours alors qu'on l'a jeté dans un fossé et que ses camarades sont en train de se faire tuer, c'est tellement vif, images en éclairs, promenade du soir sur le chemin à l'extérieur de l'hôtel, quelques noms d'étoiles au-dessus de la neige, un bruit de ruisseau, donnez donc votre bras je ne risquerai pas de glisser, bras gardé pendant la marche, elle n'en fera pas plus, le retour vers l'hôtel *Waldhaus,* l'énorme masse dans le clair de lune, une folie *Belle Époque,* entre château bavarois et rêve démesuré de chalet, deux immenses chalets de huit étages posés sur une base commune, elle-même à trois étages, le dernier étage de la base commune étant occupé par les salons et la salle à manger, l'aile nord de l'hôtel s'achevant au bord d'un précipice, l'architecte ayant osé le geste de prolonger le socle de son bâtiment au-dessus du vide.

Vingt mètres d'avancée montée sur un appui de poutrelles ancrées dans le granit, support en équerre, plus solide que la tour Eiffel ou les piles du pont de Brooklyn, les balcons des chambres de l'extrémité nord suspendus au-dessus du vide.

Hans avait à son arrivée refusé une de ces chambres de l'extrémité nord, je suis ingénieur en constructions navales, je construis des formes qui vont sur l'eau, pas sur le vide, le directeur défendant son hôtel, il n'y a pas d'architecture sans geste monsieur Kappler, cette avancée c'est le geste de cet hôtel, sinon ce n'est qu'un énorme gâteau kitsch.

Le soir les grandes baies vitrées illuminaient la vallée. Ils étaient rentrés bras dessus, bras dessous.

Plus tard un *bonne nuit* devant une porte, la main de Lena Hotspur passe sur la nuque de Hans, Hans entrouvre les lèvres.

Il y a deux écoles pour le baiser, celle des cartes postales françaises *oh caresse suprême qui fond ce qu'elle touche le baiser sur la bouche est le don de soi-même,* et celle de la médecine moderne qui recommande, quand le baiser ne peut être évité, de le faire précéder d'un lavage de bouche avec un produit antiseptique.

Lena a pris Hans par la nuque et l'a pour ainsi dire poussé dans la chambre. Le lendemain matin Hans a ouvert le balcon et s'est rendu compte que Lena habitait une chambre à l'extrémité nord.

Au total, vingt et un corps dans la fosse de Saint-Rémy, en décubitus dorsal, deux rangées tête-bêche de dix corps chacune, le vingt et unième corps au centre recouvrant cinq des autres squelettes.

On y trouve aussi tout un lot de médailles religieuses, une alliance en or, un chapelet, des porte-monnaie, un briquet, une pipe, cartouchières et cartouches, des balles, des brodequins de réserviste modèle 1881, quarante et une sortes de boutons, un appareil dentaire, quelques crayons à encre, de nombreuses pièces d'or enrobées de papier.

Pour l'ensemble des corps les balles ont été tirées sous des angles différents, les blessures d'une guerre traditionnelle : mouvement, assaut, retraite, ce qu'on appelle une guerre de prince. Certains impacts laissent supposer des coups de grâce.

« Venez vite, avait-on dit à Michel Algrain, un jour de mai 1991, ça sonne tant que ça peut. »

Une tombe de soldats. Là où meurent les soldats il reste toujours assez de fer et d'acier métal pour les détecteurs à métaux : dix-huit soldats et trois officiers, un capitaine, un lieutenant, un sous-lieutenant. Les officiers ont des chaussures faites sur mesure, ils mesurent en moyenne dix centimètres de plus que leurs hommes. Plaques d'identité, le chiffre 288, numéro de corps régimentaire en laiton doré agrafé sur des pattes de collet, des galons aux avant-bras et aux épaules des trois premiers squelettes, plus aucun doute, Gramont, Fournier, Imbert, leurs hommes.

« On passe, dit un archéologue, de l'extrémité distale du membre antérieur droit à une main d'écrivain. »

Des traces de sous-vêtements tricotés à la main. Une superbe trouvaille d'archéologue amateur.

« Mais Michel Algrain, disent en 1992 les *Amis de Jacques Rivière et Alain-Fournier*, est allé trop loin. À quoi servent ces documents allemands ? Ces histoires d'ambulance allemande qu'il est allé chercher outre-Rhin ? Que monsieur Algrain se le dise, il n'est jamais innocent d'aller chercher chez l'adversaire les arguments pour charger nos frères de fautes qu'ils n'ont pas commises. »

Algrain sera exclu des cérémonies de réinhumation le 10 novembre 1992.

Pendant l'hiver qui précéda la guerre, Henri avait écrit à Pauline :

« Il y a quelque part un étang glacé où nous serions à patiner, un jardin blanc où je vous conduirais par le bras, une route où nous irions faire une longue promenade avant la tombée de la nuit et une chambre où maintenant nous serions assis près du feu. »

Un rêve d'amants. L'étang glacé, Henri et Pauline en courbes placides sur la glace, dans les familles on appelle ça un couple illégitime. Ils rêvent de coin du feu.

Ou alors ils ne parlent dans leurs lettres que de coin du feu et de promenade parce que ça ne se fait pas de parler dans des lettres de ces mouvements de rapaces qu'on fait dans une chambre à Paris en fin d'après-midi, l'homme parle ainsi pour faire plaisir à la femme ou bien c'est lui qui se rêve au jardin blanc et offre son rêve et peut-être ont-ils tous deux vraiment envie d'un bonheur à jardin blanc et coin du feu, parce que c'est ce qui leur est le plus inaccessible, non, ce qu'ils aiment vraiment ce sont les cinq à sept et les odeurs sombres et tenaces, alourdies d'un fond de pétrole quand il faut chauffer la chambre, mais on ne saurait offrir cela, ni l'écrire, on offre un jardin blanc, feu de bois, craquement de châtaignes, la compagne au fauteuil, à la fenêtre, dans un instant de repos, tournée vers le paysage, fenêtre innocente, le sein vu de profil, la neige a tout absorbé, seule remue légèrement sur la clôture la tache noire, blanche et bleue d'une pie qui vient de se poser.

À Monfaubert les dragons chargent, ceux qui ne sont pas encore tombés en cadence avec ce bruit semblable à celui d'une grosse machine à coudre, une Spandau comme il y en a des milliers dans l'armée allemande, une licence de mitrailleuse achetée aux Anglais, améliorée à la prussienne.
« La cible ne doit pas être seulement transpercée, a dit l'Empereur, mais déchiquetée. »
Les dragons chargent, dans un rêve, et ce qu'ils visent à la pointe de leur sabre, de leur lance, de leur rêve, ce sont d'autres rêves.

S'ils n'avaient eu que des troupes ordinaires en face d'eux ils n'auraient pas chargé.
En face d'eux il y a des rêves couleur de tourterelle, venus du fin fond des temps. Et sans ces rêves couleur de tourterelle il y a moins d'un mois pas de victoire allemande contre les Russes à Tannenberg, des rêves venus d'un labyrinthe vieux comme l'acte même de rêver mais ils viennent à peine de vraiment voir le jour.

Max n'a d'abord pas compris la mort de Calmette en plein bureau du *Figaro*, les raisons, pas les raisons d'Henriette Caillaux, une femme dont on veut publier les lettres a le droit de tirer sur le salaud qui veut faire ça, non, ce que Max n'a d'abord pas compris ce sont les raisons de Calmette, un homme si pondéré, si loin des scandales, il venait d'écrire dans son journal que *Le Sacre du printemps* était une atteinte aux bonnes mœurs et que Nijinski y avait de regrettables *gestes de lourde impudeur.*

Alors pourquoi publier des lettres privées? un procédé de journal à scandales, et dans *Le Figaro*! *Le Figaro* qui allait même jusqu'à condamner le tango pour son obscénité, une danse dite de salon où, ne l'oublions pas, l'homme avance une jambe entre celles de la femme. Calmette n'avait pas osé écrire ce détail en toutes lettres mais il l'avait donné à ses ouvriers, au marbre : *je ne laisserai pas ces cochonneries envahir nos familles!*

Et Max, dix ans après la guerre, se fera dire que Calmette d'ordinaire si prude et pondéré avait une grande raison de transformer son digne *Figaro* en canard à scandales et lettres volées, pas une raison politique, la folie plutôt, fou et amoureux fou, Calmette, amoureux d'une autre femme, une *femme de lettres* que Caillaux aimait aussi au point de vouloir divorcer d'Henriette. Résumons.

Monsieur Caillaux, madame Caillaux, monsieur Calmette, ajoutons une petite dernière, une *femme de lettres* : Calmette, amoureux fou et jaloux de la *femme de lettres,* avait déniché les vieilles lettres de Caillaux à sa femme Henriette et il allait les publier. Et la *femme de lettres* lisant les lettres à Henriette Caillaux se détournerait de Caillaux. Calmette allait liquider Caillaux, sa politique et ses vues, disait-on, sur une *femme de lettres* qui osait hésiter entre un homme politique et le directeur du *Figaro.*

Redoutable, cette femme de lettres, très vitriol dans la chantilly, un grand nom, une vraie langue, venin et poèmes, *tu as ta force et j'ai ma ruse ; ta force est d'être ce que j'aime.* Un ambassadeur, amateur d'hommes robustes, est sur le point de s'asseoir devant elle. Sur le fauteuil il y a un chapeau, ne vous asseyez pas, dit-elle, ce n'est qu'un chapeau mou. Femme de lettres à vrais poèmes, *jusqu'en mon cœur où vit ton sang,* plus tard maîtresse d'un homme marié, l'homme meurt, la femme de lettres se rend aux obsèques, très digne, deuxième rang, et quand on défile devant la tombe ouverte elle y jette sa cape.

Le tango, décide le Saint-Office, est une danse de l'enfer, ultime démonstration, faite devant Pie X, de cette danse impie par un couple de jeunes aristocrates romains, frère et sœur de haute moralité, ils veulent défendre le tango, quel tango dansèrent-ils? car le pape les plaignit de se livrer *à des figures très fastidieuses,* au Vatican on interdit malgré tout le tango, et trois au moins des coups de feu dans le bureau de Calmette font de Calmette un cadavre, d'Henriette une héroïne tragique dont on ne saurait désormais divorcer même pour épouser une femme de lettres, font de Caillaux une épave politique, et de la paix une cause sans autre ténor que Jaurès — que Péguy veut faire taire grâce aux tambours de la guillotine — et qui a ses habitudes, façade en boiserie et lettres d'or, au *Café du Croissant.*

C'était un beau jeune homme, il me disait *Lena je vous aime,* il mettait beaucoup de profondeur dans son regard, nous étions en montagne, il ne savait pas s'y prendre, sa nuque était douce, ça m'a donné envie de le pousser dans ma chambre, je l'ai fait, c'était très bon, j'ai pu dire *Liebchen* et *Hansele,* mais ce n'était pas de l'amour, c'était la montagne, j'aurais pu commencer à l'aimer un peu plus tard, quand Marie-Thérèse...

Il ne s'est pas abstenu de la regarder, j'ai été furieuse, je n'ai pas voulu qu'il soit à une autre mais cela ne suffit pas à faire aimer. On peut écrire des livres là-dessus mais ça ne suffit pas. Je l'ai trouvé très bête de la regarder comme il le faisait, elle prenait des allures de jument en saison, insupportable, lui il avait l'air niais, une femelle et un pataud, dans une cour de ferme, je ne lui ai même pas dit, d'ailleurs je ne l'aimais pas vraiment.

Il aurait pu faire ce qu'il voulait avec cette femme, ça ne m'aurait pas dérangée. Se mettre à aimer un homme parce qu'on le voit arranger sa cravate avant d'aborder une Marie-Thérèse, qui remue tout ce qu'elle a devant tout le monde, dans ses robes vulgaires, du liberty rose, un corsage en mousseline de soie rose, des perles roses, et ce qu'il faut d'échancrure pour des regards idiots, très peu pour moi.

J'avais l'impression de n'être soudain plus rien, de n'avoir plus de seins, plus de fesses, mais pas d'aimer. Je n'ai rien dit, ça n'a pas duré. D'ailleurs elle a une poitrine bizarre. Je les ai quittés, il m'a rejointe, les hommes sont comme ça.

Je sais parfaitement quand j'ai commencé à l'aimer, trois mois que nous étions ensemble, Arosa, l'escapade à Arosa, le premier étage du chalet loué pour une nuit, le lit surélevé.

J'y étais montée, je l'attendais, il était déjà en chemise de nuit lui aussi, la petite chaise de bois peint, au pied du lit, son air grave en me regardant il est monté sur la chaise pour me rejoindre, avec ardeur, comme il convient.

Et son pied est passé au travers de la chaise, son pied, son mollet, son genou, une moitié de sa cuisse à travers le bois fragile d'une chaise qui n'était pas prévue pour les ardeurs, une chaise peinte en bleu pâle. Il a failli tomber, et il ne pouvait plus ressortir sa jambe, ça aurait pu m'arriver, il n'était pas vraiment blessé, plutôt énervé.

Il a essayé de ressortir sa jambe mais les échardes de bois ont commencé à lui entrer dans la cuisse, il a juré, il était rouge, une chaise en couronne autour de la cuisse nue du chevalier, c'est là que j'ai commencé à rire, je n'aurais pas dû, un fou rire, je me mordais les lèvres, je ne voulais pas qu'on m'entende à l'étage au-dessous, mon chevalier ardent en chemise de nuit, avec sa jambe à travers une chaise, il faut réclamer du secours, pas question, il a essayé de casser les échardes mais il restait debout, c'était impossible, je n'en pouvais plus de rire, je me mordais l'intérieur des joues, nous devions faire de drôles de bruits, j'ai vu qu'il était désemparé, je suis descendue, en m'aidant des montants du lit.

Il commençait à avoir mal, je n'ai plus ri, je l'ai forcé à s'allonger par terre, sur le dos, la jambe en l'air, la chaise en couronne autour de la cuisse, j'ai fait glisser la chaise vers le haut de la cuisse, pour sortir les échardes qui avaient commencé à entrer dans la chair, il avait de belles cuisses, il ne semblait plus songer à l'amour.

Moi je regardais, j'ai cassé les échardes une à une pour agrandir le trou de la chaise et la faire ressortir sans le blesser, doucement, et j'ai été reprise de fou rire, parce que j'ai eu envie de dire si Marie-Thérèse te voyait !

Bien sûr, c'était déjà du passé, mais j'ai eu envie de le lui dire, je ne lui ai surtout pas dit, fou rire, mon amant, sur le dos, une belle lumière de bougeoir, une jambe en l'air, la chemise blanche retroussée, lui essayant de ne pas offrir un spectacle trop impudique, mais essayez donc, avec une jambe en l'air et une chaise autour de la jambe, je riais, je n'arrivais pas à enlever les dernières échardes, à faire repasser la chaise par le genou

La peau était douce, j'ai cessé de rire, j'ai embrassé, je l'aimais soudain comme jamais je n'avais aimé, il ne s'en rendait pas très bien compte, pour lui, aimer, c'était me prendre les seins à pleines mains, en me regardant d'un air grave, j'aimais bien aussi, mais rien d'aussi fort que quand il a été sur le dos avec sa chaise autour de la jambe.

Toujours les bruits secs, en rafales. Des cavaliers tombent encore dans la clairière de Monfaubert, sous les coups de la machine à coudre qui a pivoté mais le capitaine Jourde ne peut plus réagir, rassembler, relancer, le capitaine à terre, dos contre un arbre, il a pris une rafale à hauteur de poitrine.

Il demande au lieutenant de le redresser, le lieutenant s'exécute, repart au milieu des chevaux sans cavalier, des cavaliers sans casque, couverts de sang, accrochés au pommeau de leur selle, et d'autres qui hurlent et percent et frappent, ne pas sortir de la rage, le but devant les yeux, les Boches, leur saleté de rêves à détruire.

Le capitaine Jourde veut mourir face à l'ennemi, ce qu'il voit debout devant lui, à deux mètres, c'est son cheval noir, anglo-normand, amaigri, du sang au poitrail, une jambe relevée qui saigne aussi, le cheval frissonne, il regarde le capitaine qui se dit que sa charge a échoué, autour de lui des balles sifflent, claquent, tapent, miaulent, ricochent, pulvérisent un caillou, un nez, la main du capitaine griffe l'herbe.

Le livre de marche du régiment dit simplement que le capitaine est mort au combat, dans la presse on dit *au champ d'honneur*, ou *pour la France*, cela change beaucoup de choses pour nombre de femmes qui entrent désormais dans ce qu'on appelle *l'héroïque insomnie des épouses*.

Calmette, Caillaux, Henriette Caillaux, et une *femme de lettres*, après la guerre on dira à Max qu'il est un obsédé, l'Histoire c'est autre chose que des frasques de bonne femme, c'est fait par des masses d'humains, des lois du temps, des nations, des passions, de vrais grands hommes, de grandes idées ou des contradictions inter-impérialistes, la main de Dieu, Max, ou le bois qui brûle pour que les arbres reverdissent, la maison incendiée par juste revanche et qui brûle d'autres maisons, ça devient un crime, puis un nouveau quartier, plus beau, la guerre comme crime sans châtiment, pour rétablir le droit, les passions qui finissent par vous ramener à l'universel, ou au contraire le pur instinct de mort, sans rien devant, mais surtout pas des femmes, d'ailleurs je vous mets au défi, cher Max, de publier jamais le nom de cette femme de lettres qu'auraient ensemble aimée Calmette et Caillaux, *je ramène sur moi les roses, pour que mes bras soient déchirés*, l'ambassadeur de Suisse en a parlé dans sa correspondance mais c'est un Suisse.

Max se met à dos ses amis de gauche et de droite. Il fait dépendre la Grande Guerre *d'une histoire de culottes à dentelle*, trop d'anecdote, cher Max, attendez, laissez-moi au moins la fin de l'histoire de Caillaux, une journaliste, une consœur, une amie, elle vient de rencontrer madame Caillaux, sept ans après les faits, elle lui a demandé : *lorsque Calmette s'est écroulé devant votre pistolet, quel a été votre premier sentiment ?* la réponse de madame Caillaux, je vous la donne en mille, je vous la donne quand même : *que je n'aimais pas mon mari*.

Bizarre parfois ce Max, des allures de Scapin, le type qui finit par croire que tout n'est qu'une farce, que c'est grâce à madame Poincaré que Poincaré-la-guerre a voulu devenir président, et que madame Caillaux a empêché son mari de faire la paix, de drôles d'habitudes ce Max, des histoires de culottes, et incapable de pendre son imperméable ou son pardessus à un portemanteau, le laisse toujours traîner sur une chaise, un bureau, n'importe où.

Il raconte que c'est par nostalgie des patères qu'ils avaient dans les tranchées, oui, pendant plus d'un mois d'hiver ils se sont servis de pieds de cadavres gelés, ça dépassait de la paroi, un beau hasard, dit Max, des godillots allemands, ça ne tirait pas à conséquence, des patères, et au dégel c'étaient des cadavres français, des copains, bien conservés, godasses allemandes et cadavres français, allez savoir.

Et pour se faire pardonner les culottes et conserver le droit à la conversation, bien après la guerre, en plein dans les années 20, à la *Brasserie de la Paix*, boulevard des Italiens, il faut raconter une autre histoire, Max, raconte !

« Pas question !

— Si ! »

Et Max raconte l'histoire des *Pieds Nickelés*, dernier album avant la guerre, ce n'était pas Poincaré qui remplaçait Fallières, c'était la petite bande, Ribouldingue, Filochard, Croquignol, les Pieds Nickelés ministres de Fallières, même devise que Poincaré, République, Devoir, Patrie, élection triomphale des Pieds Nickelés, prévarications d'hommes en frac, bamboche, paniers percés, tables de jeu, bien plus qu'un train de rois, Fallières s'en inquiétant, et Ribouldingue, un jeu de mots : *si les Fallières commencent à mettre leur grain de sel dans nos affaires, renversons les Fallières !*

Fallières s'en allait, barbiche, bouche en cul de poule et l'œil très rond, ouvrir un bureau de tabac, laissant les Pieds Nickelés à l'Élysée, boire, voler, rire, en frac, fin 1912. Fallières et son grain de sel. Ribouldingue, Croquignol, Filochard ! s'ils étaient restés au pouvoir, à la place de Poincaré on aurait eu la paix.

« Max, une histoire vraie, pas des bêtises pour enfants !

— On aurait aussi eu la paix si le grave incident franco-anglais d'avril 1914 n'avait pas été rapidement réglé.

— Max, d'où sors-tu ça, de ta cinquième bière? Un incident qui n'a jamais existé.

— Non, vrai de vrai, une rupture franco-britannique, si ça avait eu lieu plus personne ne voulait de la guerre, gros incident, le dîner de l'Élysée, avril 1914, le roi George V doit être le premier à passer du salon à la salle à manger avec madame Poincaré à son bras, et derrière on aura le Président avec la reine Mary. »

Max joue avec des sucres, un pour chaque personnage, dispose les sucres en carré.

« Et deux heures avant le dîner on entend la reine, *moi, passer derrière cette femme, jamais*, affolement, on envisage de faire passer la reine en premier, avec le Président mais c'est faire passer un roi derrière un président, madame Poincaré menace de ne pas assister au dîner et autour de la reine on reparle de bigamie, reprendre le bateau, vous voyez le tableau, incident majeur, à deux doigts, la France sans l'alliance anglaise, donc beaucoup plus prudente, Poincaré cessant de dire aux Russes qu'ils peuvent y aller. À l'époque il répétait *je vais pousser les Russes à être moins veules.*

— Max, avec des si! Si ma tante! Des Français plus prudents, peut-être, mais des Autrichiens plus agressifs, aucun intérêt, range tes sucres.

— Quoi qu'il en soit, camarades, on a évité l'incident franco-britannique, de justesse.

— De quelle façon?

— Je croyais que ça ne vous intéressait pas, vous en voulez vraiment de mon incident? »

Max reprend ses sucres, les aligne sur un seul rang :

« Bon, très simple, l'Élysée, de grandes portes entre salon et salle à manger, il a suffi d'ouvrir à deux battants, les deux couples ont pu passer de front, mais pas si évident que ça, chacune des deux dames, la reine, la présidente, accélérant, essayant de prendre une longueur à sa voisine, le cortège arrive finalement à table au pas de chasseur. »

Max n'a jamais aimé Poincaré, il invente n'importe quoi, si, c'est vrai, dit Max, et sur Poincaré j'ai changé d'avis, j'ai cru qu'il avait voulu et obtenu la guerre, je voulais un coupable, un traître à son camp, Max, la politique c'est d'abord l'art de trahir son camp, je sais, dit Max, et Poincaré c'est notre saloperie à tous, voyez Pío Baroja, immense romancier, fin 1916 : *les Français et les Allemands ne luttent que par lâcheté, ils sont sous la domination d'une organisation terroriste, et incapables de s'y opposer.*

Index de Max vers les camarades :

« Robert, un instituteur, Paul Robert, vacances en famille à la campagne, le bel été 14, à peine arrivés, 2 août, ordre de mobilisation, il a fallu quitter la maison de vacances mais la propriétaire a exigé le paiement d'un mois de loyer. Et Poincaré reste un terroriste. »

Trois escadrons sur leur élan, chargeant les rêves allemands. Un premier temps où l'on va sans souci à la mitrailleuse, dans le second on y prend garde. Charger les rêves, mission primordiale a dit le capitaine, bruit de sabots, balle de fusil dans un flanc de cheval, le cheval tord l'encolure, se cabre, il n'a pas fini de se cabrer que son cœur a explosé, bruit d'une lance qui entre dans un corps, sifflement des lames de sabre chargeant les rêves allemands, un autre cavalier à terre, la partie inférieure du visage pend sur son cou, morceau de chair molle, du sang, de la bave, plus de mâchoire inférieure, des yeux bleus, intenses.

On n'a pas encore inventé les belles opérations pour gueules cassées qui feront la notoriété des chirurgiens militaires, découper un lambeau cutané de deux épaisseurs de peau sur le haut du crâne, puis le rabattre en pivotant sur le bas du visage, la qualité de la peau du cuir chevelu se révélant nettement supérieure à celle du bras utilisée antérieurement, le lambeau sera inséré sur la région mutilée, le blessé pouvant laisser pousser les cheveux de son lambeau, reconstituant ainsi une barbe quasi normale masquant les cicatrices, résultat au demeurant discutable sur le plan esthétique. C'est mieux que rien dira le convalescent. Dans la clairière les dragons chargent les mitrailleuses qui cassent leur élan.

Au fond, avec Hans, j'étais jalouse. J'ai fini par me l'avouer. J'ai d'abord pris ça comme une gymnastique. Avant Marie-Thérèse au réveil j'étais dolente, mais là, dès que j'ouvrais l'œil je la voyais et je me sentais vive, elle était devant moi, elle souriait à Hans, je savais qu'elle voulait me le prendre, je lui tendais une tasse de thé, j'avais envie de la renverser sur sa robe, encore du liberty rose, qu'elle s'en aille, qu'elle aille se laver, se sécher, se changer, qu'elle revienne mal habillée, la tasse renversée c'est mesquin, si tu as vraiment envie d'en finir lance-lui la tasse au visage, peu importe qu'elle soit bouillante ou non, tu rêves que tu lances la tasse au visage de Marie-Thérèse parce que tu sais que tu ne le feras pas, tandis que renverser du thé sur ce tissu qui crisse tu pourrais le faire dans l'instant, et tu te dis que c'est mesquin, donc tu ne fais rien.

Marie-Thérèse pose sa main sur l'avant-bras de Hans, comme ferait un vieux camarade de régiment. Tu pourrais aussi la prendre à part, la menacer d'une chute dans l'escalier si elle le touche encore une seule fois, il faut lui sourire, on te regarde, tout le monde sait tout et s'amuse, lui enfoncer les ongles dans la face, insupportable cette nouvelle mode, le front dégagé d'un côté, et de l'autre la mèche qui retombait sur les sourcils, du vaporeux de femme facile, les ongles dans la joue, il paraît que si on se sert d'un simple morceau de sucre pour déchirer la peau les cicatrices ne disparaissent pas.

De quel droit riait-elle comme ça ? je savais qu'elle voulait le prendre mais je ne pouvais rien faire avant qu'elle l'ait fait, on m'aurait traitée d'hystérique, et Hans en sainte nitouche, ma chérie je ne comprends pas pourquoi tu ne la supportes pas, elle souriait, elle rougissait, elle voulait me le prendre.

La suite, Max, non pas de vraie suite, à part la mort de l'instituteur Robert, une autre histoire, Max, c'est trop vrai, plutôt
la fin de l'histoire du commandant duelliste, oui, le fantassin, on se perd parmi tous ces officiers, le capitaine de cavalerie Jourde à Monfaubert, le capitaine d'infanterie d'Alain-
Fournier, lui-même lieutenant d'infanterie à Saint-Rémy,
les lieutenants de cavalerie à Monfaubert, le commandant
d'infanterie avec son nom à six siècles et demi, celui que Max
a vu partir plus tard à l'assaut contre les blockhaus, avec
Lazare, le gars qui aimait les gourmandises, oui, la belle-sœur
du commandant de Max lui avait raconté la suite de l'histoire
du duel, à Paris, au cours d'une autre permission, l'amant
qui n'en était pas un, il rêvait simplement de l'avoir été, il
envoyait des lettres comme si cela s'était vraiment passé.

Des récits à neuf portes, pour une très catholique femme
de commandant, des mots d'après la chose auprès desquels
les lettres de Caillaux n'étaient que des bluettes. Mais il n'y
avait rien eu, rien du tout.

La femme du commandant n'avait jamais répondu à de
telles lettres et n'avait jamais rencontré cet homme. La sœur
a montré les lettres à Max, elle ne les a pas exactement mon-
trées, elle lui a dit qu'elles étaient dans la boîte noire, sur la
table. Elle est sortie de la pièce, je reviens dans un moment,
je vous demande de me dire si ces lettres sont de vraies lettres,
ma sœur m'a toujours dit qu'il ne s'était jamais rien passé,
elle en riait seulement avec moi, je n'ai jamais lu les lettres,
elle les mettait en sûreté chez moi, sauf la dernière, mais je
n'ai jamais voulu les lire monsieur, les lire était déjà un péché.

Vous vous rendez compte, les amis ? cette veuve ne les avait
jamais lues, c'était là le péché mortel de sa sœur, avoir lu. Elle
m'a dit je ne peux, cher monsieur, écarter totalement l'idée
que ma sœur m'ait menti, je sens la présence du Diable, moi-
même je viens de mentir à mon confesseur, je lui ai dit que je
n'avais pas retrouvé les lettres, il me les réclame, pour les
faire disparaître, ma sœur est innocente, elle n'a fait que lire
sans avertir son mari, elle a eu peur d'être soupçonnée.

Peut-être la femme du commandant n'était-elle pas non plus mécontente de découvrir dans les lettres de l'homme des gestes qu'on ne lui avait jamais appris — *j'ai aimé, chère amie, la façon dont vous m'avez laissé hier après-midi m'emparer de cette virginité dont les femmes même mariées ne parlent jamais, car elles sont censées n'en avoir qu'une* — oui, les lettres étaient bidon, et il signait *Honoré, qui vous aime,* une rature, il corrigeait, avec ce qu'il racontait il pouvait mettre *ton Honoré qui t'aime.*

Bon, je vous passe les détails les plus mécaniques, ah non, Max, le détail, c'est ce qui fait la valeur du papier, Dieu est dans les détails, le devoir du reporter, je ne suis pas sûr que la destinataire ait tout compris, ça racontait même une cravate de notaire, et une pince de crabe, le type avait ajouté de la sauce sentimentale à la Musset, des mots bidon.

La femme était morte d'une méchante bronchite, en moins d'une semaine.

Le commandant avait trouvé une lettre à neuf portes dans l'écritoire de la défunte, et Honoré-qui-t'aime avait pris l'épée du commandant en pleine gorge.

Le commandant avait salué les témoins, l'homme était mort pour quelque chose qui n'en valait pas la peine, un mort pour une blague, mes amis, disait Max, et beaucoup de morts pour une autre blague, beaucoup plus grosse, le 29 juillet 1914 au soir, entre Moscou et Berlin, ce n'étaient pas des lettres mais des télégrammes, les derniers télégrammes officiels échangés entre les deux empires portent la guerre et sont signés *ton oncle Willy* et l'autre *ton Nicky qui t'aime,* la guerre, une grosse blague de tontons.

On a même des photos d'avant-guerre où Nicky et Willy qui s'aiment font des parties de croquet, tous ensemble, devant la façade d'un château, grand jeu, ça, le croquet, très formateur, ils font aussi du vélo, leurs majestés sur les premiers vélos à roue libre, la roue libre pour libérer la jambe du vélocipédiste, une expression marrante, très *avant-guerre* : partir en roue libre.

La brasserie du boulevard des Italiens est immense, bruyante, chaude, amicale, une décoration toute neuve, à l'américaine, grands panneaux de bois sombre, grands pans de murs clairs, le règne du pan, même sur les robes des femmes, un pan devant, un pan derrière, grands miroirs partout, lumière électrique très forte, le style années 20, pas de fioritures, des lustres immenses mais sans pendeloques, tout en gros prismes clairs, avec des moineaux qui viennent se nicher dessus et s'interpellent d'un lustre à l'autre.

À une table derrière eux, une femme regarde Max, Max la voit de face et aussi de biais dans un des miroirs, il se voit lui-même dans un autre miroir, il peut faire semblant de ne pas observer la femme, de regarder ailleurs, et il peut la voir pendant qu'elle le regarde parler. Il peut en même temps surveiller son propre visage, qu'il n'aime pas, les oreilles en choux-fleurs, la bouille ronde, le profil plat, les yeux un peu exorbités, un valet de comédie, l'essentiel est de parler, il paraît que quand il s'anime il fait oublier sa laideur, la femme a parfois l'air intéressée, plus que par ses propres convives en tout cas.

Superbe visage, pense Max, pommettes hautes, grands yeux, pas une Française, pas à cause des pommettes ou de la grande chevelure brune, plutôt la façon d'être, le visage de quelqu'un qui fait autre chose dans la vie que de chercher à plaire aux hommes, elle est belle mais elle s'en fout, allure à la fois tenue et libre, du pouvoir ? une banquière ? elle a réagi quand Max a dit il ne restera plus que les cons, une étrangère qui parle couramment le français, se lever, non, attendre qu'elle se lève, grande femme, distinguée, la croiser, l'emmener dans un fiacre, dans un fiacre elles deviennent toutes des professionnelles, et celle-là elle ne doit pas y aller que d'une seule fesse, l'air méprisant quand elle regarde ses voisins, pas méprisant, elle n'a pas cette maladresse, pas absente non plus, elle est là mais personne ne la captive, au fond du fiacre,

les fesses, la bouche, tout, et descendre ensuite en lui laissant le fiacre.

À Monfaubert, les dragons estoquent et taillent et tombent,
et sont trop à gauche du but de la charge, des rêves allemands gris tourterelle, cavaliers emportés par leur élan de
l'autre côté du camp, et les huit rêves allemands restent
intacts, c'était plus facile dans la Marne, deux ans avant la
guerre, Verzy, une autre guerre, guerre des pots de chambre,
une charge dans des rues de petite ville, des paysans en folie,
les paysannes surtout, pas peur des bêtes, donner du plat de
sabre sur une femme qui cogne les pattes de votre cheval à
coups de gourdin, ou la charge à Carmaux, les mineurs cette
fois, et leur dizaine de morts.

Dans la clairière il n'y a pas de pots de chambre mais des
fusils, des baïonnettes, et deux, trois mitrailleuses *Spandau*
qui ont fait des coupes claires dans les trois premiers pelotons, une petite moitié des cavaliers seulement a pu traverser le camp ennemi mais sans y faire de vrais dégâts, trop à
gauche des rêves allemands, l'autre moitié des dragons est
démontée, les plus valides tentent de gagner les fourrés,
quelques Allemands commencent à se ressaisir et les tirent
comme des lapins.

Il y a aussi des Allemands à terre mais leurs rêves sont
intacts.

Alors le lieutenant des dragons français demeurés en
réserve dans le bois fait charger son quatrième peloton — profiter de la désorganisation chez l'ennemi — peloton de renfort
à son tour décimé dans le bruit de la machine à coudre
tandis qu'une cinquantaine de dragons rescapés de la première charge ont tourné bride à l'autre bout du champ,
repris de l'élan, du galop, moins de sept cents pas minute,
deux charges d'éclopés en tenaille autour des Allemands,
refaire le choc qui prime le feu, masse à grande vitesse d'un
siècle de vitesse, tenaille d'acier qui va se refermer sur l'acier
des rêves allemands.

La première fois qu'il a entendu les moineaux, qu'il les a vus dans les lustres de la brasserie, Max a cru à un gag. Le serveur lui a répondu que beaucoup de clients avaient demandé qu'on laisse les moineaux aller et venir, et piailler dans la salle, des anciens combattants.

« Bon, je connais, avait dit Max, une autre blague, une autre histoire très romanesque, oui, à condition de donner à romanesque un sens différent de celui qu'il avait avant notre guerre, l'histoire des Martin et des Thomas.

Max, il paraît que tu étais dans les dragons qui ont chargé les boches à Monfaubert, raconte la charge !

— Je n'y étais pas !

— Où étais-tu au fait ?

— Devine !

— À l'état-major ?

— Salaud !

— Ne te fâche pas, on ne peut pas deviner...

— Si, plus à l'est !

— Je ne vois pas...

— Tout le monde a deviné sauf toi, Saint-Rémy, le coin où Fournier a disparu, j'y étais un peu avant, sous-lieute chez les dragons, un autre régiment, moi j'ai chargé des moutons.

— Max tu déconnes.

— Non, les Allemands nous tiraient dessus, je ne dis jamais les Boches, moi, je ne l'écris pas non plus, j'ai un copain boche, on se voit chaque année depuis l'Armistice, au fait, Boches, quand c'est un nom, il faut une majuscule ou pas ? L'artillerie allemande nous tirait dessus avec une sale précision, on se croyait planqués par une petite colline, une crête, avec un truc rigolo sur la crête, un type qui menait ses moutons, faut bien que ça mange les pauvres bêtes, il devait avoir la trouille, le berger, comme nous, mais il menait ses moutons, vaillamment. On se déplaçait, les Allemands continuaient à nous tirer dessus, le berger avait une trouille bleue, à l'œil nu on le voyait se recroqueviller sur la crête chaque fois qu'un sifflement passait, il a voulu revenir vers nous, on lui a crié de rester là-haut, il n'entendait rien, on lui a fait signe de rester, il courait moins de risques que nous, il se déplaçait avec nous, le long de sa crête, en parallèle, à trois cents mètres de nous, un Français qui voulait rester avec les Français, à ses risques. On morflait du canon allemand, on bougeait pour y échapper, puis les obus nous retrouvaient.

« On a fini par comprendre, un berger espion, les artilleurs allemands n'avaient qu'à viser au-dessus des moutons à chaque fois que le berger s'arrêtait, il leur donnait l'axe du tir. Alors on a chargé ses moutons à la lance, on l'aimait bien, cette lance, à l'époque on allait refaire un monde meilleur avec nos lances, on avait une carabine en bandoulière mais c'est la lance qu'on préférait, le tournoi.

« Le berger ? On l'a chopé, espion pour deux cents francs, il aurait pu se payer trois manteaux à *La Belle Jardinière* avec ça, fusillé aussi sec.

« On a beaucoup morflé dans le secteur, puis on nous a retirés, remplacés par des troupes fraîches, des fantassins, qui en voulaient, le 288e, oui, celui de Fournier, et les Allemands en voulaient aussi, c'était ça Saint-Rémy, un bordel de bois, une guerre où on chargeait les moutons et les écrivains mouraient. »

Amusant, ce Français, à la table à côté, avec ses grandes oreilles, il me regarde comme si j'étais la femme de sa vie, il parle fort, il lance des noms propres très français, Martin, Thomas, il pourrait lui aussi s'appeler comme ça, ou Duval. Il me regarde dans une des glaces, des yeux qui boivent, qui mangent, qui appellent, qui déshabillent, qui voudraient mordre, qui disparaissent, des yeux bavards, à la française, mais pas bêtes. Hans, lui, n'avait pas l'œil bavard, plutôt étonné, souvent étonné, si je lui avais fait une scène à propos de Marie-Thérèse il serait tombé des nues. Il n'avait encore rien vu, rien senti, rien envisagé, et c'était ma scène qui allait lui ouvrir les yeux.

J'étais en promenade à son bras, Marie-Thérèse nous croisait, elle me connaissait à peine et me disait chère Lena, elle bavardait avec nous, Hans faisait l'homme d'esprit, elle riait, lui touchait l'autre bras en riant, est-ce que j'enfonce mes ongles dans sa joue à ce moment-là ? ou bien quand elle recommence, et qu'elle s'appuie carrément sur son bras, des deux mains, au point que je peux sentir dans mon propre bras le corps de Hans qui penche de l'autre côté sous la pression des mains de cette femme.

Marie-Thérèse rougissait devant nous, elle n'avait pas honte de rougir, la gorge à l'air, la gorge toute rouge, Hans regardait, il ne regardait pas franchement, comme on devrait regarder ce qu'on vous fourre sous les yeux, sans plus, non, il jetait un œil, faisait semblant, me regardait d'un air tendre, et l'œil repartait vers ce rouge.

Max lève le doigt, comme à l'école, pas comme un élève mais comme le maître quand il voulait souligner le point le plus important : ce qu'il vous faut, c'est l'histoire des Martin et des Thomas, des noms de familles nombreuses, mes amis.

« Max, du romanesque avec famille nombreuse !

— Oui, répond Max, belle histoire, photos de groupe, robes blanches, une escarpolette dans le coin de la photo, des noms passe-partout et un conflit superbe, Martin, Thomas ! Pierre-Émile Martin contre Sidney Thomas, des décennies d'affrontement, des courses poursuites sur les tableaux de statistiques, Martin, grand bonhomme à Sireuil dès Napoléon III, catholique, École des mines, souci du bien-être de ses ouvriers, plus que charitable, Sidney Thomas dix ans plus tard, un Anglais celui-là, vieille querelle, deux noms face à face, on se méprise, et pas près de finir, la conquête du monde, avec drapeaux piqués sur planisphère, de l'épopée.

« Et des bénéfices parfois formidables ! Chut, pas un mot, je continue, parfois des creux vertigineux à la Bourse, on ferme, ça remonte, cycles, crises, on s'arrache les marchés, brevet contre brevet, peut-être même qu'on a failli marier deux des enfants, une fille Martin, un fils Thomas, et pour finir pas de mariage, on produit de plus en plus, les femmes font moins d'enfants mais toujours beaucoup de monde sur les photos, deux noms, la course, on part d'une histoire de minerai, Victor Hugo...

— Max !

— Si, Hugo, *Ô Nature, c'est là ta genèse sublime.*

— Max nous savons tous que tu adores Hugo, tu as même assisté à ses obsèques.

— Salaud, je n'étais pas né.

— Alors fais-nous grâce.

— Un dernier et je m'arrête, *les forces à ta voix sortent du fond des gouffres,* nous y avons ajouté des concasseurs à mâchoires, à cône, à cylindres, à marteaux, séparateurs à spirales, hydrocyclones, minerai propre, on le réduit pour donner de la fonte, et hop, oxydation du carbone de la fonte, et puis Bessemer...

— Max, rends-moi ma chope.

— Elle est vide.

— Justement, le serveur ne va pas voir qu'il me faut du ravitaillement.

— Tant pis, tu n'as qu'à boire dans mon verre, je garde ta chope, tu vas voir, et Martin, non, Bessemer d'abord, en réalité ça commence à Bessemer.

— Ou à Cro-Magnon.

— Si c'est comme ça je me tais.

— Non, Max, maintenant tu continues, et tu finis en vitesse.

— Si vous voulez une histoire, il faut du temps. »

Max tient la chope inclinée, le convertisseur Bessemer étant légèrement basculé, index de Max sous la chope, on fait donner le vent froid, en surpression au fond de la cuve, l'air traverse la masse fondue, clapotement sec, lueur jaune rougeâtre, flot d'étincelles, un bouillonnement élimine le carbone en excès, une flamme bleutée à dard sombre jaillit en haut, fumées, métal en gerbes, la flamme s'allonge, blanchit, et hop, la chope à l'horizontale, on renverse la cuve Bessemer, en un quart d'heure la fonte est décarburée, les lingots sont coulés, superbe, l'acier Bessemer, un seul problème, insuffisant en quantité, d'où l'arrivée de mes petits camarades Martin et Thomas, la quantité, voilà l'avenir, plus de cuves mais des fours verticaux, la voilà ta chope, pleure pas.

Max pose deux livres au milieu de la table, sur la tranche, grands fours verticaux, un menu en guise de toiture, une serviette en papier pour faire le sol, décarburer, déphosphorer, désulfurer, les hauts fourneaux maîtres du monde, l'acier en quantité massive, Thomas affine en faisant souffler de l'air à travers la fonte, on enfourne chaux, ferrailles, fonte dans le convertisseur.

Max jette entre les deux livres des morceaux de sucre, des allumettes, des cigarettes, des mégots, vous avez voulu une histoire, vous l'avez, en entier, avec soufflage et combustion des éléments, l'apparition de fumées rousses signale la fin du cycle, on décrasse le laitier, ça fera du bon engrais, et on ajoute du ferromanganèse.

Max ajoute des pièces de monnaie et même sa chevalière, regarde ses camarades autour de la table, ça c'est du détail ! et vive Zola ! à qui le tour ? chez Martin, c'est encore mieux, on ne souffle pas, on envoie une flamme de gaz pour hausser la température de fusion du fer dans le four, meilleure qualité.

Au final deux aciers, l'acier Martin, l'acier Thomas, et la grande bagarre, Martin est meilleur, il a donc beaucoup d'ennuis, procès sur procès, en contrefaçon, rien de vrai, mais les brevets ne protègent l'inventeur que pendant vingt ans, les procès intentés par les concurrents retardent la production, la manœuvre c'est d'attendre, pour exploiter le procédé Martin, qu'il soit tombé dans le domaine public, on fait du Thomas en attendant que le procédé Martin soit gratuit, moins bonne qualité, c'est sûr, le Thomas, mais pour des rails et du tout-venant ça suffit. Pierre-Émile Martin ? pas ruiné mais pas le succès financier qu'il aurait pu avoir, il prend sa retraite, aigri.

« Max, une blague romanesque, tu avais promis, pas une saga !
— Vous aurez tout. »

Deux charges simultanées de dragons éclopés, par l'est et l'ouest de la clairière de Monfaubert, des débris d'escadron sans capitaine, les dragons en tenaille, à nouveau une charge de rêve avec de la trouille et autre chose, l'horreur à portée de main, de bouche, on entre en fureur, hurler, agir enfin comme jamais, cracher, détruire les rêves allemands couleur de tourterelle qui font face aux cavaliers qui chargent de part et d'autre du champ, des rêves allemands venus d'un labyrinthe, avec des légèretés de canotier, des siècles de rêves éveillés, de dessins à la sanguine, de remords, d'épures, de poulies, d'abandons et reprises, en mouvements d'horloge décorés de plumes, des flottements de tissu tendus par des fils.

Quand tout cela a-t-il commencé ? le lendemain de Sarajevo, *L'Illustration* publie un grand dessin de l'événement en page trois, l'archiduc tombe sous les balles, et en regard page deux l'éditorial rédigé trois jours avant est titré *Quels enfants gâtés nous sommes*, l'un des survivants de cette guerre sera tué en 1944 lors du mitraillage d'un train par un *Lightning* américain, en Seine-et-Marne. Quant à Sarah Bernhardt, elle a une jambe de bois, 1916, elle tourne un film, elle porte une tunique à la grecque et un drapeau qui claque au vent, elle en appelle à la colère des pioupious contre les Boches, des alexandrins, *qu'un jour par des guerriers leurs temples soient détruits, leurs enfants mutilés et leurs femmes violées*, elle parle aussi de monstres, de race à extirper.

Hans était à côté de moi mais ça ne l'empêchait pas de regarder les plaques de rougeur sur la poitrine de Marie-Thérèse, moi je ne rougis jamais, je ne rougissais même pas quand Marie-Thérèse disait chère Lena.

Je ne sais pas rougir. Une Marie-Thérèse, ça n'a qu'à se laisser aller, ça ne cherche pas à se dominer, ça se laisse rougir et les hommes prennent ça pour une promesse. Ils doivent se demander si le reste rougit aussi, ils appellent ça une femme à tempérament. Elle était beaucoup moins belle que moi, la jambe courte, elle avait beau remonter la taille de ses robes, on voyait bien que la jambe était courte. À bicyclette un jour, devant le *Waldhaus*, il avait fallu baisser la selle, elle n'était pas contente, ce Français aux grandes oreilles a l'air triste, à cause des miroirs ?

Max est lancé, il parle fort, vite, pour faire taire les autres, pour oublier, pour revivre de l'autre côté du désespoir, pour avoir le temps de regarder cette femme, et en même temps il a la sensation insupportable d'être en train de se disperser, d'être de moins en moins lui-même au fur et à mesure qu'il parle, un mélange de tout, qui n'est plus bon qu'à jeter des scories dans la chaleur, le tabac, la bière, un jour tu ne seras plus bon qu'à parler à tes pantoufles, tu foutras une charentaise sur la table de ta cuisine et tu lui raconteras ta vie, il n'y aura plus personne.

Max voit la charentaise devant lui, sur la table de la brasserie, pendant qu'il parle à ses camarades et regarde la femme dans le jeu des miroirs, beau visage de femme qui a autre chose à foutre que d'écouter parler les hommes, elle ne fume pas, tu te lèves, tu plaques tous ces pignoufs alcooliques, tu pars avec elle, tu deviens quelqu'un d'autre, celui que tu voulais être il y a une quinzaine d'années quand tu allais prendre un café au *Vieux Paris* avant de retourner en vitesse lire Aristote, tu es bien, elle a une belle poitrine, Aristote dans le texte et une partie un peu chaude avec cette femme, une banquette de fiacre, la lancer tête la première, oui, mais elle ne te regarde même pas, tu n'as pas réussi à croiser son regard une seule fois.

Et en 1914, ou 1915, attention, voilà le vrai début de notre blague romanesque, à Berlin, le ministère du Reich a sa reli-

gion, il refuse les obus Thomas, l'acier Thomas, c'est pour
ferrer les ânes, il n'y a que les Martin qui fracassent tout.
« Et que faire de nos stocks de Thomas ? demandent les
sidérurgistes du Reich.

— Vendez-les à la Suisse, elle a de gros besoins, elle nous
achète vingt fois sa capacité, où vont ces obus ? ça n'est pas
la question, il faut des bénéfices, des francs suisses, et quand
les stocks sont épuisés fabriquez à nouveau des Thomas pour
la Suisse, et vendez au prix fort, respectez le cartel, et vous
n'avez pas à vous demander qui les achète ensuite à la Suisse,
de toute façon si des Thomas tombent sur nos blockhaus allemands c'est sur du bon ciment anglais qui s'achète en francs
suisses, vient par la Hollande, et le Danemark, avec le cuivre
et le coprah pour nos explosifs, et quand on manque de
Martin sur le front, tant pis, nous achetons aussi vos Thomas,
dit le ministère du Reich à ses sidérurgistes, vite, et vous baissez vos prix pour nous. »

Max jette un œil, la femme a disparu, se lever en vitesse, la
rejoindre, le fiacre, mais finir l'histoire, protestations des
sidérurgistes, et Hindenburg ordonne au ministère du Reich
de respecter le tarif du cartel, de leur payer *le prix qu'ils veulent, celui d'exportation.* J'en ai aussi une très bonne sur les
fournitures françaises aux armées en 1916, mais ce sera pour
après. Max commence à se lever, est-ce que je récupère mon
veston ? mon chapeau ? ils vont me chambrer. Max se rassoit,
il vient de s'apercevoir qu'il n'y a plus personne à la table de
la belle brune, ils sont tous partis, tu n'as rien vu.

« Nouvelle tournée ! dit Max, c'est pour moi. »

Et n'oublions pas le vrai coupable, le canotier, sa légèreté,
tout ce qui vint avant ces quelques jours pendant lesquels on
l'agita fortement en pleine canicule, l'union sacrée, vive la
patrie, vive Poincaré, vive le *Kaiser*, la guerre fraîche, joyeuse,
le sacrifice pour la patrie, et salle Gaveau monseigneur
Bolo a mardi matin donné des conseils à un millier de jeunes

Françaises sur le choix d'un mari, il faut de longues fiançailles pour se connaître car un fiancé c'est le plus délicieux des menteurs, il faut du temps pour l'éduquer, l'éloignement, la guerre sont alors une grâce, dans les grands magasins, à trois francs par jour pour quinze heures de travail, les employées demandent à disposer d'un plus grand nombre de chaises.

Incitation à la paresse disent les directeurs, et misérabilisme que de relever une chose pareille, la grève a été brisée, et de Biskra, monsieur Chiarelli, entomologiste distingué, nous a envoyé deux magnifiques photographies de scorpions, une mère sans doute affolée dévorant ses petits, et un adulte en train d'en dévorer un autre, avec les trois dernières phalanges de la queue et le crochet venimeux dépassant de la bouche du vainqueur.

Pour les dragons de Monfaubert ce sont huit cibles, huit rêves beaux comme des mythes, chacun sa grande aile d'une seule portée de quatorze mètres, tenue par un haubanage plus fin que celui des voiliers les plus fins, quarante mètres carrés de voilure, carène en toile et bois léger, un petit mât vertical entre le moteur et le pilote, tout un câblage pour tenir l'aile, une aile qui fut rêvée et dessinée en regardant voler une graine de palmier *zanonia*, quatorze centimètres d'envergure, bel arrondi au bord d'attaque et gracieuse ondulation pour le bord de fuite.

Igor Etrich, excellent ingénieur, a multiplié les proportions de l'enveloppe par cent, on y a mis un empennage en queue de pigeon et un moteur Mercedes de six cylindres en lignes, 120 chevaux de puissance, douces montures gris tourterelle, nouvelle arme du siècle dans les airs, les *Taube*, l'un d'eux a lancé deux petites bombes sur Paris, le 13 août.

Les cavaliers chargent ces remplaçants de toutes les cavaleries du monde, aéroplanes, aéronefs, on dit aussi aéros, avions, les monoplans dont Hans a la charge, lui qui dans le civil est ingénieur en construction navale, romancier et rêveur, l'armée en avait fait un simple fantassin, puis elle l'a vite réaffecté comme chef mécanicien pour avions en ce début de guerre où le ciel est encore assez libre, les pilotes grimpent à près de 2 000 mètres en chantonnant derrière leur hélice et reviennent avec des trous dans les ailes et quelques renseignements sur l'ennemi, ils sentent l'huile chaude, ils ont le visage et les mains aussi gras que leurs moteurs mais portent des pelisses à mille marks, cantonnent dans un château, boivent du champagne en comparant discrètement leurs généalogies.

La guerre est presque propre là-haut, certains adversaires en sont encore à se saluer, ils n'ont pas de parachute, ils ont le rêve d'Icare dans leurs veines.

Marie-Thérèse a failli tomber deux fois de sa bicyclette, il a fallu baisser la selle, elle n'était pas contente, Hans lui a dit il ne faut pas avoir une position trop haute, c'est à cause du vent, la résistance au vent, amusant, je ne disais rien et personne n'a fait allusion à ses petites pattes. Ensuite Hans lui a tenu la bicyclette, une main sous la selle, l'autre sur le guidon, Marie-Thérèse riait, elle était en pantalon, il paraît que dans son pays les femmes n'ont pas le droit de porter le pantalon, sauf pour faire du cheval ou de la bicyclette, mais là elle ne faisait pas de bicyclette, elle faisait du racolage, en riant, Hans la main sous la selle, et je ne pouvais rien dire. Elle savait rougir, se servir de ses rougeurs, moi on m'a toujours dit que j'avais des amours de tête, Hans avait de jolies mains, la peau douce, chaque fois que j'y pensais je me disais cette femme va goûter la peau de Hans, cette main n'a rien à faire sous la selle. Les gens racontent que la jalousie rend amoureuse, moi ça me gênait, quand elle le regardait je le trouvais fat. Un soir, dans le grand escalier du *Waldhaus*, il me parlait de bicyclette, il avait lu que la bicyclette allait tuer la vente des livres à cause du temps que les gens y passaient, deux, trois heures de bicyclette par jour, c'est autant de pris sur la lecture, un vrai danger, il s'est arrêté un étage trop tôt, je n'ai pas pu me taire, j'ai dit *ce n'est que l'étage de Marie-Thérèse*.

Le Français triste aux grandes oreilles tout à l'heure dans la salle, les Français regardent beaucoup les femmes et ils continuent à parler avec leurs camarades, une Marie-Thérèse se serait levée.

Max renverse les livres sur la table, rend le menu au garçon, récupère sa monnaie et sa chevalière, finit son verre, la vérité pour être comprise a d'abord besoin d'être crue, le vrai coupable ce fut l'été, le canotier qu'on lançait vers l'ennemi, chaleur sang chaud d'un bel été quand Jean Bouin a couvert en trente minutes la distance effarante de neuf kilomètres sept cent vingt et un mètres, pour courir on a couru, on a même fait la chasse aux rats : les mêmes tableaux de chasse des deux côtés de la ligne de front, des rats suspendus par la queue sur des fils entre piquets, le cuistot a prétendu qu'il savait faire de la confiture de rat, nous avons ri, c'est un blagueur, la mode *charme*, dit le cuistot, je m'en souviens, j'étais premier vendeur, la jupe suivait les hanches de près, elle partait en cloche et descendait au sol avec une traîne, des décolletés profonds, avec des plumetis, cuistot, raconte encore, certains rats sont gros comme des obus de 75, le 75 est la métallisation des merveilleuses qualités de notre race, l'inondation fait sortir les rats, ils nagent à hauteur de nos genoux, le général a dit qu'on doit rester dans l'eau, *ne vous creusez pas la tête* a conclu le commandant, *les balles s'en chargent* a dit une voix. Et sur les rôles des régiments d'Afrique tirailleurs et tabors un général écrirait un jour d'automne *à consommer avant l'hiver.*

Et parfois c'est trop d'eau, Neuville-Saint-Vaast, en une seule nuit les tranchées inondées à ras bord dans les deux camps, les hommes sont tous sortis, face à face à cent mètres et pendant des heures et des heures personne n'a tiré, ni tué, quelqu'un a dit si ça continue on va construire une arche.

D'autres fois, plus tard encore, il y en a qui ne veulent plus ni tuer ni mourir, et ils meurent en suppliant, leurs camarades les traînent, pantalon humide, jusqu'au poteau, d'autres puent encore plus, se débattent, il faut les attacher sur une chaise pendant qu'ils crient, comme des femmes a dit le colonel.

Salauds, crie un condamné, c'est parce que vous tuez que vous resterez esclaves, la chaise tombe, attachez-moi cette chaise au poteau dit le colonel, les officiers doivent multiplier les coups de grâce, certains mutins n'ont reçu que trois balles et pas si bien placées, un officier engueule son peloton, ceux qui tirent à côté sont des lâches, vous devriez avoir honte, regardez comme il bouge encore.

D'autres mutins meurent debout en crachant.

Deux types à part de tous les autres : face au peloton ils chantent *La Marseillaise* et *Le Chant du départ* ; ils ont embrassé l'officier qui commande le tir, oui, refus de monter à l'assaut, condamnation rapide, la nuit durant un prêtre et un député socialiste leur avaient parlé, une mort honorable, tu dois le faire, tu dis que tu regrettes et tu chantes devant le peloton pour que les camarades aient encore la force d'arracher la victoire aux ténèbres, la croix du prêtre et les mains du député, tu nous laisses un exemple, nous voulons tous la paix, dans la victoire.

Une femme aussi, qui vient parler dans la cellule, il y a nos deux filles, des filles de héros ou de traître, on m'a dit que si tu regrettes, si tu chantes *La Marseillaise,* ils ne mettront dans le livre que *mort au combat,* l'officier m'a dit :

« Combien de chances une fille de lâche a-t-elle de se marier ? »

La fille a deux ans, c'est seulement onze ans plus tard qu'un camarade dira la vérité, quand Poincaré sera devenu l'homme qui rit dans les cimetières, oui, l'un des deux condamnés était l'instituteur Robert, le type de la maison de vacances et du mois de loyer, *La Marseillaise* et *Le Chant du départ,* tout le monde pouvait croire à nouveau, on s'embrassait, on pleurait devant le poteau.

Huit *Taube* alignés, un appareil de ce modèle vient de battre un record d'altitude à 6 200 mètres, le monde en bas est une merveille. Les mitrailleuses défendent les rêves, chopent encore des dragons français, déciment le quatrième peloton qui chargeait en renfort, mais une partie des dragons réussit à passer la ligne de feu, et ceux du fond de la clairière arrivent aussi, un des avions a eu le temps de commencer à rouler, il prend de la vitesse, se dandine en poule rageuse sur les mottes de terre. Deux, trois dragons tentent de le poursuivre, affolement des chevaux, manquent trois cents, deux cents tours au régime du moteur pour atteindre les 65 km/h nécessaires au décollage, cela Hans peut l'entendre du fond de son fossé, cent cinquante tours, il calcule les chances de l'appareil, il connaît chacun des six cylindres en ligne de chacun de ses huit avions, tandis que l'appareil cahote de plus en plus vite sur la terre mal aplanie.

Son pilote ne pense déjà plus qu'aux arbres devant lui. L'observateur sur le siège arrière a un gros fusil à répétition et vise un des dragons, pense à ce que tu aimes.

Hans entend le bruit du moteur, une femme s'avance sur un lac gelé, pourquoi ? le bruit du moteur, la mort, il a pris la main, la taille de la femme, une image, un lac de montagne, pense à ce que tu aimes, un bruit d'avion enragé de ne pouvoir décoller, se bat contre chaque motte, ne te porte jamais volontaire, excès d'alimentation au moteur, le pilote va tout noyer, à tous les coups c'est Klaus, il n'a jamais su, et la deuxième recommandation, pense, un village à une extrémité du lac de montagne, une cascade à l'autre extrémité, est-ce vraiment le moment de penser à ce qu'on aime ? début d'hiver à vif, bruit de moteur, le régime est presque bon, le manche maintenant, les rouges-gorges affolés sur le givre, des patineurs matinaux, une lumière de disque rouge, pâle et sévère, les mêmes gestes en même temps, Hans et la jeune femme avancent sur la glace, chacun s'appuyant sur l'autre, à tour de rôle.

Hans ne sait pas très bien patiner, elle sourit, vous avez l'air d'un promeneur embourbé, au début il a mis sa main droite sur la taille de Lena, mais c'est elle qui a vraiment calé sa hanche contre la sienne, lui n'ose pas insister, elle a mis sa main sur la main droite de Hans, celle qui tient la taille, et elle a aussi appuyé, c'est elle qui se presse contre Hans, comme il convient quand on patine en couple, autour d'eux d'autres couples, on se frôle en souriant, il y a la cendre fine des bouleaux, Hans et la jeune femme glissent en s'appuyant l'un sur l'autre, bruit de patins de plus en plus régulier.

À portée parfois des lèvres de Hans il y a des boucles de cheveux roux qui dépassent du bonnet, Lena s'appuie sur Hans, puis elle s'écarte, tourne sur la glace, lui fait face, il la regarde, les pommettes sont hautes, grande bouche, il lâche une des mains de la jeune femme, elle se met à tourner autour d'un axe, la pointe de son patin, la main de Hans, un dolman à brandebourgs, velours noir, une jupe courte qui s'arrête au-dessus de la cheville, ciel bleu quartz, sans fêlure, matin calme, dans le vent quelques cris de corneilles, un vent léger, continu, glacial, un fond de petits bruits de métal.

Soudain un craquement au bord du lac, Hans a un peu peur, il ralentit, mais Lena le force à continuer, un craquement d'eau glacée, tout le monde a entendu, sous les patins on voit l'eau sombre, paysage de neige mais pas de neige sur le lac, seulement la glace, tout a simplement gelé, très vite et très fort, des aiguilles de froid sur les joues, dans la gorge, une eau brillante bleu sombre sous la glace, Lena entraîne Hans, une buée légère à la bouche de Lena, Hans essaie d'aspirer cette buée.

Un autre long craquement. Une colère d'en bas, les bouleaux blancs de givre, Lena a lâché la main de Hans, elle part vers l'extrémité du lac, en serpentant, Hans la suit, la jupe et le dolman de Lena lui font de très belles fesses, Hans se souvient d'une phrase de magazine de mode pour patineurs, nous recommandons aux dames de ne pas outrer la platitude par-derrière, Lena est loin d'outrer la platitude, Hans a peur, un craquement plus long que les autres, Hans se rapproche de la rive, il y a un massif de roseaux raidis par la glace et une barque au bec bleu, prise au piège, les sapins encroûtés de givre, un geai se bat avec un morceau de terre gelée. Hans appelle, Lena revient vers lui, belle, une courbe rapide, la hanche de la jeune femme se glisse contre la sienne, il repose la main droite sur la taille, n'ose pas appuyer, la main de Lena revient avec vigueur sur la sienne, la jeune femme ne porte pas de corset, il faut rentrer, non, elle force Hans à repartir vers l'extrémité du lac, la cascade, chaque fois qu'elle est en appui sur la jambe droite Hans sent jouer avec force les muscles de la taille, puis l'instant suivant la douceur est là, un craquement encore, la glace, l'accident.

Hans comprend au bruit du moteur que l'avion a réussi à décoller, un mètre, deux. Le pilote amorce déjà un léger virage pour contourner les arbres, le lieutenant du 4e peloton de dragons a lancé deux cavaliers à sa poursuite.

En pleine course un cavalier parvient enfin à sabrer la queue de l'engin, les câbles de profondeur, de direction, le *Taube* se met à tourner sur lui-même, retombe, l'hélice ouvrant le flanc du cheval qui roule à terre et tourne lui aussi, pattes folles, entrailles à l'air et projections de sang, l'autre cavalier sabre le pilote, l'observateur, les haubans, et recule en cabrant.

Le reste du peloton a commencé à déchiqueter les *Taube* à l'arme blanche, la toile d'abord, les haubans, puis le balsa, fragile, miracle d'équilibre entre poids, volume, tension, résistance, chair de femme, l'autre mitrailleuse a cessé de tirer, les dragons donnent des coups de sabre dans le bois des hélices, faire payer aux hélices la mort des camarades, l'aéroplane est l'avenir du monde, tu vas voir ce qu'on en fait de l'avenir du monde quand on est un cavalier, un homme à casque de cuir est embroché par une lance au pied de son avion, un autre coup de lance dans un réservoir, un dragon jette dessus un briquet à étoupe, d'autres dragons comprennent, en quelques instants les huit rêves ne sont plus que des épaves en flammes.

La prairie est belle, avec les reflets rouge et or d'un couchant prolongé par les incendies, comme à la Saint-Jean. Encore quelques coups de feu, des cris, une autre sonnerie de trompette, les cavaliers rescapés, à peine un tiers de l'effectif mais tous les *Taube* sont détruits, reviennent au plus vite vers la corne du bois d'où le geai s'est enfui, *mon lieutenant, le prisonnier?*

Le craquement de glace, Lena lâche la main de Hans, se libère, prend de la vitesse, se penche en avant, avance la jambe restée libre, décrit une boucle, revient vers Hans, s'en va, toujours le bruit du moteur, les à-coups, la poule rageuse sur les mottes de terre, le bruit passe, l'image passe, revient, sur la glace la trace de la boucle est parfaite, pense à ce que tu aimes, n'ayez pas peur, de simples craquements, on va faire le train qui passe, bonne vitesse, les patins bien parallèles.

N'ayez pas peur, Hans, il faut connaître le lac, on soulève les patins en cadence, vous entendez, ça ressemble à un tchouk-tchouk, un train lancé à toute vapeur, elle rit, se sépare de Hans, vitesse, Lena jambes écartées, les talons l'un vers l'autre, les pieds sur le même axe, une grande courbe, jambes et bras écartés, penchée en arrière, le centre du cercle dans son dos, elle est à l'extrémité du lac, la glace craque, elle crie, ça s'appelle un grand aigle.

Elle revient vers Hans qui fait le piéton embourbé, il faut rentrer, cette femme est d'une imprudence folle, non, on reste, rien à craindre, ces craquements, je connais bien, c'est quand le lac continue à geler, aucun danger, pas de dégel, c'est tout simple, la glace craque aussi quand il continue à geler très fort, comme ce matin, le vent du nord, on reste, venez voir la cascade, gelée, c'est magnifique. Je voyais Lena et j'étais heureux. Une chose idiote, plus tard.

Dans la nuit tombante, on a assommé Hans à coups de crosse. Plus tard ses camarades l'ont ramassé, on l'a trépané sous le chloroforme, envoyé en convalescence, puis renvoyé au front dès le mois de décembre 1914, dans l'infanterie cette fois, sans vraiment le punir de s'être fait surprendre mais en le privant de ce qu'il aimait, l'air libre, les moteurs Mercedes et les vols à 120 km/h.

Les dragons français se sont repliés en désordre, pourchassés par un détachement de cyclistes arrivé en renfort. Entre eux et les lignes françaises il y avait les trois cent mille hommes de von Klück. Dragons décimés, en fuite par paquets dans les allées de la forêt, dans la nuit humide et molle, les blessés déposés dans des fermes, les autres ont tâtonné, sont tombés sur des terrains marécageux, ont fait demi-tour, se sont perdus, on crève de faim, marches nocturnes, on a fait halte en lisière de plaine, chevaux couverts d'écume, la tête entre les jambes, poumons en soufflets de forge, les fantassins allemands attaquent à l'aube, par la luzerne, en rampant.

Les dragons se ressaisissent pour mieux mourir, un groupe réussit à filer vers le cœur de la forêt, la moitié des cavaliers montent à cru, coups de plat de sabre sur les chevaux, on erre, on repasse par des champs désertés, un cheval ne se plaint jamais, il avance jusqu'à sa fin.

Soudain, devant moi, tenant à peine sur ses jambes, une grande jument, un crève-cœur, elle n'a plus de selle, abandonnée, robe grise truitée, ça n'est pas possible, c'est Kolana, Kolana par Esquirol, la monture de Thailhac, il est mort il y a deux semaines, merveilleuse Kolana, de la taille, du maintien, du muscle, gentille, intelligente, si agréable en reprise, elle a gagné à Auteuil, deux fois, c'était un honneur de la monter à l'entraînement, elle tremble, elle est fichue, elle était faite pour tant de choses, sauf la guerre.

Les dragons de Monfaubert ont été cités à l'ordre du régiment, puis on les a démontés : inaptes à la guerre de tranchées, la cavalerie a dû se résigner à voir l'aviation la remplacer dans le rôle qu'elle avait joué pendant des siècles. Les aviateurs se sont attribué le titre de *chevaliers du ciel* et beaucoup d'officiers de cavalerie ont demandé à servir dans la nouvelle arme, en gardant leurs bottes.

Partout, des Vosges à la Manche, on a commencé à se battre pour de simples points sur la carte, et Gilberte Swann a écrit à Marcel que le raidillon de Méséglise, bordé d'aubépines, et le champ de blé où soufflait le vent des amours d'enfance sont devenus cette cote 307 dont les journaux ont tant parlé.

Mai 2001, *Frankfurter Allgemeine Zeitung,* Ludwig Harig, reportage à Saint-Rémy. Monsieur Louis, l'un des hommes qui avaient trouvé la fosse, lui a montré la parcelle 357 et l'endroit où Alain-Fournier et les Français ont été fusillés.

« Oui, dit monsieur Louis, fusillés pour avoir attaqué une ambulance. Le choc de deux troupes de soldats jeunes. »

Une semaine plus tard, lettre à la *Frankfurter Allgemeine Zeitung,* Gerd Krumeich, historien spécialiste de Jeanne d'Arc :

« Le passage de Fournier devant un peloton d'exécution ne saurait être présenté comme une certitude absolue. »

Et Stéphane Audoin-Rouzeau, historien de la cruauté sur les champs de bataille :

« Dans l'affaire de Saint-Rémy, la fouille et les archives témoignent d'une violence extrême mais qui ne s'est accompagnée d'aucune cruauté particulière. »

Plus loin, autre cimetière, Vaux-les-Palameix, d'autres restes, ceux de huit brancardiers allemands, morts le même jour que les Français.

Max Goffard et Hans Kappler, l'un avec ses oreilles en choux-fleurs, l'autre avec le souvenir d'une femme, étaient partis pleins d'espoir à la guerre. Ils en avaient vite entendu le fracas, qui devait être le dernier avant le grand progrès et ne leur avait pas semblé différent de celui du tonnerre à Noël, quand il fait peur aux enfants et leur promet les cadeaux de la fête.

Chapitre 3

1956

UNE BELLE SYMÉTRIE

Où Michael Lilstein se souvient de Hans Kappler et vous propose un rôle d'espion parisien.

Où l'on apprend ce que Lena devait à un Américain nonchalant nommé Walker.

Où Lena disparaît en plein Budapest.

Où Max raconte plusieurs histoires, dont celle qui s'achève par *nous savons déjà*.

Où Michael Lilstein vous dévoile sa théorie des deux âmes et vous initie à la *Linzer Torte*.

WALTENBERG / PARIS, début décembre 1956

« Pourquoi tenez-vous tant à rentrer, monsieur Kappler ? »
C'est par cette phrase que Lilstein abordera Kappler.
Déstabiliser Kappler, l'obliger à douter, tout de suite, et le
dissuader.

Lilstein vient d'arriver à Waltenberg, au cœur des Alpes
suisses ; il flâne dans le village, en attendant son premier
rendez-vous, il avance sur la neige poudreuse, lentement, un
bruit de feutre à chaque pas, la lenteur est un luxe, une
couche de poudreuse, dix centimètres, un peu moins, posée
sur une neige plus vieille, glacée, un air sec, très vif, Lilstein
aime ça.

Ce village des Grisons ce n'est pas son pays, mais il est né
ici, à Waltenberg, pas la naissance proprement dite mais
l'adolescence : regarder les femmes, avoir des idées, parler,
de plus en plus fort, boire, fumer, se précipiter, il a aimé
la vitesse, le quinquennal en quatre ans, camarades ! il sourit
et ralentit encore son pas sur la neige, regarde la forêt qui
grimpe à flanc de montagne et s'arrête devant les grandes

masses cristallines, une belle manœuvre, aujourd'hui, deux rendez-vous.

Un homme à dissuader en fin de matinée.

Un autre à convaincre dans l'après-midi, deux rendez-vous distincts mais une brillante symétrie.

Lilstein se dit que c'est très satisfaisant pour l'esprit, si ça marche. Une journée c'est un peu serré, mais en ce moment il ne peut pas passer beaucoup de temps loin de Berlin et de la *Stalinallee.*

La montagne, les sensations, les idées, c'est ici que ça a commencé, il y a plus d'un quart de siècle, printemps 1929.

Il venait de Rosmar, il avait seize ans presque, il se souvient encore de sa première montée, pas du tout comme aujourd'hui, un autocar avec le même cor de chasse sur la portière avant, mais beaucoup moins confortable qu'aujourd'hui, beaucoup de secousses, route très étroite, des ornières, des ravins, de plus en plus rudes à mesure qu'on montait, parfois trente centimètres à peine de route entre les pneus et le gouffre, de fameux souvenirs, est-ce qu'à cet endroit les arbres ralentiraient notre chute? aurai-je le temps de sauter par la fenêtre?

L'autocar dérapait, basculait, Lilstein sautait par la fenêtre, s'accrochait aux branches, les branches craquaient, du sang, des cris. Fausse alerte. Il ne sautait pas, le car continuait à rouler, de petites fleurs rouges le regardaient, des saxifrages perçaient la neige, plein le ravin, enchaînements de virages, klaxons, tremblements stupides, nausée, d'autant plus forte qu'à l'époque il ne voulait pas s'avouer sa peur.

La nausée n'avait pas duré, à Waltenberg, cela ne dure jamais. Extraordinaire, cette impression d'avoir des poumons transparents, l'air pur, piquant, se méfier des saignements de nez.

Ces dernières années, Lilstein est souvent revenu à Waltenberg, oui, fréquence dangereuse, mais il connaît bien le pays, il y a des amis, il serait immédiatement prévenu, et puis il s'en moque, de toute façon le risque c'est tous les jours, et son grand bureau de Berlin-Est n'est pas l'endroit le plus sûr : la dernière fois qu'il s'y est senti à l'aise, avec le sentiment d'être en train de réussir sa vie, en 1951, deux voitures sont venues le chercher.

Un bandeau sur les yeux, des heures d'avion, à nouveau une voiture. À l'arrivée on lui a enlevé son bandeau, on l'a installé sur un tabouret, à un mètre du mur, s'asseoir seulement sur le bord du tabouret, pas d'appui possible contre le mur, se tenir droit, pas de matraque, pas de baignoire, pas d'électricité.

On ne veut pas de dégâts visibles. Des jours et des jours de tabouret, vingt heures par jour. Ils se relaient par équipes de quatre, ils appellent ça la vis sans fin, le bord du tabouret, avec quelques coups, juste pour rectifier la position, la sensation que le tabouret vous remonte dans la nuque.

Quand Lilstein s'affaisse ils le redressent en tirant sur les oreilles, ils disent jamais vu un type aussi peu résistant, donnent un coup dans les reins, pincent la joue. Jamais devant un chef.

Au bout de quelques jours on n'est plus qu'une immense douleur de vertèbres, avec beaucoup de questions, quelques-unes auxquelles il était incapable de répondre mais ils n'avaient pas l'air de tenir à des réponses très précises, pas comme la Gestapo quand elle lui demandait les noms du réseau. À la Loubianka on interrogeait sans fin, une immense douleur épuisée dont Lilstein finissait par croire qu'il était seul responsable. Puis à nouveau le bandeau, la voiture, l'avion, une nouvelle prison, un camp, dans le froid.

Quand il est sorti, à la mort de Staline, il a croisé celui qui avait dirigé l'interrogatoire, uniforme de colonel, les décorations d'un héros.

« C'étaient les ordres, a dit le colonel.

— Et un bon entraînement si les fascistes doivent un jour me recoincer, a dit Lilstein.

— Vous êtes amer, camarade, et vous avez le droit de l'être.
— L'amertume ça aide à bien vieillir, a dit Lilstein, et ça
rend efficace, on ne rêve plus. »

Depuis qu'il ne rêve plus Lilstein fait toujours ce qu'il a
envie de faire, quels que soient les risques, ça lui réussit. Il
reste quand même prudent, il est venu à Waltenberg en tran-
sitant par l'Autriche et la Suède, il était assez sympathique, ce
colonel, il a dit à Lilstein d'une voix neutre :

« Certains de ceux que vous aviez dénoncés en 1947 ont eu
moins de chance, ou de protection, que vous. »

À Waltenberg Lilstein peut pendant quelques heures
oublier Varsovie, Budapest, la folie, et Suez, heureusement
qu'il y a eu Suez, l'autre folie, Lilstein a horreur des événements qui se créent tout seuls et qui s'enchaînent pour vous
étouffer. Ces derniers mois, il a été servi.

Ici au moins il peut respirer, quelques heures, la Suisse,
le calme.

Le petit pont à l'entrée du village n'a pas changé, en 1929 il
passait dessus tous les soirs, en fumant ses premières pipes
de tabac brun coupé d'un tabac hollandais à goût de miel,
d'innombrables étoiles, celles du grand froid, le bruit du ruisseau sous le pont est le même, les choses lui semblent plus
petites qu'il y a vingt-sept ans mais ce sont les mêmes, le
pont est à l'entrée de Waltenberg, Lilstein scrute le champ
de neige sur sa gauche, jusqu'à la bordure du bois. Parfois,
quand aucun bruit ne vient du village, on peut voir filer une
hermine, mais rien pour le moment.

Et Lilstein n'a pas le temps de se mettre à l'affût, il marche
vers les maisons, au centre du village il y a l'église, l'hôtel
Prätschli, l'épicerie-quincaillerie-café avec sa grosse enseigne
Konditorei, le garage, la pompe à essence rouge et or, deux
grandes étables. De la place on peut voir, posé au loin à flanc
de montagne, un autre hôtel, le *Waldhaus*, au départ des pistes
de ski qui plongent vers le nord.

Le *Prätschli* est un hôtel familial, le *Waldhaus* est beaucoup plus grand, un immense double chalet de huit étages, surdimensionné, faux chalet aux allures de château, dissimulant une armature de métal et de ciment derrière des jeux de boiserie, poutres, pannes, chevrons, solives, écrasant la vallée de sa masse, plus de quatre cents chambres, un coup de force *Belle Époque*, un hôtel qui tient sa vie d'ailleurs, de gens qui font des centaines ou des milliers de kilomètres pour venir s'emmitoufler une semaine ou deux dans un pays de chocolat, de remonte-pentes, de bonheur simple et de secret bancaire, on l'a construit au tout début du siècle, c'était d'abord un sanatorium de luxe, avec une piste de bobsleigh, on n'y accédait que par un téléphérique, en 1910 on en a fait un hôtel et après 1918 on a construit une route, ajouté un grand garage chauffé dans le sous-sol de l'hôtel et une annexe d'une centaine de chambres très modernes. Le téléphérique est encore là, Lilstein a lu qu'au temps du sanatorium on évacuait parfois les cercueils par la piste de bobsleigh, c'est sans doute une blague.

Le *Waldhaus* est vite devenu un hôtel de sports d'hiver et de congrès, Lilstein connaît bien les patrons, depuis toujours, un couple venu d'Alsace dans les années 20, pas d'argent, beaucoup de savoir-faire, devenus gérants en 1939, ils ont pu racheter l'hôtel en 1943, l'année la plus sombre de la crise du tourisme.

Lilstein flâne mais il va falloir travailler vite, c'est risqué, deux rendez-vous au même endroit, mais l'idée l'a saisi et ne l'a plus quitté. Le premier rendez-vous c'est pour dissuader Kappler, le grand écrivain, l'homme qui avant guerre lui donnait des conseils sur la vie, c'est le passé.

L'autre rendez-vous, l'homme à convaincre, un jeune Français, un Parisien, même pas trente ans, s'il accepte ma proposition ce pourrait être un beau futur.

Ça me fait une belle opposition, dialectique, non, pas dialectique, pas de synthèse, ces deux rendez-vous c'est une symétrie, une chose et son envers, pas son contraire, mais que se passe-t-il si c'est le contraire qui a lieu ?

Je veux dissuader Kappler de revenir en RDA mais il revient et s'installe à Rosmar; je veux convaincre le jeune Français de travailler avec moi, et il m'envoie au diable, me dénonce à qui veut l'entendre. Tu as toujours ta brillante symétrie mais avec deux opérations ratées le même jour.

Si Kappler revient malgré ce que je lui dis, ce n'est qu'un échec personnel, à Berlin on me félicitera au contraire de ce retour. Mais la deuxième opération on ne me la pardonnera pas, le recrutement à long terme dont rêvent tous les chefs de renseignement extérieur, quel que soit leur bord, un jeune avec un brillant avenir, le guider pendant des années, des dizaines d'années, un beau risque, oui, mais le problème c'est qu'à Berlin tu n'as parlé à personne de ce recrutement de jeune Français.

Ou alors je rate Kappler et je réussis le Français, ou je réussis Kappler et je rate l'autre, et je peux aussi tout rater, en tout quatre possibilités.

Pour convaincre le jeune Français il faut de la conviction, pour Kappler il faut de l'amertume, les écrivains ça marche bien à l'amertume mais si Kappler ne voit que mon amertume et si le jeune Français me trouve trop convaincu je vais mouliner mes idées dans le vide, je suis demandeur, qu'est-ce que j'ai bien à offrir?

Il y a longtemps que Lilstein connaît Kappler, il l'a croisé quand c'était déjà l'un des grands de ce monde, c'était ici, en 1929, Lilstein était venu avec son frère aîné, Thomas, un philosophe plein d'avenir, le *séminaire* du *Waldhaus*, des intellectuels, des philosophes, des économistes, des politiques, des savants, des mécènes, de belles femmes. Des gens qui voulaient, comme on disait déjà, construire l'Europe, des bourgeois dont certains étaient même éclairés. Thomas est mort, il voulait changer la philosophie, trouver de nouvelles relations entre l'être, la raison et l'Histoire.

Lilstein, lui, voulait installer le téléphone et la radio partout dans le monde et faire la révolution, on l'écoutait parfois, affectueusement, en l'appelant *jeune Lilstein*, il était amoureux et il refaisait le monde. Il se demande ce qu'il veut vraiment refaire aujourd'hui.

Il y a quelques semaines, à Berlin, le ministre l'a convoqué : « Kappler veut revenir ! Revenir ! Tu te rends compte, dix ans qu'il est reparti, et aujourd'hui il veut revenir, en ce moment ! C'est la preuve que nous avons vu juste ! »

La grosse patte du ministre frappe le dessus du bureau, des poils sur toutes les phalanges, la voix monte :

« La grande preuve ! Tout ce que nous avons fait cette année était dur mais juste, ils nous appellent *Allemagne de l'Est*, et même *zone soviétique*, mais Kappler a dit *je rentre à la maison*, c'est la preuve que nous sommes une maison, pas un découpage, tu le connais, n'est-ce pas ? Tu le connais personnellement, depuis presque trente ans, tu vas aller le trouver, accorde-lui tout ce qu'il demandera, il doit revenir, c'est un coup magnifique, Kappler ! Il les quitte ! J'entends déjà les hurlements de leurs chiens de garde ! Il rejoint le camp du progrès, de la paix et du socialisme, malgré les hurlements de leurs hyènes dactylographiques. »

Le ministre marque un silence, regarde Lilstein dans les yeux, ajoute :

« Et malgré nos erreurs ! Enfin une bonne nouvelle ! »

Et le ministre a eu un geste déplaisant. Il s'est levé, et s'est gratté entre les fesses, comme on peut faire quand on est seul, comme si Lilstein n'était pas là. Le ministre a les bras courts et ça l'oblige à tordre la colonne vertébrale en arrière et sur le côté pour que sa main puisse atteindre l'objectif, la tête elle-même doit se pencher sur le côté et vers l'arrière. Pour compenser, le ministre envoie son menton en avant, bouche entrouverte, une allure de méditation autoritaire pendant que la main explore, repère et traite longuement la vraie question.

Lilstein a regardé par la fenêtre, comment dire au ministre que tout cela risque de très mal se terminer? Kappler de retour à Rosmar, il l'a déjà fait, en 46, il venait d'Angleterre, il n'a pas supporté Rosmar plus de six mois, et il veut une nouvelle fois revenir, Lilstein connaît Kappler, et il connaît son pays, des gerbes de blé, un compas, un marteau, ça finira mal, vous ne serez pas bien, monsieur Kappler, tout ce qu'on raconte sur nous est exact. Même dans sa tête il l'appelle encore *monsieur.*

Lilstein a encore essayé de discuter avec le ministre, il a demandé un délai, il a dit cet homme va peut-être très mal, il rentre parce qu'il fait de la mélancolie, que ferons-nous s'il est venu vers nous comme vers la mort? le ministre lui a dit il vient au pays du compas et des gerbes de blé, la racaille nous quitte, les meilleurs reviennent, le compas, le marteau, les gerbes, pas leur sale fric, mélancolie mes fesses, je te croyais plus sérieux dans l'analyse. Index de ministre vers Lilstein :
« Plus politique! »

Lilstein a laissé de côté les fesses du ministre aux bras courts, camarade ministre, prenons nos précautions, cet homme ne revient que parce qu'il croit que nous allons tout chambouler, et le ministre a dit que c'était bien ça, qu'il allait y avoir du chamboulement, sous la poussée des masses prolétariennes encadrées par le Parti, et Kappler allait être la vivante contradiction positive à l'intérieur de ce processus décidé, contrôlé et mené par le bureau politique, et sous l'autorité de son secrétaire général, le camarade...

« Camarade ministre — Lilstein a osé couper le ministre — Hans Kappler ne met pas les mêmes choses derrière les mêmes mots, je vous rappelle que chez nous, quand un écrivain contredit un ministre en public, même celui de la Culture, cela s'appelle propagande antidémocratique, on fait de la prison pour ça, et Kappler ne se retiendra pas de contredire, il va faire de la contradiction négative, quand le mettrons-nous en prison? Le lendemain de son arrivée? Trois semaines après? Nous risquons d'avoir très vite à le faire, ou bien il faudra l'expulser, ou laisser parler tous ceux qui pensent comme lui, prenons notre temps, je dis *notre* alors que ce n'est pas mon travail, je ne suis pas chargé des subversions intérieures, je ne fais que du renseignement extérieur. »

Tout en parlant, Lilstein voit la manœuvre du ministre, un succès et c'est le dossier du ministre, un échec et c'est Lilstein qui a mal géré, et que ce gros cochon de ministre ne compte pas sur moi pour porter le chapeau, tu te sens fort, petit ministre, tu as l'appui de certains camarades soviétiques mais ce ne sont peut-être plus les bons, ce qui est drôle c'est que tu ne le sais pas encore, un matin j'entrerai dans ton bureau et tu feras une drôle de tête, parce que sur une photo de la *Pravda* les têtes auront changé, pas toutes, mais tu feras une drôle de tête, tu te gratteras le cul parce que tu penses que tu as le droit de te gratter le cul devant moi, que je ne compte pas, et tu essaieras de comprendre la nouvelle photo.

Tu pourrais me demander ce qu'elle signifie, cette photo de la *Pravda*, ces changements. Ce qu'on ne demanderait pas à un chef de service on peut le demander à un type devant lequel on se gratte le cul, même s'il est chef de service, une petite conversation sans conséquence, entre cochons, tu peux toujours imaginer que je te faciliterais la tâche, et si je réponds que je n'en sais rien, tu pourras toujours m'engueuler en disant que je ne sais jamais rien, non, je sais ce que je ferai, petit ministre, en regardant la photo, je prendrai l'air encore plus effrayé que toi, et tu arrêteras de te gratter, tu voudras me rassurer, les camarades soviétiques ont leur logique, ils nous informeront en temps voulu, ils vont parfois très vite, tu souriras audacieusement sur *très vite*, mon petit ministre, et nous serons là à nous faire des politesses devant le grand toboggan.

Tu affirmes que ce ne sera qu'une simple glissade, comme il y en a tant dans la vie, un rétablissement au bas du toboggan, un salut aux nouveaux camarades, un baiser sur la bouche et ça repart, donc tu décideras de passer le premier, tu voudras

te lancer avec élégance, une simple glissade, et moi seul je
sais et je ne te dirai surtout pas que pendant la nuit le grand
toboggan s'est couvert de verglas.

Grand regard clair de Lilstein vers le ministre :
« Camarade ministre, mettons-nous à l'abri d'un incident,
laissez-moi au moins sonder les intentions de Kappler. »
Et le ministre a dit :
« Il faut faire vite, vous connaissez votre mission. »
Il n'a rien ajouté. Si, en raccompagnant Lilstein à la porte il
lui a posé une dernière question, en gardant le vouvoiement :
« Vous êtes pour ou contre ? »
— Je suis contre », a dit Lilstein.
Le ministre a ouvert la porte :
« C'est quand même votre mission, et c'est la volonté du
bureau politique, et du camarade Walter Ulbricht ! »
Le ministre n'avait pas besoin de lui faire dire je suis
contre, il l'a fait, pour les micros, et il en a profité pour pro-
noncer au moins une fois le nom d'Ulbricht.

Hans Kappler semblait aussi pressé que le ministre, il
a répondu au premier message de Lilstein qu'il n'avait
besoin d'aucun délai de réflexion : il se présenterait dans
dix jours à Berlin au point de passage de la *Friedrichstrasse*.
Alors Lilstein lui a vite donné rendez-vous, tout cela est
secret, à Waltenberg, pour régler les détails.
« Vous aimiez bien la *Konditorei*, Herr Kappler ? Jeudi prochain, en fin de matinée ? Onze heures ? »
La *Konditorei*, Lilstein aussi l'aime bien, une espèce de
magasin universel, épicerie, droguerie, quincaillerie, confise-
rie, bureau de tabac, dépôt de pain, et quelques tables et
chaises dans le fond, pour faire office de *Weinstube*. Un plafond bas, des fenêtres étroites, ombre douce, odeurs de cuir,
celui des harnais, des lanières, odeurs de pain et de métal, on
y vend encore les clous à la douzaine et la comptabilité se

fait à la main, dans un grand cahier gris, on entre en disant *Grüss Gott!*

Comment s'y prendre avec Kappler ? il est devenu fou. Il y a moins d'un an il a signé un papier dans *Preuves*, les gens du *Congrès pour la liberté de la culture*, des anticommunistes, c'est un anticommuniste déclaré, et voilà qu'il veut passer dans le camp socialiste, une tocade. Ou alors Kappler est devenu une épave, il flotte sur ses rêves au gré des courants, vous seriez plus utile à la cause du progrès en vivant à l'Ouest, monsieur Kappler, en parlant pour nous à l'Ouest, plutôt qu'en parlant chez nous en faveur d'idées qui seront perçues comme venant de l'Ouest.

C'est ampoulé, Kappler est très sensible à la formulation, si ça ne tient pas en dix mots c'est que c'est faux, pas dans le roman, bien sûr, disait jadis Kappler, mais dans l'action, dans la décision, la note pour l'action. Apprenez, jeune Lilstein, parlez en dernier, dix mots par phrase, pas plus, et quelques phrases seulement.

Kappler, un spécialiste de la phrase rêveuse, ma phrase mille-pattes disait-il en riant, Kappler en 1929 donnait à Lilstein des conseils de phrase sèche pour l'action, comme s'il essayait de rejouer sa jeunesse avec Lilstein, mais aujourd'hui il agit comme personne parce qu'il s'est mis à écrire comme n'importe qui.

Ne pas dire à Kappler ce qu'il faudrait faire, plutôt le déstabiliser, pourquoi tenez-vous tant à rentrer ? Lilstein a aussi une autre question à poser mais il la garde en réserve, parce qu'il ne sait pas où elle les mènerait, il ne sait pas jusqu'où cette autre question pourrait le mener lui-même, pourtant c'est de ça qu'il s'agit, Rosmar c'est l'idée de quelqu'un pour qui tout est fini. Kappler n'est pas un politique, sa folie vient d'ailleurs, lui poser la question :

« L'avez-vous revue, monsieur Kappler ? »

Non, pas cette question, si je la pose je suis foutu de trembler en la lui posant, il vaut mieux diluer :

« Avez-vous revu des gens du bon vieux temps ? »
Idiot, c'est la même question et c'est moins émouvant
à dire.
« L'avez-vous revue ? »
Elle, tout simplement, mais je suis foutu de trembler et il
est capable de me répondre :
« Et vous ? L'avez-vous revue ? Quand ? »

Ce serait comique de lui raconter, se dit Lilstein, je suis
sûr que Max finira par lui raconter, dans quelques années, au
moins ce qu'il saura, un roman noir, je l'ai croisée, j'ai failli la
croiser, j'ai croisé Lena sans la revoir, il n'y a pas longtemps,
en août dernier. Ne raconte pas ça à Kappler.

Ça pourrait le faire renoncer à rentrer à Rosmar mais
ne lui raconte pas ça, elle sort de l'Académie de musique de
Budapest, la ville très agitée, fin du mois d'août, ils se figurent
tous que 56 va être l'année d'une table rase, elle a fait cinq
heures de cours, une *master class*, je me demande ce que Max
pourra tirer de la *master class*, il ne s'en servira pas, il passera à la suite, ou alors il en profitera pour essayer de parler
de la musique qu'il aime.

Il est plus de neuf heures du soir, elle est heureuse, les élèves
hongrois sont bons, toute une après-midi de Schubert, elle a
trouvé de nouvelles formules en leur parlant, de nouvelles
idées d'exercices, le bon professeur de chant ce n'est pas
celui qui dit :
« Mets de l'âme ! »
C'est celui qui trouve les exercices intermédiaires qui font
jouer les mouvements de l'âme, elle était très belle cette fiche
de mouchard, très complète, on aurait pu au moins en faire
un beau reportage, la classe de chant de Lena à l'Académie
de musique, de l'analyse du *Lied* au travail du périnée et
quand vous chantez pensez que vous inspirez, le verbe qu'elle
prononce le plus souvent c'est *denken,* une classe en allemand, comme au bon vieux temps des Habsbourg, et en français, elle parle très bien le français, une vraie Européenne, un

père qui était fanatique de Henry James, de jeunes Hongrois devant lesquels elle peut essayer des exercices, des angles, des éléments d'interprétation.

Elle vient de trouver une formule, elle leur a dit ne cherchez pas à tout exprimer, il faut que votre interprétation laisse le public en suspens, il ne faut pas qu'il reçoive, il faut qu'il reste tendu vers ce que vous êtes en train de chanter, ce n'est pas de l'hésitation, ce n'est pas du mystère, c'est une tension, vous interprétez et le public se dit il va encore arriver quelque chose, ne lui mâchez pas le sens.

C'est bon de trouver encore des solutions, de ne pas être seulement une rappeleuse d'heures anciennes.

La nuit tombe lentement, il y a un taxi libre, elle n'en veut pas, elle marche pour se détendre, un de ses élèves a dit madame je vous raccompagne, passer d'une rive à l'autre, vers Buda, le quartier résidentiel et son hôtel au milieu d'un parc.

Belle promenade, un jeune élève athlétique, sensible, d'abord marcher le long du Danube, ils prennent le pont Elisabeth. J'adore marcher dans les villes quand la nuit tombe, passer des ponts, la brume, qui adoucit les monuments, quand je chantais je devais me méfier, j'ai toujours eu beaucoup de résistance mais la brume c'est une petite menace, on risque la voix de corbeau le lendemain. Lena met la main sous le bras du jeune homme, se retourne, l'oblige à en faire autant, regardez, cette belle masse, le Parlement, c'est superbe, ils repartent, elle a gardé la main sous le bras de son élève.

Le pont suspendu qui bouge sous les pas, à la sortie du pont son élève fait un faux mouvement, elle se rattrape à son bras, une voiture est là, portière ouverte, la portière claque, un pistolet à silencieux, un index sur une bouche, la voiture fonce, les virages projettent Lena d'un homme sur un autre, celui de droite dit un mot, la voiture ralentit, d'autres mots, dans un anglais maladroit, *vous, calme,* on lui attache les mains, une cagoule sur la tête, elle doit se pencher, moins de virages, ils sont sur une route, cela dure longtemps, mal aux reins.

La voiture roule vite maintenant, on laisse Lena se redresser, il faut que j'essaie de dormir, rien d'autre à faire, je n'aurais jamais dû sortir à pied, ça n'aurait rien changé, ils auraient envoyé un faux taxi, il était beau cet élève, est-ce qu'ils l'ont forcé ? il avait un pas très souple.

Longue route, un coup de frein, un virage sec, des ornières, puis un chemin de terre, arrêt, on la sort, une odeur de forêt humide, on l'assoit, ce doit être un tronc d'arbre, on lui enlève sa cagoule, mauvais signe.

Un air noir et frais, la nuit, la lune, un bruit de feuillage, une clairière, trois hommes et une femme autour d'elle, deux mitraillettes. Les hommes fument. Tout est blafard.

Elle regarde le ciel, entend un battement d'ailes, se récite *les étoiles et la vie se tiennent par des crochets de fer,* elle a soixante et un ans, c'est le bout de la piste, elle n'est pas malheureuse, les Schubert de cet après-midi étaient très bien. Aucun des trois hommes ne regarde Lena, la femme a un visage d'esclave triste, des gestes durs et un revolver. Elle prend Lena par le bras, l'emmène à l'écart.

Les Russes avaient enlevé Lena, le KGB, c'est Max qui a reconstitué le puzzle, ça lui a pris quelque temps, il l'a reconstitué pour Hans, pour lui raconter l'histoire, une histoire à la Max, avec de vraies informations, des trous, et du roman noir dans les trous, Markov, en 56 il est vice-ministre de la sécurité d'URSS, fin août il débarque en Hongrie, à la frontière orientale, réunion des services de renseignements du Pacte de Varsovie, dans un wagon :

« Les Américains nous emmerdent, il faut les avertir sérieusement qu'ils nous emmerdent.

— On pourrait leur liquider quelques agents dès cette nuit, camarade ministre.

— Des diplomates par exemple ? Et puis quoi encore ? S'ils

ont un passeport diplomatique nous aurons une partie de l'ONU sur le dos, s'ils n'en ont pas ce sont des sous-fifres. »

Lilstein est là, une tête de plus que la plupart des hommes présents, il a l'air ailleurs, en fait il a une idée mais il préférerait ne pas l'avoir, c'est une mauvaise idée mais qui peut avoir de bonnes conséquences, un mauvais geste qui ne finirait pas trop mal, ça dépend pour qui. Il hésite pendant que tous les autres y vont de leurs propositions, ramasser un des réseaux qu'on connaît et tous les fusiller, les pendre, sur la place publique, expulser l'ambassadeur américain, non l'anglais, ça fait le même bruit et c'est moins coûteux, on pourrait faire quelque chose à Berlin.

« Oui ? Une guerre mondiale ? »

Markov commence à s'énerver, et les gens qui sont là ont peur de Markov, il est tard, il fait nuit, et plus la nuit avance plus Markov est nerveux. C'est dangereux de parler devant un type qui a le passé de Markov, il a cassé les reins des *Waffen SS* avec ses fantassins, un fonceur, mais ce soir il est d'une nervosité de chat, les autres hommes parlent quand il leur fait signe et en parlant ils sentent se remplir la fiche du compte rendu de ce qu'ils ont dit, avec une appréciation sur leurs capacités, une période où il faut trouver des coupables, si nous sommes dans cette situation c'est qu'il y a eu des anomalies, s'il y a eu des anomalies c'est qu'il y a eu des manquements.

D'habitude on s'en sort en prônant la manière la plus forte, tirer dans le tas, seulement voilà, tirer dans le tas quand ça provoque une catastrophe c'est du sabotage, et Markov regarde le partisan de la manière la plus forte comme s'il avait affaire à un mélange d'espion anglo-saxon et de vipère trotskiste, comme au bon vieux temps.

Alors on dit à Markov la manière forte avec des précautions, et Markov demande lesquelles, et on ne sait pas, et la fiche se remplit, et on est un con. Markov n'a pas besoin de vous le dire, vous êtes patron du contre-espionnage hongrois ou tchèque, des milliers, des millions de gens pètent de trouille à l'énoncé de votre nom, et devant Markov vous êtes un simple con.

Et si vous parlez de précautions ça vous donne l'air d'être une espèce de modéré également à la solde des Anglo-Saxons, au moment où on a besoin de coupables, quoi qu'il en soit si nous devons entrer faire le ménage à Budapest nous ramasserons tous ceux qui n'ont pas de passeport diplomatique et nous appliquerons la loi martiale, sans faire de communiqué, ou en parlant de balles perdues.

« Micha, tu ne dis rien, tu t'ennuies, c'est compliqué ? Qu'est-ce que tu as à proposer ? »

Markov sourit en parlant, et Michael Lilstein sent que dans ce sourire la tragédie est en train de faire son choix.

« On pourrait leur prendre quelqu'un de connu, camarade ministre, quelqu'un de très protégé, à qui on n'a pas touché jusqu'ici, en le prenant on montre qu'on sait tout, on leur fait un retour à l'envoyeur, de nuit, jusqu'en Autriche, ils comprendront très bien.

— Un cadavre ? »

Là tu ne tombes pas dans le piège, tu réponds :

« On a le choix camarade ministre.

— C'est encore trop compliqué, Micha. »

Markov ne sourit plus. Lilstein n'aime pas le voir dans cet état. En janvier 1945, Markov est le premier homme que Lilstein ait vu surgir devant lui, dans le bois, à côté d'Auschwitz, une bouille ronde, joyeuse, Sancho Pança avec une pelisse et une mitraillette, les avant-gardes de l'armée Koniev, Lilstein est tombé dans les bras de Markov, il a pleuré pendant un quart d'heure dans les bras de Markov, sans rien dire, et Markov souriait et disait *c'est fini mon petit, c'est fini*, à un homme qui faisait deux têtes de plus que lui mais pesait trois fois moins. Markov était l'un des commissaires politiques de l'armée Koniev. Il était tout le temps joyeux. Belle carrière. Il est vice-ministre. Ce soir il est sombre, il dit :

« Nous pataugeons, j'ai besoin de fermer l'œil, demain matin cinq heures, nous aviserons. »

Vingt minutes après la fin de la réunion Lilstein a été rappelé dans le wagon de Markov.

« Les Américains ont un agent important à Budapest, un agent que nous n'avons jamais embêté, et tu ne m'en as jamais parlé ?

— Cette information risquait d'arriver dans une autre oreille que la vôtre, camarade ministre, je n'avais plus le temps de venir à Moscou. »

Et Markov prend une voix très mécanique, pourquoi tant de précautions entre des gens qui sont frères de combat, tous les ministères sont solidaires, Micha aurait dû envoyer son message au plus vite. Markov termine sur un grand sourire d'enfant, son œil dicte le début de la réponse de Lilstein :

« Je savais, camarade ministre, que vous alliez très vite nous réunir. J'ai attendu l'occasion que vous venez de créer, c'est une femme. »

Markov les bras au ciel :

« Nous ne t'avons pas protégé pour que tu nous racontes des conneries !

— Elle est arrivée il n'y a pas longtemps, camarade ministre, elle était en Allemagne, elle voyageait déjà en Allemagne et en Hongrie à l'époque des nazis et de Horthy, et même avant, elle a toujours su beaucoup de choses, c'est une ancienne *diva*, c'est-à-dire une...

— Micha, je suis aussi un être cultivé, je ne passe pas toutes mes soirées à interroger des suspects avec une lampe à souder.

— Tous les gens qui comptent vont à ses leçons publiques, camarade ministre, et ils l'invitent à leur table, une Américaine.

— Celle de Berlin ? »

Markov n'en demande pas plus, il ne veut pas de réponse, il sourit, un bon sourire, comme avant, Sancho Pança, Lilstein se demande pourquoi Markov a parlé de lampe à souder, camarade ministre, je suis sûr que c'est aujourd'hui un agent de la CIA à temps plein, sans statut diplomatique, si vous voulez on peut divulguer l'information aux Hongrois, les laisser la fusiller, ou attendre, et la fusiller seulement quand nous serons entrés pour faire le ménage, mais si on la leur renvoie maintenant, vivante ou morte, ils comprendront que nous savons tout, tout ce qui n'est pas mieux gardé que le secret de cette femme, ils peuvent se contenter d'exciter les gens avec leurs émissions de *Radio Europe Libre* mais s'ils veulent faire des gestes plus précis nous devons leur dire que nous savons tout et que nous les attendons.

« Elle chante encore ?

— En récital privé, pour les amis, camarade ministre, il paraît que c'est toujours aussi beau.

— Alors fin du récital ! Exécution ! Mets quelqu'un de chez toi avec mes hommes pour contrôler, ça n'est pas une si mauvaise idée, tu as quarante-huit heures, moins si possible. Tu n'as vraiment pas tardé avant de me donner cette information ? »

Cette histoire de Lena, Kappler n'a pas à la connaître, pas maintenant, c'est Max qui finira par la lui raconter, en ajoutant l'autre épisode, celui de 1954, deux ans avant Budapest, il faudra bien que Max finisse par raconter à Kappler ce qu'il a fait en 56, et en 54.

Max en fera une histoire à sa manière, avec des trous, du roman, un peu de vrai, et quand on ouvrira les archives dans cinquante ans on verra que Max n'était pas très loin, quelques informations pour Max, à propos de 1956 et en remontant plus haut, deux ans plus haut, début 54.

Vous devriez en parler avec quelques-uns de vos compagnons de poker, Max, un bruit qui court sur Lena à Washington, une envie qui est en train de prendre McCarthy, le McCarthy de la grande époque, la chasse aux sorcières communistes, une petite scène dans les bureaux du sénateur

McCarthy, il est seul avec son adjoint qui lit une fiche à voix haute :

« Cette bonne femme, cette chanteuse d'opéra qui fricote avec les communistes, elle va à l'Est quand elle veut, le FBI ne dit rien, la CIA laisse faire, le Département d'État bénit le voyage, le KGB fournit l'hôtel de luxe à Prague ou Budapest, elle trafique depuis toujours, avec les nazis, dès 1931, elle a même fricoté avec les Allemands en 1914, jusqu'en 1917, elle a quitté l'Allemagne en pleurant, deux fois, en 1917 et en 1941, à chaque fois juste avant l'entrée en guerre, les Russes doivent avoir un putain de dossier sur elle, ils la tiennent, on va la faire passer en commission, sous serment, diva ou pas on va la rissoler, elle a fricoté avec les nazis et elle bosse pour les Soviets, et elle fricote avec tous les libéraux de Washington, on la tient, un cas typique, nazie, bolchevique et libérale. »

McCarthy décide :

« On va la convoquer devant la commission. »

Février 1954, McCarthy va envoyer une belle grenade dans les réseaux communistes et libéraux, convoquez-moi cette bonne femme, Max, tu exagères, tu parles comme si tu étais sur les genoux de McCarthy, salaud, quand on connaît les mœurs de ce type, chut, pas un mot, rentrez sous terre, breuvage garanti, vieilli dans nos caves.

McCarthy va flinguer Lena, et deux hommes sollicitent un rendez-vous, deux officieux de la Maison Blanche, un restaurant, très chic, un salon privé, nous serons deux, vous pouvez venir avec votre adjoint monsieur le sénateur, pas d'entourloupe, vous pouvez ajouter un garde du corps dans l'entrée, pas plus, c'est un rendez-vous très important.

McCarthy les tient, les libéraux de la Maison Blanche, les marionnettes des communistes, ils sont aux abois, ils sollicitent un rendez-vous et ils sont assis en face de lui, salon à grosse moquette, rideaux rouge foncé, très silencieux.

Deux libéraux pour McCarthy : un membre du secrétariat particulier d'Eisenhower, Walker, le nonchalant de l'équipe, veste en tweed, petite pochette orange et noire, les couleurs de Princeton, et cette tapette de Garrick, costume gris, sénateur démocrate, deux tapettes washingtoniennes, des moins de trente ans, c'est né avec une cuillère d'argent dans la bouche, du foot et du droit à Princeton, du muscle et le cheveu ras pour faire illusion, des tapettes libérales, on a osé lui envoyer ça, une seule charge va suffire, pas de bagatelles devant la porte, même pas d'apéritif, McCarthy commence avant d'être complètement assis, les mains encore en appui sur les accoudoirs :

« Qu'est-ce que vous avez à me demander, vous deux ?

— Nous n'avons rien à demander, monsieur.

— Qu'est-ce qu'on fout là alors ?

— Nous apportons un simple message, dit Walker, un message du Président, vous vous apprêtez à convoquer une dame, s'il vous plaît, laissez-moi finir, c'est très bref, le Président a dit de laisser tomber.

— Sinon ?

— Sauf votre respect monsieur, le Président nous a dit de vous botter le cul. »

Et Garrick ajoute :

« Jusqu'à ce que vous cessiez d'aimer ça, monsieur. »

Très longtemps qu'on n'a pas parlé ainsi à McCarthy, et les deux émissaires sont calmes, des provocateurs, le président de la commission des activités antiaméricaines pose la main sur l'avant-bras de son adjoint pour le calmer, McCarthy sait jouer aux cartes, il est allé trop vite, il va tuer ces deux connards mais sans faire d'erreur. Ils le regardent en souriant, ils n'ont pas de sang au visage, aucune pâleur non plus, peut-être pas des mollasses intégrales, pourtant ils sont assez jeunes, un républicain et un démocrate, ensemble, McCarthy aurait dû mieux se renseigner, peut-être pas des tapettes, les tuer avec précaution, il vérifie en souriant :

« Vous avez fait la guerre, jeunes gens ?

— Oui monsieur.

— Où ça ?

— Corée, monsieur, les marines, engagés volontaires —
c'est Walker qui parle — à un bon poste.

— Ah oui ? Quel état-major ?

— J'étais lance-flammes, monsieur, pendant un an et demi,
je n'aurais pas donné ma place pour un empire, et Garrick
était tireur d'élite, chargé de ma protection, lui aussi pendant un an et demi, je suis républicain, il est démocrate, on
s'entendait très bien, on s'entend toujours très bien.

— Vous avez bien dit : bottez-lui le cul ?

— Jusqu'à ce qu'il cesse d'aimer ça, monsieur, c'est un propos militaire, une image.

— Et si je vous foutais mon verre dans la gueule ?

— Monsieur, le président Eisenhower a dit *sinon c'est la
guerre totale.* Nous n'en aurons même pas pour quarante-
huit heures. Puis-je me permettre de développer en quelques
mots, monsieur, avant que vous ne lanciez votre verre ? Les
acteurs, les intellectuels, les syndicalistes, les écrivains, les
journalistes, vous en faites ce que vous voulez, les étrangers
aussi, vous faites traiter Thomas Mann de communiste, vous
faites retirer *La Montagne magique* de nos centres culturels à
l'étranger, vous pouvez même aller plus loin, titiller monsieur
Dulles et la CIA, pas trop, pour votre crédibilité, le Président
peut comprendre, mais quand il nous envoie vous dire *bas
les pattes,* c'est vraiment *bas les pattes.* Nous n'aimons pas
l'odeur de cramé, monsieur, mais nous savons faire. Cette
dame doit disparaître de vos agendas et cette entrevue n'a
jamais eu lieu. »

Cet épisode de 1954, c'est Max qui le racontera, Michael
Lilstein n'en connaît pas le tiers mais avec le tiers que Lilstein
lui fera glisser, et quelques conversations avec son ami Linus
Mosberger, l'un des patrons du *Washington Tribune,* Max fera
quelque chose de très vraisemblable, il ajoutera l'épisode de
1956, Budapest, c'est important pour le souvenir que les gens
vont garder de Lena, l'enlèvement, la voiture, un récit plausible.

Donc, tout à l'heure, devant Kappler, Lilstein ne demandera pas :

« L'avez-vous revue ? »

Et personne ne se mettra à trembler du menton.

L'autre épisode, celui du mois d'août dernier en Hongrie,
juste avant l'arrivée des chars russes à Budapest ; il y a à peine
quelques semaines, Lilstein n'a pas à le raconter à Kappler ;
il l'a reconstitué, mais il ne le racontera pas, la route, la halte,
la forêt, la femme au revolver, elle tire Lena à l'écart, Lena
regarde le ciel, les étoiles et la mort se tiennent par des crochets de fer, non, les étoiles et le froid, ce que disait ce poète
c'était les étoiles et le froid, pas la mort, moins de pathos, de
toute façon la mort est là, la reine du bal, à plusieurs reprises
j'ai été la reine du bal, je n'ai pas à me plaindre, la forêt tout
autour de Lena, elle a toujours aimé la forêt, on sent que
celle-ci ne doit pas être très belle, il y a le bruit que fait l'eau
entre les herbes, les mélèzes de Waltenberg, on glissait sur
la neige entre les mélèzes, avec Hans, non, Hans ne skiait
pas, pas assez bien pour faire de la randonnée, et il n'avait
pas vraiment envie de m'accompagner, c'est Max qui a dû me
citer le poète, Paris l'an dernier, le ski c'était avec Michael, le
jeune Lilstein, *nun hast du mir den ersten Schmerz getan*, ma
première douleur, tu m'as causé ma première douleur, c'est
moi qui vais mourir petit Michael.

Le bonheur d'entrer dans la forêt, le sifflement des carres
sur la neige, Kägli devant nous, le moniteur, il essaie une
nouvelle méthode pour freiner, un dérapage skis parallèles, à
l'époque je ne sais pas très bien faire, c'est cela un quart de
siècle, le freinage qui passe du chasse-neige au petit christiania, ici c'est une mauvaise forêt, je n'aime pas la nuit, le jour
ne vaudrait pas mieux, au moins je n'ai pas à me croire sauvée par le bleu du ciel, heureusement que je n'ai pas d'enfant,
une femme au revolver et une balle pour l'héroïne.

Pas assez dissipée, dans ma vie je ne me suis pas assez
dissipée, la nuit se creuse, la forêt hongroise, les maudire

comme fait Tosca, leur tête, si je lance... Non, je n'ai rien à dire à ces gens-là, qu'ils se dépêchent, j'ai simplement peur que cette femme soit maladroite, mon cœur bat vite, Max m'avait prévenue.

La femme au revolver laisse Lena s'isoler un instant, la ramène vers la voiture, lui fait boire du thé chaud, la regarde dans les yeux en lui disant sourdement :
« Il va faire très froid. »
Un biscuit avec le thé, à nouveau la voix qui récite :
« Il va faire très froid. »
On remet la cagoule sur la tête de Lena, la voiture, long trajet, elle finit par s'endormir sur l'épaule d'un des hommes. Quand elle se réveille elle est seule dans la voiture. Elle entend des voix tout autour, des Américains. Quelques minutes plus tard elle est dans une grosse ambulance qui roule vers Vienne, des hommes en blouse blanche et un homme en veste de tweed, pochette orange et noire, son ami Walker, il lui passe la main sur le front, il a les larmes aux yeux. Un médecin prend la tension de Lena, une seringue.
« Qu'est-ce que c'est ? »
— Tonicardiaque, madame, le service sur le terrain c'est fini. »

Au final, en fin de matinée, devant Kappler, Lilstein ne fera aucune allusion à Lena. Il se contentera de lui demander :
« Pourquoi tenez-vous tant à rentrer ? »
Lilstein se souvient d'un Kappler lucide, avec le doute comme drogue. Un jour Kappler lui avait dit :
« Je suis celui qui doute et vous celui qui dit non, c'est pour ça que nous aimons discuter, au moins dans un premier temps, et parce que nous sommes de Rosmar. »
Lilstein connaît Kappler mais Kappler le connaît encore mieux, ils ne se sont croisés que deux ou trois fois depuis 29, très brièvement, mais ce qui s'est passé jadis à Waltenberg les a liés. Kappler est le grand aîné de Lilstein, il a sur Lilstein

la supériorité d'un sourire, il l'aura toujours, il saura retrouver, derrière les façons actuelles de Lilstein, la trace de l'adolescent d'avant-guerre, leurs discussions sans fin le soir, au *Waldhaus*, dans un coin du grand salon.

Ils avaient leur place à une fenêtre, près d'un immense papyrus, un miracle de jardinage en pot, à 1 700 mètres d'altitude. Kappler traitait le jeune homme d'égal à égal, il commandait deux cafés et deux armagnacs, vous faites beaucoup plus que votre âge, jeune Lilstein, et vous ne fumez pas, signe de maîtrise, mais ce sera votre seul armagnac de la soirée, nous sommes d'accord? Kappler se souvient-il de tout ce dont je ne me souviens même pas? je ne bois plus d'armagnac, le café, est-ce que je prenais du sucre à l'époque? aujourd'hui c'est un sucre dans la tasse et l'autre dans la petite cuillère, un canard, comme disent les Français, et quand il y en a un troisième je le laisse, ou je refais un canard, je n'en mets jamais deux dans la tasse, ou très exceptionnellement, et j'ai tort, c'est un peu écœurant, Kappler était déjà l'un des grands de ce monde, et — à part l'armagnac — il traitait un adolescent d'égal à égal, dans de belles batailles d'idées, il ne prenait pas de sucre dans son café, il faisait ses canards dans l'armagnac, il n'avait pas d'enfant.

Lilstein contredisait Kappler avec violence, en l'admirant, Kappler recherchait cette violence.

Aujourd'hui encore Kappler en sait plus sur Lilstein que Lilstein lui-même, il sait que Lilstein a envie de lui demander : « L'avez-vous revue? »

Il connaît toute la part de Lilstein qui a été dissimulée par les années mais n'a pas disparu, rien ne disparaît jamais, tout ce qui chez Lilstein a continué à grandir dans une ombre que Lilstein veut lui-même ignorer, tout ce qui en lui est toujours prêt à dire non à tout, la volonté de dire non, sentir qu'on a en soi une force qui refusera toujours de marcher au pas avec un ministre qui se gratte le cul devant ses chefs de service.

Kappler, le soir à Waltenberg, dans le grand salon-biblio-thèque du *Waldhaus*, après les débats du *séminaire*, parlait en souriant à un Lilstein de quinze, seize ans, qui faisait plus grand, plus vieux que son âge et qui refaisait le monde avec de la violence et des adjectifs, vous êtes un séditieux, jeune Lilstein, vous n'êtes pas assez docile pour être un vrai révolu-tionnaire et refaire le monde, il faut vous discipliner, vous n'êtes qu'un séditieux, et même quand vous n'avez rien fait contre la discipline vous avez eu envie de le faire, vous avez en permanence l'idée du mauvais geste, vous faites semblant de refaire le monde mais votre génie c'est le mauvais geste, même quand vous ne le faites pas, le plaisir du mauvais geste, plaisir de coupable, je suis sûr que la première fois qu'on vous a mis à l'école votre maman a glissé votre petite main dans celle du directeur et s'est éloignée à reculons, un directeur d'école très fier de se voir confier la progéniture des docteurs Lilstein, vous n'étiez même pas triste de voir partir votre mère, plutôt curieux de voir ce qui allait se passer de nouveau, vous ne pleuriez pas, vous avez quand même mordu la main du directeur, j'en suis d'autant plus sûr que votre frère m'a raconté tout ça en riant, avec la gifle du directeur en retour, la liberté ne sert à rien si on ne peut pas mordre la main qui vous tient, un mauvais geste, au nom de la liberté, envie de tout faire, même mettre le feu à la baraque, tout, regard cir-culaire de Kappler, tout sauf l'innocence de ces gens-là! oui, ce n'est que de la psychologie bourgeoise, mais souvenez-vous, le génie du mauvais geste, vous l'aurez toujours!

Kappler montrait les petits groupes de gens bien habillés, comme eux, qui conversaient avec passion dans le salon du *Waldhaus*, et Lilstein souriait, satisfaction d'avoir été percé à jour, de voir que Kappler n'était pas loin de partager son hos-tilité envers *ces gens-là*.

Non loin du coin où Kappler et lui discutaient, un homme était installé à côté d'une femme dans une bergère, il s'appelait Neuville et parlait d'une voix nette à un groupe de gens debout, il tenait à la main quelques feuilles de papier roulées en tuyau, il parlait sans être interrompu :

« L'unité de mesure de travail humain appelée le Neuville ou unité N est une unité universelle représentant la quantité d'énergie physiologique utile qu'un être humain normalement constitué peut déployer en une minute. »

Neuville ne pérorait pas, il parlait à voix posée, lentement, ne donnait pas le sentiment qu'il faisait la leçon, il faisait partager le plaisir d'une belle définition, il portait un tweed croisé, ample, gris, avec quelques fils verts à peine perceptibles, le même genre de costume que le père de Lilstein, qui n'aimait pas les fils verts dans le gris, mais sa mère disait c'est pour égayer et elle avait le dernier mot, l'homme qui parlait à voix posée possédait tout ce que la vie peut donner, et il y ajoutait un air de bienveillance dans la voix et les yeux :

« Cette quantité d'énergie humaine déployée se mesure en tenant compte du repos nécessaire convenable lorsque cet être humain exécute dans des conditions normales les gestes et efforts physiologiques qu'imposent les opérations industrielles auxquelles il a été adapté et entraîné à un rythme égal aux trois quarts du rythme normal de dépense physiologique pendant la durée normale journalière de travail. »

Une Allemande debout buvait les paroles de Neuville, parfois la femme assise sur la bergère jetait à l'Allemande un regard très neutre, Neuville poursuivait :

« Une dépense qui doit laisser le travailleur apte à satisfaire à ses obligations familiales et sociales, à déployer chaque jour la même quantité d'énergie physiologique sans altération pour sa santé ou son individualité. »

Un Neuville à la parole bien articulée, des silences calculés pour qu'on puisse méditer sa parole ou regarder son costume, comme un acteur qui sait que personne ne viendra interrompre son monologue sinon pour acquiescer, c'était insupportable :

« Taylor n'a pas pris en compte la fatigue et la nécessité de reproduire la force de travail, l'unité Neuville est la seule à mesurer l'ensemble. »

Pour Lilstein c'était insupportable, un salon c'est fait pour la conversation, ces gens-là l'écoutent avant qu'il ait parlé, des larbins, faire taire ce capitaliste, qu'il convoque ses larbins ailleurs, Lilstein a seize ans, de l'impatience à manifester, le scandale, faire un scandale, donner une leçon publique à ce mélange de rêveur et de salaud, il se tourne vers Neuville et il l'entend dire :

« Aux États-Unis dans ma jeunesse, pour survivre, j'ai travaillé chez un détaillant de whisky. »

La *success story* maintenant ! Lilstein guette le silence dans lequel il viendra briser les effets de ce bavard.

« Nous vendions des bouteilles différentes à trois tarifs différents, un quart de dollar, un demi-dollar et un dollar, ce fut ma première leçon de capitalisme : pour les trois tarifs, c'était la même quantité du même whisky. »

Lilstein se disant soudain qu'il y avait quelque chose à apprendre de ce cynisme et se mettant à écouter lui aussi.

Un jour, beaucoup plus tard, Lilstein dirait avec la précision que peut donner à une voix d'homme le passage par Auschwitz puis le Goulag :

« Les capitalistes sont des cyniques. »

Sourires des membres de la commission économique spéciale du bureau politique, Lilstein continuant :

« Ils font semblant de mener des croisades mais ce sont d'abord des cyniques à camelote. »

Nouveaux sourires. Et Lilstein :

« Seulement voilà, avec cette camelote ils font de la valeur, et nous, qui voulons être sans cynisme, nous en restons au stade de la camelote sans valeur. »

Plus aucun sourire, les nouveaux responsables de l'économie se demandant seulement pourquoi cette attaque contre eux, et au nom de quel autre groupe Lilstein pouvait bien parler alors qu'il faisait justement partie du groupe qui les avait aidés à accéder à leurs nouvelles responsabilités, Lilstein leur procurant même, grâce à ses réseaux, d'inestimables renseignements sur bien des produits et des techniques capitalistes, pourquoi cette réflexion sur la camelote sans valeur? un revirement de Lilstein? vers les conservateurs, les maniaques de l'industrie lourde? ou bien était-il en train de passer un nouvel accord avec une fraction plus avancée, celle des irresponsables qui voulaient restaurer le capitalisme sous prétexte que la productivité c'est la productivité? ou n'avait-il cherché qu'à faire un bon mot? il avait cette réputation de ne jamais hésiter devant un *Witz*, même saumâtre. Incontrôlable, ce type, juste bon à cuire son pain tout seul.

À Waltenberg, jadis, l'homme qui parlait du système Neuville avait ajouté :

« Trois tarifs différents mais c'était toujours du vrai whisky, ma première leçon de capitalisme, tout est relatif, comme dirait notre jeune ami Tellheim. »

Lilstein avait renoncé à faire un scandale. Tellheim était un jeune physicien invité au *Waldhaus* à ce même *séminaire* du printemps 1929 pour faire des conférences sur la relativité, il parlait d'ascenseurs, deux cages d'ascenseur en parallèle, le long de la façade d'un immense gratte-ciel, comme en Amérique, au moment du départ les passagers de l'ascenseur numéro un laissent tomber par la fenêtre des objets divers, parapluies, chapeaux, sacs, ces objets tombent et s'éloignent d'eux à la vitesse de neuf cent quatre-vingt-un centimètres par seconde, c'est-à-dire une vitesse qui s'accroît de neuf cent quatre-vingt-un centimètres à chaque seconde, si l'on fait abstraction de toute condition parasite.

Tellheim ne cherchait pas à capter l'attention, il racontait ce qu'il savait, c'était tout, on se retrouvait dans l'ascenseur avec lui, on n'en sortait plus, et pendant que cet ascenseur numéro un commence sa descente d'ascenseur normal à vitesse normale d'ascenseur normal, l'ascenseur numéro deux se lâche dans le vide à la vitesse de neuf cent quatre-vingt-un centimètres par seconde, sous la même influence que les objets qui tombent, c'est-à-dire l'influence de la gravitation, les passagers de cet ascenseur numéro deux cessent alors de sentir leurs pieds presser sur le plancher, leur porte-monnaie cessent de peser dans leurs poches, leurs chapeaux, sacs et parapluies s'ils leur échappent des mains restent suspendus dans l'air devant leurs yeux, qu'il s'agisse d'un chapeau de plume ou d'un chapeau de plomb.

Et ces mêmes passagers de l'ascenseur numéro deux peuvent voir les objets tombés de l'ascenseur numéro un flotter à côté d'eux, vous voyez, au même moment, des passagers peuvent voir tomber leurs chapeaux et d'autres les voient flotter devant leurs yeux, à quelle condition un ascenseur peut-il atteindre cette vitesse ? eh bien, disons à condition qu'il n'y ait aucun frottement parasite et que le câble se soit dès le départ rompu d'un coup sec, une hypothèse tout à fait vérifiable. Demain soir je vous parlerai de trains, comment, pour un observateur placé sur un quai, un train traverse la gare moins vite que pour l'observateur installé dans le train, et après-demain ce sera la ligne courbe, qui est le plus court chemin pour aller d'un point de l'univers à un autre.

Tellheim et Lilstein avaient tout de suite été amis.

Dans le salon-bibliothèque du *Waldhaus*, en 29, les femmes étaient très belles, elles regardaient les hommes dans les yeux.

« Elles ont découvert que les idées font briller le regard bien mieux que le khôl. »

La phrase avait volé parmi d'autres, entre les joueurs de billard, mais aucun homme n'en revendiquait vraiment la paternité. Lilstein regardait parfois les jeunes Françaises mais il posait surtout son regard sur une grande femme rousse qui le regardait avec gentillesse, ils avaient fait ensemble une randonnée à ski en compagnie des Françaises, une Française avait dit à l'une de ses camarades :

« Dans trois ans il sera superbe. »

L'autre avait répondu :

« Oh, même maintenant ! »

Et quand Kappler surprenait les regards de Lilstein vers une femme il répétait en souriant :

« Tout, sauf l'innocence de ces gens-là ! »

Parfois un ami de Kappler les rejoignait, un journaliste français avec de grandes oreilles, très drôle, il faisait des scènes de jalousie à Lilstein, chut, pas un mot, vous n'y êtes pour rien, avec vous il redevient jeune, moi je n'ai que des horreurs à lui rappeler, vécues dans la boue, et celles que je vais chercher dans le vaste monde, savez-vous dans quels récipients le patron de l'Institut médico-légal de Paris garde les cerveaux qui l'intéressent après autopsie ? dans des pots de chambre, savez-vous pourquoi ? il prétend que c'est ce qu'il y a de plus adapté à la forme du cerveau. Étrange, chaque fois que je dis *savez-vous* c'est pour dévoiler une horreur. Savez-vous comment il y a encore peu de temps on ravitaillait en eau les postes militaires français au Maroc, en pleine guerre du Rif ?

L'ami français de Kappler prenait son temps, faisait tourner son verre, faisait semblant de croire que la réponse allait sans tarder lui venir de l'auditoire, ses oreilles lui donnaient un air comique et chaleureux, les dames le pressaient, il ajoutait vous prenez vingt-cinq troufions paumés, avec un officier qui se prend pour Roland, et qui cherche un Olivier pour crever avec lui, et des centaines de Sarrasins tout autour, des Berbères, plus chevaleresques que les Sarrasins, à part une sale habitude, quand ils ont des prisonniers ils leur ouvrent le ventre, foutent des cailloux et du caca de chameau dedans, attendent même pas que les prisonniers soient morts pour leur arracher la langue, nos savants appellent ça des rites ruraux d'exécration, forcément, ces types du Rif, ils sont chez eux, on a souillé leur terre, oui, l'eau arrive par avion, avec une ou deux médailles militaires, oh, les avions ne se posent pas, ils lancent sur le poste. Comment on fait pour l'eau ? la première fois que j'ai entendu ça dans un appel radio j'ai failli rigoler : *sommes assiégés, envoyez pains de glace.*

Kappler se trompait peut-être sur Lilstein quand il parlait de génie du mauvais geste, de plaisir de coupable. À l'époque Lilstein balayait de la main cette psychologie bourgeoise, ces phrases sur le plaisir et l'innocence, mais maintenant il revoit des choses qu'il ne voyait pas à l'époque de son adolescence, ni même avant sa rencontre avec Kappler, une boulette de buvard mâché, par exemple, qui s'écrase sur un tableau à l'école, le professeur demande qui a fait ça en montrant la boulette, le jeune Lilstein avait beau être innocent, il devenait tout rouge, il n'avait rien fait mais il aurait pu avoir l'idée de la boulette, il avait toujours un tas de provocations qui lui passaient par la tête, il n'en faisait jamais rien mais quand une boulette de buvard bien lourde de salive s'écrasait sur le tableau il trouvait cela bien joué.

Et il devenait tout rouge. Ou bien il était coupable d'une autre faute, les aisselles de la bonne par exemple, il les regardait quand elle faisait la poussière des lustres de la maison familiale, et quand le maître demandait qui a fait ça, en montrant le buvard, Lilstein rougissait, parce qu'il avait eu l'idée de la boulette, parce qu'il pensait encore aux aisselles de la bonne, et derrière les aisselles de la bonne il y avait une autre histoire, celle d'un grain de riz, lancé vers les fesses de la même bonne, avec une carabine à air comprimé ; c'était son handicap, cette rougeur, dès qu'on parlait de ce qui ne doit pas se faire il devenait tout rouge, il a mis des années à se contrôler, parfois il avait tellement l'air d'un coupable qu'il était mis à la porte de la classe, dans le couloir.

Il attendait la ronde du censeur des études, avec une petite chance que celui-ci ne vînt pas interrompre cette manière d'entracte assez délicieuse où les délits et les peines se contrebalançaient dans une rêverie faite aussi de revanche sur le vrai coupable d'un délit dont on pouvait se sortir à bon compte, l'expulsion du cours étant censée représenter à elle seule le pire des châtiments.

À la récréation Lilstein pouvait silencieusement jouir de
la personnalité qu'il venait d'inventer devant ses camarades,
celle de quelqu'un qui ne flanchait pas, et qui était en plus
moralement supérieur à celui qui en ne se dénonçant pas
l'avait laissé affronter la colère des autorités.

Et comme celui qui ne s'était pas dénoncé était généralement de l'espèce fier-à-bras, cette espèce finissait par
être redevable à Lilstein d'une parcelle de l'orgueil qu'elle
arrachait aux autres à coups de poing et à coups de pied.

Quel que fût cependant le confort de ce statut de victime
innocente et virile, Lilstein avait fini par se rendre compte
qu'une petite émotion peut aussi être perçue comme le signe
que vous êtes plus innocent que ceux qui restent de marbre,
et puis lui, vous savez, il rougit tout le temps, un jeune sanguin, trop grand pour son âge, qui se raconte un tas d'histoires, parlez de femmes, vous verrez, jusqu'à la racine des
cheveux, c'est imparable, ou alors tenez quelques propos
généraux sur les fils à papa.

Plus tard, les supérieurs de Lilstein, ses collègues, ses ins-
tructeurs du temps de Moscou ou les camarades prisonniers,
dans les camps nazis ou dans l'autre, ont connu un homme
calme et précis, toujours en avance d'une manœuvre mais un
peu fragile, toujours un peu de rougeur, il n'avait pas l'air de
savoir mentir, il se troublait à tout moment, et ceux qui l'ont
interrogé à la Loubianka en l'installant sur un tabouret et en
se relayant vingt-quatre heures sur vingt-quatre avant de
l'envoyer dans un camp spécial savaient que c'était un type
convenable, qu'il était pris dans un engrenage mais qu'il était
convenable.

Un homme qui rougit à chaque question est certes coupable mais comme tout le monde, pas plus, on aurait pu le
déglinguer en y allant plus fort, casser le type, le mettre
en larmes, lui faire dire n'importe quoi, mais il ne fallait pas
aller trop loin, surtout ne pas risquer de le tuer, personne
n'avait donné d'instruction dans un sens ni dans l'autre, pourtant tout le monde savait.

Quand Abakoumov ou ses assistants directs ne venaient pas eux-mêmes ajouter leur marque syndicale au travail des professionnels, les professionnels évitaient d'en faire trop, surtout quand le sujet demeurait calme, rouge, pas trop. Lilstein avait des malheurs mais il restait un type convenable, comme si, dans l'ombre, quelqu'un avait décidé de devancer les vrais écorcheurs et de faire du mal à Lilstein pour lui éviter le pire, quelqu'un ou quelques-uns, ou personne, même pas quelqu'un, personne pour s'occuper de ça, une case vide dans l'organigramme, un oubli mais qui avait autant de conséquence, sinon plus, que l'action précise de quelqu'un ou de quelques-uns.

Comme si à partir de son propre vide en un endroit, l'organisation se mettait à agir d'elle-même, à esquisser des solutions *pour plus tard*, même pas des solutions, plutôt des figures aléatoires, pour plus tard, la survie de Lilstein devenant une de ces figures, sans que personne dans l'organisation, ni l'organisation elle-même, sache exactement ce que serait ce *plus tard*, comme si quelque chose en tout cas s'était mis en marche pour préserver du pire certaines des victimes.

L'organisation sachant, ou sentant qu'elle aurait un jour à demander les moyens de sa survie à celles des victimes qu'elle aurait laissé vivre.

Kappler, lui, connaît le Lilstein d'avant tout cela, celui qu'à Waltenberg, en 1929, une force poussait à d'abord dire non et à jouer ensuite sur les décombres balayés par le non, ça a toujours été, il a toujours dit non, jusqu'au zéro en sciences naturelles à onze ans pour que son père comprenne, la médecine jamais, Kappler a connu Lilstein en révolutionnaire et fils de grands médecins, un jeune homme qui dit non à tout le monde et veut refaire le monde, pas parce que le monde souffre ou le fait souffrir mais parce que le monde lui appartient.

« Anarcho-matérialiste, jeune Lilstein, vous n'êtes qu'un anarcho-matérialiste, ça vous rend sympathique mais vous aurez des ennuis si vous ne vous disciplinez pas. »

C'est Kappler qui lui a dit de lire Lénine, et Marx à travers Lénine. Kappler avait horreur de Lénine et il a pourtant dit à Lilstein de le lire, quand celui-ci n'avait que seize ans, parce qu'il savait que cela aiderait Lilstein à survivre, vous avez appris le russe pour lire Dostoïevski, que ça vous serve maintenant à lire Lénine. Lilstein est devenu l'un des communistes allemands qui connaissaient le mieux l'œuvre de Lénine, le texte original, et Kappler a mis Lilstein en garde contre ses propres sympathies, Rosa Luxemburg, inutile de lire ça, Boukharine de même, le péché d'économisme, Kappler admirait Boukharine mais il le déconseillait à Lilstein :

« Je vous dis de ne pas le lire parce que j'espère que vous y viendrez malgrès moi, à votre âge on ne lit que ce qui est déconseillé, mais ça ne tardera pas à devenir dangereux, dangereux aussi Trotski, utopie et militarisme, ses adversaires disent que c'est un serpent, ça n'est pas vrai mais le trotskisme est inactuel, Lénine, jeune Lilstein, tout Lénine, avec Staline, et Marx à travers Lénine et Staline, ce sera de plus en plus important Staline, bien sûr, sans oublier Engels, le reste, la révolution permanente, la démocratie ouvrière, la fin de l'aliénation, c'est de la rêverie d'adolescent, ce monde est sans cadeaux et si vous voulez vraiment le changer ce ne sont pas les jolies femmes qu'il faudra embrasser, c'est le boucher. »

Kappler disant en 1929 à Lilstein de faire ce qu'il n'avait jamais fait lui-même, parlant en regardant le grand papyrus en pot auprès duquel ils étaient assis, le visage de Lilstein sur le délicat fond vert du papyrus, un jeune dieu, plus qu'un jeune dieu, les dieux n'ont pas cette volonté d'avenir, une âme à fleur de peau, Kappler sentant monter dans ses paroles une allégresse à laquelle il avait renoncé depuis longtemps, une allégresse de jeune homme quand le siècle était jeune, avant la guerre, quand Blériot a traversé la Manche en 1909 nous étions tous de joyeux Européens, nous captions des forces, des explosions, nous les transformions en belles machines à feu, à courant, à rayonnement même, c'était beau les décisions, on voulait, on calculait, on décidait, on construisait, Hans voulait construire des paquebots, calculer des finesses de coque, des aéronefs un jour, de plus en plus gros, voir les pays d'en haut, plus jamais de frontières, et montrer tout cela à une femme qui aurait toutes les qualités du nouveau siècle.

Et un jour finie l'allégresse, l'automne 1914, on avait commencé à comprendre, les lampes éteintes sur l'Europe, et quinze ans plus tard ces discussions avec un jeune homme qui reprenait les rêves, refusait à son père de faire médecine, se passionnait pour les communications à longues distances, innerver le monde d'un immense réseau immatériel de radiophonie et de téléphonie, des millions de lignes, de faisceaux, des milliards de paroles sur ces millions de lignes, en échange direct, sans domination, sans exploitation par aucun argent.

Le jeune homme voulait aussi faire la révolution, ça lui passerait, peut-être avait-il raison, il avait au moins l'allégresse, il en communiquait le rythme sinon les contenus à son aîné. Et Hans pour la première fois depuis l'avant-guerre sentait son sang battre à nouveau, pour la première fois.

Pas la première : il y avait eu une autre fois, peu après la guerre, avant Lilstein. La dernière fois à vrai dire que Hans s'était senti autant d'allant qu'en parlant à ce jeune homme dans le salon du *Waldhaus*, c'était en 1925, à la *Frankfurter Zeitung* où il venait de faire paraître une chronique, octobre 1925, il avait reçu une carte postale envoyée des États-Unis, des gratte-ciel, avec trois mots, en français :

« Comment vas-tu ? »

Rien d'autre, pas de nom, Kappler savait que c'était elle, pas d'adresse, elle pensait sans doute que si elle avait réussi à trouver le moyen de le joindre il devait être capable d'en faire autant, le cachet était de New York, il s'était mis à écrire à tous les gens qu'il connaissait aux États-Unis, des lettres gentilles, complaisantes, avec une petite incise :

« Auriez-vous par hasard le moyen de joindre une certaine madame Hotspur qui m'a écrit une charmante lettre au journal sans me donner son adresse? Je voudrais la remercier, elle est peut-être installée à New York. »

Il était allé consulter les collections des grands journaux américains à Berlin pour essayer de retrouver la trace de Lena, il voyageait à travers les journaux, elle était peut-être en train de faire une carrière, une frénésie d'enquêteur, aller en Amérique, traverser l'océan et l'Amérique, il recevait des réponses à ses lettres, aucun renseignement sur Lena mais des réponses assorties de compliments pour lui, et de petites demandes que sa gentillesse avait suscitées chez ses correspondants, sur monsieur untel qu'on n'avait plus revu, sur une jeune fille qui n'allait pas tarder à venir passer sa *finishing year* dans la vieille Europe, Hans verrait-il un inconvénient à la recevoir pour un petit entretien?

Des réponses à donner, du temps à perdre, il s'en voulait d'avoir écrit ces lettres, une branche morte dans ses recherches, il se replongeait dans les collections de journaux, il n'allait au cinéma que dans l'espoir de contempler l'Amérique, aux actualités ou dans un film, il aurait pu prendre au plus tôt un billet pour les États-Unis mais l'enquête lui procurait des sensations qu'il avait peur de ne pas retrouver là-bas, il retardait son départ, il avait peur d'un échec, c'était son rêve. Une carte, trois mots.

Le matin pour la première fois depuis de longues années il s'éveillait avec autre chose que le souci de reprendre possession de son corps, qu'il aimait de moins en moins. Il dormait bien, Berlin était sinistre, Hambourg était sinistre mais il se levait tôt et dès qu'il ouvrait les yeux il voyait Manhattan la *skyline* devant lui, il était sur le pont du bateau qui arrivait.

L'horizon a cessé de rugir, c'est un autre vacarme qui l'enthousiasme, sirènes, parfois il ajoutait les jets des bateaux-pompes, partir, c'était un tel événement, ce n'était pas l'enquête qui le retenait, c'était l'idée qu'il lui fallait encore du temps pour devenir plus fort.

Il voulait une arrivée à la Dickens, la foule sur le quai de Long Island, pour lui. Pas trop de foule, il n'était pas un feuilletoniste, mais beaucoup de reporters, avec des micros, des questions qui lui permettaient de montrer son intelligence. Réconcilier l'Allemagne et l'Amérique! il vient pour ça. Après il ira réconcilier l'Allemagne et les Soviets. C'est si simple.

L'Allemagne a faim, l'Amérique a besoin de vendre, même pas besoin de grands sentiments, il a beaucoup parlé avec Rathenau avant son assassinat, alléger la dette réclamée par les Anglais et la France, la France surtout, elle doit de l'argent aux Américains, elle dit que l'Allemagne lui doit tout, c'est simple, les Américains ont la clef, il faudra quand même passer par de bons sentiments, la solution est commerciale.

Reste à inventer les sentiments qu'il faut pour alléger une dette, comme en littérature, quand vous me lisez c'est que vous avez confiance en moi, vous me faites crédit alors qu'à tout instant vous pouvez fermer le livre et dire foutaises, ou alors faire un pari sur la suite. Hans dira je ne suis qu'un homme de littérature.

Leur parler de ce qu'ils aiment, les Américains ne sont pas des sauvages, ils aiment la langue française comme Hans, *The Pronunciophone Company*, c'était dans *Time*, une page de réclame, *are you embarrassed by mistakes in pronunciation*, contre les fautes de prononciation une série de disques avec la bonne façon de dire *hors-d'œuvre, entente cordiale, déshabillé, Poincaré, objet d'art, faux pas, beau geste, en route* ou encore *canapé*, leur montrer que l'Allemagne c'est aussi la culture, pas seulement la France, il aura gagné quand la *Pronunciophone Company* de New York proposera des disques avec *Gemütlichkeit, Sehnsucht, mein Liebchen, Schadenfreude*, non, pas *Schadenfreude*, pas tout de suite, d'abord le mignard, *mein Liebchen*, et la philosophie, *Bewußtsein*, garder *Schadenfreude* pour les Russes, ils connaissent Marx, chaque fois qu'on me demande de traduire ce mot je n'y arrive pas, je suis seulement capable de dire ah, ça c'est très allemand, la joie qu'on éprouve devant le malheur d'autrui, qu'on ait ou non contribué à provoquer ce malheur, il faudrait réussir à faire entrer ce mot aux États-Unis, en même temps que *mein Liebchen.*

Les paroles de Hans allaient parcourir tout le territoire des États-Unis et finir par atteindre Lena, un livre de lui dans une vitrine sauterait aux yeux de la jeune femme, elle viendrait à sa rencontre, elle lui montrerait New York, la nuit, les cascades de lumières, les étoiles de rue, du ciel, New York comme cent fois Hambourg et Berlin, les milliards d'étoiles du rêve de la ville et du ciel, les façades de lumière blanche qui bondissent, l'architecture, verre, métal, pierre qui se tord dans des tourbillons de flammèches, des mouvements agressifs qui jaillissent de l'ombre, dansent vers les étoiles comme les désirs de Hans et reviennent jeter sur les murs des cascades d'étincelles et de mots en flammes, voilà ce que leur dira Hans à son arrivée, au pied de la passerelle, les micros, je viens vers vous, je viens vers la ville aux façades de lumière blanche, de verre, de métal, de pierre qui se tordent dans des tourbillons de flammèches qui dansent vers les étoiles et reviennent jeter sur les murs des cascades d'étincelles et de mots en flammes, l'insomnie agressive de New York, les machines à soleil, à tuer tous les vieux clairs de lune, rugissements et gifles à grande vitesse, le calme c'est pour les invalides de guerre, musique, des rythmes de géhenne, tout ce qui troue la nuit, parfois une lumière, au sommet d'une colonne d'obscurité, à plus de soixante étages, comme un œil, comme un cyclope.

Ils marcheront le jour entre les tours de métal, dans l'air froid, quand il laisse passer Lena devant lui il regarde ses reins, tours rivetées, propres, qui se balancent dans un air d'une clarté de glace venant de la mer, les artères de misère et de luxe, la propreté des jolies filles récurées à l'eau chaude, les grandes corbeilles pleines de journaux qu'on y a jetés, on mange vite, on lit vite, allez, *just do it.*

Fuite en avant, immeubles en lumière d'acier, cuivre, pierre et verre, blocs dressés dans la ville, et les ponts, leurs portes de pierre en blocs florentins, les bonds de gymnaste sur les reflets, la maille luisante du fleuve, s'installer au milieu d'un pont, les vibrations de la puissance, et les tunnels sous l'eau, tandis qu'au-dessus passent comme des jouets les grands transatlantiques de fer et d'acier.

La chaîne montagneuse des gratte-ciel, la ville dressée, métal et verre, ou alors des motifs de palais Renaissance multipliés par trente, une incroyable tempête de neige, le vent qui coupe le souffle, un air de glace liquide, les autos enterrées sous la neige, et la magie des ascenseurs, un seul élan souple et léger vers le ciel, à peine le temps de deux inspirations on est au soixante-dixième étage, l'approche du bateau venant d'Europe, quand jaillissent de la brume, dans la vibration du matin, les nouveaux gratte-ciel de Manhattan, à la pointe des siècles, parfois elle n'avait pas la patience d'attendre.

Elle l'emmenait directement dans une gare immense et gloutonne, le soleil jaillit du haut des murs à travers des hublots d'au moins dix mètres de diamètre et découpe dans la poussière du hall d'énormes cylindres de lumière, un train d'acier pour le Vermont, un wagon-lit, elle avait un pyjama très doux, faisait tout comme s'ils étaient mariés depuis dix ans, elle riait, c'était doux, parfois il sautait l'épisode du train, se retrouvait dans un chalet du Vermont, c'est bien là qu'il y a des montagnes et beaucoup de neige, il arrivait par surprise.

Elle était seule, portait le grand pull finlandais qu'il venait de voir dans une vitrine de Rosmar, il lui arrivait à mi-cuisses, elle est aussi belle debout que couchée, et s'il n'y avait pas de neige ça pourrait être un ranch, oui, au Texas, il y a aussi des ranchs dans le Vermont, il regardait une carte des États-Unis, se rendait compte que le Vermont était quasiment sur la côte Est, trop européen, manque d'espace, d'appel, aller vers l'ouest, carrément, vers les Rocheuses, le Colorado, il cherchait un nom enchanté, Aurora, à l'est de Denver, il y a une

autre Aurora à l'ouest de Chicago, l'index de l'atlas, treize
Aurora au moins pour tous les États-Unis, Walsenburg, toujours le Colorado, ce serait amusant qu'elle habite là, qu'elle
ait un ranch à côté de Walsenburg, ou cela pourrait être dans
un hôtel, surtout pas grand, une clientèle d'habitués, le soir au
salon on lit, on joue aux cartes, on bavarde, Lena se lève, voix
chaude, *good night everybody,* elle prend le livre des mains de
Hans, et le force gentiment à se lever, devant tout le monde.

Ou bien il arrivait au ranch à l'automne, au moment où
Lena se faisait charger par un taureau, il la sauvait, n'exagère
pas, plutôt un cheval furieux, non plus, une promenade,
il arrivait incognito, il la croisait au moment où elle revenait
de promenade, les bras chargés de branches fragiles et de
fleurs jaunes, l'arrière-lueur du jour, une rencontre ordinaire,
tu n'es qu'un homme ordinaire, apparemment ordinaire, le
train, il revenait au wagon-lit, ils sont allongés sur la couchette supérieure, côte à côte, ils regardent par la fenêtre,
la nuque de Lena est tout près de ses lèvres, une moitié de
continent défile sous les caresses, Allentown, Harrisburg,
Wheeling, Columbus, Champaign, Burlington, Des Moines,
Omaha, elle a les fesses nues, il est contre elle.

Lincoln, Sterling, après Denver il y a Alamosa, il n'est pas
sûr que ce soient vraiment des étapes sur une vraie ligne,
ils restent à New York, ils marchent dans la ville, viennent
à peine de se retrouver, ils sont côte à côte, la foule, il aime à
nouveau les gens, Lena, il compte les jours qu'ils auraient
pu avoir s'il avait su la garder, combien de permissions pendant la guerre, elle serait venue en Allemagne, avant 1917 au
moins, peut-être pas de retrouvailles pendant la guerre, mais
elle l'aurait rejoint en 1918, plus d'une demi-douzaine d'années depuis la paix, des centaines et des centaines de nuits,
gâchées, ils marchent dans New York, la foule en ressacs,
parfois leurs épaules se touchent, le bras de Lena pour traverser la rue, non, on le lui a dit, aucune vraie New-Yorkaise
n'accepte aujourd'hui cela, on ne s'empare plus d'une New-
Yorkaise sous prétexte de l'aider à traverser la rue, d'ailleurs
Lena connaît bien mieux les règles que toi.

Ils marchent en parlant, elle lui dit parle-moi, ça le rend soudain silencieux, à deux ou trois reprises pendant la marche leurs mains se sont touchées, quand elle a dit parle-moi ça l'a attristé, avant c'était la phrase qui préludait aux reproches, quand elle trouvait qu'il était souvent absent avec elle, et là, dans la rue, en plein New York, elle lui dit parle-moi, il faudrait rire, parler, il ne sait pas, il se met à lui reprocher mentalement d'avoir dit ça pour que justement soudain il ne puisse plus rien dire, il s'interdit de chercher le mot qu'il y a pour ça, quand on demande à quelqu'un de faire quelque chose et que cette demande empêche celui à qui elle est adressée d'y répondre, parle-moi, il se renferme, des retrouvailles déjà ratées.

Revient une Lena qu'il avait oubliée, celle des parle-moi, le regard en alerte, celle qui dit tu ne sais pas m'aimer, une fraction de seconde et elle n'est plus là, il a envie de pleurer, ils sont devant une vitrine, des peluches, d'énormes peluches animées, des ours surtout, plus grands que des hommes, alors Hans se met à rire comme un gosse devant les ours mécaniques, l'enfance, l'innocence, mélangée au souvenir d'une histoire salace d'ours et de chasseur, le chasseur abat un ours énorme, deux mètres de haut, danse autour de la dépouille, lui donne des coups de pied, rentre au village en chantant, on lui tape sur l'épaule, il se retourne, l'ours debout devant lui, deux mètres de haut, patte droite levée, griffes, une paume aussi grosse qu'une tête de chasseur, sourire de l'ours, irracontable, des enfants rient autour d'eux, Hans rit aux larmes, ne veut plus quitter la vitrine, Lena rit de le voir dans cet état, viens donc, elle lui prend la main pour l'emmener, ne la lâche plus, tu es incorrigible, tu mériterais une fessée, qu'est-ce qui t'a pris ?

Il n'ose pas lui raconter l'histoire de l'ours, le chasseur a tué un ours de deux mètres de haut, il rentre au village chercher du monde pour transporter la bête, en chemin on lui tape sur l'épaule, c'est l'ours, vivant, debout, deux mètres, la patte

avant droite levée, paume d'ours aussi grosse que toute la tête
du chasseur, l'ours descend sa patte gauche.

Hans et Lena marchent main dans la main, comme jadis,
avant la guerre, devant le *Waldhaus,* tout est à venir, ils sont
dans le chalet du Vermont, non, du Colorado, elle a froid, il lui
dit je vais te réchauffer, il est seul sur le pont du bateau, le
matin, Manhattan, le bonheur d'arriver, il connaît la liste des
gratte-ciel par cœur, comme celle d'une chaîne de montagne,
il entend la sirène du bateau, il met de la brume, des échappées
de bleu dans la brume, de plus en plus précises, Hans a cessé
de perdre sa vie, c'était il y a longtemps, en 1925, un de ses
rêves préférés, quatre ans avant ce séminaire de Waltenberg.

Il est à nouveau dans le salon du *Waldhaus,* pour le séminaire européen de 1929, il parle à cet adolescent violent qui
veut étreindre le monde, il se sent repris comme par l'allégresse
d'un voyage à New York, il pourrait partir à la fin du séminaire, avec le jeune homme, pas New York, Venise cette fois.

Derrière Kappler et Lilstein, au *Waldhaus,* assis dans sa
bergère du grand salon, l'homme du point Neuville et de la
quantité d'énergie humaine strictement mesurable avait
cessé son exposé, il parlait maintenant de son château en
Italie, le parc est infesté de vipères, il n'y a qu'un seul moyen
de les combattre, offrir une prime pour chaque vipère rapportée morte, au début ça s'est très bien passé mais au bout
d'un moment nous nous sommes rendu compte que cela avait
donné naissance à tout un trafic de cadavres de vipères à plus
de cent kilomètres à la ronde, et en plus les paysans en laissent volontairement traîner dans le parc pour que nous gar-
dions un peu de crainte.

Kappler souriait, parlait de l'usage des vipères en politique,
Kappler, le démocrate absolu, disait à Lilstein de lire Lénine
et Staline parce qu'il pensait que cela le sauverait, Lilstein
était un jeune être cultivé qui fonçait vers le communisme
en pensant de temps en temps aux aisselles de la bonne et en

regrettant une histoire de carabine à air comprimé, Kappler voulait qu'il fût armé :

« Ne soyez pas non plus un de ces imbéciles qui répètent vipère lubrique chaque fois qu'un socialiste prend la parole. »

Et Lilstein a très tôt été capable de faire le lien entre les instructions de Staline et les phrases de Lénine, il devinait même avec quelques mois d'avance les formules de Lénine que Staline allait utiliser, il les citait sans en avoir l'air, une fois ou deux, et un jour la citation se retrouvait dans une intervention de Staline, ça faisait trembler certains camarades, c'est avec ça qu'on monte dans une organisation, et en arrivant à l'heure, en respectant les délais, en sachant gérer les dossiers, en faisant rapport, en quelques phrases de dix mots, en ne faisant rien sans en avoir reçu instruction précise, écrite ou orale mais devant témoins.

Il avait une autre qualité, précieuse, il n'avait jamais l'air sûr de lui, il était à la fois distant et troublé, c'est ce qui a sauvé Lilstein plus tard sur son tabouret de la Loubianka, au début des années 50, cette impression qu'il donnait à ses geôliers de se sentir un peu coupable, pas de protestations indignées, pas de révolte, pas de complaisance non plus dans l'aveu, ni prolixité, il regardait la lampe quand on lui disait de regarder la lampe, et quand on détournait la lampe il regardait le téléphone, comme s'il attendait le coup de fil qui mettrait fin à une erreur.

Parfois il relevait les yeux vers celui qui l'interrogeait, juste pour échapper à un éventuel *regardez-moi quand je vous parle*, pas longtemps non plus, éviter *un cessez de me regarder avec ces yeux de crétin*, et de temps en temps une fausse manœuvre, un mot pour un autre, ou un je ne me souviens pas, pour permettre à l'interrogateur de décharger son agressivité, ne jamais le laisser parvenir au stade de la haine, les mains, regarder leurs mains, ne pas provoquer le moment où elles se referment en poing, ni celui où elles se mettent à plat sur le bureau, ne pas se préoccuper des autres, les subalternes, une claque dans la gueule, même dans l'oreille, ça n'a pas d'importance, le rôle principal c'est celui qui est assis en face de toi, ou parfois celui qui est entré sans faire de bruit, tu ne t'es pas retourné mais tu as senti qu'il était là rien qu'à la façon dont celui qui est assis a redressé sa colonne verté-brale, ne pas les laisser faire le plein de colère ou de calme, il y a un espoir, le tabouret c'est dégueulasse mais c'est parce que ça ne laisse pas de trace, ils ne veulent pas trop t'abîmer, si le cœur tient ça te laisse une perspective, on ne t'a pas encore refilé à des écorcheurs, personne encore qui ressemble à ceux d'avant, *kein Warum*, ici tu peux, tu pourrais demander, tu as encore tous tes ongles, donne-leur envie de te garder.

Lilstein était un bon coupable pour accusateurs moyens, qui savent eux-mêmes qu'il n'y a pas grand-chose dans le dos-sier, il n'était pas innocent, les innocents, à l'époque on finis-sait par les liquider, on n'allait pas reconnaître une erreur, les coupables c'était plus violent, ils hurlaient comme des chiens, à la mort, et c'était fini, tandis qu'un sujet comme Lilstein, avec ses bourdes, ses petites protestations, ses rectificatifs, ça permettait de faire tourner la machine au quotidien, entre deux grosses affaires, et il connaissait vraiment bien les textes de Lénine.

Lilstein regardait le téléphone, comme s'il attendait un message, parfois son regard s'absorbait dans la contempla-tion de l'appareil, un crapaud de bakélite noire, cadran circu-laire, la laideur, et un jour l'officier lui a dit :

« Ce n'est évidemment qu'une question annexe mais vous aimez vraiment mon téléphone ? »

La réponse aurait été très compliquée. Dans la vie cou-rante Lilstein a de plus en plus horreur du téléphone, sur-tout au travail, on se croit seul à seul, et une armée de types à écouteurs enregistrent la moindre parole, un instrument de cochons, pour des gens qui ne veulent plus prendre le temps de se regarder, mais quand il était jeune il avait eu la passion du téléphone et de la radio, les postes téléphoniques, les vrais, ceux qui avaient de la personnalité, Berlin, 1925, une exposition sur l'histoire du téléphone — et l'un des moyens qu'il avait de tenir bon pendant les mauvais moments de sa vie c'était, en dehors de la récitation silencieuse de ses poèmes préférés, de revoir mentalement sa collection de téléphones anciens, ceux qu'il avait achetés dès l'âge de douze ans, et tous ceux qu'il s'était procurés par la suite, tous ceux qui avaient disparu dans les razzias de la Gestapo et du KGB, sa collection deux fois disparue, dont le souvenir se fait de moins en moins précis, il n'a jamais cherché à la reconstituer.

Il se contente désormais de catalogues, tous les catalogues qu'il se procure dès qu'il en a l'occasion, ceux que ses collaborateurs lui rapportent de mission, en souvenir, certaines missions coïncident parfois magnifiquement avec une exposition ou une vente, non, ce n'est qu'une amicale calomnie, il ne collectionne plus les appareils, ça prend trop de place, trop grosse perte quand des pattes de flics viennent vous les arracher — les catalogues, on peut les retrouver en bibliothèque — il a aussi de vieux modes d'emploi, des schémas de montage et de réparation trouvés dans des archives d'usines.

Et puis, après tout, c'est par des catalogues, des dessins, des photos, qu'il avait commencé, des images de femmes au téléphone, l'une d'elles, sur un très vieux magazine début de siècle, debout, une taille très serrée, une robe décolletée, un V accentué par le mouvement du buste vers l'avant, la jeune femme tient un cornet écouteur dans chaque oreille, les bras relevés dans ce geste, tandis que, sous la ceinture qui marque la taille, la posture en léger profil fait deviner en même temps le délicieux renflement du ventre et celui de la croupe, Lilstein se souvient que la légende parlait du romantisme de la jeune femme, et il y avait aussi une autre femme moins belle, sur une photo celle-là, elle avait pour les jeunes gens de l'époque l'avantage de poser dans une chemise de nuit, sans aucun corset, un ample relâchement qui ne laissait rien deviner des formes mais on sentait bien que la nudité était là, chemise mieux décolletée que la robe de l'autre femme, des manches qui laissent jaillir un avant-bras parfaitement nu, le jeu consistant, à l'âge de treize ans, à imaginer la première femme au corset strict dans la tenue de la seconde, et avec des formes.

Il y avait une troisième gravure, une carte de vœux, elle permettait de développer encore les images, c'était un salon anglais, une élégante, trois quarts dos, elle tenait devant elle à deux mains avec beaucoup de grâce un cornet d'une quinzaine de centimètres de long, sa robe laissait à nu la partie supérieure de son dos, le début de ses épaules, sa nuque, l'oreille et son pendentif, les bras nus depuis le bas de l'épaule jusqu'au coude où s'arrêtait le gant, l'œil revenant vers le dos et là encore une vigoureuse cambrure vous faisait repartir dans le rêve, courbe achevée à l'endroit le plus saillant par un nœud de tissu qui laissait s'épancher en cascade les plis d'une grande jupe de satin, Lilstein n'osait pas fermer sa chambre à clé.

« Ton fils, disait monsieur Lilstein à sa femme, est un incompréhensible obsédé des téléphones *Belle Époque.* »

C'était vrai, un magnifique modèle à magnéto et manivelle, un style de machine à coudre, avec son socle de fonte, une fonte noire, laquée, le combiné écouteur-microphone posé à l'horizontale sur une fourche qui faisait office de commutateur quand on soulevait le combiné, la fourche était en métal nickelé, travaillée de boucles et de pendentifs, symétriquement, il y avait des filets d'or qui couraient à l'horizontale sur les parois du socle, ou bien c'était une frise, oui, un Ericsson 1907, et un autre modèle, un Sauerwein 1913, son préféré, une base en bel acajou assombri, verni, sur laquelle se dressait une lyre en métal chromé, je suis sûr que la partie supérieure était ornée de feuilles de laurier, non, d'acanthe, le micro fixe était installé au sommet de la lyre.

Lilstein ne sait plus comment était posé l'écouteur, il a

adoré les téléphones et la radio, le poste à galène construit avec ses amis du collège, en 1929 il en rêvait encore, la radio, le téléphone, on tourne une mollette ou une manivelle et quelqu'un là-bas en quelques mots devient votre frère, une autre voix disant à Lilstein de ne pas confondre, le téléphone ce n'est pas la société, celle qui avance par affrontements de classes, mais quand même, si tout le monde se met à pouvoir se parler sans entraves, on peut rêver.

« Vous savez, lui a dit l'officier du KGB qui avait perquisitionné sa maison de Potsdam en 1951, tous ces appareils, ces catalogues, ces archives sur le téléphone, c'est ce qu'on appelle un *hobby*, c'est très anglais, vous avez des goûts très anglais, ça peut coûter cher. »
Mais personne n'est jamais revenu sur la question. Lilstein a essayé de ne plus penser à ses téléphones et de se concentrer sur des poèmes.

La Gestapo, les camps, le métier de seigneur, le KGB, la baignoire, le tabouret, le téléphone, les poèmes, le mai, le joli mai en barque sur le Rhin, la promenade a mal fini, les téléphones avec leurs matières travaillées, buis, acajou, tous les bois vernis au tampon, noyer, sapin, et l'ivoirine, il avait fallu chercher ce qu'était l'ivoirine, et puis le chrome, le bronze, le nickel pour les axes et les supports, cous tendus, formes ramassées sur un coffret de teck calé par quatre pieds-griffes, ou au contraire tout en élan, comme ce Siemens qui ressemblait à une esperluette ou une clef de *sol*, une simple tige de métal chromé prenait force à partir d'un premier arrondi et projetait sa courbe vers le haut, comme un serpent, une cambrure de serpent en alerte, pour se reprendre et s'achever en volute à l'intérieur de son mouvement, en laissant dépasser un bourgeon sur lequel venait se fixer le combiné, c'était celui-là son préféré, une clef de *sol*, un serpent, le colonel, le grand bureau de Berlin, le ministre qui se gratte, la *Pravda*, le toboggan, gelé ou pas, Kappler avait-il prévu tout cela, quand il conseillait la lecture de Lénine ?

Qu'est-ce que Lilstein pour Kappler? un Lilstein adolescent qu'on retrouve près de trente ans après avec toutes les indulgences qu'on avait pour l'adolescent, trente ans, quand la bakélite a fini de remplacer l'ivoirine? un survivant de tout, toujours *nimbé de lumière progressiste*? ou l'un de ces hommes que les fonctionnaires de Bonn ont décrits à Kappler quand ils ont essayé de le dissuader de retourner à Rosmar, bon, d'accord, Herr Kappler, les gens comme Lilstein ont beaucoup souffert, Auschwitz ou les camps de Staline, ou les deux, ils ont souffert mais ce ne sont pas des anges, ils tuent eux aussi, ils font tuer pour la pureté de leur République démocratique, ils aiment avoir des fleurs sur leur bureau mais ils tuent, ils blessent, ils cassent des gens pour la vie, ne nous croyez pas, Herr Kappler, nous sommes des flics, méprisez-nous, racontez que nous ne sommes là que pour surveiller l'argent des coffres-forts mais en face c'est pire, et ils surveillent tout, pas l'argent, parce qu'il n'y en a pas, mais tout le reste, relisez au moins Koestler, ou allez écouter deux ou trois exilés, nous savons que vous n'avez peur de rien mais n'allez pas cautionner ces salauds, non, nous ne sommes pas pareils, pas nous, nous n'en faisons pas autant, nous n'en avons pas besoin, nous n'avons pas d'empire à garder, comme ces crétins de Français, nous avons les mains propres, depuis plus de dix ans, à peu près.

Max aussi a mis Hans en garde, il ne voulait pas le voir repartir en RDA, ce sont des chefs de gangs, ils donnent un ordre, Hans, et des gens disparaissent, dans le brouillard, ces gens-là surveillent tout, même dans le brouillard, tu peux me trouver emphatique, avec mes gros mots, tyrannie, terreur, des mots de journaliste, tu peux t'en foutre mais écoute au moins une histoire, une toute petite, tu as toujours aimé les symptômes, il y a six mois j'étais à Dresde, avec des journalistes anglais, deux journalistes communistes anglais, ça existe, et un accompagnateur maison, une voiture, un des

Anglais au volant, c'était sa propre voiture, un privilège, conduite très prudente, avec un accompagnateur chaussettes à clous, mon Anglais se paie un trottoir de tramway, dans le brouillard, Hans, trois fois rien, même pas vingt à l'heure, un petit rebord en ciment, même pas le pare-chocs à redresser.

Mais l'accompagnateur veut immédiatement faire un rapport à la police, on se met à rire, onze heures du soir, faubourgs de Dresde, brouillard, une petite éraflure, même pas besoin de redresser de la tôle, en plus c'est la bagnole de l'Anglais, je dis à l'accompagnateur si vous y tenez vous mettez ça demain dans votre rapport, mais maintenant *gross dodo*.

Le type se cramponne, *Telefon, Telefon,* il repère une lumière, une espèce de *Weinstube,* très glauque, quand on entre on se rend compte que notre Fritz est blanc comme un linge, il demande le numéro du commissariat, il tremblote, alors c'est l'Anglais — un gros ponte du parti anglais — qui prend l'appareil, il a vu les traces de gras sur l'écouteur, il le prend quand même, compose le numéro, parle aux flics, éraflure, seulement la peinture, trois fois rien, tu sais ce qu'on lui a répondu ? À l'autre bout, quelqu'un lui a dit *Oui, nous savons déjà.*

Max a pris Hans par les épaules, Hans, c'est le pays où tout se sait déjà, si tu y vas tu te flingues au bout de quinze jours ou tu deviens comme eux, tu tiens tant que ça à *tout savoir déjà* ?

Quand Lilstein et Kappler vont se retrouver tout à l'heure dans la *Konditorei,* Kappler va certainement voir venir Lilstein, il sait tout, Lilstein ne pourra rien lui cacher, ils vont reprendre la discussion là où elle avait été laissée ici même, il y a vingt-sept ans, Kappler est le seul homme devant lequel Lilstein puisse parler autrement, parce que Kappler se souvient. Dès le premier instant de leurs retrouvailles Kappler aura devant lui deux Lilstein, pas l'adolescent et l'adulte

mais deux adultes, l'adulte que Lilstein a bâti et l'adulte
que Kappler va identifier, celui qui a pris la suite de l'adolescent, celui que l'autre Lilstein a étouffé, non, camouflé, celui
qui continue à penser sale cochon devant son ministre de
l'Intérieur, ou crétin devant un article de Souslov. C'est même
la bonne part de Lilstein, celle qui continue à savoir ce qu'est
un ministre ou un Souslov.

Ou alors c'est dialectique, comme on dit, cette bonne part
camouflée, pas étouffée, c'est celle qui permet à l'autre d'exister et d'agir, celle qui permet à Lilstein de dire *clore le dossier*
en tendant une liste de trois noms à un subordonné, il peut
faire ce numéro de salaud parce qu'il sait qu'il peut à tout
instant, dans le creux de sa tête, rejoindre le bon Lilstein, le
lucide, celui qui veut le bien et le vrai, et qui relit la *Lettre sur
les Lumières*, et qui a la loi morale en lui.

Peut-être que ces deux Lilstein-là ne sont rien à côté d'un
troisième, plus vieux qu'eux, plus ancien, plus ancien même
que l'adolescent, celui que Kappler avait deviné, celui du
mauvais geste, celui qui pense depuis toujours allez tous vous
faire foutre, comme quand il était petit, qu'il essayait de réparer son auto mécanique, il l'avait démontée, plus rien ne marchait, il avait envoyé tout le bazar à l'autre bout de la pièce,
en hurlant :

« La putain du vagin de la chienne ! »

Et il avait pris une rouste, parce que son père, sa mère, et
leurs invités avaient entendu, malgré la distance qui séparait
le salon de sa chambre d'enfant.

« La putain du vagin de la chienne ! »

Une belle invention verbale quand il y repense, une belle
rouste aussi, un père et une mère grands médecins de gauche,
d'extrême gauche, une bonne rouste, parce que des compor-
tements, des jurons pareils c'est inadmissible, c'est fasciste, il
avait pris une rouste avec une ceinture, non, pas avec une
ceinture, avec la laisse torsadée du chien, pour lui faire
passer le goût du fascisme, et il avait perdu à jamais deux
des petites pièces de l'auto mécanique qu'il avait démontée,

un vrai mouvement d'horlogerie, avec deux positions, sur la première la voiture faisait un grand cercle, sur la seconde elle décrivait des huit, le ressort se remontait avec une clef creuse qui avait la forme d'un chauffeur en uniforme, un vrai bijou, des excursions fabuleuses, des hôtels de rêve, dans l'un des rêves il la garait devant l'hôtel Adlon, une limousine entièrement chromée, foutue.

Lilstein ne sait pas ce qu'est devenue cette voiture, il a tiré une petite leçon de cet épisode, il est devenu très soigneux quand il fait du bricolage, il a su très vite remonter n'importe quelle voiture mécanique, il sait ouvrir les montres, les briquets, les boîtes à musique, les stylos, les serrures, les robinets, les becs Bunsen, les téléphones aussi, mais ça n'est pas très intéressant, il sait refermer, et souvent il réussit à réparer, il manque une vis au gramophone des gardiens du camp, celle qui immobilise le bloc moteur, qui l'empêche de bouger quand on remonte le mécanisme, il sait mettre un clou à la place, avec un morceau d'allumette dans le trou, le clou il se souvient d'en avoir vu un le matin, le bon diamètre, un clou inutile, dans une autre baraque, il a demandé la permission, un vrai talent de bricoleur, il devine les schémas de montage, il n'a pas besoin de forcer pour ouvrir, pas tout à fait des mains d'horloger, mais habile jusqu'à l'ongle du pouce droit comme petit tournevis, bricoleur, à Buchenwald on évitait à Lilstein les travaux les plus durs, et il y avait toujours un morceau de pain en plus.

Quel est le Lilstein qui a envie de dire à Kappler surtout ne rentrez pas, et qui le lui dira, malgré les consignes du ministre et les directives du secrétaire général du Parti socialiste unifié d'Allemagne, le camarade Walter Ulbricht?

« Ne rentrez pas, monsieur Kappler. »

Qu'est-ce qui te prend de vouloir dire un truc pareil à un écrivain bourgeois qui représente une des plus belles occasions que notre propagande puisse s'offrir? ne fais pas l'imbécile, contente-toi de rester dans ton rôle. Que le dixième, le centième de ce que tu veux dire à Kappler parvienne à d'autres oreilles et tu vas te retrouver avec une vraie accusation de haute trahison, et pas sur un tabouret cette fois, ce sera très vite fait. Ou alors est-ce cela même qui te pousse ? le fait que là où tu vis on ne puisse pas dire à un vieil ami *ne rentrez pas* sans se mettre *ipso facto* en danger de mort ?

Ipso facto, c'était la locution que Kappler utilisait jadis quand il voulait montrer à Lilstein que le réel ne s'élance jamais de lui-même vers le meilleur et qu'il lui arrive souvent de se mordre la queue.

Quel Lilstein montrer à Kappler ? Lilstein ne sait pas, c'est en parlant à Kappler que Lilstein va pouvoir découvrir ce qu'il pense vraiment lui-même, tu peux te raconter des tas de trucs mais il va falloir choisir ce que tu vas raconter à Kappler.

De toute façon Kappler n'en fera qu'à sa tête, comment faire pour qu'il me fasse confiance ? les raisons ça ne sert à rien, monsieur Kappler il y a trois raisons qui font que vous devez renoncer à votre projet, Kappler n'essaiera même pas de discuter, il dira simplement je m'en fous, jeune Lilstein.

Pourquoi tenter de le dissuader ? c'est risqué, presque impossible, il vaudrait mieux se concentrer sur l'autre rendez-vous, celui de l'après-midi, le jeune Français au *Waldhaus*, l'avenir.

Il va être onze heures, Lilstein est devant la *Konditorei*, il faudrait confier un secret à Kappler, c'est cela, les gens ne vous font confiance que si vous leur confiez quelque chose, une confidence à Kappler, mais quoi ? que tu n'aimes pas ton ministre ? ou alors finir par lui demander ce qu'il attend : l'avez-vous revue ?

*

Il est trois heures de l'après-midi dans la grande salle du *Waldhaus*, vous venez de Paris, vous n'avez pas trente ans mais vous êtes fatigué, vous êtes assis en face d'un homme qui s'appelle Michael Lilstein, il a des gestes lents et vous dit d'emblée :

« Je ne veux surtout pas que vous deveniez un espion, jeune Français. Espion, c'est quand on se fait prendre. »

Regard par la fenêtre, vers la chaîne des Grisons, les grandes Alpes suisses, les arêtes du Rikshorn, Lilstein a le visage poupin, cheveux blonds, la peau fine, des yeux de renard, des sourcils dont les extrémités partent dans tous les sens, l'air d'un étudiant qui se serait attardé depuis des années dans cette grande salle du *Waldhaus*, déserte, sombre dès qu'on s'écarte des fenêtres, avec quelques bahuts en bois lourd et foncé qui se rencognent déjà pour la nuit, et un énorme vaisselier qui se dresse juste derrière Lilstein, il règne une odeur d'enfance, encaustique et cire d'abeille, vous avez tiqué quand il a dit *jeune Français*. Lilstein ajoute :

« Les espions, ce sont des voyeurs, des voleurs, des délinquants, vous c'est différent, je vous propose d'être mon égal. »

Lilstein dit *je* avec beaucoup de liberté, pas du tout ce qu'on attendrait d'un Allemand de l'Est, et il vous parle beaucoup de lui :

« J'ai quarante-deux ans, cher monsieur, mais je suis déjà très vieux, j'en avais plus de trente quand les Soviétiques m'ont sorti d'Auschwitz, ça ne s'oublie pas, ils ont aussi sauvé ma mère et ils l'ont installée à Moscou, dans un joli deux-pièces, moi, ils m'ont envoyé me retaper dans une de leurs steppes orientales, lait de chèvre, viande de mouton, grillée au feu de bois, avec du cumin, d'immenses promenades, la plaine à perte de vue et la tête qui tourne, je marchais sur des océans de marguerites, les fleurs fredonnent à ras de terre contre la mort, ici, c'est plus agressif. Ce n'est donc pas vous, cher jeune monsieur français, cher camarade, qui avez sollicité ce rendez-vous ?

« Ce n'est pas moi non plus, disons que c'est ce cher Roland

Hatzfeld qui a tout arrangé, vous ne savez pas ? Ce nom ne vous dit rien ? Vous l'avez déjà oublié ? C'est très bien mais entre nous c'est inutile, vous pouvez me faire confiance, pourquoi ? Parce que vous en avez envie, et parce que j'ai une belle histoire à vous raconter devant ce panorama si peu propice au mensonge. »

Lilstein montre le Rikshorn.

« Superbe, n'est-ce pas ? Du massif cristallin avec des fractures à grands coups de plaques sur des millions d'années pour qu'aujourd'hui un homme puisse y dégringoler tranquillement pendant cinq ou six secondes, vous savez que ce n'est pas fini, ça devrait donner à nouveau une pénéplaine, dans quelque temps, les durées de la géographie physique, ça fait du bien, ça calme, après tout, l'homme n'a pas perdu sa queue en un seul jour, je vous demande pardon, c'est du langage de corps de garde, alors que le Rikshorn devrait nous inciter à la poésie, oui, pour me faire pardonner, je vais vous raconter ma belle histoire. »

Une serveuse aux mains fortes a posé deux *Tee mit Rum*, Lilstein boit le sien à petites gorgées, il redresse la tête, regarde vers le fond de la salle, baisse le ton comme un comploteur :

« Vous sentez cette odeur de pomme chaude, acidulée, insolente, qui vient de loin ? La patronne a sorti la tarte du four, une *Linzer*, c'est une spécialiste de la *Linzer Torte*, pour moi c'est une drogue, je tiens six, huit mois sans venir en manger, et puis je m'invente une mission, un rendez-vous, n'importe quoi, pour venir ici. Il y a d'autres lieux en Europe ? Oui, mais ce que fait la patronne c'est incomparable. Avant la guerre je n'étais pas du tout gourmand, aujourd'hui j'adore faire les salons de thé, les pâtisseries, je ne laisse jamais passer l'heure du goûter mais je ne mange de la *Linzer* qu'ici. Vous sentez ? Derrière l'odeur de pomme, cet accompagnement de framboise, précis, doux ? Pas trop de framboise, la framboise doit res-ter dans son rôle, elle accompagne. *Gut*, Hatzfeld ou pas Hatzfeld, nous pouvons discuter, et si vous êtes venu jusqu'ici ça n'est pas pour refuser une bonne discussion, à votre âge vous devez quand même être disposé à faire avancer les choses, je ne vous demande pas votre âme, jeune Français, nous allons travailler à faire avancer les choses. »

Lilstein a dit *travailler*, il a le coude du bras droit posé sur la table, la main à hauteur des yeux, doigts tournés vers le haut, il frotte légèrement l'extrémité du pouce contre l'extrémité des autres doigts, comme un boulanger qui apprécie la qualité d'une farine, comme si ce qu'il propose relevait d'un artisanat très fin :

« Travailler ensemble, chacun dans son camp, comme des égaux, je ne vous demande pas votre âme, grâce à moi vous en aurez même deux, deux âmes, celle que vous vous étiez faite, la bonne, la grande, la révolutionnaire, elle veut le bien de l'humanité, parce que nous sommes bons par nature et qu'il suffirait d'une meilleure organisation des besoins, des moyens et des capacités, un jour tout cela pourrait avoir la douceur d'un printemps, vous vous en voulez d'avoir à l'abandonner, votre grande âme, si rêveuse, la société enfin sans classes. »

Un silence. Lilstein a vraiment l'air de croire à la société sans classes, et en même temps on sent qu'il n'y croit pas tout à fait tout en étant incapable de dire à quoi on sent qu'il n'y croit pas, et réflexion faite, à bien regarder son air d'y croire, on serait également incapable de le décrire, le fait-il exprès ? il vous regarde, reprend :

« Vos rêves de grande âme révolutionnaire, cher monsieur, et soudain cette saloperie de Budapest. Et voilà que vous voulez abandonner votre grande âme, vous n'auriez plus à supporter que l'inertie de votre cœur, vous allez abandonner la vente de *L'Humanité* le dimanche matin au marché, l'accueil des camarades, les marrons chauds, je passe, c'est un peu kitsch, du mal à faire le poids devant des chars écrasant des civils, et derrière cette première âme il y a l'autre, l'âme réaliste, lucide, désenchantée, bourgeoise, cynique, celle-là elle vous permettrait de vous faire une importante situation, de pester contre les Russes et les grèves, de rappeler qu'il faut opposer de solides barrières aux désirs des humains parce que la nature humaine, etc. »

Il n'y a personne dans la salle, Lilstein parle à voix lente et posée, c'est dangereux, il pourrait y avoir des micros, la serveuse qui passe de temps en temps au fond pourrait même entendre des bribes de cette conversation, un professionnel comme Lilstein doit le savoir, ça ne le retient pas :

« Quand elle est contrariée, votre deuxième âme de jeune Français plein de souci, elle peut aller jusqu'à affirmer que la vie est une lutte, comme faisait la bonne âme d'ailleurs, mais là il s'agit d'une autre lutte, le triomphe des forts, *struggle for life* — vous ne l'aimez pas cette deuxième âme, c'est celle qu'on vous avait léguée, l'âme des familles, de votre beau quartier, vous avez commencé par la haïr, elle n'a pourtant pas toujours tort, elle est très efficace, c'est efficace le capitalisme, on peut le dire, c'est dans Marx :

« Vous voyez, deux âmes, l'une qui rêve et l'autre qui croit voir, mais vous ne voulez ni de l'une ni de l'autre et en quittant le parti de vos vingt ans vous allez vous retrouver le cul entre deux âmes, des idées sans exécution, sans œuvre, une vie désœuvrée avant d'avoir vécu, moi, je vous offre de conserver les deux âmes, de jouir des deux et d'agir, l'âme qui rêve et celle qui ne rêve pas. »

Lilstein a levé sa main droite, doigts refermés à l'exception de l'index et du majeur tendus en V pour souligner le *deux*, ça ressemble aussi au V de Churchill :

« Deux âmes. Pour le rêve nous rêverons ensemble, une belle société sans classes mais vous n'aurez pas à vous salir les pattes en défendant ce rêve, je vais vous épargner d'avoir à défendre les éditoriaux de la *Pravda*, en ce moment ça n'a pas de prix, vous allez désormais cacher votre grande âme au fond de vous-même et pendant ce temps-là, publiquement, vous ne serez plus que l'autre, la bourgeoise, la réaliste, celle que vous n'aimez pas, l'âme qui sera d'accord avec Antoine Pinay, Joseph Laniel ou Guy Mollet, un beau destin, lucide, elle ne croit à aucune grâce cette âme, c'est elle qui fera le sale boulot, pas si sale que ça d'ailleurs, dénoncer la tyrannie, les procès truqués, oui, de Boukharine aux médecins du moustachu, en passant par tous les Slansky, les Rajk. »

Deux gorgées de thé, regard vers le panorama des Grisons, pour laisser passer l'ombre de Slansky et Rajk. Lilstein reprend :

« Et je ne suis pas sûr qu'il n'y aura pas d'autres procès, vous connaissez la blague, un marxiste ne croit pas à la vie posthume mais à la réhabilitation posthume, vous dénoncerez tout ça, du pain sur la planche, et la pagaïe dans l'économie, les fausses statistiques, tout le village Potemkine du soviétisme, et les camps dont on ne parle pas, comme celui dont je suis sorti en 1953, il y a encore des dirigeants qui veulent les maintenir, les rouvrir, pour Nagy, ou même pour Gomulka, il a déjà fait quatre ans de camp, Gomulka, il a l'habitude, comme moi. Tous les camarades soviétiques ne sont pas des kapos mais il y en a qui ne méritent pas qu'on les laisse tranquilles.

« Il faut dénoncer tout ça, une dénonciation qui ait de la gueule, même si on se fait cracher dessus, car on vous crachera dessus en vous accusant de cracher sur le Parti, on ne sort pas impunément de ce parti mais votre bonne âme vous dira que vous restez propre, tandis que si on avait craché sur votre bonne âme, ce n'est pas l'âme lucide qui aurait pris votre défense, bref, ma proposition :

« Vous n'aurez plus à dévoyer vos rêves dans des combats dégradants, à défendre tout ce que dit Souslov, ou Thorez, même si c'est pour défendre la classe ouvrière et le genre humain, au contraire, vous pourrez enfin dire ce que vous pensez de la présence des Russes à Budapest, publiquement, plutôt que de défendre publiquement cette présence en pensant que c'est une folie, vous voyez comme moi-même je suis pudique, *la présence des Russes,* bel euphémisme, vous incarnerez la lucidité, vous direz au monde bas les masques ! et le monde vous demandera de lui ôter ses masques. Et il n'essaiera pas de toucher au vôtre.

« Nous rêverons, jeune Français, mais je ne vous promets pas le bleu du ciel, je n'y crois plus, je le laisse aux anges, aux moineaux, aux activistes du Parti et aux pervers.

« Cela dit, il y a encore quelque chose à faire parmi les hommes, en avant des hommes, à cheval sur la chance, en rêvant à un socialisme sans canailles, je vais même plus loin, je ne sais pas qui gagnera, je parle d'un avenir lointain, entre les deux camps je ne sais pas qui va gagner, entre nos rêves et le capital, mais vous n'aurez rien à perdre : si c'est votre âme bourgeoise qui gagne il vous suffira d'oublier l'autre, et si c'est la révolutionnaire qui gagne vous n'aurez jamais quitté son camp, je serai là pour en témoigner, deux âmes, et je serai toujours franc avec vous, non, pas franc, ça c'est pour les hypocrites, moi je serai précis, nous serons des égaux, après tout moi aussi j'ai peut-être deux âmes. »

Lilstein a vu que vous avez levé les sourcils, il pourrait faire une mimique lui aussi pour accompagner ses deux âmes, écarquiller les yeux, jouer des mains, il ne fait rien, le visage est neutre, les mots froids :

« Je vous propose de commencer par un simple échange d'informations, pas tout de suite, dans quelques années, à moyen terme, tout ce qui me permettra de faire reculer les plus excités de mes camarades, les *va-t-en-guerre,* tous ceux qui croient qu'il faut des chars pour aider les gens à penser, et des camps pour les obliger à être à l'heure, je vous surprends ? Déjà ? Ça ne ressemble pas à ce qu'on dit dans les discours officiels ? Mais si je n'étais qu'un discours officiel, j'aurais disparu depuis longtemps, dans le camp où on m'a envoyé, pas Auschwitz, un autre, six ans après Auschwitz, un de ces camps dont on ne parle pas.

« Je vous en parlerai un jour, une belle provision d'anecdotes, donc, quand vous serez en situation de le faire, vous m'aiderez à combattre mes *va-t-en-guerre*, votre grande âme me confiera ce que l'autre aura récolté, je vous dévoilerai les secrets du monde auquel j'appartiens, vous m'apporterez ceux du vôtre, dès maintenant je vais vous donner de quoi devenir quelqu'un de précieux aux yeux de vos impérialistes, vous allez devenir, vous pouvez sourire, un grand partisan de la guerre froide.

« Un partisan très élégant mais solide, vous écrirez de bons articles contre le communisme, très informés vos articles, ça va être amusant, les gens qui quittent le Parti deviennent tous à la longue des partisans de la guerre froide, moi, je vous propose de le devenir dès maintenant, et en vous amusant, vous quittez les rangs du Parti sans avoir l'impression de trahir, vous avez deux âmes, l'âme désenchantée reste au service de l'âme rêveuse et l'aide à ne pas trop trahir ses rêves.

« Un pacte ? Non, pas de pacte, ça ne me rend pas plus confiant, évidemment un jour vous pourriez avoir la tentation d'inverser les rôles et de me trahir, de trahir ce que nous serons devenus, mais je ne veux pas de gage, je vous fais confiance, jeune camarade, une confiance absolue, pourquoi ? Parce que je connais bien votre histoire, si vous avez déjà trahi votre famille en entrant au Parti c'est parce que vous avez vu qu'elle avait trahi, vous savez, nous nous ressemblons, si ensuite vous trahissez la classe ouvrière, tout cela est emphatique mais c'est comme ça, si donc vous trahissez la classe ouvrière après avoir trahi la bourgeoisie, vous n'aurez plus où aller, et vous n'êtes pas assez vieux pour revenir au crucifix de votre enfance, vous avez trop besoin de ne pas être un traître, comme moi.

« Ce que j'ai trahi ? La jeunesse du monde, jeune Français. Nous avons tous les deux perdu notre mise et nous avons besoin l'un de l'autre, restons ensemble, essayons d'être élégants, et peut-être que grâce à nous tous ces gens finiront par s'éloigner des bords du gouffre, cela s'appelle la coexistence pacifique, nous aiderons à mettre ce mot à la mode. »

Le *Waldhaus* est à 1 700 mètres d'altitude, là où la forêt
cède le pas à la roche, c'est aussi le début du *Waldgang*, une
piste de ski, pas la plus haute mais la plus belle, avec sa traversée des bois, le passage au bord du lac, la grande diagonale
sur le versant ouest, un balcon d'où l'on peut voir à plus de
cent kilomètres par beau temps.

Quelques skieurs déjà, avant la foule des vacances dans
quelques jours, la descente commence par un *mur* de soixante
mètres, parallèle à la piste de bobsleigh, mais beaucoup plus
pentu, sur la plate-forme de départ, des luges-civières prêtes à
l'emploi, chacune avec son numéro, noir sur fond jaune. Par
intervalles, le vent soulève de la poudreuse et l'envoie rou-
geoyer dans les derniers éclats du soleil.

« Je me méprends sur votre compte, cher monsieur? Je
n'aime pas ce *cher monsieur*, je préférerais jeune homme,
jeune ami, mon jeune ami français, nous serions amis, j'ai été
jeune ami auprès de quelqu'un que j'admire beaucoup, il
m'appelle toujours jeune Lilstein, non, je sens que si je vous
appelle mon jeune ami vous n'allez pas aimer, vous dites que
vous n'avez aucune information à me transmettre, que vous
n'êtes rien? Je le sais mais je parle pour l'avenir, nous avons
le temps, c'est moi qui vais commencer à vous donner certaines informations.

« Et dans quelques années Paris vous appartiendra, ça ne
vous intéresse pas? C'est parce que vous êtes jeune, laissez-moi avoir de l'ambition pour vous, en ce moment vous
ne vous aimez pas, ce n'est pas sain, une bonne partie de
mes malheurs est venue de gens qui ne s'aimaient pas, qui
aimaient les autres parce qu'ils ne s'aimaient pas, qui étaient
tout le temps prêts à se sacrifier, et à sacrifier les autres pour
les sauver, par dégoût d'eux-mêmes, par peur d'eux-mêmes,
nous, nous ne connaîtrons que des peurs constructives, bien-
venue au royaume des peurs constructives et des jours
fébriles, jeune Français.

« Nous allons combattre la religion de la guerre. Chacun pris à part nous sommes des minables, vous, le dégoûté de l'action, et moi, l'apparatchik sans rêves, des minables, mais ensemble nous pouvons faire un très intéressant personnage, un conciliateur, un réconciliateur, un régulateur, et parfois il nous arrivera même de rire, oui de rire.

« C'est un métier où l'on rit beaucoup, il y a six mois un de mes collègues en Afrique, dans un pays tout neuf, dimanche matin, grande journée de volontariat agricole, il était *envoyé spécial pour les relations culturelles*. Les Africains l'ont mis dans un champ, à côté d'un Américain, très important personnage lui aussi, *envoyé spécial pour les affaires économiques*, cheveux courts, avec une marque de casquette sur la nuque, leur tâche à tous les deux c'était d'enlever les mauvaises herbes du champ, ils se mettent au travail, l'Américain et lui, les deux *spécialistes*, vous connaissez la chanson, un grand chanteur de gauche de chez vous *Y a qu'à s'baisser, mais c'est ça qu'est difficile*.

« Fin de la journée, ils sont épuisés mais contents, et presque amis, réconciliés par le travail manuel, le ministre de la Sûreté intérieure et extérieure du pays hôte vient se mettre entre l'Américain et mon ami pour la photo, sourires, *Une belle collaboration*, dit-il aux journalistes, *c'est cela, pour notre pays, avec nos frères de l'Est et de l'Ouest, une troisième voie !* Et puis, plus bas, en gardant le sourire, il leur glisse à tous les deux : *Vous avez arraché tout le manioc.*

« L'histoire que je vous ai promise ? Non, ce n'est pas celle-là, soyez patient, j'ai vraiment envie de vous la raconter. »

Une femme se glisse dans la salle, grande, rousse, gestes amples, une robe en toile bleu nuit, le pas souple, lié comme celui d'une danseuse, un visage très calme, elle fouille dans un des bahuts, puis ressort.

« C'est une histoire que je n'ai encore racontée à personne, alors j'ai besoin de m'échauffer. Vous venez donc de Paris, de la part de Roland Hatzfeld ? Si, si, c'est lui-même qui me l'a dit, il habite toujours son petit pavillon, porte des Lilas ? Ça ne vous intéresse pas ? Vous n'en savez rien ? Cher Roland, il a gardé les bonnes habitudes, vous savez que c'est Malraux qui a failli le faire entrer au Parti ? Non ? Vous ne me croyez pas ? Si ? Vous voyez que ça vous intéresse, un meeting en 1934, 35, oui, une période très passionnée.

« Hatzfeld va écouter Malraux, à Pleyel ou ailleurs, l'écrivain qui rentre d'URSS, lyrisme rapide, oui, la grande mèche qui tombe sur le front, la lutte contre le fascisme, de belles syncopes de voix et de grands jeux de mains, efficace Malraux, il lance *en URSS la démocratie est garantie par le fait que les ouvriers défilent fusil sur l'épaule*, Roland Hatzfeld se lève, applaudit à tout rompre, toute la salle applaudissait à tout rompre, et il décide que le lendemain il prendra sa carte au Parti communiste, il venait de finir ses études de droit, conférence du stage, on sentait déjà le futur grand avocat. Au Parti, des gens sensés lui ont dit qu'il n'avait pas besoin de prendre une carte, qu'il serait plus efficace en restant à l'extérieur, s'il tenait vraiment à la carte on pouvait faire ça de façon discrète, ils n'ont pas dû dire discrète, ils ont dû dire particulière, de façon particulière, ça s'est très bien passé.

« Pourquoi je vous raconte ça ? Pour vous mettre en confiance, et puis ça n'est peut-être pas vrai, cela dit, c'est bien Hatzfeld qui m'a appelé, c'est très rare qu'il le fasse, il paraît que vous n'allez pas très bien, Budapest, certain rapport sur les crimes de Staline, tout ça, Hatzfeld m'a conseillé de vous offrir une passion. »

Chapitre 4

1956

L'ENFANCE D'UNE TAUPE

Où vous êtes invité par un ami de Michael Lilstein à manger du homard dans une brasserie parisienne.

Où vous descendez assez loin dans les sous-sols de la gare de l'Est.

Où vous rencontrez une belle femme en rouge dans un compartiment de première classe.

Où Lilstein vous dit pourquoi vous devriez travailler avec lui.

PARIS / WALTENBERG, début décembre 1956

Chaque âme est à elle seule une société secrète.

Marcel Jouhandeau,
Algèbre des valeurs morales

À Paris, quelques jours avant votre départ pour Waltenberg, le *Waldhaus* et cette conversation avec Lilstein, Roland Hatzfeld vous avait dit :

« Ça fait plus de dix ans que tu es au Parti, jeune homme, tu devrais pouvoir aborder des choses plus complexes. »

Il vous avait parlé de Lilstein d'une drôle de manière, *une victime des nazis et de Staline, mais il n'a jamais rien cédé, ni à Staline ni aux nazis, et il a gardé les mains dans le cambouis de la* praxis, *une rencontre qui te fera du bien.*

Le cambouis, les mains, une image lourde, et Hatzfeld en rajoutait en utilisant *praxis* mais il avait dit cela en écarquillant les yeux, en levant l'index à mi-hauteur de ses bonnes joues roses, en détachant les mots, un petit sourire, comme s'il avait voulu marquer une distance avec ce langage obligé du Parti.

Mais cette distance il n'avait pas voulu la faire trop forte, un sourire, pas un sarcasme, plutôt le signe que l'on n'était

pas dupe des détails d'un rituel mais qu'on y restait malgré tout attaché parce qu'il était le rituel dans lequel se
reconnaissaient des gens qu'ailleurs dans la société on refusait de reconnaître. La conversation avait eu lieu de part et
d'autre d'un plateau de fruits de mer, une brasserie près de la
Madeleine, boiseries, cuir rouge, grosses lampes, beaucoup
de cuivre, les hommes qui entraient avaient du ventre, les
femmes un renard autour du cou, ou quelque chose d'appro-
chant, les garçons et les chefs de rang étaient en pingouins, le
maître d'hôtel en habit, le cambouis de la praxis.

« Ne fais pas cette tête, avait dit Hatzfeld, tu as l'air d'un
puritain, les puritains ne font jamais du bon travail. Mange,
tu n'a pas trente ans, tu as la vie devant toi, et ne fais pas celui
qui ne sait pas se débrouiller avec une pince de homard. »

À la fin du repas, Roland Hatzfeld vous avait remis un
aller-retour de chemin de fer pour Waltenberg, un billet de
première.

« C'est pour t'apprendre à lutter contre le puritanisme et
parce que la douane est moins casse-pieds avec les premières,
mais pas de wagon-lit, un voyage de jour, tu ne croiseras pas
la madone des sleepings mais ça nous coûte moins cher. Si le
voyage ne donne rien, tu auras passé quelques jours de
vacances, et tu pourras même me rembourser, mais ce n'est
pas une obligation. »

Après le restaurant, vous avez encore parlé en marchant
avec Hatzfeld vers la place de la Bourse, une promenade amicale, vous étiez flatté, vous savez qu'il a fait partie d'un réseau
de résistants, c'était l'un des dirigeants, on vous a dit que le
jour où son réseau a coulé Hatzfeld a fait exprès de se laisser
prendre, en se faisant passer pour un simple messager, pour
aiguiller la Gestapo sur une fausse piste, on l'a envoyé à
Buchenwald. Au cours de la promenade le long du boulevard
des Capucines la voix de Hatzfeld s'est presque attendrie.

Il a parlé de lutte, ne jamais renoncer, le côté de la vie, il est en train de plaider pour un Français qui a aidé le FLN et qu'on va peut-être guillotiner.

« J'ai vu Coty, pour la grâce il n'a rien dit et il m'a raconté une anecdote, en 1917 il assiste à l'exécution d'un type qui avait refusé de monter en ligne. Pour réconforter le type un général lui dit avec tendresse *tu meurs pour la France, mon petit.* »

Roland Hatzfeld a aussi parlé de ce qu'il appelle la connerie, il a montré la *une* de *Paris-Presse* à la devanture d'un kiosque à journaux : *Dans l'enfer de Budapest.* Vous avez fait pff... pour montrer que vous n'en étiez pas là, Hatzfeld vous a dit qu'il ne fallait pas se raconter d'histoires.

« En gros, tu sais, la presse bourgeoise a raison, c'est vraiment ce qui s'est passé, il y a aussi des croix fléchées, des horthystes, le retour des blancs, mais c'est le peuple qui s'est insurgé, des fois j'en ai tellement marre... Va voir Lilstein, et, même s'il ne te convainc pas, reviens me dire ce qu'il t'a raconté, parce que j'en ai besoin. En 1930 j'ai fait le voyage de Berlin à Moscou en train, interminable, tout un wagon de jeunes gens, la Prusse, la plaine polonaise, à un moment nous sommes passés sous un arc de triomphe en bois, très simple.

« Dans le couloir du wagon une jeune actrice allemande s'est mise à chanter *L'Internationale* en regardant le paysage, j'étais heureux, il ne faut jamais être heureux, aujourd'hui je ne sais plus quoi faire. En 1949, à Paris, au tribunal, j'ai eu en face de moi une autre femme, une révolutionnaire allemande, Katrin Bernheim, réfugiée à Moscou après l'arrivée de Hitler, elle racontait qu'en 1936 elle avait été emprisonnée dans un camp en URSS, à Karaganda, elle appelait ça un camp de concentration, et elle a ajouté qu'en 1940 Staline l'avait rendue aux nazis, qui l'avaient expédiée à Ravensbrück, tu sais ce que j'ai fait ? J'ai plaidé qu'elle avait elle-même demandé son retour en Allemagne, j'étais certain de ce que je racontais, c'était une renégate.

« Et un jour, en 1954, Lilstein m'a raconté son camp à lui, on marchait comme ça, dans Berlin, une avenue, pas la *Stalinallee*, ç'aurait été trop beau, mais c'était dans le quartier, un récit très sobre, ce qu'on lui a fait, ce qu'il a vu faire, un camp sibérien pendant deux ans, les deux ans avant la mort de Staline, les derniers mois surtout, quand il s'est rendu compte que cela devenait de plus en plus dur, jusque-là il lui semblait que la force qui l'avait chopé voulait pourtant l'épargner, mais à un moment il a compris qu'il allait vers la mort, il m'a dit que la Sibérie ça n'était pas comme Auschwitz, pas de *Selektionslager* pour les gosses, les femmes, les faibles, mais pour lui à partir d'un certain moment c'était le même sentiment qu'à Auschwitz, il savait qu'il allait mourir dans le mois qui venait, il n'essayait plus d'esquiver, il acceptait les coups, à Auschwitz ce sont les troupes de Staline qui l'ont sauvé, et en Sibérie c'est la mort de Staline, quand Beria a fait ouvrir les camps. Lilstein m'a raconté ça, sans insister.

« Ça faisait partie des faits que je devais connaître, la renégate Bernheim avait eu raison, j'ai enregistré, c'est seulement un mois plus tard que j'ai pensé à elle, à son histoire de camps, je pourrais raconter une sueur froide en plein sommeil, des cauchemars à répétition, avec apparition féminine, la mémoire qui se venge la nuit, mais ça ne s'est pas passé comme ça, un jour j'ai simplement pensé à elle, et depuis elle est associée à mes pensées, une grande dame, elle dit que Ravensbrück était plus propre, plus chaud que Karaganda, les Russes faisaient travailler les prisonniers jusqu'à la mort en les nourrissant au minimum, quand on ne remplissait pas la norme de travail fixée la ration était réduite de moitié, à Ravensbrück la nourriture était meilleure mais on mourait sous les coups, les gardes étaient des sadiques, ils étaient là pour exterminer, les Russes étaient décents, scrupuleux, ils appliquaient leur système.

« Elle trouve que Karaganda était pire que Ravensbrück, Lilstein n'a pas fait de classement, moi j'étais seulement à Buchenwald, on n'y gazait pas, c'était sur le territoire du Reich, le gaz c'était pour les camps plus à l'est mais Buchenwald c'était quand même l'enfer, un pouvoir nazi avec un enfer bien à lui, pas un enfer à promettre dans un au-delà, non, un enfer pour tout de suite, à quelques heures de train de Berlin, et elle dit que Karaganda était pire, et le pire c'est qu'elle a peut-être raison, des fois j'en ai marre... mais tu nous vois vraiment avec ces cons-là, pendant que les gosses meurent en Algérie ? »

Hatzfeld montre un autre journal, un titre : *Nos drapeaux flottent encore sur Port-Saïd.*

Vous étiez arrivés devant la Bourse, Hatzfeld s'est arrêté, vous a regardé :

« Ne laisse pas la vertu étouffer la vertu, fais ce voyage, tu pourras prendre ta décision en toute connaissance de cause, quitter le Parti, ne pas le quitter, ou autre chose. Vas-y, c'est mon cadeau d'anniversaire, tes vingt-sept ans, et tes dix ans de Parti. »

Avant de quitter Hatzfeld vous lui avez demandé comment il avait connu Lilstein, il vous a répondu en regardant la façade de la Bourse :

« Dans un coin très chic, un vrai club de discussion.

— Mais encore ? »

Hatzfeld a pris l'accent anglais :

« À Buchenwald, aux toilettes, un peu avant qu'on envoie Lilstein à Auschwitz. »

Deux jours après vous êtes allé prendre le train à la gare de l'Est, vous êtes même arrivé très en avance, et, juste avant d'entrer dans le hall principal, vous vous êtes donné le temps de contempler le grand tableau de Herter, celui qui représente le départ pour la guerre, en 1914, contempler n'est pas le mot, des mètres carrés de croûte, des femmes graves, des hommes résolus, c'est peint en 1926, des fleurs, pas l'enthousiasme mais le devoir, et il y a quelque chose d'involontaire dans le tableau qui malgré lui vous réconcilie avec lui, au centre de la composition, debout sur les marches du wagon, face à vous, il y a un homme, bras écartés, légèrement levés vers le ciel, un bouquet en main gauche, un fusil en main droite, des fleurs dans le canon du fusil, une chemise claire, regard vers le ciel, vers la Patrie et les valeurs, et en même temps ce type en chemise, bras en croix fait irrésistiblement penser au condamné à mort de Goya, l'homme du *Tres de mayo*, le civil fusillé par un peloton de soldats napoléoniens.

La guerre n'a pas encore commencé mais sur ce tableau de la gare de l'Est le soldat de 1914 a déjà l'allure d'un condamné à mort devant le peloton. Avec une différence : ici il n'y a pas de peloton, les tueurs sont hors champ, ça peut être les Prussiens, ou ceux qui ont donné l'ordre d'aller contre les Prussiens, ça peut aussi venir du ciel que le type regarde, ce n'est pas ce qu'a voulu Herter, vous ne vous attardez pas, vous savez ce que vous avez à faire, vous êtes venu en avance exprès, en face de l'extrémité du quai numéro un, il y a une petite porte qui ne paie pas de mine, entre deux affiches syndicales, aucun panneau sur la porte, elle est fermée, n'entre pas qui veut, vous le savez, vous attendez discrètement qu'un autre homme l'ouvre avec sa clef pour vous faufiler derrière lui, comme si vous arriviez en même temps.

Vous vous retrouvez dans un couloir, vous ralentissez pour laisser l'homme prendre de l'avance, un escalier monte vers des services administratifs, vous l'empruntez, les marches sont couvertes de ce nouveau revêtement qu'on appelle *linoléum,* sur le palier une enfilade de bureaux, le couloir a l'air neuf, ce n'est pas là, la dernière fois que vous êtes venu c'était beaucoup plus vétuste, vous vous êtes trompé d'étage et vous allez vous faire demander ce que vous foutez là, vous redescendez les escaliers, porte à gauche, couloir, vous tournez à droite, petites marches, vous n'avez jamais emprunté ces marches, vous êtes en train de vous perdre, ce n'est pourtant pas difficile ce putain d'endroit, vous vous perdez.

Vous perdez votre temps, vous prenez l'escalier qui descend vers les entrailles de la gare, marches de bois nu, odeur de vieille poussière, vous croisez un homme qui porte une petite valise, une autre porte anonyme au bas de l'escalier, un couloir, vous êtes perdu à nouveau, vous risquez de rater votre train, il faut remonter, vous ne trouvez même plus l'escalier pour remonter, c'est stupide, et pas question de demander votre chemin, on vous demanderait ce que vous faites là, vous allez être en retard, vous n'avez pas confiance en votre montre, encore un homme qui vous croise, lui aussi il a une petite valise, il fait froid, une porte qui grince, l'homme venait de là.

Fausse piste, vous êtes perdu, non, l'odeur, l'huile de machine et la poussière grillée, cette odeur si particulière du contact de l'électricité et de la poussière, vous entrez, à gauche il y a une sorte de loge, de greffe, une femme assise, elle ne vous regarde même pas, elle est dans des fiches, la salle suivante ressemble à une bibliothèque, livres, armoires à vitrines, archives, la salle est vide, il est très tôt, et puis au fond une porte, au-dessus de la porte une horloge électrique, vous y êtes enfin, vous n'êtes pas en retard, vous pouvez entrer, on vous salue, sans vous connaître, c'est le style de la maison, vous répondez aux hochements de tête par des mouvements plus amples, déférents, vous êtes le plus jeune de la salle.

Une très grande salle, avec un superbe réseau de train miniature monté sur une estrade à un mètre cinquante du sol, il occupe presque tout l'espace, malgré l'heure matinale des hommes s'affairent, chacun venu avec son train dans une petite valise, peu de trains tournent sur le circuit, l'un d'eux a des ennuis, j'ai seize volts et rien à l'ampérage, occupe-toi de lui, il va s'énerver, c'est un vrai gamin, un homme s'empare d'une locomotive à vapeur, elle ne marche pas, à tous les coups c'est les charbons, non, chez moi elle marche, c'est le réseau qui déconne, c'est pas le réseau, regarde, le *Train bleu* d'Henri tourne depuis une heure, si c'est pas les charbons je ne vois pas ce que ça peut être, un gros train de marchandises passe sur la voie et file vers un tunnel, sous une montagne de carton-pâte. Le train ressort devant un village inachevé, s'arrête avant un aiguillage, repart, beaucoup de locomotives sont couchées sur le côté, ouvertes en deux, en cours de réparation ou de mise au point, un homme à casquette de marin breton refait même le filetage d'un moteur électrique, un autre fait passer un réseau de câbles fins dans les wagons de son *Paris-Hendaye* pour installer l'éclairage nocturne, vous écoutez le staccato des wagons sur les rails, vous embrassez du regard tout le réseau, ses villages bretons ou basques, son garage à locos avec le pont tournant, la gare de triage avec son château d'eau et le réservoir à charbon, les trains tournent, le *Train bleu,* puis une micheline, puis les nouvelles locos électriques, celles qu'on appelle crocodiles à cause de leur museau très allongé.

Devant une gare il y a des voitures, une **DS 19** noire, une Juva 4, pas tout à fait à la même échelle que le reste, l'un des hommes joue avec un sifflet qui imite celui de la vapeur, vous vous penchez pour mettre l'œil à ras du réseau et voir arriver un train, vous fermez les yeux, le bruit des rails, c'est l'heure.

Vous remontez à la surface, en pleine gare, vous allez à l'extrémité de votre quai pour contempler le pare-fumée à oreilles surmontant la tête de l'énorme cylindre de métal qui règne à son tour sur tout un univers de roues, de bielles, de contre-manivelles, de cames oscillantes et d'injecteurs, la *Pacific 241* qui va tirer votre train à plus de cent vingt kilomètres heure, une *241 P,* cheminée double, deux nouveaux graisseurs mécaniques à dix-huit et vingt-quatre départs, les graisseurs vous ne les voyez pas, ils sont installés sur le tablier gauche, de l'autre côté de la loco, ce que vous voyez c'est le flanc droit, avec, fixée sur le tablier, la grosse turbo-dynamo, elle fait petit par rapport à tout le corps de la chaudière et aux quatre roues motrices de deux mètres de diamètre, un superbe vert foncé pour l'ensemble loco et tender, plus foncé que l'olive, avec des filets rouges qui courent sur toute la longueur.

Un voyage de jour, donc, avec le plaisir d'observer les variations de paysage à travers l'est de la France, les clochers qui prendront du bulbe au fur et à mesure qu'on va vers les montagnes du cœur de l'Europe, le plaisir de se voir traverser des villes où l'on ne s'arrêtera pas, seul dans un de ces compartiments vides où l'on peut s'appartenir avec délices, seul à soi, avec le dernier numéro de la revue *La Nouvelle Pensée* et un magazine bourgeois qui parle des amours d'une vedette de cinéma et d'un prince d'opérette, vous avez eu l'audace d'acheter le magazine à la gare en vous promettant de l'abandonner dans le train à l'arrivée, ce n'est pas parce qu'on veut quitter le Parti qu'il faut arborer des goûts de salaud, vous abandonnerez le magazine comme vous abandonnerez votre revue avant le passage de la douane, pas besoin d'attirer l'attention sur vos engagements politiques, même s'ils sont en train de changer, oui, mais où la laisser ? dans les toilettes ? une revue communiste abandonnée pour le passage de la douane, ça ferait encore plus louche, dans les toilettes d'un autre wagon ? en seconde ?

Faire semblant d'aller au wagon-restaurant et laisser la revue dans des toilettes de seconde, ou dans un compartiment vide, le magazine vous le laisserez dans votre propre compartiment, vous en conserverez une page, celle qui est consacrée à la caméra dont vous rêvez, la *Paillard* 8 m/m à deux objectifs *Berthiot*, une focale de douze cinq et une de trente-cinq, chère, soixante-treize mille francs, légère, élégante, noire et acier, très chère.

Un disque classique coûte deux mille six cents francs, le Schubert par Fischer-Dieskau par exemple, *Le Voyage d'hiver*, dix fois le Schubert ça ferait vingt-six mille, soixante-treize mille c'est pratiquement trente disques de musique classique, trois fois six dix-huit, trois fois deux six et un sept, soixante-dix-huit mille, moins deux disques donc, ça fait vingt-huit disques, au moins deux ans d'achat de disques si je veux la *Paillard* à deux objectifs, sans compter les films, il y a des disques moins chers que ceux de *Pathé Marconi*, c'est plus loin, la page *Philips*, les *classiques pour tous*, moins de deux mille francs pièce, oui, mais il faut ajouter la taxe locale, à combien se monte la taxe locale pour les disques ? et *Philips* n'a pas le *Voyage d'hiver*, ni le Brahms par Heifetz. Combien de paquets de cigarettes pour une *Paillard* ?

Acheter quand même ce Schubert chez *Pathé Marconi*, *Le Voyage d'hiver*, il paraît que ce chanteur est absolu, essayer avec les cigarettes, cent trente francs le paquet de cigarettes, des *Rallye*, cent soixante quand on veut fumer des *Camel*, c'est mal vu au Parti mais si je quitte le Parti je pourrais me mettre complètement aux *Camel*, donc si j'abandonne la cigarette cent paquets de *Camel* ça fait seize mille francs, *Camel*, *aucune autre cigarette n'est si douce à la gorge, les grands fumeurs préfèrent Camel*, une année de *Camel* ça fait seize par trois cent soixante-cinq, non, plus d'un paquet par jour, qu'est-ce qu'un grand fumeur, *moi qui suis un grand fumeur, je préfère Camel, un, deux, trois paquets, peu importe, Camel n'irrite pas la gorge*, disons un paquet et demi par jour, pour faire plaisir à la réclame, plus de cinq cents paquets.

En gros dix-huit mois de tabac pour une caméra, en continuant à acheter des disques, je me trompe, moins d'un an de tabac, quatre cents paquets seulement ça ferait quatre fois six vingt-quatre, quatre et je retiens deux, quatre fois un, plus deux, six, soixante-quatre plus les trois zéros, déjà soixante-quatre mille avec quatre cents paquets, il faudrait être précis, de tête soixante-treize mille par cent soixante, en soixante-treize combien de fois seize, non, soixante-quatre mille pour quatre cents paquets, cinq cents paquets ça ferait seize mille de plus, total quatre-vingt mille, ça met la Paillard à quatre cent soixante paquets environ, une année de tabac, en serrant.

Il faudrait que je me remette au calcul mental, ça y est, nous partons, pour près de mille kilomètres, je ne suis jamais allé au-delà de Mulhouse, non, encore cinq minutes, c'est l'autre train qui part, je me fais toujours surprendre, c'est parce que j'ai envie de partir, les cigarettes, la caméra, le reflet dans la vitre, j'ai vingt-sept ans, le visage de la ballerine sur la page du magazine, elle a mon âge, elle est déguisée en vieille femme avec une perruque et un châle, elle franchit des barbelés, fini Budapest, elle s'en va, le cardinal planqué à l'ambassade yankee je m'en fous, mais la ballerine, et la clinique universitaire de Budapest, en bas à droite de la photo, une tête, par terre, une chambre de clinique attaquée au canon, *par les chars soviétiques*, quatre cadavres de malades, en réunion de cellule j'aurais conclu à un montage de propagande mais Hatzfeld m'a dit ne te fais pas d'illusions, presque tout ce qu'on raconte est vrai, il suffit de tourner les pages.

Sur une autre photo c'était la tête de Staline qui était par terre, à côté d'une réclame pour le *Vicks Vaporub*, à mettre en cataplasme sur la poitrine pour la nuit dès que l'enfant éternue, dans *L'Huma* c'était la photo d'un milicien au siège du PC hongrois, allongé à même le sol, un portrait de Lénine posé sur le ventre et une baïonnette enfoncée dans la gorge, est-ce que le cataplasme que maman me mettait était déjà du *Vicks Vaporub* ? ça sentait la chlorophylle et la menthe, ça et une cuillerée à soupe de sirop *Rami* on était paré pour la nuit, on entrait dans le noir avec une petite envie de vomir, il valait mieux avoir sommeil, lire *Croc-Blanc* en douce à la lampe de chevet avec un cataplasme sur la poitrine et un arrière-goût de sirop *Rami*, ça gâchait tout.

Les Polonais offrent un ours en peluche à Gomulka pour le remercier d'avoir tenu tête aux Russes, l'ours est énorme, c'est à la gare de Varsovie, en double page, vous essayez de regarder les mains sur les photos de Gomulka, Hatzfeld vous a dit qu'on lui avait arraché les ongles en prison sous Staline, pas moyen de distinguer, les Polonais s'en tirent mieux que les Hongrois cette fois, et la jolie femme entre dans le compartiment, un porteur installe ses bagages, la jolie femme n'a pas de monnaie, elle fouille dans son sac marqué

H, ne trouve pas, elle porte deux petits bracelets d'or, le porteur fait la tête, il attend, il va rater la course suivante.

Vous regardez la scène, la jolie femme a les yeux sur vous mais elle ne vous regarde pas, elle est grande, sous son manteau une robe rouge, un décolleté en V strict, elle ne vous demande rien, vous existez si peu, seulement vous êtes là, elle le sait, ça suffit, vous donnez la pièce au porteur, il s'en va, sans rien dire, il croyait récolter plus que le tarif, vous avez chaud au visage, la femme vous remercie d'un signe de tête contrarié, un menton pointu, un front très bombé, elle est plus grande que vous, brune, elle n'est pas franchement contente de votre intervention.

Vous vous rasseyez, sans rien dire, ne pas exploiter la situation, d'ailleurs vous ne savez comment faire, le train part, vous êtes assis dans le coin fenêtre sens de la marche, vous n'avez même pas pensé à proposer votre place à la jolie femme, elle s'est installée du même côté que vous mais à l'autre extrémité, côté porte, elle ne vous voit plus, cent mille réfugiés sont passés en Autriche, on voit des gens passer dans la rue avec des miches de pain, la femme n'a pas encore ôté ses gants, elle se relève pour prendre un de ses bagages dans le filet, vous vous précipitez pour l'aider, un merci de voix sèche, vous êtes à nouveau assis, elle sort un porte-monnaie de sa valise, referme la valise, la prend par la poignée, vous vous précipitez, vous remettez la valise dans le filet à bagages.

Vous êtes à nouveau assis, vous regardez par la fenêtre, vous vous penchez vers l'avant, tête tournée vers la fenêtre et le paysage, en suivant les maisons que le train vient de dépasser. Et dans la fenêtre le reflet de votre tête avance lui aussi, vous pouvez alors découvrir le reflet du visage de la femme, un profil, c'est rare qu'une femme ait un si beau profil, à belle face profil de mérou, c'est un ami breton qui dit ça quand une fille ne lui répond pas, la femme a un grand front, le nez droit, juste ce qu'il faut de menton, vous vous dites profil

de médaille, *monsieur*, la femme vous appelle, elle ne vous regarde pas, elle est en train de fouiller dans son porte-monnaie, elle sort une pièce, *monsieur*, elle vous regarde, elle vous tend la pièce, vous refusez, *je vous en prie*, elle parle d'un ton sec, *si, si*, vous prenez la pièce, elle vous remercie encore, le ton n'est plus sec, il est froid, vous dites *qui paie ses dettes*...
Elle ne dit rien, votre sourire est figé, vous vous sentez bête, vous glissez la pièce dans votre poche de veston, à gauche, vous gardez la pièce entre vos doigts quelques instants dans votre poche, vous la caressez, vous regardez par la fenêtre, vous sortez la main gauche de votre poche, coude sur l'accoudoir, la main contre la bouche, l'index sur la lèvre supérieure, l'index a gardé une odeur de parfum, sucré, lourd, la femme doit parfumer ses gants, parfois il semble que le parfum vienne de toute la silhouette, il lutte contre l'odeur du compartiment faite de fumée, de cire et de désinfectant SNCF, vous la regardez, elle lit, les jambes sont longues.

Votre main retourne prendre la pièce dans la poche, vous la réchauffez du bout des doigts en regardant les jambes de la femme, vous allez lui adresser la parole, vivre n'est pas si difficile, vous êtes parisien, c'est une bourgeoise provinciale qui rentre chez elle, c'est elle qui va vous adresser la parole, vous finirez par mieux la connaître, elle vous invitera dans son château, vous ferez de longues promenades, vous n'aurez pas le droit de la toucher, vous tenterez de le faire un soir, elle saisira une cravache, pas de cravache, regard dur, vous ne pourrez rien faire, elle vous veut nu mais vous n'aurez pas le droit de bouger, un grand lit à colonnes, drapé de perse à fleurs rouges, le paysage se déroule, vous bougez sur votre siège et vous ne voyez presque rien du paysage que vous vouliez regarder.
Vous sortez la pièce, cachée dans votre main, elle est tiède maintenant, vous la posez contre votre joue gauche, la rapprochez de votre nez, vous essayez de retrouver le parfum sur la pièce, une trace, quel était le nom du parfum de votre

mère ? un Guerlain, mais quel nom ? vous n'auriez pas dû
poser la pièce contre votre joue, elle a pris l'odeur de la
mousse à raser de ce matin, c'est peut-être un Guerlain ce
parfum, mais mélangé à l'odeur de votre mousse à raser le
résultat n'est pas très agréable, vous essayez de retrouver
la trace au bout de votre doigt et dans l'air du compartiment.

Vous regardez le reflet de la femme dans la vitre où passent
les champs, les bois, les villages, vous avez croisé les jambes,
votre magazine ouvert sur les genoux, ce n'est pas tout à fait
vrai, en réalité sur les cuisses, mais le mot cuisse est impudique, la femme met-elle du parfum sur ses cuisses, au sortir
du bain ? vous marchez avec elle dans la campagne, c'est le
début du soir, vous rentrez de promenade, vous êtes tout un
groupe à travers champs, parfois, à cinquante centimètres du
sol, il y a une écharpe de brume, vous la traversez, la femme
est venue marcher à côté de vous, elle vous a pris la main,
Gilberte, Catherine et Micheline sont là, elles arborent leurs
combinaisons *Emo* élégante et sobre, celle de Gilberte est en
rayonne *Bemberg* indémaillable, nylon bouillonné monté sur
dentelle, celle de Micheline, à trois mille cinq cents francs, est
une véritable chemise de nuit, décolleté Empire et bas de jupe
avec volant monté sur entre-deux en dentelle, deux pages plus
loin le modèle *Boccace*, chemise de nuit courte, à encolure
ronde et petits manchons rehaussés de smocks de couleur, et
Esmeralda, modèle d'allure très jeune et de coupe impeccable, jeune, impeccable, ça ne veut rien dire, adjectifs pour
rien, *Boccace* on imagine mieux, mais je ne sais pas ce que
c'est que des smocks.

Pourquoi ne pas le demander à cette femme en robe
rouge, dans un instant, une entrée en matière ? en attendant
vous tournez la page et vous sortez, torse nu, d'un mois de
méthode *Dynam*, la culture psychophysique qui fait de vous
un véritable athlète, *pensez-vous des muscles et* Dynam *vous
les donnera, un quart d'heure par jour pendant quelque temps,
devant votre glace, à vous de faire le point sans tricher, à la fin*

du cours l'adepte moyen en impose, cuisses plus cinq centi-
mètres, vous revenez vers la campagne, non le parc du château, vous passez par la tonnelle aux lourdes grappes, puis un
jardin devenu sauvage.

Une profusion d'herbes parasites, quelques rosiers pâles
éloignés les uns des autres, des silhouettes de femmes, des
arbustes chargés de fruits autour d'une eau dormante, vous
voyez des choses plus précises, des pêches lourdes, brunes,
un mur de fleurs mauves, le soir chaud et Clara d'Ellébeuse,
un vol de freux, un bruit de loutre au bord de la mare dans la
lumière bleue, quelques taches jaune d'or parmi les feuilles,
la femme est maintenant seule, elle vous précède, se retourne,
elle a des bras très doux, dans la vitre glisse une forêt, vous
avez l'impression d'avoir dormi, vous avez dormi, la femme
en rouge est toujours là, indifférente.

Vous reposez le numéro de *Match,* si vous avez un peu
dormi vous devez être capable de vous lancer dans les pages
de *La Nouvelle Pensée,* c'est votre revue, vous êtes encore
membre de son comité de rédaction, il y a trois semaines
vous étiez en train d'établir le sommaire du numéro que vous
avez en main, avec vos camarades, sous la présidence exceptionnelle d'un membre suppléant du bureau politique.
Bizarre, cette présence d'un membre du bureau politique, un
suppléant, mais du bureau politique, pas trop bizarre étant
donné les circonstances, Varsovie, Budapest, ça tanguait.

Mais les attaques fascistes contre le siège du Parti à Paris
avaient resserré les rangs, et puis Suez — et devant un
membre du bureau politique personne n'avait osé discuter la
ligne du Parti, d'autant que le membre suppléant du bureau
politique avait lui-même, dès le début de la réunion, eu deux
ou trois phrases étonnamment critiques sur Rakosi et l'ancienne direction hongroise, des phrases à l'emporte-pièce,
qui allaient plus loin que ce qu'aurait pu dire le camarade le
plus audacieux sur le sujet.

Puis on en était venu au sommaire du numéro à paraître,

une discussion à propos d'un texte d'une dizaine de pages, une nouvelle, envoyée par un écrivain bourgeois, ça s'appelle *La Répétition*, l'écrivain est un étranger, un social-démocrate allemand, un grand nom de la littérature européenne comme on dit, Hans Kappler, un texte anodin, Kappler recherche la transparence à tout prix, explique tout, les amours d'une cantatrice et d'un pianiste, des gens sans autre préoccupation que la justesse d'une note ou l'état de leurs sentiments réciproques, aux antipodes de ce que réclament la lutte sociale et le réalisme socialiste, un récit sans originalité, que vous avez pourtant aimé et que vous prenez plaisir à rejeter.

Ça vous avait paru bizarre, que le bureau politique s'intéresse tant que ça à la revue, au point d'envoyer un de ses membres, un suppléant mais quand même, à la dernière réunion de son comité de rédaction, après tout ce n'est qu'un e revue d'intellectuels qui se lisent entre eux, le camarade membre du bureau politique avait souhaité assister à *une réunion très libre de ton*, entre de *vrais* intellectuels, *soucieux de leur tâche historique.*

Sur le texte de Kappler certains avis avaient été très critiques, d'autres moins, vous êtes le plus jeune membre de ce comité de rédaction, vous avez été le plus vif, vous étiez sans doute celui qui aimait le plus cette nouvelle, vous la trouviez fragile mais bien écrite et vous avez été le critique le plus dur, de la littérature démobilisatrice, une prose faussement proche des gens, une transparence bourgeoise, Kappler vous réconcilierait presque avec Proust, un camarade a pris la défense de Proust c'est parfois snob mais parfois ça parle au cœur, et c'est aussi très critique sur la grande bourgeoisie, bien plus que Kappler, relis *Le Temps retrouvé*, ce camarade a aussi défendu la nouvelle, une défense molle, il ne savait pas sur quel pied danser, en politique il était toujours à cent dix pour cent sur les positions du Parti, il se donnait de l'espace dès qu'il s'agissait de culture.

Mais ce jour-là, avec le camarade du bureau politique qui tardait à prendre la parole sur le sujet, il ne savait plus très bien, on a parlé d'humanisme socialiste, de réel, de fausse conscience, vous avez pris plaisir à détruire ce que vous aimez devant un membre suppléant du bureau politique, ça n'avait plus d'importance puisque vous allez sans doute quitter le Parti, oui, vous auriez pu défendre cette *Répétition* mais elle vous rappelait trop ce qu'on appréciait dans votre famille, avant guerre et pendant la guerre, le bien écrit, littérature de salon, vous avez critiqué, sans croire à ce que vous faisiez, parce que vous avez aussi cessé de croire à ce que vous aimez.

Et en même temps vous jubiliez de pouvoir mentir avec allégresse et succès, en détruisant un texte qui vous rappelait vos dix-huit ans, et, en vous entendant, vos camarades n'ont pas voulu être en reste, quand vous vous retrouviez à quelques-uns vous aviez les mêmes opinions, les mêmes goûts éclectiques, pour des écrivains bourgeois, mais avec ce comité de rédaction on se serait cru dans une cérémonie où chaque membre d'une tribu apporte ce qu'il a de plus cher pour le brûler avec fierté devant tout le monde, le membre du bureau politique hochait la tête avec beaucoup de compréhension et de gentillesse, quand il parlait il hésitait, surtout pendant la discussion générale qui avait ouvert la réunion.

Il butait sur les citations de Thorez, surtout quand il voulait dire quelque chose de complexe, il cherchait ses mots, il citait Thorez *il n'y a pas eu de stalinisme,* c'était un ancien ouvrier chaudronnier, *cette expression appartient au vocabulaire de nos adversaires,* personne ne savait quand il avait adhéré, il parlait lentement, hésitait, *il s'est produit... en dépit d'une politique juste... fondée sur les principes du marxisme-léninisme,* un camarade encore jeune, une quarantaine d'années, un prolétaire.

Et les membres du comité de rédaction se faisaient un plaisir de lui souffler les citations qu'il avait du mal à retrouver en entier, *il s'est produit un éloignement de ces principes marxistes-léninistes, dans des conditions historiques données,* on rivalisait, c'était à celui qui trouverait le plus vite le mot que cherchait le membre du bureau politique, *ces conditions sont aujourd'hui révolues*, même des formules qu'on n'aimait pas, *il n'y a pas eu de stalinisme*, un vrai plaisir, devancer la parole d'un important responsable du Parti, même un suppléant, se couler dans une phrase à toute épreuve, rendre service à un camarade expérimenté mais encore jeune, un vrai prolétaire, qui n'avait pas l'habitude de retenir les citations indispensables, si, il en avait une, mais pas de Thorez, de Casanova, *quand nous sommes en règle avec le prolétariat révolutionnaire, alors, mais alors seulement, notre conscience est au repos.*

Un camarade s'est amusé à ne donner que la première phrase d'une citation de Thorez, alors que tous les camarades savent depuis toujours que chez Maurice c'est toujours la seconde phrase qui compte, *la variété des formes de passage au socialisme n'a rien à voir avec le contenu de la dictature du prolétariat*, là le camarade suppléant était désemparé par la violence de l'affirmation de Maurice, on sentait qu'il réfléchissait aux conséquences possibles d'une telle affirmation, trois mots de plus et on se retrouvait en plein titisme, l'idée de voies purement nationales d'accès au socialisme, même si Tito avait cessé d'être un traître et un monstre, il était sur le qui-vive le camarade suppléant.

Mais un autre camarade, le plus *douteur* du comité de rédaction, lui a donné la suite avec allégresse, *ce contenu est obligatoirement commun à tous les pays en marche vers le socialisme*, tout le monde a respiré, on n'était pas de l'avis du camarade suppléant, pas vraiment, mais ce n'était pas une raison pour laisser un prolétaire patauger dans l'hésitation, alors on lui donne un coup de main, on rivalise d'exactitude, on reprend la pensée de Thorez, elle circule, elle unit.

Pour en revenir à la nouvelle, quelqu'un l'avait trouvée bien écrite cette nouvelle, non, bien écrit ça veut d'abord dire en prise sur la vraie vie des prolétaires, relis le dernier roman d'André Stil et la lettre que les ouvrières de Nantes lui ont envoyée, c'est ça bien écrit, personne n'avait contredit, alors

que quand vous vous retrouvez à deux ou trois en fin de repas,
il y en a toujours un pour faire rigoler les autres en pastichant
la prose d'André Stil, gentiment, c'est un des grands responsables de *L'Huma*, beaucoup de courage sur l'Indochine, au
bout du compte accord général, personne n'était favorable à
cette nouvelle du grand écrivain.

Un écrivain allemand en plus, un des camarades avait fini
par rappeler cette précision, jusque-là personne n'avait voulu
en parler, et un Allemand qui vivait chez les revanchards, qui
fricotait parfois avec la pire droite, celle de *Preuves*, la revue
des renégats avait précisé un autre camarade.

Puis on était passé à d'autres articles, philo, socio, psycho,
un accord assez rapide sur le sommaire du numéro à venir,
il n'y avait que la nouvelle à rejeter, on avait ajouté en éditorial une condamnation de l'émeute fasciste à Paris, quand
les nervis du collabo Tixier-Vignancour avaient attaqué le
siège du Parti, vous étiez satisfait et mécontent, mécontent de
vous et des autres, et suffisamment satisfait pour n'avoir pas à
souffrir de votre mécontentement, un beau chiasme, certains
de vos camarades sont déchirés, vous, vous devenez un
chiasme permanent, une belle séance de comité de rédaction,
le membre suppléant du bureau politique a encore prononcé
quelques paroles assez dures sur l'ancienne direction hongroise, sur les rectifications nécessaires, et quand il s'est agi
de savoir qui répondrait au grand écrivain pour lui dire que
son texte était rejeté, le camarade du bureau politique a dit
que la nouvelle serait publiée, il est politiquement nécessaire
de publier ce texte, Hans Kappler, un auteur bourgeois de
cette envergure qui vient vers nous, un social-démocrate
allemand, au moment où nous voulons le front uni avec les
socialistes.

Cette nouvelle sera, suite au large échange de vues qui vient
d'avoir lieu, tout à fait à sa place au fronton du prochain
numéro, un numéro dont la date de parution doit d'ailleurs
être avancée d'une quinzaine de jours, on peut compter sur le

dévouement du Syndicat du livre, à l'issue de la dernière intervention du représentant du bureau politique l'accord avait été unanime, il était bien, ce membre suppléant, il avait su raviver l'esprit critique de chacun et la discipline de tous. Si vous aviez su, vous auriez défendu cette nouvelle, et puis non, cela n'aurait pas plu, ce qu'aiment les membres d'un bureau politique c'est la pureté et la discipline.

Et la discipline ne s'éprouve jamais mieux que lorsqu'on a d'abord exprimé un avis franchement contraire à la solution finalement dégagée, vous aimiez ce texte, vous l'aviez condamné, on le publiait quand même, tout allait pour le mieux, vous mentiez et le Parti n'était pas d'accord avec votre mensonge, chacun dans un rôle à sa mesure.

Dans le train qui roule vers la Suisse vous relisez cette nouvelle à la publication de laquelle le suppléant accordait tant d'importance, et vous ne comprenez toujours rien aux raisons de ce choix.

À Chaumont un homme entre dans le compartiment, avec une valise, il regarde la femme, s'assied en face d'elle, tweed, chaussures piquées, beaucoup d'aisance, elle lui sourit, l'homme sourit à son tour, puis vous regarde, son regard n'est pas insistant mais il ne se détourne pas, il vous regarde droit dans les yeux, un cou épais, de grosses oreilles, des mains comme des battoirs, velues, vous vous sentez mal à l'aise, pas d'alliance, votre regard croise à nouveau le sien, comme s'il ne vous avait pas quitté des yeux pendant que vous regardiez ses mains, il a des yeux très clairs, les yeux sur vous, la femme lit son magazine, lui vous regarde.

C'en est gênant, vous relevez la tête, vous croisez son regard qui vous détaille, il ne sourit pas, il a l'air de penser à vous, à quelque chose, il n'a pas le droit mais son regard ne vous quitte pas, il ne s'occupe pas de la femme, vous êtes sous son regard, vous vous plongez dans votre magazine, il y a des femmes qui offrent des chemises et reçoivent un moulin à café électrique ou un aspirateur *Hoover*, il n'y a aucun ouvrier dans ce magazine, ils ne montrent les ouvriers que quand des soldats russes leur tirent dessus, l'homme vous gêne, vous n'êtes rien, la femme lui avait pourtant souri, il ne la regarde pas.

Vous ne réussissez pas à penser à autre chose qu'au regard de l'homme, vous avez beau essayer de lire, la main de l'homme vous serre la nuque, vous êtes avec lui sous un pont, il vous plaque la poitrine contre un mur, vous fait mal, l'autre main s'attaque à votre pantalon, les mains sont dures, il ne regarde pas la femme, il est en face d'elle mais il ne la regarde pas, la basilique de Chaumont s'éloigne, un vendeur ambulant pousse la porte du compartiment, vous serrez dans votre poche la pièce que la femme vous a donnée, l'homme s'adresse soudain à elle, très direct, tout sauf poli, la femme prend un jus de fruits, elle a accepté la proposition de l'homme, l'homme prend une bière.

Vous répondez au vendeur que vous ne voulez rien, l'homme a tendu un gros billet au vendeur, le vendeur n'a pas de monnaie, vous n'aurez qu'à repasser dit l'homme, la femme rit, prend son porte-monnaie, si, si, nous entrons dans un monde moderne, l'homme se vexe, il a l'air vraiment mécontent, la femme le calme d'un sourire, je trouve la situation très agréable, laissez-moi faire, alors c'est à condition que je vous rembourserai tout à l'heure, la femme paie en souriant à l'homme.

Le vendeur dit au revoir m'sieurs-dames, vous dites attendez s'il vous plaît, vous ne vouliez rien prendre et maintenant vous demandez un quart Vichy, et vous payez avec la pièce tiède et parfumée que vous a donnée la femme, vous dites gardez la monnaie, le vendeur décapsule la bouteille, l'essuie, vous la tend, l'homme et la femme sont descendus ensemble à Mulhouse.

Vous êtes arrivé tard dans la nuit à Klosters, l'hôtelier ne retrouvait pas votre nom sur le registre, il a fait exprès de réveiller sa femme, elle ne m'avait pas dit que nous attendions un jeune monsieur français, elle a dû oublier, maintenant tout est en ordre, une nuit à l'hôtel, déjà l'altitude, vous n'arrivez pas à dormir, les draps sont rêches, vous n'avez pas abandonné le magazine, vous le connaissez par cœur, à Budapest un officier russe s'avance vers l'objectif du photographe en ouvrant l'étui de son pistolet, comme s'il allait dégainer, *Camel, aucune cigarette n'est aussi douce à la gorge*, vous n'avez plus de cigarette, les casques bleus sont entrés à Alexandrie, Eisenhower est un homme de culture quaker, il s'est laissé manipuler par les sous-développés, le magazine n'aime pas les Américains, pas tous, il n'aime pas Eisenhower.

Cet allié oblige les Français et les Anglais à évacuer l'Égypte, le magazine n'aime pas non plus Cabot Lodge, *sur les questions coloniales monsieur Cabot Lodge a des idées, il ne les a pas prises dans l'histoire de son Massachusetts où le scalp d'Indien allait de cent dollars pour celui d'un guerrier à cinq dollars pour celui d'une petite fille de moins de dix ans, monsieur Cabot Lodge croit à la légitimité des nouveaux nationalismes*, il y aussi la tête de Guy Mollet, celle d'Anthony Eden, Eisenhower a refusé de recevoir les ministres français et anglais venus pour la session de l'ONU, le calendrier du Président est trop chargé pour recevoir tous les ministres de toutes les délégations, *les Américains nous traitent comme des Soudanais* dit le magazine.

Un officiel américain parle des Français et des Anglais, ces gens-là veulent refaire leurs empires, ils se croient encore en 1910, il faut qu'ils apprennent, les Soviétiques avaient lancé un ultimatum, eux aussi pouvaient sauter sur Alexandrie, et réserver à la flotte franco-britannique un traitement stratégique, stratégique pour les militaires cela inclut l'arme nucléaire, Puskas n'est pas rentré en Hongrie, sa femme a réussi à se réfugier en Autriche, elle lui téléphone, dans la nuit, le Russe Vladimir Kuts a gagné le 5 000 et le 10 000 mètres de Melbourne, dans le 10 000, pour distancer son rival Pirie, il a lancé vingt-trois attaques, vingt-trois démarrages dans un

10 000 mètres, le magazine le montre quand il franchit la ligne mais ne parle pas d'applaudissements, en tournant les pages vous retrouvez une bonne partie de ce qui s'est passé ces dernières semaines mais sous un angle un peu écœurant, un point de vue qui n'est pas le vôtre, qui le deviendra peut-être, vous cherchez des informations sur la mort des trois militants tués à Paris au moment des manifestations fascistes contre le Parti.

Vous avez le nom des trois hommes dans la tête, Ferrand, Le Guennec et Beaucourt, on a moins parlé de Beaucourt parce qu'il était FO, Le Guennec a été blessé lors de l'attaque fasciste contre le siège du Parti, le mercredi soir, c'était un ancien de la guerre d'Espagne, pour Ferrand c'est plus compliqué, il a été blessé à mort mercredi soir, le même soir que Le Guennec, mais d'un coup de crosse, métro Montmartre, une crosse, donc des gendarmes mobiles, dans *L'Huma* à l'époque on n'a pas fait la différence, on a parlé de *victimes de l'émeute fasciste*, et plus jamais des gendarmes mobiles.

Le lendemain matin vous avez froid, une longue promenade en solitaire dans Klosters, le car pour Waltenberg en début d'après-midi, une heure de montée sur une route qui a dû être construite par le Diable, toujours votre magazine, vous le relisez en sachant que ça va vous donner la nausée mais vous ne voulez pas voir le ravin, nouvelle promenade là-haut, vous vous sentez fatigué. Vous n'auriez pas dû accepter ce rendez-vous.

*

Et à l'heure du thé vous vous retrouvez au *Waldhaus*, face à Lilstein, sans savoir comment ni pourquoi, et il est un peu tard pour se le demander, et Lilstein ne vous a pas laissé le temps de réfléchir à votre propre situation, il vous a promis de vous raconter une histoire, et il multiplie les digressions, comme un Oriental ou un éthylique :

« Avec moi, jeune Français, vous ne serez jamais un voyeur mais un acteur à part entière. À un agent ordinaire on demande de se faire une place au grand jour tout en étant une ombre, c'est déjà difficile, mais vous, vous irez beaucoup plus loin, vous allez réaliser un idéal, vous ne serez pas seulement l'oreille ou l'œil qui perçoit la scène, vous serez l'acteur, le protagoniste des grandes scènes. »

La femme rousse est revenue dans la salle déserte du *Waldhaus*, avec une *Linzer Torte* dans un grand plat, elle en découpe deux belles portions, et prévient que c'est encore chaud, Lilstein la remercie d'une voix douce, il poursuit, en retirant ses lunettes, et son regard est devenu enfantin, gourmand :

« Je dis bien un acteur ! Et mieux encore : parfois vous serez l'auteur même de la scène, toute la scène, avec moi on ne moucharde pas l'événement, on le crée, et vous ne saurez plus si vous racontez une scène à laquelle vous avez participé, ou si vous avez vous-même créé ce que vous aviez envie de raconter, comme un savant enthousiaste, comme un créateur, un artiste de sa propre vie, nous allons lutter contre les vat-en-guerre, et pour cela vous allez devenir l'un d'entre eux, un *homme de la ligne dure*, comme disent les Américains. »

Lilstein regarde sa portion de tarte, sans y toucher.

« Vous sentez l'odeur de vanille et de cannelle ? C'est presque imperceptible, il ne faut surtout pas avoir la main lourde avec ces choses-là, je vous ai promis une histoire ? Non, je n'oublie pas, c'est une histoire à laquelle je tiens beaucoup, c'est l'histoire de ma mère, il me faut du temps. Je vous ai déjà dit qu'en 1945 les Soviétiques l'avaient installée dans un joli deux-pièces à Moscou ? Une grande militante, depuis 1916, elle avait commencé à militer à l'époque de Zimmerwald et de Kienthal, les congrès pacifistes en pleine guerre mondiale, les femmes circulaient mieux que les hommes, ça vous dit quelque chose ? Une grande militante, et un grand médecin, elle connaissait beaucoup de monde, elle était très respectée, un deux-pièces pour elle toute seule à Moscou, en 1945, ce n'était pas rien, quand on m'a rappelé à Moscou, après une petite promenade au Kazakhstan, j'ai eu beaucoup de plaisir à la revoir, elle m'a montré Moscou, puis j'ai été très occupé.

« Moscou, j'avais rêvé de cette ville pendant toute ma jeunesse, l'avenir déjà là, et on m'y accueillait, quelques mois, une formation spécialisée, ensuite on m'a rapatrié dans mon pays, dans ma ville, au bord de la Baltique, j'ai dit au revoir à ma mère et je suis parti pour Rosmar, des brumes, des grues, des sirènes, un beau front de mer, et une eau-de-vie superbe, vous avez fini votre thé ? Voulez-vous que nous prenions une petite eau-de-vie ? Non ? Les Français n'ont vraiment pas la passion de l'eau-de-vie. Vous ne connaissez pas Rosmar ? Un jour je vous ferai visiter, et vous goûterez notre eau-de-vie, *ein Kummel,* deux saumons sur l'étiquette, double distillation, quarante-cinq degrés de plaisir et de ruse, avec des paillettes d'or dans la robe, mais sans vulgarité. »

Lilstein n'y tient plus, coupe un petit morceau de tarte avec sa fourchette à dessert, souffle légèrement dessus, le mange lentement.

« C'est encore trop chaud, ça ne brûle pas mais c'est encore trop chaud pour les arômes, quand j'étais petit, à Rosmar, je n'avais jamais la patience d'attendre que la tarte ait suffisamment refroidi, il faudra que je vous fasse visiter Rosmar, nous avons tout reconstruit, très bien, des fois je me demande comment, parce qu'à la fin de la guerre il ne nous restait que les infirmes, les pleureuses et les voleurs.

« Regardez, c'est superbe, ces croisillons sur la tarte, ça donne de la vigueur au dessin, ça tient la confiture, et ça n'est pas trop régulier, c'est important, ne pas oublier de laisser suffisamment de chutes de pâte sablée pour faire les croisillons de la tarte. Le jour de mon retour à Rosmar, un général russe m'a convoqué, dans son bureau il y avait des étagères, des milliers de fiches, pas toutes récentes, il adorait les tripoter lui-même, par la fenêtre, on dominait tout, 1947, à nous deux, Rosmar !

« N'exagérons rien, je faisais dans mon froc devant le Russe, c'était l'époque où il valait mieux avoir été officier dans la *Wehrmacht* que communiste dans un camp hitlérien, il y a des souvenirs difficiles à porter, le bureau puait l'écurie orthodoxe, mon Russe m'a dit *eux, à coups de bottes !* Pour les gens de ma ville natale il disait *eux,* cela me posait un problème, si moi aussi je les appelais *eux,* qu'est-ce que j'étais, moi ? Différent ? C'est eux qui avaient voulu me faire différent, ils m'auraient même gazé pour ça, les salauds, à deux kilos près. Je n'en voulais pas de leur différence, ni de celle du Russe, je travaillais avec le souffle des morts dans mon dos, *à coups de bottes,* les adultes j'en avais envie, je l'ai fait, ça dégoûte vite, mais les enfants ? Je voulais du nouveau, *ressuscité des ruines et tourné vers l'avenir,* reconstruire avec les enfants, et j'ai même joué un tour au général. »

Lilstein s'interrompt un instant pour regarder par la fenêtre, un choucas, presque immobile, il est si près qu'on distingue la tache jaune de ses yeux, il vole face au vent, tangue, roule, joue des plumes pour résister à la puissance du courant.

« Vous, jeune Français, l'enfance ne vous intéresse pas encore. Vous avez lu Trakl, Georg Trakl ? Non ? *Grodeck,* un poème de guerre, écrit en 1914, toute la gangrène en quelques lignes, et à la fin le poème s'apaise et passe la main aux enfants dans un décor de feuillage doré sur fond de nuit, aux enfants qui vont naître et grandir, et Trakl meurt, et c'est la guerre qui grandit, tout notre monde est né en 1914, je suis né en 14.

« Ce que j'ai joué comme tour au général ? Vous ne voulez plus que je vous parle de ma mère ? Vous avez peur de perdre le fil ? J'adore les digressions, tant pis, en 1947, à Rosmar, avec le général, j'ai obéi, j'ai cintré les adultes, et avec les gosses j'ai fait des *pionniers,* adorables, *L'Internationale* chantée par des

voix de crécelles sur les chemins de campagne avant la mois-
son, les enfants qui reviennent avec de petites corbeilles de
coquelicots, quelques épis, des baies rouges et bleues, et en
ville il n'y avait déjà plus de mendiants.

« Pardon ? Sous Hitler non plus ? C'est du mauvais esprit,
je n'imaginais pas que vous en étiez là, c'est de la provocation,
je ne déteste pas, et vous n'auriez pas tort, quant au fait, plus
de mendiants, mais je persiste à croire que ce n'est pas pareil,
et vous aussi, bien sûr. Vous savez comment s'appelait la loi
qui a donné les pleins pouvoirs à Hitler, j'en sais quelque
chose, quand la chère élite allemande s'est tout entière livrée
à lui, c'était la *loi pour la suppression de la misère*, elle venait
d'où la misère ? Je reprends le fil, la digression c'est mon
péché mignon, avec mon général en 47 j'ai fait des digressions, des nuits entières, à la vodka, et au *Kummel*, et un jour
j'ai fait un rapport, j'ai dit que le général aimait trop l'armée. »

Lilstein coupe à nouveau un petit morceau de tarte, le
porte à sa bouche, lentement, en faisant tourner sa fourchette
à dessert pour l'examiner, il goûte, puis attaque résolument sa
portion de *Linzer*. Vous en faites autant. La tarte craque doucement sous la dent, une pâte sablée solide en bouche, mais
docile, qui vient se briser, s'éparpiller dans le goût de pomme
et de framboise. Lilstein vous regarde :

« Vous en aviez déjà mangé ? Pas d'aussi bonne ? Vous
savez, le secret de la bonne pâte sablée, c'est de ne pas se presser, de ne jamais forcer les gestes, quand la pâte est finie, elle
doit reposer au moins trois heures, vous aussi, vous prendrez
le temps qu'il faudra, je ne veux pas que vous soyez tendu,
les gens qui vivent dans l'anxiété font du mauvais travail,
vous serez intégralement maître de votre rythme, jamais de
consigne d'urgence, ce sont elles qui foutent tout en l'air, vous
aimez vraiment cette *Linzer Torte* ? C'est très délicat, des
gestes précis mais jamais appuyés, la patronne la fait sans y
penser, c'est pour ça qu'elle la réussit.

« Si vous appuyez, votre pâte sablée devient du caoutchouc,

il ne faut pas que le jaune d'œuf soit absorbé par la farine, il faut d'abord le faire absorber par le sucre glace, vous mélangez la farine et le beurre à petits coups, il faut que les grains de farine s'enrobent de matière grasse pour éviter de coaguler, et vous faites un puits au milieu, pour les jaunes d'œuf, et vous mettez le mélange sucre et vanille sur les jaunes, vous mélangez d'abord dans le puits, du bout des doigts, de petits coups, une patte de chat qui joue... Est-ce que Waltenberg vous plaît, d'habitude les Français me répondent *les Alpes suisses ! ah, Thomas Mann ! la belle Époque !* Mais savez-vous ce qui s'est encore passé ici, en 1929, l'année de votre naissance ?

« Le *séminaire européen* de Waltenberg ? De grands penseurs, des philosophes, des écrivains, des hommes politiques, des industriels, des économistes, de belles femmes, une semaine en haute montagne, grands débats, plusieurs séminaires dans le séminaire, les économistes qui s'étripaient à propos de la valeur, les plus terribles c'étaient ceux qui racontaient des histoires de petits pains, ça me révoltait, la valeur ce n'était pas le travail, c'était ce qu'ils appelaient la valeur marginale, la valeur d'un petit pain quand vous n'avez plus faim, et les philosophes, une grande bagarre philosophique, entre ce que l'Europe bourgeoise avait mis des siècles à produire, l'idéal des formes, le jeu des règles, et en face une philosophie de *l'être*, une pensée de *l'être-au-monde*, qui voulait expédier les formes, les règles et l'ironie aux oubliettes, et tout ça en se gavant de chocolats fourrés, des friandises de nouveaux riches, et fadasses, moi j'ai toujours été du côté des Lumières. »

On peut être d'accord avec Lilstein sur les pièges du chocolat fourré mais trouver drôle qu'un communiste se mette à défendre la bourgeoisie des Lumières, on peut même avoir un sourire sceptique mais cela n'empêche pas Lilstein de poursuivre sur le *séminaire européen* de Waltenberg, Regel, Merken, Maynes, 1929, les grandes empoignades.

« Vous n'en avez vraiment jamais entendu parler ? Il y avait pourtant des Français, c'était une madame de Valréas qui finançait tout ça, des mains noueuses, lèvres souvent rouge-noir, les yeux violets, très efficace, on disait *le séminaire de Waltenberg* ou *les rencontres Valréas,* il y avait aussi les fous de l'Europe, Wolkenhove, Van Ryssel et ses aciéries, et Moncel, ce grand métaphysicien chrétien qui aime tant le théâtre.

« Il était jeune à l'époque, pas autant que moi, mais novice, coincé, très réactionnaire, beaucoup plus qu'aujourd'hui, les philosophes se posaient une question, que faire de l'héritage de Kant, dix ans après la boucherie des tranchées ? *Ose penser,* tout un petit monde de penseurs, d'écrivains, Hans Kappler, Édouard Palude, et les hommes politiques, Briand était là, c'était l'époque de son *arrière les canons, arrière les mitrailleuses* et des États-Unis d'Europe, et les savants, de magnifiques exposés sur la théorie de la relativité, toute l'Europe, les économistes qui s'étripaient à propos de la théorie de la valeur et d'une histoire de petits pains, tout finissait par s'entrechoquer, s'entremêler, tout un monde, avec les femmes, les enfants, les maîtresses, les gitons, ils savaient vivre, certains même avec ardeur, et dans la neige il y avait parfois des traces de genoux.

« Les femmes avaient des manteaux fauves, gris, noirs, avec des liserés de fourrure blanche à l'ourlet, au col, aux poignets, superbes et doux, ça m'excitait, elles portaient de petits bonnets, et les hommes de gros livres pleins de signets, ils ont refait le théâtre des idées et de leur chère Europe en quelques jours, en se promenant, grands affrontements !

« Et comme d'habitude derrière la bataille d'idées il y avait des histoires de postes, de présidences de sociétés, des querelles de budget et de prestige, de quoi rendre fous les plus fragiles, sans compter ce qui se préparait à l'arrière-plan, dans les rues d'Allemagne, il y a même eu, une crise de délire chez l'un des grands participants, le type qui surgit dans le salon en criant *l'infamie ! l'infamie !* un numéro à la *King Lear,* il y a eu aussi des batailles de boules de neige, j'y étais avec mon frère, j'avais à peine seize ans, mon frère m'avait amené, ça devait me faire du bien aux bronches, le doux prétexte des batailles de boules de neige, j'ai glissé, une femme me poursuivait, elle m'est tombée dessus, j'ai beaucoup vécu depuis, je me souviens encore de son souffle dans mon cou, mon frère était un enthousiaste de la nouvelle philosophie, comme beaucoup de braves gens qui *osaient penser,* sans savoir qu'ils offraient leur gorge aux chiens. »

À la fenêtre on voit toujours le choucas qui résiste au vent, soudain, il penche son aile droite, bascule et plonge, Lilstein ferme les yeux en mâchant une bouchée de tarte :

« Elle a mis autre chose, elle a changé la recette aujourd'hui, qu'est-ce que vous sentez, derrière la framboise, la pomme, le beurre, la vanille, la cannelle ? Quelque chose encore, cherchez bien, faites-vous confiance, dites ce que vous avez sous la langue, c'est cela, du rhum, de l'excellent rhum, vous savez ce que cela veut dire, ce petit arrière-goût de rhum ? Non ? Ce qu'est devenu le général russe après mon rapport ? Vous aimez tant que ça l'armée ? Vous ne préférez pas le secret de la présence du rhum dans la *Linzer,* ou un instant de philosophie, ou l'histoire de ma mère ? Le général d'abord ? Bien !

« Le général a disparu, peut-être au détour d'un couloir, on vous expliquera ça un jour, les Russes ont envoyé un nouveau général, un héros de l'Union soviétique, deux fois héros de l'Union soviétique, mais cette fois, c'était lui qui pétait de trouille devant moi, il avait été à Stalingrad, les panzers à la grenade à main, il m'a dit qu'il les aurait attaqués avec les dents s'il avait fallu, ce type avait fini par casser les divisions du Reich, par moins vingt, et il pétait de trouille devant un petit indic comme moi, nous sommes devenus de grands amis. »

Pourquoi Lilstein raconte-t-il ça ? ce sont des secrets et on ne doit pas raconter de secrets, sauf si on s'apprête à les échanger contre d'autres secrets, mais Lilstein est lancé, il raconte qu'après l'épisode du premier général il ne s'était pas senti mieux pour autant, pour être tout à fait honnête, à l'époque il a même pensé filer à l'anglaise, comme on dit en France, certains de ses amis avaient réussi à quitter Rosmar en 46.

« Sitôt passé la frontière, ils ont mis une kippa, ils ont tué la langue de ceux qui les avaient tués, jeune Français, ils sont partis pour redevenir forts, en poussant des cailloux chez Ben Gourion, une nouvelle Sparte, ils ont réussi, ceux-là, on ne pourra plus les faire disparaître, pourquoi je ne suis pas parti ? Parce que je ne supporte ni la chaleur, ni l'Orient, ni le messianisme, aucun messianisme, vous verrez, je suis devenu très pragmatique, l'aube rouge ou les terres promises, mortifère tout ça, moi, j'aime la brume, les brasseries calmes, les journaux emmerdants, les serveuses à jambes longues, le monde sans Dieu et l'internationalisme, et surtout j'aime ma langue maternelle, je reste un internationaliste qui aime sa langue maternelle. »

Lilstein ne supporte pas l'Orient mais c'est comme en Orient, on va parler de tout pendant des heures devant les tapis, et surtout pas d'argent, dans la fenêtre il n'y a plus de choucas, en contrebas on voit des chalets isolés, on imagine un monde : la pierre du seuil, un dernier nuage, le soir, à l'extrémité des arbres, et la cheminée, toutes les ressources de la montagne qui se concentrent en bienveillance, un bruit de ruisseau sous la neige, une femme dans un gros pull-over, il faudrait du silence, Lilstein a surpris votre regard vers la femme rousse qui s'affaire lentement dans la salle, il vous demande si vous la trouvez belle, oui, Lilstein aussi a d'abord voulu tuer la langue de ceux qui l'avaient tué, il est resté en Allemagne mais il n'a plus parlé allemand que pour donner des ordres.

« Je plaisantais en russe, il faut le faire ! »

Et par prudence Lilstein a fait semblant d'avoir oublié le français et l'anglais, alors qu'il connaît mille kilomètres de poèmes en plusieurs langues, c'est-à-dire qu'il peut faire mille kilomètres en voiture en récitant des poèmes sans s'interrompre, ou presque, Shakespeare, Valéry, Baudelaire, Donne, Mandelstam, il connaît surtout beaucoup de Goethe, de Heine, de Rilke, et Apollinaire, il a failli tuer cela, et puis un jour il est tombé sur un livre, qu'il lisait pour raison de service.

« Un salopard d'écrivain bourgeois ! Écoutez, ça aussi je connais par cœur *l'allemand restera la langue de mon esprit, parce que je suis juif, je veux garder en moi ce qui reste d'un pays dévasté* c'est beau... *le sort de ses fils est aussi le mien, mais j'apporte en plus un héritage* c'est généreux, humaniste ! *j'apporte !* Alors attention à la fin *je veux contribuer à ce qu'on leur sache gré de quelque chose,* double distillation, le petit coup de fouet dans l'arrière-gorge, si j'étais un gros Aryen, c'est ce genre d'ironie qui m'humilierait le plus. »

Et Lilstein a décidé de rester, de les aider, il est resté chez eux, c'est-à-dire chez lui.

À l'époque, il lisait cet écrivain interdit, le soir au lit, il se mettait sur le côté, et contre son dos il y avait une belle femme.

« C'est superbe, jeune camarade, non, ça m'énerve, je ne peux plus dire camarade, vous allez quitter le Parti, c'est superbe de lire un bon livre avec dans son dos les seins et les jambes d'une belle femme qui se serre contre vous, elle avait un visage doux et des cernes de plaisir, j'ai tout fait pour la protéger, elle m'aimait, elle murmurait que je la prenais à des profondeurs incroyables.

« Nous aimions nous promener sur la plage, elle m'a dénoncé en 1951, à un moment il ne faisait plus très bon s'appeler Lilstein ou Meyer, je lui caressais les seins pendant des heures, je lui apportais des bouquets d'iris, et elle m'a dénoncé, ou plutôt elle a signé un papier dans lequel elle disait que je lui avais dit que, etc.

« Dans les camps nazis j'avais vu mourir des camarades qui auraient pu obtenir un sursis en me dénonçant, et voilà que ma première vraie compagne trouvait le moyen de me trahir ! Des profondeurs incroyables !

« On ne l'avait même pas menacée, on lui a posé les questions, on lui a dicté les réponses, un palais de justice, des gens en uniforme, une bonne citoyenne allemande, elle a signé, j'ai tout appris en même temps, l'amour, la *Realpolitik*, et les erreurs vaginales, au présent il n'y a jamais que des erreurs, elle m'a dénoncé, comique n'est-ce pas ? J'ai pleuré, moi aussi j'avais dénoncé, un général de l'Armée rouge, mais je ne couchais pas avec lui à des profondeurs incroyables, et l'homme qui m'a demandé plus tard en jouant à la vis sans fin de continuer à me dénoncer moi-même était peut-être un de ceux qui m'avaient sorti d'Auschwitz, où l'on ne m'avait pas dénoncé, j'ai cru que j'allais y passer, vous savez comment on mourait à l'époque ?

« De pneumonie, certes, mais on se faisait aussi tuer parderrière, jeune Français, en marchant dans le couloir, surtout ne pas chercher à se retourner, sinon la balle vous fait exploser les os de la face, et on ne peut plus être présentable dans le cercueil, on veut absolument assister à sa propre fin et on la salope, vous comprenez, le moment où j'avais le plus peur, c'était dans le couloir, je n'étais soulagé que quand j'arrivais dans la salle d'interrogatoire, il faut le faire, c'est la mort du moustachu qui m'a sauvé, au moment où elle a aussi sauvé ses médecins juifs d'une promenade dans le couloir, moi je craignais moins qu'eux, j'ai assez vite compris que pour des raisons incompréhensibles on n'allait pas me tuer, on m'a envoyé en camp, puis la mort du moustachu m'a fait sortir d'un de ces camps dont on ne parle pas. »

Oui, Lilstein a revu la fille, il n'y a pas longtemps, elle est venue le voir dans son grand bureau, à Berlin.

« Je n'ai même pas eu à lui pardonner, je lui ai dit qu'elle n'y était pour rien, l'enquête avait été ficelée dès le départ, et il vaut toujours mieux être dénoncé par quelqu'un qui vous connaît bien, moins de contradictions dans le dossier, donc moins de coups. C'est doux, une ancienne amante qui se retrouve devant vous entre crainte et remords, c'est une scène qu'on a rêvé des milliers de fois, et quand elle survient vraiment, on regarde, à dix ans de distance, l'amante n'a pas trop changé, elle est belle, une respiration lourde qui lui gonfle les seins, vos mains se souviennent des seins, c'est une situation assez prenante mais on se dit qu'on se serait bien passé des circonstances qui l'ont provoquée, et ça fait changer d'idée pendant qu'on contemple cette femme avec une certaine émotion.

« Vous ne voulez vraiment pas de philosophie, jeune Français ? Quand même, Waltenberg ! Le fameux *séminaire*, l'intelligentsia européenne qui met à mort l'*Aufklärung*, ce mot si riche, et à la place on proclame qu'il faut habiter poétiquement le monde, faire retour à la terre, au *Urwald*, à la grande forêt de l'être authentique, pendant que les SA commencent à occuper le cœur des villes ! La terre qui ne ment pas, la forêt des grands arbres ! Pourtant, cela devrait se savoir, que les grands arbres finissent toujours par marcher au pas avec les guerriers, sur la terre qui ne ment pas. J'étais jeune, les gens que j'aimais m'appelaient jeune Lilstein, ça me plaisait, seize ans en 1929, et un frère aîné philosophe qui voulait tout me faire comprendre, un enthousiaste de la nouvelle pensée, enfin une philosophie de l'être, il y en a assez de vos concepts et de vos Lumières ! En 1934 les nazis l'ont attrapé par les cheveux et lui ont tapé le crâne contre un rebord de trottoir.

« Une dizaine de fois, ça a suffi, *erst wenn sie steht, die Uhr...* c'est seulement quand elle s'arrête, l'horloge, im Pendelschlag des hin und her, dans le va-et-vient de son balancier, hörst Du, que tu entends, très beau l'horloge ! sie geht, und ging und geht nicht mehr... elle marche, elle marchait, elle ne marche plus,* vous ne connaissiez pas ? C'est de Merken, le philosophe de l'être, le *vainqueur* de Waltenberg, un poème dédié après guerre à son ami René Char, un de vos très rares vrais écrivains résistants, avec Malraux, bien sûr, les armes à la main, oui, Malraux un peu tard mais il savait ce qu'est un rapport de forces, le moment favorable d'un rapport de forces, vous savez, j'ai toujours eu de la sympathie pour Malraux, j'en parle parfois avec Hatzfeld, avec de vieux amis. Donc Merken a dédié ces vers à son *ami* Char, un mouvement de balancier.

« Merken et Char, une photo magnifique, les deux hommes dans un chemin de forêt, de dos, ils marchent côte à côte, Merken est petit, Char est une armoire, c'est émouvant, vous ne voulez vraiment pas la suite ? Pas de philosophie ? Pas de poésie ? Ma surprise quand j'ai vu la photo de ces deux hommes ensemble, sachant ce qu'était devenu Merken sous le nazisme ? Plus tard ?

« Et si nous parlions de la dame qui réunissait tout ce beau monde ici même, au *Waldhaus* ? Madame de Valréas, une Française, une aristocrate, une toute petite quarantaine, avec une croupe magnifique, vous savez, *royale arrière-garde aux combats du plaisir*, non ? C'est vous, le génie du non, soit, d'ailleurs je ne suis pas là pour offrir la moindre tentation, pas même la croupe de madame de Valréas qui a bien changé depuis, avec ou sans Verlaine, les choses sérieuses donc, sans vin blanc, vraiment ? Même pas l'histoire de ma mère ? Plus tard ?

« Et vous voulez vraiment prendre congé de vos rêves ? Vous n'aimez pas mon projet à deux âmes ? De l'écœurement ? Je vous comprends, tous ces ouvriers morts, oui, des ouvriers, nous n'allons pas nous raconter devant le Rikshorn que les Américains ont parachuté cent mille impérialistes en une nuit sur Budapest, laissons ça aux intacts, aux eunuques et à notre presse démocratique et populaire. »

Un provocateur, Lilstein n'est qu'un provocateur, mais d'où vient-il ? un Allemand de l'Est qui peut passer en Suisse quand il veut mais qui tient des propos pareils, il y croit ? il fait semblant d'y croire pour parler mais il n'y croit pas, pourtant ça sonne si juste dans sa voix, un Allemand peut-il raconter un mensonge sans y croire? mais à quoi peut-il encore croire s'il croit à ce qu'il raconte depuis tout à l'heure? à l'omelette, aux œufs qu'on casse? Lilstein n'est-il qu'un pur flic? mais pourquoi vous envoie-t-on vers un flic? parce que à Paris vous avez dit à deux ou trois proches que certains manifestants hongrois étaient de vrais socialistes? et que tout n'était pas faux dans le rapport Khrouchtchev? ou alors, Lilstein est un traître? et Roland Hatzfeld vous aurait envoyé de Paris vers un traître, un traître qui se sert de son paravent de flic pour dire ce qu'il pense vraiment du régime?

Ou un flic resté flic mais qui dit au moins une fois ce qu'il a sur le cœur en se servant du rôle de traître qu'on lui demande de jouer? vous avez du mal à vous y retrouver, vous ne savez plus si vous devez hocher la tête à ce que raconte Lilstein, vous mettez votre pouce sous le menton, l'index et le majeur en diagonale sur les lèvres, vous marmonnez des trucs qui pourraient passer pour des acquiescements ou de simples marques d'attention mais parfois votre main quitte votre joue.

Et vous faites voir une bouche entrouverte en signe de dénégation, vous revenez ensuite à votre position d'auditeur docile de Lilstein, vous vous surveillez, vous vous empêchez aussi de manger quelques peaux autour de vos ongles, vous appuyez parfois l'index contre la joue pour la saisir de l'intérieur avec les dents, la déchiqueter légèrement, en essayant de ne pas vous faire saigner, Lilstein peut aussi être un vrai traître au Parti, un traître à la solde des Anglais, et on vous aurait envoyé vers lui, par erreur ou au contraire pour couler un Français? une manœuvre de l'Intelligence Service? et pourquoi êtes-vous écœuré à l'idée d'être en face d'un ennemi de ce parti que vous voulez quitter? non, Lilstein est un politique, un communiste grinçant mais un vrai communiste, alors pourquoi avoir accepté de venir le rencontrer si vous voulez quitter le Parti?

« Donc l'Armée rouge, jeune Français, vient de tuer des ouvriers et des ouvrières, des membres du Parti communiste hongrois, bon, elle a aussi tué des fascistes qui tuaient des communistes, peu de fascistes, ils sont vite repartis en Autriche, en Allemagne, avant le retour des chars dans la ville, ce sont les quartiers ouvriers qui ont résisté le plus longtemps, et voilà qui vous plonge dans des réflexions morfondantes, et comme vous venez aussi de lire dans la presse bourgeoise des extraits d'un certain *rapport attribué au camarade Khrouchtchev*, vous songez à quitter le Parti, à rendre votre carte, comme on dit.

« Pour vous refaire une virginité ? Pour croire de nouveau à reculons ? C'est votre père qui serait content, ne vous fâchez pas, restez assis, épargnons-nous les gestes emphatiques, j'ai beau être un fils d'héroïque résistante je me doute que ce n'est pas facile d'avoir un père pétainiste et collabo, j'ai plus d'honneur, mais cela dit votre père au moins est vivant, déchu de la nationalité française mais vivant, il joue à la pétanque, à Barcelone, il joue très bien, il vit dans le Barrio Chino, c'est juste ? Drôle d'exil, pour un ancien de la francisque, chez Franco, mais dans un quartier de bordels, Travail, Famille, *Pimmel*.

« *Pimmel* ? En allemand c'est la même chose que quéquette, allons, je ne voulais pas être vulgaire, je vous fais mes excuses, mais soyez moins bouillant, restez, ma mère avait combattu Trotski, elle l'avait combattu mais elle l'avait connu, le Parti lui a fait de belles funérailles, et sur les photos il n'y avait plus personne de sa génération, j'ai remercié le Parti, nos fragiles organisations ont besoin d'hommes reconnaissants et crédules, qui vivent plus longtemps, ça vous crispe, qu'on vous raconte tout ça ? Apprenez à vivre, moi j'ai vécu, trop vécu, trop d'Histoire, vous voulez un peu de ma part ? Quittez le Parti ! Le Parti s'en fout ! Il y a des centaines, des milliers de personnes toutes prêtes à venir adorer l'idole en croyant qu'elles font de la dialectique, mais s'il vous reste des idées et des rêves, et si vous voulez les défendre, il va falloir apprendre à ne plus être un gamin réactif. »

Lilstein vous regarde, vous soutenez son regard et vous vous dites que le *Waldhaus* n'est qu'une souricière, ils peuvent vous dénoncer quand ils veulent maintenant, à Paris Hatzfeld vous a affirmé que cela ressemblerait au voyage à Zimmerwald, quand les pacifistes français de 1917 allaient en pleine guerre à la rencontre de leurs camarades allemands et russes, mais Lilstein n'est pas un pacifiste, c'est un provocateur, vous regardez la salle de restaurant, personne, vous regardez vers le Rikshorn, vers Waltenberg en contrebas, petit village engourdi, la pétanque, ils savent tout, quel rôle dans la pièce, pour quel public ? un fils de collabo français qui fricote en Suisse avec un responsable de la Stasi ? ou un membre du comité de rédaction de *La Nouvelle Pensée* qui discute avec un agent double de l'Intelligence Service, moins d'un mois après avoir eu une discussion avec un membre suppléant du bureau politique du Parti communiste français ? quel journal, de quel bord, en parlera le premier ?

Vous n'avez qu'à rendre votre carte, Lilstein n'a qu'une précision à vous demander, une petite, et il vous laissera partir en paix :

« Pourquoi êtes-vous entré dans ce parti que vous tenez tant à quitter ? Vous ne saviez pas que ce parti en avait fait de belles avant ce qui vient de se passer à Budapest ? À Berlin, il n'y a pas si longtemps ? En 1936, les procès ? Et les *koulaks en tant que classe*, c'était seulement une poignée de crapules en smoking comme dans un film d'Eisenstein ? Et Cronstadt, un conseil ouvrier, comme à Budapest, vous savez pourtant ce que les Soviétiques ont toujours fait avec les conseils ouvriers, et avec le *Lumpen*, c'est dans quelques livres, vous êtes un intellectuel ou une dame patronnesse ? Savez-vous comment, il y a encore trois ans, les condamnés quittaient Moscou pour des camps — oui, des camps — qui existent si peu qu'on a

beaucoup de mal à en revenir ? Dans de faux camions frigori-
fiques, il en roulait tellement dans les rues que les journalistes
français célébraient l'abondance des approvisionnements en
viande ! Un vrai roman, un jour on en reparlera. »

Les yeux de Lilstein paraissent plus grands que tout à
l'heure, le visage moins poupin, les pommettes plus saillantes,
vous voyez mieux les deux rides incurvées qui descendent à
partir de chaque narine vers les côtés de la bouche, les rides
des gens qui rient, qui se servent beaucoup de leurs traits et de
leurs mines comme d'un gage dans la conversation pour
mieux tenir leur interlocuteur.

À un mètre derrière Lilstein, dans le grand vaisselier, il y a
une collection d'assiettes peintes, montagnes, lacs, gardeuses
d'oies, vieux châteaux, scènes de groupes, la lumière de fin de
journée vient réchauffer par la fenêtre la porcelaine et les
couleurs que des décennies de lavage ont fait virer au rose, au
vert pâle, au pastel.

Au centre de la collection, deux plats rectangulaires, bien
plus grands que les assiettes. Sur celui de gauche des femmes
sortent d'une maison et s'avancent au premier plan sous des
flocons, portant lanterne, quenouille ou fuseau, au fond un
groupe d'hommes s'attarde sur le seuil avec des courroies, des
licols, la fin d'une de ces veillées où tout le monde se retrouvait autour d'un poêle en faïence, à se raconter des histoires
de diable, de dame du lac ou de raisins, quand les bourgeons
gonflent aux nœuds des sarments estropiés par le sécateur,
tout le monde écoutait, les filles filaient et tissaient le linge de
leurs noces, les garçons graissaient les harnais avec du sain-
doux, Lilstein s'est calmé, il reprend à voix posée :

« Votre père au moins est vivant, et vous n'êtes pas obligé
de faire risette à ses assassins. »

Lilstein va vous parler longtemps, il va mélanger les confidences, la philosophie, les gros mots, le bord des larmes, la
pensée de Boukharine, le meilleur d'entre les bolcheviques, le

seul à pouvoir proposer autre chose que le knout et les miradors, les *Lieder* de Schubert, ah, vous aussi vous aimez ça,
Fischer-Dieskau, oui, mais il y a aussi Hans Hotter, ce sont les
Anglais qui distribuent le disque, l'état des salaires ouvriers,
Boukharine encore, les chansons d'Yves Montand, j'aime
beaucoup le jeune Montand, malgré son *legato*, Schubert, il
faudra que je vous fasse écouter le *Voyage d'hiver* par une
femme, singulier, magnifique, la mort de Beria, ou plutôt les
sept morts de Beria, au moins sept, au Bolchoï on joue *Les
Décabristes*, de Youri Chaporine, le samedi 27 juin 1953, tous
les dirigeants y sont, la *Pravda* donne tous les noms, sauf celui
de Beria, un barrage de chars sur la route du Bolchoï pour la
limousine du camarade premier suppléant du Premier
ministre de l'URSS, et ministre de la Sûreté de l'État, il est
fusillé à la prison de Lefortovo le soir même, la première des
sept morts.

La deuxième c'est Khrouchtchev, *Beria est venu un jour à
une réunion sans gardes du corps et je l'ai tué*, Beria est le personnage le plus intéressant de cette génération, vous enten-
drez tout sur lui, jeune Français, Beria en amateur de petites
culottes, le type a la réputation de faire enlever les femmes
dans la rue pour les violer dans son bureau, sur son bureau,
Barbe-Bleue. En prison j'en ai appris de belles, une mort très
compliquée.

Il y a aussi la version de Sergo Beria, son fils, *mon père a été
tué dans sa maison* dès le 26 juin.

Lilstein continue à tout mélanger, il abandonne les morts
de Beria, il finira bien par raconter les autres, encore plus
flamboyantes, il passe à la menace atomique, revient à sa
mère, Berlin, janvier 1919, elle a croisé le cadavre de Rosa
Luxemburg, il revient à la menace atomique, retour sur
Clara Zetkin, et puis autre chose, les guerres coloniales, les
Lieder de Schubert, le *Voyage d'hiver*, je connais une dame qui
chantait ça, une merveille, l'histoire de l'ours et du chasseur,
les frasques de Beria, sa femme disant il avait des maîtresses
mais pas tant que ça, il n'aurait pas eu le temps, l'histoire de

l'ours et du chasseur il faudra que je prenne le temps de vous la raconter, jeune Français, la peinture de Picasso, je suis un grand spécialiste de *Guernica*, passionnant le cheval qui se retourne, toute une histoire, avez-vous lu les articles de Blunt sur la question, Anthony Blunt ?

Lilstein lève son verre et se met à parler d'une grande plage sur la Baltique, il faut savoir faire des confidences, la vie recommencée sur une plage, tout avait commencé sur une plage, c'était en 1948, il venait à peine de faire la connaissance de la jeune femme, quand je pense qu'elle m'a dénoncé !

Il ne sait plus qui avait proposé la promenade au bord de la mer, le sable et la mer, le désert de la mer, les embruns, le sel, l'odeur des algues, le cri des albatros et des pétrels, un petit bungalow prêté pour le pique-nique, ils avaient marché des heures, résistant au vent froid qui venait de la mer, marchant sans parler, le vent les débarrassait de la parole et de toute envie de parler, perdant toute autre sensation que celle du corps qui marche dans le vent, corps réduit à son mouvement et à des larmes de froid et de lumière sauvage, affrontant les embruns et le vent, marchant sur un sable parsemé de coques de moules, de coquillages, d'algues, de marques de trident laissées par les pattes des courlis ou des mouettes, cherchant la bonne lisière pour marcher le plus vite possible, pour se réchauffer, ils marchaient à l'endroit où le sable est déjà suffisamment imprégné d'eau pour être plus stable mais pas encore noyé au point d'absorber les chaussures, juste avant l'endroit où la vague achève de mourir, quand son écume n'est plus qu'une mousse, n'a presque plus rien de liquide, quand elle n'est plus qu'une frange de bulles mourantes à l'extrémité de toute cette eau qui continue à durer dans ses tourbillons et son grésil.

Une plage immense. Lilstein essayait de se placer de façon à couper le vent pour sa compagne mais il était fragile, n'obtenait guère de résultat, même en marchant à reculons, il était rudoyé par les rafales, et c'est la jeune femme qui en riant venait se mettre la première contre le vent de la mer, de biais, à la mauvaise place, pour le protéger, en disant, criant dans le vent, qu'elle résistait mieux, et en changeant de place ils se prenaient par les épaules, ils croisaient parfois de petits vieux qui venaient ramasser de quoi se chauffer, qui guettaient la planche ou le morceau de poutre que la vague mettrait bien longtemps à déposer sur la plage mais c'était ça ou rien, parfois les petits vieux étaient plusieurs à guetter le même débris de naufrage en échangeant des regards tendus, soulagés que Lilstein et la jeune femme ne fussent pas de nouveaux concurrents et les regardant comme on pouvait regarder des gens qui n'avaient pas besoin d'arracher du bois aux vagues de la mer.

Lilstein et la jeune femme saluaient, sans s'arrêter, lancés dans cette dépense de deux énergies, pas à pas, pressant le pas pour se réchauffer, contre le sable, le vent et de grands éclats d'air vif en permanence sur des kilomètres dans le jour déchiré, des gifles d'air qui menaçaient à chaque instant de rejeter le capuchon de leur ciré, il leur fallait poser une main gelée sur le sommet du crâne pour le maintenir, et pour voir alentour il leur fallait tourner les épaules sinon la tête tournait en partie dans le capuchon, vent sans répit, de biais ou tourbillonnant, toujours défavorable, pénétrant partout, prenant tout dans sa main de métal pour aérer, glacer, déchirer.

Et la douceur malgré tout se cherchait, le vent froid la rejetait à chaque regard qu'ils échangeaient, forçant les têtes à se courber, à rentrer le menton de biais dans l'épaule, douceur forcée de regarder par-dessous, prise dans un étourdissement qui les laissait sans aucune autre pensée que celle du vent, sans aucun sentiment, n'était celui d'une fatigue, les poumons à vif, une espèce d'ivresse à doigts gelés, avec des larmes de froid et de sel, sans autre solution que de marcher, et quand ils revinrent en milieu d'après-midi dans la pièce bleu et blanc du petit bungalow, une fois à l'abri derrière la porte fermée, ils continuèrent à tituber pendant quelques instants dans les restes du vent.

Que faire avec un Lilstein qui veut vous parler de Picasso, de *Guernica*, du *Voyage d'hiver*, et vous raconte ses promenades au bord de la plage ? vous n'avez pas de compagne à Paris, pas marquante au point d'en faire à votre tour un récit, il va falloir trouver autre chose à raconter, mais pour l'instant c'est Lilstein qui continue à parler, comme quelqu'un qui a décidé de tout dire, sans aucune prudence, et vous devenez celui qui aura écouté ses confidences, et qui devra dénoncer Lilstein et Hatzfeld, aux responsables du Parti que vous voulez quitter ? ou à la DST ?

« Ma promeneuse sur la plage, jeune Français, elle m'a dénoncé, c'est amusant, moi je ne supporte pas d'avoir été dénoncé, et vous, vous ne supportez pas d'avoir dénoncé, oui, très beaux, vos réquisitoires d'il y a quatre ans contre vos camarades de cellule, vous vous souvenez, ces communistes qui se réunissaient sans prévenir, à sept ou huit, pour parler encore et encore des livres de Rousset et de Kravchenko, et des *prétendus camps soviétiques*, et du procès Slansky, et de Tito, et comment démocratiser le Parti ? Vous avez obtenu leur exclusion, en citant Staline et Thorez, et en faisant un bel amalgame, Tito, Trotski, Kravchenko, Slansky, les Anglais, la police, le sionisme, pardon, le cosmopolitisme ! Un peu trop beau, si vous me permettez cette remarque professionnelle, et aujourd'hui vous avez le sentiment d'avoir fait des saloperies pour ne couvrir que des saloperies, ça doit être drôle de penser à vos exclus, ces temps-ci, alors que vous en savez enfin autant qu'eux, Poletti, Warschavski.

« Et les Monclar, vous avez revu la veuve Monclar ? Aujourd'hui vous pensez la même chose qu'elle, mais elle, elle est veuve, grâce à vos réquisitoires, vous aviez réellement besoin d'en rajouter ? De dire qu'il n'y avait aucune preuve que son mari n'ait pas eu de contact avec les Allemands pendant la guerre ? Aucune preuve *qu'il n'ait pas eu* ! C'est beau, vous auriez pu rester à la lisière, vous contenter de dire qu'ils faisaient objectivement le jeu des revanchards de Bonn, et vous avez cru bon d'ajouter un argument imparable, d'ajouter que le simple fait qu'on pût se poser la question d'un contact éventuel entre Monclar et les Allemands en 1943 quand une partie de son réseau est tombée, cette simple interrogation faisait peser sur Monclar un irréductible soupçon, un soupçon *que son sabotage actuel de la politique du Parti ne pouvait malheureusement que corroborer,* tu n'approuves pas la ligne du Parti en 1952, donc tu as *sans doute* pactisé avec la Gestapo en 1943, et comme nous sommes en lutte, nous ne pouvons pas nous payer le luxe d'un doute.

« Évidemment, vous n'avez pas trouvé ça tout seul, vous avez eu des cours du soir, que c'est beau, *corroborer,* vous savez qu'on me l'a servi à Moscou pendant mes interrogatoires ? Et Monclar vous traite de petit con, le camarade de la fédération justement présent ce soir-là lui dit que l'énervement n'est pas une preuve d'innocence, cher Monclar, un perfectionniste, on l'exclut, non, c'est vrai, il s'exclut, il claque la porte, il en est malheureux, et pour ne pas se rater il prend deux revolvers, un pour chaque tempe, ça glisse, il se fait simplement sauter les globes oculaires, pas beau, non, je veux finir.

« Une semaine après il se jette par la fenêtre de l'hôpital, troisième étage, quatre jours d'agonie, une mort à la Brossolette mais Brossolette c'étaient les nazis, et pas les mêmes tortures, la veuve Monclar, vous lui avez écrit, récemment ?

« Un de mes meilleurs amis a été dans le réseau de Monclar, un antifasciste allemand chez les FTP, c'est aujourd'hui un de nos grands poètes, il vit à Potsdam, pas très loin de ma maison, un vrai poète, c'est lui qui m'a raconté l'histoire de l'ours et du chasseur, ce n'est peut-être pas lui, peu importe, nous nous faisons parfois des confidences, pour le plaisir, sans savoir si l'un de nous n'ira pas tout raconter, mais on se dit tout, comme ça celui qui écoute est aussi coupable que celui qui parle, et s'il va dénoncer il n'en aura pas non plus pour longtemps — *pour dire des âneries pareilles, d'où vient camarade que ton interlocuteur ait eu une telle confiance en toi ?* — il tombera lui aussi, ce qui peut même être un réconfort pour l'ami qu'il aura dénoncé, la transparence absolue ! Est-ce que vous commencez à comprendre quel genre de lutte il me faut mener aujourd'hui ?

« Quand j'ai dit à cet ami que j'allais peut-être croiser le Français qui avait obtenu l'exclusion de Monclar, il m'a dit *demande-lui d'où il tire cette hargne contre les résistants.* Voilà qui est fait. Vous vous détestez ? Vous vous prenez pour un salaud, vous voulez quitter le Parti qui vous a mis dans la saloperie, et vous allez retourner à la saloperie à laquelle vous vouliez échapper en entrant au Parti, ce serait si simple de n'avoir qu'une seule saloperie à détester, celle du petit procureur à la va-vite, mais nous savons tous les deux qu'il y a encore autre chose, et c'est pour ça que j'ai beaucoup de sympathie pour vous. »

Lilstein suit votre regard, se retourne, contemple avec vous le vaisselier, un seul grand service d'assiettes peintes, en porcelaine.

« Oui, c'est beau, les grands plats surtout, les fileuses, et le bal, le bal c'est moi qui l'ai apporté, pas un service suisse, vous ne reconnaissez pas ? C'est pourtant de chez vous, c'est français, faïence d'Obernai, en Alsace, les patrons sont d'origine alsacienne, ils étaient déjà là en 1929, à la réception pour lui, à l'intendance pour elle, une chance pour eux, ils aimaient bien la France mais lui n'avait pas aimé qu'on lui apprenne le français à coups de baguette sur les doigts.

« En 1927, 28, ils ont répondu à une offre d'emploi saisonnier, ça leur a plu, ils ont plu, ils ont prolongé, quand ils ont vu Hitler commencer à s'agiter en Allemagne ils se sont dit que ce type allait essayer de revenir tôt ou tard en Alsace, ils ont décidé de rester en Suisse, ils ont échappé au retour des Allemands en 1940, ils ont grimpé dans la hiérarchie, ils ont racheté l'hôtel en 43, la crise du tourisme. Elle aime s'installer aux fourneaux, elle sait tout faire, la *Linzer* surtout, les assiettes peintes, des scènes paysannes, c'est très calme, j'aime beaucoup. »

Lilstein se retourne sur sa chaise pour vous montrer les assiettes.

« Vous voyez, il y a huit scènes différentes pour les assiettes, deux par saison, c'est rustique, ça n'a pas grande valeur mais j'aime beaucoup, il y a parfois des détails, je vous montrerai, un chat dans un massif de chèvrefeuille, pas pour faire la sieste, le chat s'enfonce dans le chèvrefeuille vers la fin de l'après-midi, il s'installe sur le dos au sommet du massif, juste sous la surface des feuilles, malheur à la mésange étourdie.

« Toute votre vie de lycéen, quatorze ans en 1943, quand la moitié du réseau Monclar est tombée, vous ne risquiez pas de le connaître, ni de l'admirer, vous aviez une vie de tendre lycéen dans un bel appartement parisien, grandes pièces, plafonds bien hauts, moulures, dorures, belles cheminées, un appartement que papa avait racheté pour pas cher après l'armistice de 40, à un Blumental, très pressé le Blumental, un appartement assourdi de tapis et d'armoires pleines, une vaisselle à filet d'argent dans laquelle vous avez bouffé, les draps au monogramme Blumental, et même les livres des enfants, vous avez cherché à savoir ce que sont devenus les Blumental ? Vous voulez que je vous raconte votre temps retrouvé ?

« Vous vous en êtes douté ? Vers la fin ? Il doit vous manquer quelques précisions, une vallée savoyarde, murs blancs, toit de lauze, fontaine, quelques camionnettes un matin, et monsieur votre père qui doit dire *on respire*, pas facile de prendre conscience de la vie dans un moment pareil, là aussi vous avez dû vous détester, et vous taire, parce qu'on vous a élevé dans de solides valeurs familiales, le respect du père, le quant-à-soi, l'autorité des aînés, on n'a pas à les juger, et à la rigueur on fait part de ses affres à un curé qui vous dit de regarder vers le ciel, non, c'est vrai, vous êtes protestant, vous avez dû les aimer ces valeurs avant de les haïr, et vous avez

cru vous en tirer en venant baigner votre face dans la pourpre
de notre aurore, en vous jetant à dix-huit ans dans les rangs
du parti des soixante-quinze mille fusillés, disons des milliers, de grands milliers, et un jour vous découvrez que le cher
parti a fait du pire avec votre meilleur.

« Soyez content, vous pouvez vous prendre en pitié maintenant, ça vous change du mépris de soi, mais les autres, la
chère vieille caste des beaux quartiers, ceux qui venaient à la
table familiale, vous avez encore leurs phrases dans la tête,
les dîners avec les rince-doigts Blumental, les conversations
sur le judéo-bolchevisme, les saboteurs, la grande Europe, et
le silence de tous ces forts en gueule quand votre père a dû
fuir à la Libération, le silence de tous ceux qui pensaient et
disaient la même chose que lui mais qui n'ont jamais rien
écrit, rien signé, les crimes de l'extrême civilisation ne sont
pas des crimes, aujourd'hui tous ces gens battent les tréteaux,
en bons soldats du monde libre.

« La grande famille attend votre retour, jeune Français,
la place est prête, à votre nom, et vous avez une bonne expérience du monde ouvrier maintenant, vous pourrez leur expliquer comment ça fonctionne, comment on peut virer un
prolétaire sans avoir d'histoires, je peux même donner cinq
enfants à ce prolétaire, ça s'appelle encore un cliché, seule la
société a le droit d'en faire, mais vous savez tout ça, vous
savez à quoi vous allez servir.

« Et dans le miroir, vous avez deux sales gueules à contempler : Narcisse et son papa, le procureur de Monclar et le
ministre de Pétain. Restez donc assis, vous voulez que je vous
rassure ? Vous n'êtes pas seul, et moi j'ai pire à raconter. »

Et Lilstein s'est enfin mis à parler de la mort de la camarade Sarah Lilstein, la doctoresse Lilstein, *une grande figure
du mouvement ouvrier international,* morte d'une pneumonie
en 1946 à Moscou, une pneumonie, séquelle d'Auschwitz,
Lilstein parle-t-il vraiment de sa mère, ou d'une de ses
propres victimes ? à Moscou, il y a peu de temps, une âme

bien intentionnée a remis à Lilstein un manuscrit, les notes que le médecin avait prises au chevet de sa mère dans les moments qui avaient précédé la mort de celle-ci, un étrange cadeau.

Lilstein avait d'abord douté, comme, à la même époque, il avait douté en prenant connaissance du rapport attribué au camarade Khrouchtchev sur les crimes de Staline, des erreurs, oui, avec lui pour victime, mais pas Staline, des conneries comme on en fait pendant une guerre, une guerre de classe, mais pas Staline, des conneries de subalternes, on a convoqué Michael Lilstein à Moscou, on l'a reçu au plus haut niveau, tu as du mal à croire au rapport Khrouchtchev, Micha, tu en as pourtant bavé toi-même mais tu te prends pour une malheureuse exception, un travailleur du renseignement pris dans un malheureux coup tordu, le tabouret, la vis sans fin et le camp pour un contrecoup de coup tordu, et Iossif Vissarionovitch pas au courant, pas de quoi tirer de vraies conséquences, ou mieux encore, tu t'es sacrifié en te disant que ça servait à quelque chose.

Et pendant que tu dégringolais, les autres, éclairés par le mauvais rôle que tu acceptais de jouer, devenaient plus conscients, plus travailleurs, plus disciplinés et plus libres de l'être, et tu n'acceptes pas qu'un rapport te dise que tu as donné des noms d'innocents, parce que tu as quand même donné quelques noms à l'époque, et tu aurais parlé pour que la terreur puisse continuer ses conneries, comme un grand singe auquel tu aurais donné un rasoir, tu as voulu sauver le meilleur en acceptant le pire, camarade Lilstein, et tu ne veux pas qu'on te dise que tu as seulement aidé un singe à jouer du rasoir.

Tu ne crois pas complètement au rapport de Nikita Khrouchtchev, cher Michael, alors tu ne croiras pas non plus à ce rapport-là, à moins que ce rapport-là ne te donne envie de relire le rapport Khrouchtchev.

Et on a remis à Lilstein une copie intégrale du rapport attribué à Khrouchtchev et ensuite les notes du médecin de sa mère, nous t'avons toujours fait confiance, nous avons pris beaucoup de risques pour toi, cher Michael, beaucoup de risques, en t'envoyant vite vers les steppes d'Orient pour t'éviter le grand triage à la libération d'Auschwitz, tu ne te souviens pas de la tête de certains de tes camarades au moment où l'Armée rouge vous faisait sortir des camps de Pologne? la façon dont ils te disaient à bientôt? non, tu pensais que tu n'avais rien à craindre, c'était très gros à l'époque de te faire échapper à la grande trieuse, c'est vrai que dans ces camps tu avais été magnifique, personne pour organiser mieux que toi, et en même temps tu avais une qualité, tu n'étais pas populaire, c'est une vraie qualité par les temps qui courent, quelques mois de Kazakhstan, la trieuse se calme, un peu de Moscou pour te voir de plus près, et nous t'avons vite rapatrié à Rosmar, il y a dix petites années.

Tu as bien joué à Rosmar, Micha, le général était un imbécile, il t'a servi d'examen de passage, et c'est nous qui t'avons fait glisser vers le renseignement extérieur, c'est ce qui t'a sauvé, on avait besoin de toi, de tes amitiés d'avant-guerre, urgent, source indispensable, tu étais néanmoins de la dynamite, tu avais commis un péché mortel, tu avais vu ton camarade Ulbricht siéger un soir, tout début des années 30, à la même tribune du même meeting que Goebbels, la grande salle du Friedrichshain, ça aurait dû suffire pour la trieuse mais tu as eu de la chance, tu connaissais très bien certaines personnes dont nous avions besoin, tu avais un gros secret américain à portée de la main.

Tu t'es montré à la hauteur, les grands chefs ont été très contents, tu aurais pu nous exploser au visage mais tu as vraiment été à la hauteur, près de cinq belles années, on en a vraiment fait voir aux Américains et aux Anglais, en 1951 c'est ton autre péché mortel qui a relancé les chiens, tu n'aurais pas pu t'appeler Adenauer ou Bahr? ou Bezoukhov? non tu t'appelles Lilstein, très mauvais ça, Lilstein, tu avais ce chien d'Abakoumov aux trousses, Beria lui-même a eu peur, il aurait pu te défendre, aller chez le moustachu, lui dire ce camarade n'est pas une vipère cosmopolite et j'en ai encore besoin.

Beria n'a pas osé, nous avons seulement pu atténuer les choses, te faire interroger seulement avec un tabouret, en oubliant ton dossier, cela dit, à Magadan, ça devenait incontrôlable, et même quand Staline meurt, qu'on te libère, qu'on te rend immédiatement tes responsabilités, il faut que tu t'engages avec enthousiasme du côté de Beria, au mauvais moment, une Allemagne neutre et réunifiée, bonne idée, mais intempestive, là encore nous t'avons sauvé la mise, nous avons dit à Malenkov et Ulbricht que c'était toi qui nous renseignais sur les fauteurs de troubles, tu passes ton temps à faire les gestes qu'il ne faut pas, un véritable art du mauvais geste, nous avons pris beaucoup de risques pour toi, sors du bac à sable, Micha, tu dois travailler avec les grands maintenant.

Lilstein a remercié les camarades soviétiques qui disaient avoir pris des risques pour lui épargner le pire, peut-être que cela n'était pas vrai, que personne n'avait pris de risques, que c'était seulement un effet de la bureaucratie, et Lilstein avait certes eu à l'époque le sentiment qu'on le mettait de côté, qu'une volonté, la même que celle qui l'avait un matin jeté dans une voiture avec un bandeau sur les yeux, cherchait à l'épargner, en dosant les épreuves, mais au bout d'un an et demi de camp il avait aussi senti qu'il n'était plus protégé, on l'envoyait faire des corvées de plus en plus dures, celles dont on revient de plus en plus faible, il voyait plus souvent mourir les gens qui étaient avec lui, les camarades qui disaient avoir pris des risques avaient dû cesser de les prendre, s'ils en avaient jamais pris, mais on pouvait aussi faire semblant de croire ces camarades, du moment que ceux qui disaient avoir pris les risques semblaient aussi avoir pris le pouvoir, il devait y avoir un camp à choisir, il va falloir faire le ménage, ouvrir les fenêtres, nous t'avons toujours fait confiance, Michael, lis donc les notes que le médecin de ta mère a pris le risque de prendre, au lieu de laisser la terre recouvrir les fautes.

Un matin, le médecin de la *Clinique des cadres* avait vu arriver une de ces voitures dans lesquelles on lui amenait généralement ses patients les plus prestigieux, seul un officier en était descendu, une tenue bleu argenté, la garde du Kremlin, une tenue de colonel, un grade de vie ou de mort, pas le genre de rencontre qu'on aime faire de bon matin mais le médecin avait été soulagé que ce fût précisément ce matin-là, car il allait pouvoir annoncer à ce colonel qu'il sauverait la camarade Sarah Lilstein, avec des produits récupérés chez les impérialistes, il avait très bon espoir de la sauver, de petits éléments techniques empruntés aux Occidentaux mais aussi le grand savoir-faire de la médecine soviétique, éclairée par les directives du grand Staline.

L'officier a dit que devant le caractère alarmant de l'état de santé de la camarade Lilstein le camarade Staline avait chargé le camarade Ivanov de préparer le discours d'hommage funèbre à la camarade Lilstein et qu'il venait pour prendre certaines dispositions relatives à cet hommage, le médecin a dit que cela ne serait heureusement pas nécessaire et le colonel a répété que le camarade Staline avait chargé le camarade Ivanov de préparer le discours d'hommage funèbre.

Le colonel n'avait pas compris ce que disait le médecin, et le médecin a de nouveau précisé qu'il pouvait, qu'il allait sauver la camarade Lilstein, il a parlé d'une voix joyeuse, pour emporter le colonel sur les vagues de son enthousiasme.

Et une nouvelle fois le colonel a parlé d'Ivanov et du discours, et le médecin a entendu le gargouillis de son propre ventre, il a serré les fesses, et c'est cette crispation pour empêcher l'irréparable de se produire comme chez un gosse de trois ans, cette crispation et la crampe intestinale qui lui ont tout fait comprendre, en même temps que le tremblement de sa propre voix au moment où pour la troisième fois il allait dire à ce colonel dur d'oreille que le discours du camarade Ivanov ne serait pas nécessaire, tremblement de voix, de mâchoire, mots en bouillie, panique dans toute la tuyauterie, les lèvres, le reste, il a tout fermé.

Il n'a pas donné de pénicilline et le remords a fait qu'il a veillé cette femme comme s'il se fût agi de sa propre mère, il a pris en note ce qu'elle disait dans sa fièvre, comme la sténographie d'un délire, par souci, par scrupule médical, un bon argument, des notes prises dans le cadre d'une *nosographie du délire fiévreux*, il est passé, en prenant ces notes, par une terreur encore plus intense que celle qui avait fait de lui un cloporte en chiasse devant le colonel de la garde.

Mais cette seconde terreur n'a pu l'empêcher de prendre les dangereuses notes, la seconde terreur a dû s'avouer vaincue parce que — à la différence de la première terreur qui n'avait eu que la morale pour adversaire — cette seconde terreur s'était trouvée face au remords, qui est, dans les pays d'orthodoxie, le seul moyen d'accéder à la dignité.

Et *ils* ont trouvé ces notes, une partie des *ils* s'est occupée de faire disparaître le médecin, une autre partie a fait archiver les notes, au secret.

Dès qu'elle a senti qu'elle allait mourir en ce mois de mars 1946, la camarade Sarah Lilstein a commencé à délirer, on aurait dit, avait noté le médecin, qu'elle avait tout compris, le remue-ménage dans le couloir, la nouvelle que la pénicilline était contre-indiquée, le remplacement des infirmières, on aurait dit qu'elle s'était sentie soulagée par ces signes d'une fin prochaine et qu'elle avait saisi la fièvre pour entrer dans un délire et pouvoir enfin tout se dire, sous couvert de divagation, penser enfin librement sous le masque du délire auquel on la livrait, penser sans avoir peur de voir surgir la mort puisque la mort était là et délirer sans crainte de voir les siens accusés de complot puisque la preuve même du délire est dans l'excès du délire, dans des propos que personne n'oserait tenir en pleine santé.

Et il ne fallait surtout pas essayer d'atténuer le délire, ce serait au contraire la preuve que vous ne délirez pas, donc si vous délirez vous devez absolument tout lâcher foncer vers le pire et si vous dites que vous voulez châtrer le grand Staline avec les ciseaux rouillés de Lev Davidovitch Bronstein vous courez moins de risques que si vous n'osez pas aller jusque-là et que vous vous contentez par exemple de dire que le grand chef a fait quelques conneries en matière de politique agricole.

Sarah Lilstein se mit donc à délirer vers le pire des pires, en croyant pouvoir encore penser derrière le masque du délire, en croyant garder le contrôle de ses folies, pouvoir délirer avec la lucidité des grands soûlards, être dans son délire à la fois le bouffon qui élucubre et Shakespeare qui compose, Ariane et le labyrinthe, l'abject labyrinthe, le remous et la chose qui pense dans le remous, le remous qui cingle et dilue tout dans son sillage, son histoire et son présent, Sarah plongeant dans ses réserves, dans le battement de ses tempes à quarante et huit dixièmes, et le délire entrait vraiment en elle, prenait la place de cette pensée qu'elle croyait conserver, voilà que tout ce qu'elle essayait de reconstruire derrière elle pour donner un sens à ces instants de fièvre perdait tout sens au moment même où elle essayait de le retrouver, le délire devenait non plus le masque de la pensée mais la forme même de la vie qu'elle avait vécue, le délire c'était l'Histoire elle-même.

Quelques images seules restaient, semblaient encore avoir un sens, une jeune femme en larmes aux obsèques de Rosa Luxemburg, puis la jeune femme se retrouvait à la clinique des environs de Moscou et se jetait dans des imprécations avant même d'avoir repris ses traits de vieille agonisante Iejov ordure Jdanov de la merde que Iejov coupe la tête de Staline et qu'il plonge dans le bouillonnement du sang, dans le bouillonnement à la base du cou, le monde entier décapité, monde-serpent, l'affiche qui l'avait tant gênée avant la guerre avec le commissaire-à-l'intérieur soldat massif en uniforme rouge Iejov occupant toute la moitié droite de l'affiche le bras tendu la main dans un gant de laine ou de fer on ne savait pas étranglant une vipère au ras de la tête et la tête elle-même faite de plusieurs têtes d'homoncules, les condamnés des années 30, Trotski la queue de vipère en croix gammée les petites têtes Boukharine Rykov crachant le sang sous la pression de l'énorme main gantée de Iejov, petites têtes à gros nez grosses lèvres cheveux bruns les yeux injectés exorbités exactement comme à la même époque sur les affiches de Berlin ou Nuremberg saloperie à l'époque elle n'avait d'abord vu que l'affiche, pas les gros nez.

Sarah cauchemardant à son tour dans une histoire à cauchemars, quand il lui arrivait de douter, elle se souvient, les débuts, quand il fallait se dire c'est un cauchemar, ça va passer, ça passe, un autre cauchemar, qui passe, de cauchemar en cauchemar ce sont les gens qui passent, pas les cauchemars, un mécanisme mort, qui avale des ordres en russe et les recrache dans diverses langues étrangères, c'étaient les mots de Clara Zetkin, *on transforme le sens et le contenu de la Révolution russe en règles d'un club à la Pickwick*, Clara Zetkin était allée en France, au congrès de Tours, elle avait plaidé pour les vingt et une conditions, et maintenant elle parlait de club à la Pickwick, de mécanisme mort, elle est morte elle-même en disant *dans les ténèbres de minuit je regarde l'avenir avec optimisme*, c'était en 1933.

Sarah marmonnant le murmure de son amie Clara Zetkin, et les infirmiers n'osaient pas entrer dans sa chambre que Iejov entre dans Staline pour lui faire un monstre, Beria disant quand Iejov a été liquidé j'ai compris que ça ne servait à rien de toujours dire oui à Staline, Iejov plongeant dans les tripes du grand Staline, lui faire l'héritier à queue en croix gammée qui pourra siéger à la tête de ce qu'on a fait de la république des soviets, que crèvent les optimistes et que viennent rigoler Boukharine, Kamenev, et tous ceux qui escaladaient le ciel.

Qu'ils rigolent tous comme des pendus qui montrent le ciel avec leur troisième pied, qu'ils regardent crever Staline sous les coups de boutoir de Iejov comme ils ont eux-mêmes crevé et le petit Bronstein qu'il en crève une deuxième fois avec ceux qui ont cru à tout cela les innocents qui ont mis leur avenir là-dedans et que dans la bassine de tripes et de fausses couches on mette les popes fabricants de terreur et les rabbins faiseurs d'obéissance et les dévots de l'organisation, les héros du travail, les héros de la guerre, les commissaires et les Vlassov, la même bassine, Toukhatchevski et son violon.

Que plus personne ne puisse enfanter de croyant, Nicolas le crétin, la tsarine imbécile, les bourreaux incapables, les innocents qui avouent, les martyrs qui sourient, Lénine qui rigole, et tous guettent la succession pour les jours à venir, l'enfant que Staline tenait sur la photo, la petite Bouriate, fille d'un secrétaire régional, qui s'était échappée des bras de ses parents lors d'une réception, elle s'était jetée dans les bras du grand-père moustachu, on avait tiré des millions d'exemplaires de la photo, petite fille aux yeux légèrement bridés, voyez, peuples du monde, la seule union qui ne soit pas raciste !

La petite fille souriait aux anges, et le grand-père souriait sous sa casquette, le père est exécuté dans les purges de l'année suivante, la mère exilée dans le Nord, et la mère meurt de typhoïde, mais pas d'après la note un jour retrouvée du KGB local, la note demande à Moscou que devons-nous faire de cette femme qui dit savoir certaines choses ? et la fiche retour porte un tampon *à éliminer.*

La petite fille a eu plus de chance que son père et sa mère et que le grand philosophe communiste qui donnait des leçons de philosophie au père des peuples, je veux, lui dit le père des peuples, bien connaître Hegel, et tout allait à merveille, et quand le professeur en vint à la dialectique de la raison il partit pour un camp, Sarah Lilstein entend la voix de son amie Aïno Kuusinen, la femme d'un des dirigeants du

Komintern, j'étais invitée avec mon mari, Otto, en 1928, la mer Noire, une croisière, joli bateau, petit salon très ordinaire, un marin apporte du champagne, des biscuits, sur un gramophone une belle chanson, *Souliko*.

C'est moi qui vais servir mes invités, dit Staline. Nous buvons, Staline remet le disque, boit, nous regarde, rit, à la fin de la chanson géorgienne il remet le disque, reverse une tournée générale, rit de plus en plus fort, il se met à danser, remet le disque, la même chanson tout l'après-midi, de moins en moins captivante, Staline se trémousse, il crie en riant, il est ivre, parfois il va jusqu'à la poupe du bateau, regarde l'eau et les remous se refermer sur le sillage, revient l'air ennuyé.

Il se remet à se trémousser sur les airs du gramophone et en même temps il ne cesse de nous observer, le Komintern transmettait au NKVD les renseignements que lui donnait le NKVD, vous avez bien compris, circuit fermé, Willi Münzenberg a des liens avec Radek, Radek est fusillé, Münzenberg refuse de rentrer à Moscou, trois ans de sursis, le NKVD a fini par le rattraper, en forêt, en France, c'est ce qui se dit, Staline est content, pourquoi avons-nous laissé grandir ce Géorgien ivrogne ?

C'est parce que vous étiez des salauds, des lâches, des imbéciles, des psychopathes, des monstrueux, des démoniaques, voilà ce que vous disent les moralistes, les psychologues, les croyants, qu'on mette les psychologues, les moralistes et les croyants dans le même trou que les popes, les rabbins, les salauds, les lâches, les commissaires, les psychopathes, ça ne sert à rien, Staline a déjà fait ça, la tête d'un pope, d'un psychopathe et d'un rabbin, et d'un commissaire, quand ils se retrouvent par moins vingt, chacun sa pioche pour attaquer le permafrost, et parmi eux il y a les innocents, Sarah essayait de faire quelque chose, non plus par devoir mais par remords de n'avoir pas fait ce qui se révélait avoir été le devoir à faire au moment où tout était désormais hors de l'atteinte du remords, ou plutôt pas par remords mais parce qu'il n'y avait plus rien d'autre désormais, ni remords ni espoir, même l'espoir était devenu sale, Thälmann est mort à Buchenwald et son secrétaire Werner Hirsch est mort à la Loubianka, Sarah parlait, disait, parlait.

« Vous voyez, jeune Français, le pire, ça a été de lire ce qu'a pensé ma mère à la fin de sa vie, ma mère n'a jamais trahi, je ne pense pas qu'elle ait jamais commis de crime mais quand elle s'est retournée pour voir le chemin parcouru elle n'a vu qu'une tempête pétrifiée, même dans *Le Docteur Jivago*, à la fin il n'y a plus de paradis mais il y a encore un désir, un peu de *malgré tout* avec de la jeunesse qui va s'aimer, un foulard rouge autour du cou, ça reste un roman progressiste, tandis que dans les notes du médecin il y avait un demi-siècle de paradis futur et c'était à vomir. »

*

Le matin, dans la *Konditorei* du village, l'autre entretien de Lilstein avait été très dur, beaucoup plus dur qu'avec le jeune Français. Kappler avait tout de suite lancé à Lilstein :
« Ils ont poussé les Hongrois à se battre et ils les ont laissé tomber, la radio de la CIA a dit aux Hongrois de prendre les armes, de former un commandement militaire central, tout ça vous le savez mieux que moi, jeune Lilstein, *Radio Europe Libre* a dit aux insurgés allez-y les renforts arrivent, c'est la radio de la CIA et les gens l'ont crue. C'est à cause de ça que je vais rentrer à Rosmar. »

La voix de Kappler gronde dans la pénombre de la *Konditorei*, même le patron des lieux ne réussit pas à ne pas faire attention à cette voix qui menace à tout moment d'éclater. Kappler poursuit, et dans sa voix il y a de la haine pour celui qui ne comprendrait pas ce qu'elle dit. Lilstein n'a jamais vu son vieil ami dans cet état :
« Je rentre à Rosmar parce que les Américains ont fait

croire aux Russes qu'ils allaient intervenir pour aider les Hongrois, ils ont dit aux gens de Györ et de Budapest allez-y l'OTAN arrive à votre secours, les Russes ont tapé comme ils savent si bien faire, ils n'ont peut-être tapé comme ça que parce qu'ils croyaient que l'OTAN risquait de débarquer et l'OTAN n'a pas bougé, je sais aujourd'hui que rien ne viendra de l'extérieur, je hais les chars russes mais je hais encore plus la racaille qui pleure aujourd'hui des larmes de crocodile, ils ont foutu les Hongrois dans le pire des merdiers et maintenant ils leur organisent un grand deuil international, rien de sérieux ne viendra jamais de l'extérieur. »

Et Lilstein a compris qu'il allait perdre, que Kappler avait bouclé sa boucle folle, rien ne viendra de l'extérieur, il ne lui reste qu'un espoir, quelque chose qui viendrait du pays lui-même, c'est pour ça qu'il rentre en RDA, Lilstein a vu que Kappler avait encore un espoir, il voulait changer quelque chose.

Pour l'empêcher d'entrer il fallait détruire cet espoir, Lilstein avait le choix, détruire l'objet de l'espoir ou estropier celui qui espère, il a d'abord choisi de détruire les espoirs de Kappler, il ne lui a pas fait de tableau ni d'analyse, il lui a dit :

« Mon ministre n'est bon qu'à se gratter le cul, le deuxième personnage de l'État dont vous voulez faire partie, le ministre de l'Intérieur de l'État socialiste des ouvriers et des paysans et membre du bureau politique du Parti socialiste unifié d'Allemagne, le deuxième personnage du pays, ce ministre n'est bon qu'à se gratter le cul, et c'est dans ce pays que vous voulez rentrer ? »

Cela a fait rire Kappler d'un bon rire optimiste, il a regardé en direction du patron, il lui a montré le pichet vide, le patron de la *Konditorei* est venu les servir, Kappler a plaisanté avec lui, il était presque détendu.

Alors Lilstein a décidé d'estropier Kappler, il avait le choix entre le laisser entrer en RDA pour y mourir à petit feu, ou bien lui faire très mal pour qu'il vive :

« Je sais pourquoi vous voulez venir chez nous, monsieur Kappler, c'est de l'excentricité, vous faites l'excentrique parce que vous n'êtes plus qu'un écrivain ordinaire, une machine à écrire, une vieille armoire. »

Et Lilstein a enfoncé le clou :

« Vous voulez agir comme personne parce que vous écrivez désormais comme n'importe qui. »

Kappler a rougi, Lilstein a continué :

« Vous savez ce que vous allez faire une fois de retour en République démocratique allemande ? Vous allez empêcher nos jeunes écrivains de se développer, vous allez les gêner, dès qu'ils essaieront d'inventer quelque chose mon ministre et ses petits camarades leur diront arrêtez vos conneries, cessez d'imiter la mode capitaliste — ils disent ça dans un premier temps — vous imitez la mode capitaliste ça veut dire nous allons vous interdire de publication, si vous continuez à vous agiter ils disent vous imitez la mode impérialiste, et ça c'est plus grave, le capitalisme c'est ce qui existe mais l'impérialisme c'est ce qui nous agresse, donc vous pactisez avec nos agresseurs, vous imitez la mode impérialiste.

« Littérairement ça ne veut rien dire, monsieur Kappler, mais dans leur bouche ça veut dire nous allons vous mettre en prison, jusque-là ils mettaient en prison les jeunes gens qui voulaient être différents, bientôt ils mettront en prison ceux qui ne voudront pas ressembler à ce que vous êtes devenu, ils leur diront voyez Kappler, il a tout compris, il vient de là-bas et il vous montre l'exemple, il a tout traversé, et tout le monde peut le lire, une vraie transparence, cessez vos contorsions de petits-bourgeois allégoriques, ou impérialistes.

« Vous voyez à quoi vous allez servir, monsieur Kappler ? À empêcher d'autres Kappler de surgir, je veux dire des Kappler comme celui des années 20 ou 30, celui qui s'est éteint. Depuis un quart de siècle vous n'avez plus rien écrit de singulier, vous n'êtes plus qu'un biographe, c'est pour ça que vous voulez rentrer, pour qu'on célèbre ce que vous avez honte d'être devenu. »

C'est comme ça que ce matin-là, dans la pénombre de la *Konditorei*, Lilstein a avancé, en détruisant Kappler, en ayant envie de pleurer, en inventant des mensonges et en même temps ces mensonges avaient de la force puisqu'ils faisaient rougir Kappler, ils faisaient trembler son menton, Lilstein aimait bien les derniers livres de Kappler, mais il les descendait en flammes devant lui pour l'empêcher de rentrer à Rosmar :

« Cette idée de faire un récit avec les grandes journées de notre demi-siècle, c'était très bien, Herr Kappler, plusieurs dizaines de séquences, superbes, toutes les académies ont admiré votre dernier livre mais je sais que le Kappler de 1929 n'aurait jamais publié ça, il se serait mis devant cette suite de séquences, et il se serait demandé comment faire tenir tout cela ensemble. Il se serait mis au travail, il aurait cherché une forme. »

Lilstein mentant pour déstabiliser Kappler, pour que Kappler ne revienne surtout pas :

« Vous écrivez comme Tourgueniev ou Anatole France, vous écrivez comme avant-guerre, je veux dire comme avant 1914, consciencieux et démodé, comment voulez-vous avoir quelque chose à raconter ? »

Et plus Lilstein avance dans son mensonge, plus il trouve les mots, plus il sent qu'il a raison, les pages de Kappler se fanent de plus en plus vite, il sait ce que vont faire les idéologues de RDA, menacer les jeunes auteurs, qu'est-ce que c'est que ces histoires de récit brisé ? ces monologues de petits-bourgeois, le discours intérieur, les cochonneries de l'intérieur, de la pornographie, vous allez chercher vos idées chez les Yankees, chez un réactionnaire esclavagiste, leur coqueluche, le Faulkner, ou ce traître de Dos Passos, voyez Kappler, il en vient, de votre Ouest, il a tout traversé, il revient au réalisme, avec une voix qui dit les choses clairement, pour tout le monde, dans l'ordre où elles arrivent.

Lilstein parle à Kappler de ce que vont faire les idéologues du Parti, et plus il avance plus il sent qu'il a raison de dire cela, plus il se sent en accord avec ces écrivains impérialistes qui ne sont pas plus impérialistes que Cholokhov qui ne l'est pas, Kappler est vieux.

« Vos livres ce sont des armoires, Herr Kappler, une écriture de vieux meuble, trop sage, et pour vous en sortir vous voulez prendre des décisions excentriques. »

C'est comme ça que Lilstein a obtenu que Kappler lui dise :
« Ça suffit ! »
Plusieurs fois, la dernière fois d'une voix très douce.
« Ça suffit ! »

Et Lilstein s'est arrêté, il aurait voulu ajouter que les jeunes gens de la RDA n'avaient pas besoin de l'enfer portatif que Kappler traîne avec lui de toute éternité, il a senti que ce n'était plus nécessaire, ils ont bu lentement, Kappler a parcouru du regard la petite salle de la *Konditorei*, il n'a plus rien dit, il semblait perdu entre les rayons de la quincaillerie et ceux de l'alimentation, il a laissé Lilstein payer l'addition, il a ensuite acheté quelques tablettes de chocolat, ils sont sortis ensemble, ils ont marché sur la neige à bruit de feutre, en direction du petit pont, ils se sont arrêtés, ils ont regardé vers la lisière de la forêt, à l'affût, Kappler a demandé :
« Dites-moi, jeune Lilstein, l'avez-vous revue ? »

Ils sont repartis en direction de l'entrée du village, le paysage était blanc mais assombri, la neige attendait la neige, Kappler voulait que Lilstein le raccompagne à l'autocar, au dernier moment il a dit à Lilstein :
« Je vais revenir à Rosmar parce que vous avez vraiment tout fait pour m'en empêcher, je vais revenir parce qu'il doit donc y avoir autour de vous des gens qui pensent comme vous, je ne me fais aucune illusion sur ce qu'est la RDA

aujourd'hui, je crois simplement qu'il y a plus de choses à y faire qu'à l'Ouest, je voudrais encore faire quelque chose avant la fin, vous avez beau dire, j'ai encore envie d'écrire des choses nouvelles, et je crois que vous avez encore de belles pensées.

— La pensée ne suffit pas, Herr Kappler, un groupe de gens qui pensent bien peut faire de belles conneries, et ceux-là sont les pires. »

Hans lui a dit :

« Moi je vous aime bien quand vous essayez de faire la bête, jeune Lilstein. »

*

Des années plus tard, un jour où Lilstein se sera montré particulièrement affectueux avec vous, quand il vous aura donné au moins trois fois de suite du *jeune Français,* vous oserez lui parler de Kappler, Lilstein vous racontera sans fard la discussion qu'il avait eue ce matin-là avec son vieil ami, avant de vous rencontrer à votre tour dans l'après-midi. Il vous dira qu'il s'en est longtemps voulu de n'avoir pas su briser la détermination de Kappler.

Puis vous demanderez à Lilstein ce qu'il aurait fait si vous-même vous aviez dit non.

Il vous répondra qu'il vous aurait laissé repartir, vivre votre vie dans le vaste monde, mais vous n'avez jamais été sûr de cette réponse. Vous ne lui avez pourtant jamais demandé s'il vous aurait fait disparaître.

Un jour il dira que même sans lui vous auriez pris la même direction, vous aimez l'influence, et l'influence que redouble le savoir-faire des hommes de l'ombre, c'est finalement un mot acceptable, oh, vous n'auriez sans doute pas fait de pacte, avec personne, vous auriez été votre propre patron. Lilstein connaît deux ou trois bavards parisiens qui sont payés avec des marques de considération, pas par lui, par les Russes, des bavards assez haut placés, vous auriez joué ce jeu-là avec plus de finesse, mais vous n'auriez eu aucune véritable influence, sur aucun camp, tandis qu'avec Lilstein c'était une vraie politique, vous avanciez ensemble, vous vous faisiez des cadeaux, des dons, des contre-dons, vous ne trahissiez personne, et vous agissiez de concert, une vraie activité de seigneur.

Vous étiez tous les deux à Klosters devant une locomotive de haute montagne, Lilstein vous a dit que la première fois qu'il vous avait vu dans la salle du *Waldhaus,* en 1956, il était désespéré d'avoir échoué avec Kappler et il avait décidé de vous parler comme si vous étiez sa dernière chance.

Sur l'herbe entre les rails devant la locomotive il y avait des fourmis, Lilstein a pris un ton grinçant :

« Vous voyez, nous sommes comme elles, des fourmis devant une énorme locomotive, certaines renoncent à savoir et trimbalent leur grain d'orge sans se poser de question, d'autres fourmis se disent je vais faire reculer la locomotive, d'autres elle va me passer dessus, il y en a toujours quelques-unes qui auront raison, nous, c'est différent, nous avons compris, nous jouons au train miniature. »

Chapitre 5

1978

LA RUMEUR
ET LES BRETELLES

Où un certain Berthier chasse la taupe jusque dans l'ambassade de France à Moscou, au grand dam d'Henri de Vèze qui n'est pas très heureux en amour et de madame Cramilly qui élève seule un papyrus.

Où de Vèze se souvient d'une voix qui disait *Foutue, l'aventure!*

Où l'on voit que vous êtes depuis longtemps devenu la taupe parisienne de Lilstein et le confident du président de la République.

Où l'on se rend compte que Michael Lilstein est mélancolique et ne croit plus guère au socialisme.

PARIS, 4 juin 1978

> *Un homme est obligé au long de sa vie de*
> *naître plusieurs fois, sans autre secours que le*
> *hasard et les erreurs.*
>
> Colette

Henri de Vèze est entré sans frapper, il est ambassadeur de France à Moscou, il a été l'un des plus jeunes lieutenants de la France libre et, en 1942, à Bir Hakeim, il a ouvert un champ de mines, une chance sur dix.

Il ne frappe pas pour entrer dans un bureau de ministre, même trente-six ans après, même au Quai d'Orsay.

Le ministre ne marque pas le coup : toujours aimable, pense de Vèze, et mou comme une huître, un centriste, de Vèze est furieux, d'autant qu'il ne peut pas dire pourquoi, et lancer au ministre que ce rendez-vous l'a obligé à quitter sa maîtresse en pleine dispute, vingt minutes pour qu'elle accepte de lui rendre ses bretelles, négocier avec une furie, pour être à l'heure chez un mollusque.

De Vèze et le ministre se connaissent depuis longtemps, ils sont entrés aux Affaires étrangères en 1946 mais pas par le même concours, le ministre a passé les épreuves normales, de Vèze a eu droit à la session réservée aux combattants, pendant quelques années cela n'a pas eu d'importance.

Et puis de Vèze s'est rendu compte qu'il ne faisait pas tout à fait partie de la confrérie, pas pour les promotions, non, là on ne lui a jamais fait d'entourloupe, mais quand, dans certaines réunions, vous êtes pratiquement le seul à ne pas être passé par leur *École libre des sciences politiques,* cela finit par se sentir, surtout à la façon dont ils s'y prennent pour ne pas vous le faire sentir, des gens délicats, incultes mais délicats, qui s'emparent de votre manteau devant les petits camarades parce que la secrétaire a encore oublié, et qui font ça avec le surcroît de délicatesse qui marque qu'on joue exprès pour vous, votre écharpe qu'on plie avec précaution au lieu de la fourrer dans la manche, et tout le monde sait que vous savez.

Le ministre est en compagnie d'un homme que de Vèze, instantanément, ne supporte pas, coupe en brosse, lèvres minces, épaules travaillées, l'athlète aux yeux clairs des romans de gare, pour le haut seulement : à partir de la ceinture, pour aller plus vite, on a raccourci, façon plombier méditerranéen, avec cambrure et fesses rebondies, ne ferait même pas un deuxième attaché militaire, une voix en rafale de mitraillette, avec une bizarre montée sur les fins de phrase, pour faire énergique, encore un qui croit que commander c'est donner de la gueule, un fouteur de bazar, monté sur croupe de coq, comment le ministre ose-t-il commettre un ambassadeur de France avec un zozo pareil ?

Et c'est pour se faire présenter ce type que de Vèze a quitté sa maîtresse ce matin, en plein gâchis, comme ils savent si bien faire tous les deux, au bout de quelques jours de retrouvailles, une bouderie de femme d'abord, petite, les coins de la bouche qui retombent, le visage rond qui se durcit, le nez qui a l'air plus pointu, un silence qui se prolonge, il s'est gardé de lui demander ce qu'elle avait mais ça n'a servi à rien, c'est elle qui a demandé, voix douce et basse :

« Qu'est-ce que tu as ?

— Rien.

— Je te trouve bien nerveux.

— Non, je n'ai rien.

— Mais si, tu as l'air pressé. »

C'est là que ça a basculé, sur le mot *pressé*, quand elle siffle un mot qu'elle n'aime pas, pressé, tu n'es déjà plus là, de Vèze connaissait la suite :

« D'ailleurs tu n'es jamais là... »

En quelques secondes on en était à la durée réelle de son séjour à Paris, une ambiguïté.

« Tu le sais, Muriel, que je ne peux pas rester longtemps loin de Moscou. »

Il s'habillait, il a ajouté d'une traite :

« Tu as mal entendu, ma chère, non ce n'est pas du double langage et deux jours à Dinard c'était une hypothèse, d'ailleurs tu l'as toujours su. »

Il a marqué une petite pause, pour laisser porter l'argument, c'est vrai, Muriel a toujours su mais elle fait toujours comme si elle ne savait pas, pour pouvoir reprendre le débat, pour le mettre en faute, c'est vrai aussi qu'il fait semblant de croire qu'il aura le temps d'aller à Dinard, alors qu'il sait très bien qu'il ne l'aura pas, il exagère, il rêve, mais elle aussi elle fait comme si c'était vrai, et il ne voit pas pourquoi il se priverait de ce rêve, et quand tout retombe Muriel en profite, alors qu'elle a aussi rêvé. Elle se jette sur les mots :

« Toujours su ? Avec toi on ne sait jamais, c'est vrai, on ne sait jamais, oh ! »

La voix est montée très haut, la bouche reprend une aspiration, la voix retombe :

« Et puis je ne vais pas m'énerver pour ça. »

La bouche en arc dédaigneux, puis la détente dans le regard, elle sourit, il s'est fait coincer sans ses bretelles, il sourit, il faut discuter sans bretelles, elle les a entre les mains, elle renonce à s'énerver, elle vient de le dire, il faut la croire, elle regarde les bretelles en souriant, maternelle :

« Tu sais, je trouve ce rouge un peu voyant pour des bretelles. »

Elle rit, deux petites secousses de rire, sans vraie gaieté, pour se débarrasser de ce qui reste sur l'estomac, elle répète *du rouge*, en arrondissant les lèvres, menton qui s'abaisse, joues qui se creusent, voix grondeuse, moqueuse, *du rouge*, une femme qui reprend un gamin ou un vieux mari :

« Et ne me dis pas que c'est un bordeaux, le bordeaux c'est plus froid que ça, plus digne, ça c'est du rouge. »

Elle met les bretelles dans la lumière qui vient de la fenêtre.

« Un rouge vif, impitoyable. À ton âge ! »

Un silence. Elle le regarde de la tête aux pieds.

« Tu mets des bretelles alors que tu n'en aurais pas besoin, et quand tu en mets tu les choisis rouges, ça fait vieux beau, qui fait le jeune homme. »

Un silence encore, comme une invite, de Vèze ne dit rien, ne pas riposter, prendre l'air triste, triste d'avoir à la quitter alors qu'elle est si séduisante, l'essentiel c'est le rendez-vous du ministre, *vieux beau, jeune homme*, on ne répond pas, sa méchanceté devrait la calmer, la voix s'adoucit, Muriel corrige :

« Alors que tu n'es ni l'un ni l'autre. »

Elle sourit, plus détendue, se refait jolie, de Vèze se détend, l'armistice, elle reprend :

« Dis-moi, quand les as-tu achetées ? »

De Vèze sait que *quand* veut dire *avec qui*, puisque ce n'était pas avec elle, elle se demande avec qui mais elle ne posera pas la question, de Vèze pourrait trop facilement dire *mais tout seul, évidemment, et je ne sais même plus où*, évidemment, c'est sans appel, elle le sait, de Vèze pourrait ainsi reprendre la main, lui parler de sa jalousie, à voix douce, compréhensive, *j'achète aussi mes cigarettes tout seul*, demeurer dans cette douceur, et si elle ne veut pas on peut demander *tu as vraiment besoin d'être jalouse ? c'est si difficile que ça d'aimer simplement ?* pas plus loin, pas de guimauve, je ne suis pas très bon dans la guimauve, mais réussir à l'attaquer sur la jalousie alors qu'elle n'a qu'un achat de bretelles à se mettre sous la dent, ça c'est bien.

Elle le sait, alors elle ne demande pas *avec qui ?* mais *quand ?* c'est moins agressif, de Vèze répond :

« Mais je ne sais plus. »

Bien, le *mais*, avec *je ne sais plus* tout seul on a l'air de chercher, d'hésiter, d'être en défaut, tandis que *mais* ça clôt le débat, ça donne un mouvement excédé à la réponse, efficace, oui, mais pas avec elle, elle se fout du *mais*, elle saute sur la suite :

« Tu ne sais jamais. »

Elle se racle la gorge, le tabac et l'aigreur, il y a un instant elle disait *avec toi on ne sait jamais*, et maintenant c'est *tu ne sais jamais*, ce n'est pas une phrase très grave, *tu ne sais jamais*, ça peut vouloir dire quelque chose comme *je suis triste, et je voudrais tant que tu saches*.

Elle tient les bretelles de la main gauche, les fait glisser entre le pouce et l'index de sa main droite, le geste découvre les seins, un grain de beauté à la naissance du sein droit, une pépite de chocolat, *tu ne sais jamais*, c'est plein de tristesse, elle n'a pas tort, on pourrait s'installer dans cette tristesse, la vie, les circonstances, le travail, on promet de changer, d'apprendre à savoir, chacun apporte sa petite part de veulerie et on recommence, quelques jours à deux, nous avons si peu de temps, au moins ne pas nous disputer, mais à *tu ne sais jamais* elle a ajouté :

« Évidemment. »

Et la façon dont elle dit *tu ne sais jamais, évidemment,* n'est pas du tout attristée. Chez elle c'est mauvais signe.

De Vèze est debout en face du grand lit, Muriel ne manifeste aucune intention d'en sortir, bien assise, les épaules en appui sur les coussins contre le mur, maintenant elle joue avec les bretelles comme avec un lance-pierres, ou des extenseurs, elle a toujours été très contente de ses mains, petites, presque potelées, mais *potelées* est proscrit, il vaut mieux dire j'adore mordiller les phalanges, elle vient de lui lancer *évidemment* et elle attend qu'il réclame ses bretelles.

Elle le regarde, de la tête aux pieds, et pas moyen de rentrer le ventre sinon c'est le pantalon qui tombe aux chevilles, et si je tiens mon pantalon j'ai l'air malin, et où est passée ma deuxième chaussure ? il faut que je file.

Un ami de De Vèze a vécu deux semaines à Genève chez une pharmacienne riche et nymphomane qui l'a séquestré, elle sortait tôt le matin, pendant qu'il dormait encore, elle ne tournait pas le verrou, elle laissait simplement son lynx enfermé dans l'antichambre, le lynx n'était pas particulièrement agressif mais je n'ai jamais voulu tenter l'expérience, je n'essayais pas de sortir, tous les matins, pendant deux semaines, j'ai bouquiné, je faisais aussi du vélo d'appartement, elle rentrait à midi et demi, libre jusqu'au lendemain, la fête, oui, on prenait l'air en fin d'après-midi, pas longtemps, une experte, capable d'ouvrir une braguette rien qu'avec ses doigts de pied.

Muriel a choisi le moment, elle regarde de Vèze, l'œil liquide, beaucoup de cils, de sourcils, un tic bougon, la main ramène les cheveux derrière l'oreille, une petite pomme, dans ses meilleurs jours cette femme est une petite pomme, vive, élégante, normalement il n'en avait plus que pour deux minutes avant de s'esquiver, bretelles, chaussures, veste, petit baiser, et la porte.

Il croyait avoir laissé ses bretelles après son pantalon, non, c'est elle qui les a dégrafées, hier soir, sur lui, en jouant, il ne se méfie jamais assez, et cette façon qu'elle a, sitôt avalée la dernière bouchée de croissant, de remuer les jambes sous les draps, mais il n'a plus le temps.

« À quoi penses-tu ? Tu n'es déjà plus là ! »

Et puis la décharge d'électricité, les épaules en ressacs nerveux contre les coussins, je suis bon pour aller chercher ma chaussure à quatre pattes sous le lit mais je maîtrise encore la situation, elle se calme, le visage qui s'était durci s'adoucit à nouveau, elle a oublié le *évidemment,* elle n'attaque plus, je vais pouvoir me baisser pour récupérer ma chaussure sous le lit, elle sourit, pas trop, pour ne pas accentuer les guillemets de rides autour de la bouche, du nez, et elle dit :

« Bon, à cet après-midi. »

Et pourquoi ne pas avoir répondu simplement *oui, je t'appelle* quand elle a dit *bon, à cet après-midi*, pourquoi avoir précisé :

« Non, cet après-midi je ne peux pas, des visites à faire. » Ça n'a pas raté.

« Des visites ? Henri, tu n'as rien dit hier, tu as seulement parlé du ministre, non, ne mens pas, je ne m'énerve pas, mais tu n'as rien dit. »

Parler de visites ça lui a donné l'occasion de dire *ne mens pas*, ça n'est jamais bon quand elle passe par *ne mens pas*, trop tard pour la reprendre sur la jalousie, j'aurais dû garder les visites pour moi, dire simplement *oui, à cet après-midi, je t'appelle*, et l'appeler vers deux heures pour lui dire *un contretemps, je te rappelle*, une erreur de parler de visites, des visites anodines pourtant, le chef du protocole et la banque, je pourrais le lui dire mais je n'ai aucun intérêt à entrer dans les détails si c'est pour entendre :

« Tu me préfères ta banque, c'est charmant, tu dis tout le temps que tu n'es pas un homme d'argent, tu n'as que quelques jours à passer à Paris et tu me préfères ta banque ! »

Il vaut mieux ne pas parler de la banque, le protocole peut-être, non, ni banque ni protocole, d'ailleurs elle prend les devants :

« Dans le septième peut-être, tes visites ? »

Je n'aurais jamais dû parler de visites, le septième, c'est un quartier dangereux.

Et si elle parle déjà du septième c'est qu'elle est très contrariée, elle a allumé une cigarette, alors qu'elle essaie de ne pas fumer avant midi, les bretelles dans la main gauche, elle fouetterait avec, elle ne dit plus rien, elle va se contenter d'un silence mortel après avoir parlé du septième, le septième c'est très grave, quand elle en parle c'est un point de non-retour, si elle garde un silence mortel c'est mieux que si elle se met à

parler du septième, dans le silence mortel il y a de quoi
prendre congé, c'est dur mais pas catastrophique, parce que
ce serait grave si elle insistait sur le septième, d'ordinaire c'est
un signe, elle dit le septième pour dire attention cela va devenir très dur, et elle attend, et dans ces moments-là de Vèze
comprend qu'elle lui demande d'être doux, de la détourner du
septième par toutes sortes d'attentions, des promesses, des
rêves, Dinard, elle a parlé du septième, et elle attend qu'il se
rachète, par de la douceur, des assurances et des promesses.

Mais là, elle n'a pas attendu, c'est exceptionnel qu'elle n'at-
tende pas, qu'elle entre si vite dans le septième.
« Évidemment tu vas chez l'autre ! »
Voilà ce qu'il fallait éviter, pourquoi est-ce que je me suis
mis à parler de visites ?
« Tu vas chez l'autre conne. »
Très vite les grossièretés.
« Tu y es retourné. »
Le menton qui tremble, les sanglots dans la gorge, elle les
retient, et pour s'éclaircir la voix elle racle, elle jette ses mots :
« Ta pouffiasse. »
Tout de suite au paroxysme,
« Elle suce bien, ta pouffiasse ? »
La femme en colère, surtout ne pas dire *ne t'énerve pas.*
Surtout pas. Laisser passer les premières rafales.
« Et elle se laisse tout faire, la pouffiasse. »
C'est nouveau, le mot *pouffiasse*, peut-être se met-elle en
colère seulement pour l'essayer. Les bretelles, elle les lui a
lancées, au visage, de la main gauche, raté, elles sont au pied
du lit.
« C'est la pouffiasse qui a payé, tu y es retourné, ne
mens pas ! »
Une belle sortie de sanglots maintenant, la jalousie
bavarde, le corps agité, secousses, accalmies, grossièretés,
elle fouette sa douleur à coups de grossièretés, hoquets,
l'autre n'est pas une pouffiasse, plutôt le genre grande dame,

mais elle a le malheur d'être l'autre, pas une autre, il y en a d'autres que Muriel ne lui reproche jamais, l'autre de Moscou par exemple, elle sait qu'elle existe, qu'elle s'appelle Vassilissa, mais elle ne dit rien, elle fait comme si elle n'existait pas, elle ne veut pas avoir l'air de s'être renseignée, tandis que l'autre, celle du septième, était là avant elle, c'était même son amie, elle la hait, de Vèze n'y est pas retourné et ce n'est pas elle qui lui a acheté les bretelles bordeaux, c'est Vassilissa, mais il n'a pas envie de provoquer un débat sur la question.

Le danger avec les larmes c'est qu'elle pourrait s'attendrir, se calmer, soupirer, remuer les jambes, exiger, elle est parfaitement capable de le faire de façon très crue, pour le mettre en retard, parce qu'elle est plus importante que tout, pour être sûre que de Vèze ne sera pas en état de faire autre chose que de simples visites, l'idée ennuie de Vèze, il laisse échapper un soupir de regret, il dit simplement :

« La nécessité ça existe. »

Oui, avec juste ce qu'il faut d'impatience sur *ça existe* pour se rendre insupportable, c'est ma seule chance, qu'elle me trouve insupportable, elle ne s'est pas calmée, la colère et le désir ont tremblé ensemble, ça se voyait dans les yeux, une douleur attrayante, elle le sait, de Vèze a tenu bon, il a fini par récupérer les bretelles, la chaussure n'était pas loin sous le lit, les visites, il n'aurait jamais dû parler des visites de l'après-midi, une erreur, des visites tout à fait anodines, mais une erreur.

« Tu n'es qu'un lâche, tout ça pour une pouffiasse, eh bien vas-y ! »

Elle ne se pardonnera jamais d'avoir été si vulgaire, madame le professeur des Universités, mariée, anciennement mariée, à un patron du Collège de France, d'habitude elle est très distinguée.

De Vèze a pu partir, il ne comprendra jamais rien à cette jalousie, elle ne lui pose jamais aucune question sur ce qu'il peut faire quand il est à l'étranger, mais dès qu'il est en France il ne peut parler à aucune autre femme, il n'a rien dit, il n'a pas cherché à sortir sur un bon mot.

« Un remarquable officier, mon cher Henri, dit le ministre en lui présentant le plombier à croupe de coq, et un vrai spécialiste des questions qui nous intéressent. »

Un spécialiste, c'est-à-dire un outil, pense de Vèze, rien à faire dans ce bureau, on ne m'a pas fait venir de Moscou pour une conversation à trois avec un spécialiste pareil, intérêt de la France ou pas, décidément c'est partout la même ambiance dégueulasse, au Quai comme à l'Élysée, ou dans tous les ministères, depuis qu'il a débarqué de Moscou de Vèze n'a pu avoir aucune vraie conversation avec aucun de ses vieux camarades, il n'a rencontré que des types nerveux, plus sournois que d'habitude, la trouille.

Et d'autant plus la trouille qu'ils sont haut placés, deux d'entre eux, des compagnons de guerre, ont accepté de dîner avec lui, pour se décommander à la dernière minute. Même aux pires moments du gaullisme, pendant le putsch des généraux, de Vèze n'a pas connu ça, comme si j'avais la peste, des compagnons d'aventure !

Le seul type à être venu, non pas le saluer — au Quai tout le monde salue —, non, le seul à avoir dépassé avec lui la durée protocolaire des trente secondes, à avoir comme on dit engagé une conversation, c'est Xavier Poirgade, il descendait le grand escalier quand le Vèze est arrivé, Poirgade, le diplomate gris, plus de dix ans qu'ils se connaissent, ils se sont rencontrés à Singapour, le moins aventureux des diplomates, il n'est même plus diplomate, il a quitté le Quai pour aller diriger un institut d'études stratégiques, dix fois mieux payé, du cran le Poirgade, avec sa petite barbe, son costume gris, ses pattes manucurées, prendre tout le temps de bavarder aimablement sur le palier du grand escalier avec un type qui a la peste, par goût de la provocation, heureux de vous revoir monsieur l'ambassadeur, drôle d'ambiance n'est-ce pas ? une petite conversation à deux, les gens montent, descendent, les regardent.

Poirgade toise les gens qui les regardent, tête en arrière, l'index sous le menton, un air de défi, ce n'est pas parce que ce matamore de De Vèze est dans les embêtements que je vais me faire prendre en flagrant délit de lâcheté, il porte toujours aussi beau, monsieur l'ambassadeur, le petit ruban vert ça conserve, il ne m'aime pas mais il est bien content de m'avoir sous la main pour se montrer dans le grand escalier, j'ai horreur de ce genre de bonshommes, baiseur, m'as-tu-vu, va-de-la-gueule, c'est bien fait pour lui ce qui lui arrive, une sale casserole aux basques, bientôt une épave, il faut être gentil avec les épaves pour qu'elles durent plus longtemps, très bien votre dernier entretien dans *Le Figaro*, monsieur l'ambassadeur, ça n'a pas dû faire plaisir à tout le monde ce rappel de l'Atlantique et de l'Oural, mais vraiment très bien, amuse-toi bien petit ambassadeur, tu n'es pas près de t'en tirer, vous savez, je suis plus jeune que vous, je n'ai pas connu ces années-là, pas comme adulte, mais je suis tout à fait de votre avis, je n'hésite pas à soutenir vos idées, tu ne peux pas savoir à quel point je te soutiens petit ambassadeur, comme la corde le pendu, et moi je pousserais la gentillesse jusqu'à desserrer la corde quand ça t'étouffe, pour resserrer après.

De Vèze n'aime pas Poirgade, le genre *je peux vous parler puisque moi je suis au-dessus de tout soupçon*, Poirgade lui dit : regardez-les ça dit bonjour et ça rase les murs, la débandade, de Vèze aurait pu se taire, il va être en retard chez le ministre, il a la faiblesse d'ajouter quelque chose sur les compagnons d'aventure qui se débinent, vous vous souvenez répond Poirgade : *foutue, l'aventure !* ça ne nous rajeunit pas, il y a bien une douzaine d'années n'est-ce pas ? de Vèze se souvient, le dîner à Singapour, et à table cette exclamation, définitive, à l'époque il s'en était moqué, *foutue, l'aventure !* un propos d'ivrogne, et aujourd'hui la trouille partout, les compagnons qui se débinent, de Vèze ne supporte pas Poirgade et il lui fait pourtant des confidences, la faiblesse des compagnons qui se décommandent, pourquoi est-ce que tu lui parles de ça ? toi aussi tu es lâche, tu parles avec ce diplomate gris parce qu'il ose s'afficher avec toi, une barbe qui fait juste le tour de la bouche, en cul de singe, jamais aimé ce type.

Poirgade en a profité, et de Vèze a compris pourquoi il lui parlait, vous avez des nouvelles de ce couple ? l'historien et sa femme ? comme si tu ne savais rien espèce de faux jeton, Poirgade a vraiment l'air de ne pas savoir que l'historien et sa femme ont divorcé, de ne pas savoir pourquoi, il regarde gentiment de Vèze qui a envie de répondre le mari je ne sais pas, mais la femme, aux dernières nouvelles, quand je suis à Paris je la baise encore, ça se passe bien, merci, un caractère un peu vif, n'aime pas les bretelles rouges, mais elle a le retour affectueux.

Poirgade, une concierge avec un arrosoir à potins, on croit qu'il vend de la stratégie mais ce sont les potins qui intéressent sa clientèle, clientèle très haut placée paraît-il, des séminaires internationaux, il doit soigner ses effets en fin de repas, vous savez la dernière ? le beau de Vèze ? toujours avec l'ex-femme de Morel ! une bien belle constance, elle lui fait des scènes épouvantables mais il y revient toujours, de Vèze va planter Poirgade sur le palier, Poirgade l'a senti, je vous laisse, monsieur l'ambassadeur, il paraît que le ministre vous attend, bonne journée.

Foutue, l'aventure ! et ce n'est surtout pas dans ce bureau de ministre que de Vèze va la retrouver, avec cet autre zozo, coupe en brosse et croupe de coq, dont on lui impose la présence, tout ça pour une rumeur, du bouche à oreille, oui, beaucoup de bouches et beaucoup d'oreilles, c'est devenu insaisissable et c'est à tout le monde, ça finit par avoir l'évidence des grands nombres, on ne rit plus, et quand on n'entend plus rien, c'est pire, un silence ignoble chaque fois qu'on veut parler avec les alliés, on arrive aux réunions, au début tout se passe bien, les drapeaux claquent, présentez armes, on vous tient la porte, on vous salue, grande chaleur dans la poignée de main et puisque vous êtes là on en profite pour discuter du diamètre des corbeilles à papier, même les Allemands vous font le coup, alors que ceux-là, tous les six mois, il y en a un qui est obligé de sauter par la fenêtre de son bureau.

Le Rideau de fer, le Mur? tous cousins, les Allemands! ça se retrouve en été, en Hongrie, et au quatrième schnaps il n'y a plus qu'une grande Germanie, *über alles*, capitale Bayreuth! et ce crétin de ministre qui laisse parler le plombier à croupe de coq, ma parole ils sont en train de me donner des consignes, une taupe, chez nous, on nous prend pour des Anglais, des Anglais qui rigolent aujourd'hui, en disant qu'on les singe.

Le pire c'est ce que tout le monde sait à présent, et le Président ne trouve pas mieux que de mettre une femme sur l'affaire, les femmes il peut en mettre où il veut, créer tous les secrétariats d'État qu'il veut pour tous les jupons, mais pas sur un truc sérieux.

Et il en a mis une, avec un beau nom, Chagrin, Michèle Chagrin, un nom de jeune fille, peu de sein, beaucoup de menton, des cheveux vite gris qu'elle n'avait pas cherché à teindre, le Président lui a fait gérer le dossier directement à partir de l'Élysée, Chagrin avait commencé sa carrière au ministère des Armées, en 64 ou 65, ancienne élève de l'ÉNA, mauvais classement de sortie, pas du tout une spécialiste du renseignement, son truc c'était le contentieux administratif, mais même du contentieux, chez les militaires c'était trop bien pour une femme, ils l'ont poussée vers la sortie, elle a quitté Paris.

Ce qu'elle a fait après? elle s'est fait repérer en province pour son sérieux, en Auvergne, un préfet qui dit au ministre des Finances j'ai une remarquable directrice du contentieux, et le ministre la fauche au préfet, le ministre devient Président avec une majuscule, Chagrin suit, toujours sur le contentieux.

Quand l'histoire de la taupe est devenue un vrai dossier, et un vrai dossier c'est un dossier avec du contentieux, il a fallu quelqu'un pour le gérer sérieusement, elle était là, au moins elle savait tenir à jour, elle a fini par tout coordonner, une femme de l'ombre, jamais dans les réceptions, jamais en dehors des heures de bureau, ça n'était ni une fidèle ni une amie.

Les types qui venaient au rapport à l'Élysée ne l'aimaient pas, ils lui avaient donné un surnom, et ils s'étaient débrouillés pour qu'elle l'apprenne, ça lui arrivait même d'y faire allusion : *la dame-pipi*, ils n'avaient jamais accepté cette femme, les civils comme les militaires, il fallait pourtant bien quelqu'un — pas pour les mettre d'accord, impossible, et tant mieux — mais pour faire la liaison, les synthèses, éviter les courts-circuits catastrophiques, oui, des années après c'était toujours son surnom, un beau surnom, ne protestez pas, j'aime bien, et ça me va de mieux en mieux, parce que je vieillis, que je reste dans mon petit coin, même si c'est à l'Élysée, et parce que quand ils arrivent dans mon bureau de bonne femme ça les chatouille de plus en plus, parce qu'ils ont vieilli eux aussi, et parce que je sais de plus en plus de choses sur eux, et que j'ai de plus en plus d'attributions, pas de pouvoir, le pouvoir c'est politique.

Moi, Michèle Chagrin, administrateur civil, j'ai des attributions, fixées par arrêté, je ne fais rien hors du cadre de mes attributions, je rédige des notes, et quand une note paraît juste c'est un commissaire, un colonel, ou même plus, qui peut être renvoyé à Mourmelon ou à Lure, la belle vie, c'est pour ça que ça les chatouille quand ils arrivent dans mon bureau, ce sont des incapables, ils voient des traîtres partout, ça les empêche de dénicher les vrais espions, surtout celui qui nous bousille l'existence depuis une dizaine d'années, oui, moi aussi je suis incapable de dénicher ce salaud, mais ça n'est pas une raison pour ne pas tenir correctement le dossier.

La dame-pipi n'a pas convoqué de Vèze, elle l'a croisé en ville comme on dit, très aimable avec lui, elle avait un air chiffonné, nous avons beaucoup de soucis en ce moment, elle ne lui a rien demandé, elle a parlé des gens d'expérience sur lesquels, grâce à Dieu, on pouvait encore compter, n'est-ce pas ? Quand avait-on commencé à vraiment la craindre, la dame-pipi ? depuis qu'elle avait eu la peau d'un ministre, un indiscret, des documents confidentiels — non, pas du secret-défense, mais des documents de conseil des ministres, oui, un par ministre, et parfois un peu chauds —, des documents qui se retrouvaient souvent à la *une* d'un grand quotidien du soir.

Patiente, la Chagrin, petit grade et pleins pouvoirs, ça lui a pris près d'un semestre, elle a glissé de petits changements de chiffres dans certains des dossiers qu'on distribuait au conseil, un chiffre différent des autres pour tel ou tel ministre, pas tous, un petit changement après la virgule, à chaque fois elle changeait de suspect, et un des chiffres qu'elle avait à peine modifiés a fini par se retrouver dans les colonnes d'un grand quotidien du soir, cela dit, ça ne prouvait encore rien, un ministre, ça a bien une vingtaine de collaborateurs immédiats, qui voient à peu près les mêmes documents que leur patron, Chagrin ne s'est pas excitée, elle a multiplié les tentations, un jour elle a fait envoyer trois pages d'esquisse du budget général à tous les ministres.

Le ministre soupçonné est malade ce jour-là, on lui expédie le dossier à domicile, par motard, un petit chiffre modifié pour lui tout seul, un quart d'heure avant l'heure de bouclage du grand quotidien, et le chiffre est publié en début d'après-midi en page une, avec sa petite différence, la dame est allée voir le Président, c'est bien, Chagrin, vous me le convoquez, et vous assisterez à l'entrevue, vous venez avec le dossier complet. Personne n'a eu besoin de s'énerver, pas de procès pour ces choses-là, le ministre a démissionné un mois plus tard, il est entré en clinique, il connaissait le Président depuis vingt-cinq ans, une connerie, pourquoi ?

Des illusions sur le pouvoir de la presse ? ou alors le journal le tenait, ou pour le plaisir, vous ne pouvez pas savoir le nombre de gens qui font ça pour le plaisir, j'ai un secret, je ne dois pas le faire circuler, surtout pas, si je le fais circuler je cours le risque de me déshonorer, une vraie roulette russe, un petit clic, pas vu pas pris, et je suis le roi du monde, en fait on n'a jamais su ce qu'avaient été les raisons du ministre, on s'est même demandé si ce n'était pas lui la taupe des Russes, on en aurait bien fait un coupable d'intelligence avec l'ennemi, mais il ne savait pas assez de choses, et la taupe continuait à creuser.

Et c'est pour ça que de Vèze a dû laisser dans son lit une femme qui ne lui pardonnera jamais les grossièretés qu'elle a prononcées, une taupe au sommet, ou dans une grande ambassade, selon toutes apparences.

Grande ambassade ! la mienne ? histoire de faire monter en grade quelques plombiers ? les Américains ont déjà tenté de nous faire le coup sous de Gaulle, en 66, de Vèze s'en souvient bien, c'était un an après sa fameuse soirée à Singapour, les Américains et la *porosité* française ! ils racontaient qu'ils avaient des noms.

À l'époque au moins, on ne s'est pas laissé coincer par des bobards, des noms de minables, personne n'y a cru, c'était pour nous faire payer un discours que de Gaulle venait de faire, en Asie, à Phnom Penh, cent mille personnes, des acclamations à n'en plus finir, surtout quand il a dit que les Américains faisaient face à une *résistance nationale*, qu'ils devaient s'engager à rapatrier leurs soldats, acclamations, et le plus beau, ça, c'est de la haine garantie pour l'éternité, *aucune chance que les peuples d'Asie se soumettent à la loi de l'étranger venu de l'autre Pacifique*, le grand Charles, les Américains verts de rage, un agent de Moscou n'aurait pas fait mieux, on va t'apprendre, *loi de l'étranger*, de Gaulle n'est qu'un agent de Moscou, de Pékin, de tout ce qui est rouge, une trahison de fond, il ne nous a jamais aimés, n'a jamais pardonné Yalta, ni notre appui à l'indépendance de l'Algérie, non, ce n'est pas la monnaie de notre pièce, les dominos, ce n'est pas pareil, on vous expliquera un jour si vous voulez entendre, pour le moment on va vous le déstabiliser, il y a une taupe, dans l'entourage de De Gaulle, une belle rumeur, de toutes pièces, les Américains ont fini par l'admettre beaucoup plus tard, et à demi-mot, un bobard, c'était de bonne guerre.

Mais cette fois, en 78, c'est une vraie quarantaine, ça fait plus d'un an que ça dure, les types du contre-espionnage se sont énervés, ils ont revu toutes les biographies, rouvert tous les placards, monté les uns contre les autres, tout le monde sur le pont, et la chasse aux pédérastes, comme en Angleterre, avec quelques suicides de pères de famille, ils ont aussi convoqué les anciens de l'escadrille *Normandie-Niémen*, pourquoi êtes-vous parti en URSS à cette époque-là ?

« Pour le plaisir d'obéir à un général félon ! »

Même traitement pour les copains qui avaient bossé avec des communistes pendant la Résistance, Guillaume, il leur a dit :

« Allez-y, j'ai l'habitude ! »

En montrant le bout de ses doigts. Au bout de six mois il a fallu dire à l'autre chasseur d'Afrique de calmer ses chiens, ça n'est pas si facile à coincer, une vraie taupe, oui, mais on est toujours dans cette saleté de quarantaine, la rumeur, l'écho qui répond à l'écho, et même les Italiens font semblant d'avoir des secrets pour nous.

C'était si bien, avant, dans le désert, *de Vèze, vous passez en tête*, et on y allait, *de Vèze, vous faites la liaison avec Amilakvari et sa brigade de Légion étrangère, il a six heures pour grimper, avant le lever du soleil*, et on y allait, dans la caillasse, Bir Hakeim, ou Quart-el-Himeimat, 1942, l'aventure dans la caillasse, contre Rommel.

Et un jour, bien plus tard, un beau dîner à Singapour, *foutue, l'aventure !* un joyeux bouffon à grandes oreilles vous lance ça, un type âgé mais vif, les allures d'un Scapin à qui

on ne la fait pas, autour de la table tout le monde trouvait ça
drôle, et il faut près de quinze ans à de Vèze pour qu'il se
rende compte que le bouffon avait raison, jusqu'au jour où
des compagnons d'aventure refusent de dîner avec lui parce
que des zozos du contre-espionnage sont en train d'installer
des clochettes partout.

Si de Vèze comprend bien, le ministre lui demande d'emporter Croupe-de-coq à Moscou, dans ses bagages, une provocation, garde ton calme, on veut te pousser à la faute.
De Vèze s'absorbe dans la contemplation de l'énorme
encrier de bronze qui occupe la gauche du bureau du
ministre, ça fait bien trente centimètres de haut, deux chevaux cabrés au-dessus de deux urnes à capuchon, des cavaliers, sabre au clair pour l'un, une lance pour l'autre, de Vèze
se demande de quelle époque date ce machin, ça pourrait être
l'Empire, des cuirassiers ? ils n'ont pas de cuirasse, des hussards, non, un casque à cimier, et sur le flanc d'un des chevaux il y a un fusil, des dragons, IIIe République, mais avant
1914, quand on faisait encore semblant de croire aux charges
à la lance et au sabre, héroïsme de grandes manœuvres, ou au
tout début de 14-18, foncer à l'arme blanche sur les Boches
avant que des statisticiens d'état-major ne découvrent que
c'était beaucoup de pertes pour très peu de résultats.
Le père de De Vèze a fait la guerre de 14-18, jusqu'en 1917,
l'année où il a perdu sa jambe, il ne lui a jamais parlé de la
guerre, médaille militaire, croix de guerre, Légion d'honneur,
des tas de citations, et jamais rien dit sur la guerre, un héros
silencieux, la maison c'était le silence, une mère encore plus
silencieuse que le père.
Ce que de Vèze sait sur la Première Guerre il l'a trouvé dans
des livres, et dans quelques récits d'amis de son père, à l'extérieur de la maison, il y a aussi eu quelques souvenirs de
maîtres d'école ou des profs au lycée, des types qui y étaient
allés, ça les prenait parfois, vers la fin de l'après-midi, au lieu
de dicter leur leçon ils regardaient par la fenêtre et se met-

taient à raconter, toujours la même chose, à la longue nous n'étions plus très attentifs, on sentait qu'ils avaient envie de raconter de vraies histoires, mais en même temps ils ne voulaient pas nous démoraliser, et même quand ils avaient commencé avec de la colère dans la voix, de la colère contre la guerre, les blessures, l'agonie, les cris, la bêtise, une guerre pour rien, ça finissait malgré tout par ressembler à ce qu'on lisait dans les journaux la veille du 11 novembre, on n'allait pas avoir fait cette guerre pour rien, on devait à nos morts de ne pas admettre n'importe quoi, colère contre la guerre, colère contre l'Allemagne, qui n'avait pas voulu payer, qui ne payait toujours pas, peu de choses précises sur la guerre elle-même, les camarades de De Vèze connaissaient son père, ils étaient fiers du camarade qui avait un père pareil, ils étaient fiers aussi de ceux qui étaient orphelins, mais ça se voyait moins bien que la jambe de bois et la canne du père de Vèze quand il traversait la cour de l'école pour rejoindre sa classe.

Un des amis de son père lui a raconté une ou deux histoires de charges de cavalerie française au début de la guerre, des folies de dragons, c'est rigolo, cet embryon de charge en bronze sur le bureau d'un ministre qui n'a jamais dû monter à cheval, ou alors le ministre à l'envers sur le cheval, le sabre d'une main, la queue du bourrin dans l'autre, un Daumier, envie de tout planter là et d'aller passer une semaine à Dinard, avec la jalouse, il doit se faire pardonner les gros mots qu'elle a dits à cause de lui, vue sur l'océan, un bon moyen de tout rattraper, petit déjeuner au lit, croissants, elle ouvre son croissant en deux, tartine à la gelée de groseilles, referme et trempe.

Et dès qu'elle a fini elle s'étire et remue les jambes.

Elle lui reparle de leur dispute, il répond :

« Des gros mots, tu as dit des gros mots l'autre jour ? Je ne me souviens plus, ah, oui, qu'est-ce qu'elle me faisait la dame ? Comment l'appelais-tu ? »

Elle dirait :

« C'est parce que je t'aime, quand je suis en colère ça te fait rire, l'autre jour, quand tu m'as quittée pour ton ministre, je sais ce que tu as pensé. »

Elle le pousserait à dire des choses blessantes, elle rêve de scène de ménage, elle n'a plus que moi pour en faire.

« Henri je suis sûre que tu as pensé que c'était mieux quand j'étais mariée, je te devine, tu n'as pas de secret pour moi, tu peux le dire maintenant. »

Surtout pas ! Dinard, ne pas faire le voyage ensemble, se donner rendez-vous là-bas, elle aurait le temps de faire provision de bonnes intentions, et puis dans un compartiment de train elle peut être insupportable, lui poser la main sur la cuisse, jouer, mettre la tête sur son épaule, s'échauffer les yeux fermés devant les autres voyageurs, elle ne les voit pas, elle sait qu'ils la regardent, qu'ils regardent de Vèze, que ça le gêne, elle adore ça, murmure :

« Moi je me fous de ce que peuvent penser les autres, je suis amoureuse. »

Une fois elle lui a fait le coup dans une queue de cinéma, collée à lui, répétant j'adore ta nuque, j'adore ton dos, elle parlait bas, mais à cinquante centimètres à peine des voisins, la main glissée dans le dos de De Vèze, sous la veste, la main descend, les doigts remontent la chemise, passent sur la peau, le haut des fesses, elle dit j'aime te caresser là, ils allaient voir *Apocalypse Now*, elle adore le mettre dans ce genre de situation.

Rendez-vous à Dinard. Très bien Dinard, familles et bleu marine, pas trop de belles femmes, elles vont dans le Sud, pas de quoi se faire engueuler parce qu'on a regardé une créature, comme chez *Marty* l'autre soir, quand Muriel a décidé de changer de place.

« Pourquoi ?

— Parce que je n'ai pas envie que tu passes tout le repas à lorgner ces deux cochonnes derrière moi ! »

Ou comme à la Comédie-Française, à l'entracte :

« Ne dis pas que tu n'as rien vu ! » À la fin il avait fini par comprendre qu'une femme en tailleur pantalon s'était rapprochée de lui pendant qu'il était allé chercher des boissons, elle lui avait souri, il l'avait laissée passer devant lui au comptoir, en répondant à ce qu'elle disait. Et au retour il s'était fait engueuler, avec ses deux bouteilles et ses deux verres :

« Henri, si tu y tiens je peux rentrer et te laisser continuer ton petit truc, les hommasses maintenant, elle n'a pas de seins, va vérifier, moi je ne t'attends pas. »

Dinard, nager, il y aura des rouleaux, regarder les cerfs-volants sur la plage, il y en a de plus en plus, de plus en plus grands, un vrai sport, avec des poignées, des bêtes de trois ou quatre mètres d'envergure, oublier toutes ces histoires de taupe, le cerf-volant en piqué, une ressource à ras du sable, le cerf-volant qui fonce vers le ciel dans un sifflement, le gosse à côté de son père, il rit aux éclats, la toile rouge, jaune, éclate aussi dans le vent, certains cerfs-volants se déchirent, d'autres perdent leurs attaches, sont précipités à terre, les rires aussi se perdent, marcher sur le chemin des douaniers, croiser des familles, rêver devant les maisons les plus loufoques ou les plus douces.

Les plus belles, ce sont les maisons d'Anglais, avec leurs grandes verrières et les volets bleus, il y a aussi une crêperie avec des photos de l'entre-deux-guerres dans des cadres à baguette sombre, la *une* d'un journal, encadrée elle aussi, avec un article sur la résistance de Madrid en 36, les républicains avec un fusil pour deux, l'article est signé Saint-Exupéry, également des photos d'un hydravion géant, le rêve de De Vèze dans sa jeunesse, un *Yankee Clipper*, quatre moteurs, des vols transatlantiques dans de vraies chambres à coucher, ce serait bien, Dinard, grandes promenades, les vagues claquent sur les rochers.

Parfois une rafale de vent peut même faire peur, et on se saoule d'air, au bout d'un moment il n'y a plus de maisons,

le sentier est à flanc de verdure, quand un grain passe il
faut parfois s'asseoir en s'accrochant à un buisson de genêts,
on pourrait ne pas le faire, mais on ne sait jamais, ça peut
durer un quart d'heure, elle se presse sur mon épaule, les bras
passés autour de ma taille, puis on reprend la promenade, je
regarde les genêts, il faudrait que je refasse de la botanique,
puis dîner à deux, laisser Muriel choisir pour eux sur la carte,
lui dire :
« Devine ce qui me ferait plaisir. »
Elle répondrait :
« Oh, ça, je sais. »
Elle aurait des tendresses foudroyantes, quatre jours, ne
pas lui proposer une semaine, dire quatre jours, peut-être en
rajouter un cinquième au dernier moment, des jours sans
bretelles et sans incidents, jusqu'au moment du retour, qu'elle
n'aime pas.

Et au lieu de ça, Croupe-de-coq, colonel Berthier pour être
exact, mais il est toujours en civil.

Voilà pourquoi Maurice et Jacques ont dit à de Vèze, il y a
deux jours, au cours d'une réception :
« On a promis que tu ne ferais pas de difficultés. »
Jacques a ajouté :
« Augustin, fais pas l'œuf ! »

Augustin, son nom de guerre, aujourd'hui ça fait ridicule
comme prénom, mais quand il était jeune tous les garçons
avaient rêvé d'être Augustin, toutes les filles auraient voulu
être Yvonne et sourire à Augustin, entre treize et dix-sept ans,
oui, en Sologne, et Jacques a cru bon de le prendre à part, en
laissant Maurice, sa tête de caniche neurasthénique, discuter
avec une veuve de maréchal.

Jacques a pris un air rieur, égrillard.

« Tu as vu, la maréchale, il la drague, sacré Maurice,
Jacques a ajouté, en riant, comme s'il racontait une bonne
blague, et toi arrête un peu de coucher, ou fais ça avec une

seule, deux à la rigueur, comme moi, mais pas à Moscou, tu finis par te faire des ennemis, un jour tu te réveilleras avec une grosse araignée dans le dos. »

De Vèze n'a pas aimé.

Le ministre des Affaires étrangères a presque fini de radoter, de Vèze a vaguement compris, il a vaguement marqué qu'il n'était pas contre, pas plus, tu gardes ton calme, ne jamais réagir à chaud, avant de réagir à chaud dis-toi que c'est qu'ils ont dû prévoir, tu souris d'un air méprisant, tu montres que tu prends ça pour des jeux de gamins dans le bac à sable, tant que ça ne t'empêche pas de faire ton travail, dis-leur accomplir ta mission, le ministre répond nous avons tous une mission, tu parles, ta mission de ministre c'est une dame-pipi qui te la donne, tu te prends pour Choiseul et Briand réunis, et tu vas au rapport dans une soupente de l'Élysée, chez une souris grise qui te donne des ordres, tu appelles ça une mission, tu n'as jamais su ce que c'est, *foutue, l'aventure!*

De Vèze, vous passez en tête ! les ordres de Kœnig ça avait de la gueule. C'est la fin de l'audience, le ministre se lève, il ventripote, rajuste sa ceinture, il veut détendre l'atmosphère, joue avec ses lunettes, met la main sur l'épaule du plombier et froufroute :

« Henri, le colonel Berthier a les pleins pouvoirs, jusqu'à celui de fouiller dans votre pantalon. »

Crétin, à deux doigts d'une main sur la gueule. Tu n'as pas réagi, tu es devenu comme eux, c'est le Scapin à grandes oreilles rigolotes, de vrais radars, qui avait raison en 1965, à Singapour :

« Foutue, l'aventure ! »

Une grande villa, sur une colline au-dessus de la rade de Singapour, une très belle villa coloniale, comme dans les romans de Conrad, le style *British Empire,* en longueur, un étage, la façade en grands dominos de panneaux noirs et blancs sur le fond vert des arbres tropicaux, ils étaient dans le jardin, de Vèze, Poirgade, Scapin, le consul de France à

Singapour, sa femme, quelques invités, tous attendaient l'arrivée d'un homme que de Vèze a toujours admiré.

On ne peut pas dire que c'est à Singapour que ça avait vraiment commencé, mais pour de Vèze, Singapour commence à prendre des allures de présage, il se souvient aussi d'une autre phrase ce soir-là, une réplique lancée vers le Scapin à grandes oreilles par l'un des convives, mais il ne sait plus lequel, c'était une provocation, peut-être Poirgade :

« Non, pas si foutue que ça, simplement on la voit moins. »

Une fois de plus vous avez fait le voyage de Paris jusqu'au *Waldhaus* pour retrouver Lilstein. Beaucoup de choses ont changé depuis votre premier voyage de jeune Parisien en 1956, et surtout celle-ci : en 1972 vous êtes devenu secrétaire général du *Forum* annuel de Waltenberg qui a accueilli en vous un intellectuel français cartésien et douteur, susceptible de réveiller le débat.

Le *Forum*, une belle réunion de penseurs, de politiques, de grands patrons, d'économistes. Dans la tradition de ce qui se faisait déjà ici dans l'entre-deux-guerres, la recherche d'une pensée pour l'action, être absolument moderne, on vous accuse de vous *inféoder au capitalisme*, vous répondez que c'est vrai, et vous défendez le capitalisme.

L'essentiel dans cette histoire, c'est que vous n'avez plus besoin pour venir ici de faire semblant d'aller à Lucerne ou à Zurich, et de prendre un tortillard au dernier moment pour aller retrouver Lilstein, vous avez désormais une excellente raison de faire le déplacement, c'est Lilstein qui vous rejoint, et c'est lui qui prend des précautions de Fantômas. Berlin, Varsovie, Stockholm, Bruxelles, Strasbourg, Bâle.

Il se fait passer pour un cousin alsacien de la patronne, il a toujours l'air de venir en escapade, comme s'il était son amant, il est plus gros, barbu, grimé, il a fini par vous confier que son père était un metteur en scène de théâtre, très connu dans les années 20, ça vous fait rire à chaque fois, il y a long-temps que vous ne vous voyez plus dans le grand salon, vous avez chacun vos habitudes, vos privilèges de vieux client, la patronne a eu la gentillesse de mettre quelques-unes des assiettes peintes du vaisselier que vous aimez aux murs de la suite qu'elle vous garde désormais en permanence, les deux grands plats surtout, au téléphone Lilstein vous dit :

« J'arrive, jeune Français ! »

Vous avez vingt ans de plus qu'à l'époque où il vous appelait déjà ainsi, mais il le fait encore souvent. Il surgit en riant d'une trappe située dans votre placard, avec deux portions de *Linzer* dans une assiette :

« Je viens d'en bas, des entrailles du monde, comme Guignol, mais sans bâton, comme Arlequin, et j'apporte la meilleure tarte du monde. »

Vous riez avec lui, il regarde votre chambre et ajoute :

« Nous appelons ça un appartement *conspiratif*. »

Vous riez avec Lilstein mais aujourd'hui vous commencez à avoir peur, Paris s'agite beaucoup, on vous a même dit que de Vèze, l'ambassadeur, était dans le collimateur, ça ne vous déplaît pas, mais vous vous demandez si cette fois on ne risque pas de s'intéresser à vous, vous avez envie de rester à Waltenberg, la Suisse n'extrade pas, peut-être pas, à quoi cela peut-il ressembler, finir sa vie au *Waldhaus*, entre le panorama des Grisons et la contemplation de quelques assiettes peintes ? vous regardez l'homme aux gestes lents qui vient de s'asseoir en face de vous, c'est Lilstein bien sûr, mais chaque fois que vous le revoyez c'est d'abord pour vous l'homme aux gestes lents, il vous faut un petit moment avant que le nom propre vienne se mettre en place, on ne peut pas avoir peur dans cette belle suite du *Waldhaus*, cela n'est pas possible, vous commencez à vous calmer et Lilstein vous regarde avec un sourire las :

« Vous savez que c'est le vingt-deuxième anniversaire de notre première rencontre ? »

Vous répondez que peu vous importe l'anniversaire, que vous vous sentez de plus en plus mal à l'aise à Paris, qui devient irrespirable, vous avez l'impression qu'un immense filet a été lancé, et que vous allez être pris dedans, vous ne sentez encore rien, mais vous êtes sûr d'être dedans, tout ce que Lilstein trouve à dire c'est :

« Des bouffons qui s'agitent, des clochettes de bouffons ! »

Ailleurs des réseaux entiers tombent, beaucoup de Soviétiques passent à l'Ouest, et aussi des gens de la RDA, pas tant que ça, mais ceux qui passent ont beaucoup de choses à raconter, beaucoup trop pour votre goût, et les Allemands ont la manie des fichiers et des archives. Qu'un des archivistes de Lilstein ait envie d'aller faire un tour chez les Américains, ou seulement chez ses cousins de Bonn, et vous plongez.

« Bon, dit Lilstein, ça n'est pas une raison pour laisser refroidir notre *Linzer*, la seule chose dont je sois sûr aujourd'hui, c'est que c'est le vingt-deuxième anniversaire de notre rencontre, et que nous mangeons de la *Linzer*, pas de la *Sacher*, Dieu soit loué ! Vous ne savez pas ce qu'est la *Sacher* ?

« C'est très différent, la *Sacher Torte*, jeune Français, une génoise, une réputation tout à fait usurpée, chocolat et confiture d'abricots, c'est mou, bêtement mou, chaque fois qu'on m'a obligé à en avaler j'ai eu le sentiment que ça avait déjà été mâché, tandis que cette *Linzer* est toujours aussi exceptionnelle, moelleux de la confiture, belle résistance du sablé de la pâte, comme d'habitude, et cette fois-ci elle sent à nouveau le rhum, vous vous souvenez, la patronne avait déjà mis du rhum, une fois, il y a longtemps, ça ne nous rajeunit pas, ça ne vous avait pas intéressé de savoir pourquoi, vous auriez pu deviner, vous voulez savoir aujourd'hui ? Réfléchissez, très simple, du rhum, un liquide, cela veut dire que notre pâtissière n'a pas utilisé des jaunes d'œufs crus mais des jaunes d'œufs durs.

« Pourquoi ? Pour que la pâte soit encore plus sablée, mais comme il faut quand même un peu de liquide et que les jaunes sont cuits, elle a mis une cuillerée à soupe de rhum dans le puits de farine et de beurre, une cuillerée, pas plus, une simple trace, superbe, au moins la *Linzer* n'a pas changé, pas comme le reste, vous êtes vraiment inquiet ? Vous savez, moi, je suis plus qu'inquiet, je suis triste, mélancolique, c'est peut-être la dernière fois que nous mangeons de la *Linzer* ensemble, en arrivant, je ne m'en suis pas tout de suite rendu compte, je me suis promené un moment, comme d'habitude, aux abords du village, avant de prendre le téléphérique pour venir ici, pour une fois je m'étais donné le temps de faire un petit affût, je voulais voir un de ces petits rongeurs sympathiques soudain effaré d'être si visible au milieu de tant de neige.

« Mais je n'ai rien vu, ou plutôt j'ai vu les tractopelles et les bulldozers, Waltenberg s'agrandit, un héliport, la cochonnerie ! Pour le *Forum* annuel ? Mais les forums, c'était très bien sans héliport, en tant que secrétaire général du forum annuel vous auriez pu vous y opposer, je plaisante, je sais bien que non, et c'est tant mieux, l'héliport, encore plus de participants de haut vol, plus de conversations informelles, plus d'informations, meilleure récolte, un travail encore plus rentable, des gains de productivité considérables dans la production du renseignement, vous voyez que je me suis fait à l'économie moderne, à l'esprit de votre *Forum,* mais n'empêche, je suis triste, des bulldozers ! C'est là que je me suis rendu compte de ma tristesse, et que Waltenberg ne chasserait pas ma tristesse, je regarde le Rikshorn par la fenêtre, et cela ne me fait rien !

« Il y a trop de bouffons, et nous-mêmes, nous étions des garde-fous, et nous sommes en train de devenir des bouffons, avec une petite différence entre nous deux, dans mon pays on fusille encore les bouffons, mais ce n'est pas le risque qui me rend triste, d'ailleurs vous ne courez aucun risque, il n'y a jamais eu aucune archive, je vous l'ai déjà dit, dès le début, aucune fiche, donc pas d'archiviste dans notre histoire, ça ne m'a jamais soulagé de mettre les choses noir sur blanc, aucun transfuge ne peut donc vous livrer, à part moi, je plaisante, et s'il le faut nous ne nous rencontrerons plus ici, je ne viendrai plus, vous parlerez directement à la patronne, elle transmettra, c'est très triste. »

Et Lilstein ajoute quelque chose de pire que la tristesse, pire que votre propre peur, quelque chose qui efface d'un coup toutes les raisons que vous aviez encore de faire face à la tristesse et à la peur :
« Je crois, jeune Français, que nous ne servons sans doute plus à rien. Et si je dis *sans doute*, c'est par gentillesse pour vous, en réalité il n'y a plus aucun doute là-dessus. »

Berthier, colonel Berthier, sans prénom, une carrière commencée en chopant un traître au quartier général des Forces françaises en Allemagne, et ensuite il avait nettoyé l'ambassade de France à Rome de tous les micros que les Russes y avaient accumulés.

Un matin, la dame-pipi l'avait convoqué dans sa mansarde de l'Élysée, avec le ministre des Armées, elle lui avait dit devant le ministre qu'il ne dépendait plus que d'elle seule.

Et quelques jours après l'entrevue chez le ministre au Quai d'Orsay, c'est à l'ambassade de France à Moscou que Berthier a débarqué, dans les bagages de De Vèze, il entrait n'importe où, n'importe quand, parfois il faisait sortir les occupants, mais le plus souvent il s'enfermait avec eux, il était *désolé*, mais il fallait *remettre les pendules à l'heure*.

Il disait *désolé* en haussant le ton sur la dernière syllabe, et en faisant vibrer le *lé*, en parlant du nez pendant la fraction

de seconde nécessaire à sa prononciation, une vibration nerveuse, un signe que cette syllabe pourrait bien éclater si on ne
répondait pas très vite aux questions de celui qui parlait ainsi.
Et il y avait, dans la façon dont il haussait le ton sur la fin
du mot *désolé*, comme une réserve d'énergie incontrôlable et
mauvaise qui cherchait à se libérer des scrupules de la politesse et qui promettait le pire si on n'aidait pas Berthier à sortir au plus vite de cette *désolation* si polie, d'ordinaire si ano-
dine à force d'être mise en avant dans nos manières de tous
les jours, mais qui retrouvait dans sa vibration nerveuse la
violence qu'elle pouvait avoir il y a des siècles, quand les mots
avaient encore toute leur force, quand celui qui vous disait
qu'il était *désolé* marquait ainsi l'extrême douleur de l'état
dans lequel vous le plongiez, et se donnait dans le même
temps la force et le droit de vous faire étrangler.
Berthier avait aussi un questionnaire de trente pages et un
stylo bille à quatre couleurs, il passait son temps à le faire cliquer, attendait la réaction d'énervement de ceux qui ont horreur d'entendre cliquer un stylo bille, mais personne n'osait
lui dire d'arrêter. Si, une fois : quelqu'un avait osé, et s'était
fait dire par Berthier qu'il semblait nerveux.
Et quelqu'un d'autre avait fait un gag, Mazet, un type des
dépêches, terne, dans une réunion de groupe, un fou rire,
chaque fois que Berthier faisait cliquer son quatre mines,
Mazet en faisait autant avec le sien en le regardant d'un air
innocent.
Berthier n'a pas arrêté, Mazet non plus, d'où le fou rire
des autres, pendant quelques jours ça a même été une mode
de faire cliquer les stylos, Mazet est devenu une vedette, œil
vif, voix plus forte, et puis Berthier a dit à Mazet que ses
archives comportaient quelques anomalies, il a tout repris
avec lui, pendant trois jours. Mazet est redevenu terne.

Berthier allait répétant :
« On remet les pendules à l'heure, toutes les pendules. »
Il était cassant avec les hommes, poli avec les femmes. Les

femmes, quand il leur parlait, il regardait de côté, il était devenu le grand sujet de conversation des toilettes dames du deuxième étage, je te dis que ce type n'est pas normal, des yeux froids, tout est froid, il n'a pas de sexe, je n'en sais rien, je n'ai pas été voir, et je n'irai pas, tu peux me croire, on dit ça, ne t'énerve pas, je plaisantais, de toute façon ça ne lui donne pas le droit d'entrer sans prévenir dans nos toilettes, si, il l'a déjà fait, deux fois au moins, hier encore, pas ici, mais au troisième étage, oh, il s'excuse, mais il entre! dans nos toilettes!

Le surnom de Croupe-de-coq s'était vite répandu dans l'ambassade, en concurrence avec celui de *fa* dièse.

Un jour Berthier a prétendu qu'il y avait des traces de cocaïne dans les bureaux des attachés militaires, les officiers ont voulu *lui péter la gueule pour lui apprendre*, ils n'avaient pas fait l'Algérie pour ça, pas l'attaché naval, il n'a pas parlé d'Algérie, lui, il a hurlé dans le couloir, oui, je suis drogué, drogué au kérosène, drogue, trahison, j'ai un secret à vendre pour me payer du kérosène, deux mille sept cent vingt-deux appontages sur porte-avions français, de jour, de nuit, par tous les temps, secret militaire, à vendre aux popofs, c'est que les porte-avions français c'est de la merde! les pilotes de porte-avions français c'est de la merde, puisqu'on les traite comme de la merde! je vais le dire aux popofs!

Berthier a réclamé qu'on envoie de Paris un berger allemand.

« Ce n'est pas parce que vous ne trouvez rien qu'il faut faire n'importe quoi », a protesté de Vèze.

Les manières de Croupe-de-coq faisaient même éprouver à de Vèze de la sympathie pour cette taupe qu'il pourchassait, ça doit être marrant d'être la taupe qui croise Croupe-de-coq tous les jours, et de se dire qu'on le fait tourner en bourrique, on est devant ce flic bas du cul, il peut vous envoyer en taule à perpète, ou même vous faire liquider, et on le fait tourner en bourrique, marrant, on est comme un condamné à mort qui a réussi à planquer la lame de la guillotine. Mieux, on est l'homme invisible, plus fort que l'homme invisible, l'homme invisible n'est qu'invisible, un voyeur sans risque, plaisir de sale gosse, alors qu'un espion c'est visible et présent, quand on le touche on le prend pour un autre, et il fait sourire l'autre, un bon sourire qui dissimule la dissimulation, une véritable aventure intérieure, on sourit à des gens qui vous cherchent pour vous liquider, les chars nous cherchaient aussi, on ne souriait pas, pas trop, mais on les espionnait, les mêmes sensations que quand nous étions dans nos trous, dans la caillasse, à attendre que le char nous passe dessus, pour le prendre à revers, une grenade par-derrière, un interstice de la tourelle, le panzer n'était fragile qu'en deux endroits, et quand on y arrivait on pouvait sourire, mais attendre dans le trou que la grosse bête vous passe dessus sans vous voir, ça faisait un drôle d'effet, une vraie drogue.

La taupe, elle doit sentir la même chose, elle laisse Berthier passer devant elle sans rien voir, des plaisirs d'embuscade, la taupe se marre en voyant Berthier faire n'importe quoi. Et de Vèze, en contredisant Berthier, *ce n'est pas parce que vous ne trouvez rien qu'il faut faire n'importe quoi,* a le sentiment de faire le jeu de la taupe, qui doit bien le connaître.

De Vèze n'a pas trop défendu ses attachés militaires, il ne s'était jamais très bien entendu avec eux, des soûlards heureux d'être en Russie, le berger allemand a fini par arriver, il s'appelait Bébé, belle robe noire et fauve, quarante kilos d'agressivité, dressé à la dure, il pissait contre les meubles, trois gouttes à chaque fois pour marquer, il furetait, marquait, furetait.

Il cherchait. Un matin, il a trouvé le teckel d'un des officiers, le teckel a fait front, comme chaque fois qu'il croisait un chien en laisse, il a aboyé en faisant front, Bébé n'a pas aboyé, il n'était pas en laisse, il a boulé le teckel, il a cherché à lui ouvrir le ventre et le teckel lui a mordu les choses par en dessous, même un berger allemand dressé à la dure pense d'abord à sauver ses choses, c'est ce qui a sauvé le teckel, on a pu les séparer, et ensuite le berger allemand a oublié la

cocaïne et trois ans de dressage, il n'a plus pensé qu'à retrouver le teckel et à reprendre leur discussion, il le cherchait partout, bavait, pissait dès qu'il tombait sur une trace de teckel,
ça au moins, ça a fait rire, et personne n'a trouvé de cocaïne.

Les services de l'ambassade de Moscou ont fait front, ce
n'est pas ici que vous découvrirez un traître, les taupes, ça
s'installe dans vos rangs à vous, les contre-espions, voyez les
Anglais, des contre-espions qui espionnent des espions, c'est
vous qui recrutez n'importe comment, des Zorros, des Pieds
Nickelés, et quand ils sont bons c'est pour jouer double jeu,
ou même triple, des gens instables, ici vous ne trouverez que
des gens de tradition et de confiance, des esprits droits, parfois rigides, mais pas des zozos, la confiance, je réponds de
tous mes collègues.

C'était très beau, cette solidarité, Berthier jouait avec son
stylo à quatre mines et sa menaçante désolation, il supportait
tout, il n'obtenait rien, du vent, quand il en avait assez de
sonder les cœurs et les âmes, il s'occupait des murs et des
parquets, puis il reprenait ses entretiens, il n'obtenait que des
paroles en l'air, des généralités.

On se débarrassait de sa présence avec des généralités, il
repartait dans les couloirs à dada sur son questionnaire, à la
rencontre d'autres généralités, il y a beaucoup moins d'espions qu'on ne croit, bon, parfois ça ragote, mais ne transfor-
mez pas en affaire d'espionnage le machin qu'on peut trouver
dans le journal et qu'on répète dans un cocktail, ce sont des
généralités, il faut bien que nous ayons des conversations
avec les Russes si nous voulons apprendre des choses sur ce
qui se passe à Moscou ou dans le pays, ce qu'il faut regarder,
c'est le bilan, et nous en savons beaucoup sur ce qui se passe
ici, il faut nous faire confiance, nous sommes des gens de tradition, avec de la tenue, quand je dis *nous* je parle des gens
qui sont vraiment dans la carrière, les titulaires.

C'étaient des généralités pour envoyer Berthier se faire
pendre ailleurs, et Berthier est allé ailleurs, mais toujours

dans l'ambassade, du côté des non-titulaires, en disant d'où il venait, et peut-être même de la part de quels titulaires, ou sans le dire expressément, en laissant les non-titulaires chercher qui pouvait bien être le salaud, parce que plus on cherche plus on a besoin de croire à ce qu'on cherche, et il y a des gens qui ont cru qu'un salaud les avait débinés.

Ou ils n'y ont pas cru, ils se doutaient bien qu'on se foutait de Berthier en l'envoyant se faire voir ailleurs, c'est-à-dire vers eux, et ils ont fait la même chose, et certains se sont même mis à croire à moitié à ce qu'on racontait sur eux, qu'ils étaient moins fiables, ou à ce qu'ils racontaient eux-mêmes sur les autres, sans dépasser le stade des généralités, mais personne n'a aimé.

On a dit à Berthier que son sale petit jeu ne prendrait pas, ça n'a pas pris, des ragots, on était au-dessus de tout ça, oui, avec un peu d'aigreur, on changeait d'avis sur certaines personnes dont on n'aurait jamais cru qu'elles étaient à ce point, oh, je me comprends, mais on était au-dessus de tout ça, on se contentait de renvoyer la balle, on voyait clair dans le jeu de Berthier et dans le jeu de tout le monde, très clair, on restait digne, moi au moins je ne couche pas avec n'importe qui, moi je ne sors pas n'importe où, et Berthier se met à chercher du côté de ceux qui couchent et de ceux qui sortent, oui, mais eux, au moins, on ne les voit pas traîner dans l'ambassade après les heures de bureau.

Et Berthier interroge les gens qui s'attardent au bureau en leur disant pourquoi il a eu l'idée de les interroger une deuxième, une troisième fois, et toujours pas de nom, juste une espèce de patate chaude qui circule de plus en plus vite et hop chacun pour soi, oh non, aucune porte fermée, personne n'ose plus s'enfermer dans son bureau, sauf quand c'est Berthier qui ferme la porte, tout le monde continue à voir tout le monde en restant digne, mais on ne se parle plus vraiment et on circule moins.

On n'ose même plus faire de tournée pour une quête

d'anniversaire ou un planning d'arrosage des plantes vertes
et les plantes dépérissent, elles manquent de soins, surtout le
papyrus du deuxième étage, le grand, celui du palier, devant
la fenêtre, qui a tant besoin d'eau, un papyrus à Moscou, ce
n'est pas n'importe quoi, mais avec de l'eau c'est possible,
c'est même son nom, *pieds-dans-l'eau*, il a aussi besoin qu'on
lui parle, le papyrus, oui, même les plantes ont besoin qu'on
leur parle, c'était l'opinion de madame Cramilly, du bureau
des passeports, et de quelques autres personnes, dont un
garde du corps, mais ces personnes exposaient moins publiquement que madame Cramilly leur opinion sur les besoins
réels de certaines plantes vertes, surtout les papyrus.

D'ailleurs madame Cramilly n'est pas extrême dans son
opinion, elle parle au papyrus, c'est vrai, à mi-voix, pendant
qu'elle l'arrose ou qu'elle répand de l'engrais qu'elle fait venir
par la valise diplomatique, elle parle lentement, mais personne n'a jamais vraiment saisi ce qu'elle lui dit, elle convient
parfaitement, quand on la met en confiance, qu'elle parle au
papyrus, mais attention, elle n'a jamais dit que le papyrus lui
répondait, ce n'est pas un dialogue, les mauvaises langues
racontent qu'elle dialogue avec le papyrus, mais c'est une
calomnie, une vengeance parce qu'elle a refusé il y a quelques
années de cotiser pour une machine à café qui aurait été installée dans le bureau de mademoiselle Legeais, qu'elle n'aime
pas, oui, c'est celui où il y avait le plus de place, mais mademoiselle Legeais fume comme une condamnée à mort, oui,
l'expression est méchante mais c'est bien ça, elle allume
chaque cigarette à la précédente, sauf quand elle veut enlever
le filtre d'une cigarette, là elle attend, elle dit que tout ce
qu'on raconte sur le tabac c'est des bobards, mais ça ne l'empêche pas d'attendre. Quand elle a choisi d'enlever le filtre de
la cigarette suivante, quand elle attend, tout le monde sait
qu'elle enlèvera le filtre.
    Madame Cramilly n'aurait jamais mis les pieds dans ce
bureau où, en plus, on parle à tort et à travers, la machine à

café, c'était une manœuvre assez basse contre madame Cramilly qui n'aurait jamais pu y accéder, il n'y a donc pas eu de machine à café dans le bureau de mademoiselle Legeais, pas de vraie machine à faire de l'*espresso*, une de ces machines qui marchent comme celles qu'on trouve derrière le comptoir des bistros, celles à percolateurs, qui coûtent très cher.

Il faut se cotiser au moins à trente, même avec la détaxe du corps diplomatique, même avec seulement deux percolateurs, il y a vraiment une différence de prix très forte entre deux et trois percolateurs, le meilleur rapport qualité-prix d'après la revue de consommateurs de mademoiselle Legeais c'était la machine à deux percolateurs, il aurait suffi de s'organiser, non, c'est faux, ce n'était pas trop cher, et avec deux percolateurs ça va assez vite, mais devant la cabale déclenchée par la Cramilly on n'a pas pu faire de vraie collecte, mademoiselle Legeais n'a pu s'acheter qu'une machine à filtre en papier, comme il y en avait déjà plein dans l'ambassade, le grand modèle, pas vraiment de la lavasse, mais ça ne vaudra jamais le percolateur. Et depuis, le clan Legeais ne rate aucune occasion de calomnier madame Cramilly.

Non, madame Cramilly ne dialogue pas avec le papyrus, elle ne fait que lui parler, pendant qu'elle l'arrose, oui, elle a aussi fait venir l'arrosoir par la valise diplomatique, oh, mais avec une autorisation, vous savez, à Moscou, leurs arrosoirs sont de mauvaise qualité, ils pèsent une tonne et ils répandent une eau très lourde, qui fait des trous dans la terre et entraîne tout le meilleur vers le fond, elle parle au papyrus, pour qu'il se sente bien, les papyrus sont des plantes sociales, toutes les encyclopédies, tous les traités de botanique le disent, et madame Cramilly les a tous lus, au moins tous les chapitres relatifs aux papyrus, ce sont des plantes sociales, et quand on oblige un papyrus à vivre seul, comme celui du deuxième étage de l'ambassade, il faut lui donner la sensation qu'il n'est pas seul, qu'on veille sur lui, donc lui parler.

Avec le papyrus, madame Cramilly parle et s'est toujours
contentée de parler, le reste, les histoires de dialogue, raconter que madame Cramilly s'imagine qu'un papyrus peut lui
répondre, c'est une calomnie de mademoiselle Legeais et de
son clan, on veut faire passer madame Cramilly pour une
folle, et si on continue ça ne se passera pas comme ça, tout le
monde sait que les papyrus ne parlent pas, le papyrus n'a
jamais remercié madame Cramilly de ses bonnes paroles, ce
sont les ondes qui remercient madame Cramilly, celles qu'elle
entend le soir, chez elle, à travers les murs, des ondes qui la
remercient d'avoir parlé au papyrus, et de prendre soin de lui.

Au début madame Cramilly ne croyait pas aux ondes,
seulement à sa propre voix, et puis un jour elle a fait tourner une table avec des amis moscovites, les Kipreiev, un
couple très bien, des gens âgés, madame Kipreiev aimait
beaucoup madame Cramilly, ils l'invitaient avec quelques-
uns de leurs amis, des retraités, oui, madame Cramilly a
demandé l'autorisation d'y aller, c'est distrayant, les tables
tournantes, un soir, craquement après craquement, un esprit
est venu à la table des Kipreiev, il a remercié madame
Cramilly, à plusieurs reprises, sans dire pourquoi.

C'est seulement six mois plus tard, dans une autre séance
de table tournante, que l'esprit a parlé du papyrus, et cet
esprit est revenu une autre fois, remerciant de nouveau, oui,
des soirées douces, un tout petit salon, une table en acajou
et un samovar, pas sur la table, sur un meuble, derrière la
maîtresse de maison, un samovar rassurant, ventru à souhait,
sur la table il y avait une nappe brodée, des petits gâteaux
encore tièdes au moment où madame Kipreiev les servait, des
gâteaux à l'anis, des gens très bien, qui savaient encore casser
leurs gâteaux au-dessus de leur tasse.

Puis madame Kipreiev est morte, son mari est devenu très
triste, plus de soirées, plus de tables, plus d'esprit, madame
Cramilly continuait à parler au papyrus, elle lui parlait des
tables qu'elle avait fait tourner, de l'esprit qui avait parlé de sa

part à lui, le papyrus, et de ses amis moscovites qu'elle ne voyait plus.

Et un jour, pas au bureau mais chez elle, madame Cramilly a cru entendre l'écho d'une voix, sans craquement de bois cette fois, pas un esprit, une vraie voix, ou un écho, puis plus rien, et deux mois plus tard la voix est revenue, en traversant sur une onde les murs du logement de madame Cramilly, une voix précise cette fois, elle a reparlé du papyrus et remercié madame Cramilly, c'était une onde, et l'onde lui a raconté beaucoup d'autres choses. Mais désormais, avec ce remue-ménage dans l'ambassade et toutes ces questions, madame Cramilly n'ose plus rien dire, elle n'ose même plus monter au deuxième étage pour parler à son papyrus comme elle avait l'habitude de le faire, discrètement, mais quand même, souvenez-vous, certains s'en moquaient, avec gentillesse :

« Et comment va ce papyrus chère madame ? Vous savez, nous aussi nous l'arrosons très régulièrement.

— Oh, c'est gentil, mais vous savez, ça ne suffit pas.

— Ah bon ?

— Oui, la semaine dernière, je n'y comprenais rien, il avait bien les pieds dans l'eau, de la lumière, tout pour être bien, les tournées d'arrosage, c'est très bien, très bien organisé, mais la semaine dernière il devenait de plus en plus terne, mou et terne, malgré les pieds dans l'eau, alors il a suffi que je lui parle plus longuement que d'habitude, les fleurs sont revenues, ça devait être de la mélancolie, la mélancolie ça doit aussi exister pour les papyrus, je suis comme vous, j'ai du mal à y croire, mais trouvez-moi une autre explication, alors que tout est en ordre, l'eau, les tournées, le papyrus dépérit, il suffit que je lui parle et voilà ses adorables fleurs qui reviennent. »

Donc, jusqu'à l'arrivée de Berthier, le papyrus allait très bien, avec son arrosage planifié par tous les services et avec la conversation de madame Cramilly, mais maintenant madame Cramilly n'ose plus, elle ne parle plus au papyrus du deuxième étage, et elle n'ose plus monter pour l'arroser, et personne ne le fait à sa place, et pas ce Berthier, évidemment, et chaque jour le papyrus offre un spectacle plus désolant, et on ne se parle plus du tout, vous connaissez l'être humain, il faut qu'il parle, même madame Cramilly, elle a même envie de parler à ce Berthier qui empêche les gens de se parler, si elle lui parle, il s'en ira, et elle pourra recommencer à parler normalement au papyrus.

*

Lilstein a vieilli, nous vieillissons tous, mais lui vous a long-temps paru inaltérable, les yeux clairs, la peau blanche, il est grand, il se tenait très droit. Aujourd'hui, dans votre chambre du *Waldhaus*, il s'affaisse, moins de buste au-dessus de la table, les épaules basses, le regard terne, et il lance :

« Nous ne servons plus à rien, jeune Français, notre métier est devenu mélancolique. »

Les mains de Lilstein ne savent plus quoi faire, il ratiocine, refait l'histoire, revient dix ans en arrière, il veut absolument avoir eu tort, il se bat avec un morceau de tarte qui ne veut pas se laisser couper à la petite cuillère, il renonce, pointe sa cuillère vers vous et dit :

« Il y a dix ans, nous avons lutté contre une guerre imbécile au Vietnam, contre des faucons à bannière étoilée, une belle aventure, et aujourd'hui il y a dans mon propre camp des bouffons à drapeau rouge qui aimeraient bien en faire une, de guerre, en Orient, à leur tour, pas de vrais militaires, pas de vrais politiques, même pas de vrais bouffons.

« Chez Shakespeare les bouffons ont une crête de coq, des clochettes, mais ils ont une vraie sagesse, ils disent *si tu ne sais pas sourire dans la direction du vent, tu vas bientôt attra-per froid*, ou encore *lâche prise quand la grande roue dévale la colline, de peur qu'elle ne te brise la nuque.*

« Mes bouffons à moi sont des crétins d'apparatchiks, des *grands Russes*, des marxistes qui n'en ont jamais fini avec la foi, le sacré, l'orthodoxie, ils veulent jouer à la guerre, une bonne guerre, dans un petit pays, au loin, pour resserrer les rangs, raviver la foi, et chez moi, à Berlin-Est comme vous dites, il y a d'autres crétins pour soutenir les petits camarades de Moscou, la foi patriotique, déguisée en *intervention prolétarienne*, vous vous rendez compte, un de ces types a osé me dire que l'*intervention prolétarienne* est une tâche *scientifiquement sacrée*, j'en tremble encore, la même erreur que les Américains, et au carré. »

Lilstein regarde vers le Rikshorn, soupire :

« *Scientifiquement sacrée !* Ça va nous coûter très cher. Au Vietnam nous avons fait cesser une guerre, ils vont en déclencher une autre, en Afghanistan, ce serait à moi de vous donner des informations maintenant, mais je ne suis pas sûr que nous réussissions à empêcher ça, ils m'ont nommé un nouveau ministre, une canaille, pire que tout ce que j'ai eu jusque-là, il n'a pas fait la guerre, il ne connaît ni la douleur ni la culture, un ancien mouchard stalinien, très intéressant le parcours des anciens mouchards, j'en ai placé un au gouvernement de Bonn, mais quand je vois ce que j'arrive à faire de lui, je n'aime pas en avoir un autre comme ministre.

« Vous aussi, à Paris, vous avez peur d'être victime d'un mouchard, et j'essaie de vous rassurer, mais savez-vous qu'à Paris on a fait une liste de sept cents noms et que vous êtes dessus ? Rassurez-vous, il y a aussi des dizaines d'ambassadeurs, de préfets, de ministres et anciens ministres, mangez, votre tarte refroidit, vous perdez les arômes. Sur la liste il y a même le patron de *Paris-Match* et celui de *Détective*, c'est dire le sérieux de la chose ! Mais n'empêche, vous êtes prêt à lâcher, et moi aussi je suis prêt à lâcher, nous sommes en train de rater notre belle aventure, ils vont gagner, ils ont mis une femme sur notre piste, avec un ou deux bons chiens, et on ne trouve plus nulle part de cuillère à dessert convenable, et moi je suis là à me lamenter comme un chat, la femme ne trouvera rien mais elle va rendre l'atmosphère irrespirable. »

Lilstein a recommencé à se battre contre sa portion de tarte, quand il réussit à couper c'est en émiettant en fragments trop petits, il se plaint à vous :

« Il faudrait une cuillère à manche plus long, un meilleur levier, plus de pression pour couper les morceaux de tarte, avec un des bords de la cuillère en dents de scie, des cuillères à dessert adaptées à la pâte sablée, ou à la pâte feuilletée, sinon nous ferons comme tout le monde, nous boufferons avec les doigts, un rite en moins, du sauvage en plus, nous faisons du bon travail, mais pour des patrons qui n'en valent pas la peine, regardez les miens : un premier patron, en RDA, veule, méchant, et plus loin, là-bas, un deuxième, le vrai maître, chez les ours, un vieux, avec un gros ventre, vous savez qu'il s'est fait nommer maréchal de l'Union soviétique ? Et prix Lénine de littérature ! Pauvre littérature russe ! Tolstoï, Gorki, Brejnev, un vrai toboggan ! Heureusement qu'il y a Pasternak, et Soljenitsyne, oui, j'ai mes goûts. Le vieux, avec son gros ventre, au Kremlin, il passe son temps à arranger son plastron de décorations, il a déjà les décorations et il aimerait bien avoir sa guerre à lui, en Afghanistan !

« Et vous aussi, vous avez deux maîtres, celui de l'Élysée, une poule vaniteuse, il ne surveille pas son plastron, lui, il surveille sa calvitie et son accordéon, et sa vanité, très chatouilleux, parce qu'il sait qu'au bout du compte il devra toujours obéir à un planteur de cacahuètes installé de l'autre côté de l'Atlantique.

« Même si nous lui donnions des informations, à votre vaniteux de l'Élysée, je ne sais pas ce qu'il en ferait, il en profiterait peut-être pour embêter le planteur de cacahuètes au lieu de l'aider, oui, votre patron a beaucoup d'embêtements en ce moment, à cause de nous deux, nous travaillons trop bien, les Américains s'énervent, nous travaillons vraiment bien, mais je ne sais plus ce que nous faisons, et je suis là, pas plus malin qu'avant.

« Pas plus malin qu'un bouffon, vous vous souvenez, en 1956, je vous avais dit que nous allions travailler pour faire la lumière, bon, un jeu de mots un peu lourd, mais il y a toujours eu un peu de ça dans la façon dont j'ai compris mon service d'*Aufklärung*, et aujourd'hui je vois mal d'où viendrait la moindre lumière, j'avais oublié une chose, là où il y a beaucoup de lumière, il y a aussi beaucoup d'ombre, et ça peut être pire, une histoire sur la mort de Goethe : un jeu de mots, au dernier moment le grand homme n'aurait pas dit *plus de lumière, mehr Licht*, mais *mehr Nicht*, plus de rien, j'étais un homme des Lumières, et j'ai produit *plus de rien*.

« Quelles informations je pourrais faire passer à votre patron, jeune Français ? À quoi bon ? Le métier ne sert plus à rien, remarquez, si votre Président passait deux ou trois précisions sur l'Afghanistan aux Américains, ça les calmerait, on nous chercherait moins. »

*

Non, dans l'ambassade les gens n'ont pas recommencé à parler du jour au lendemain, et il y a parler et parler, un mot, deux mots, après un soupir, rien d'affirmatif, mais au fil des jours et des semaines, ce type à croupe de coq qui demandait aux gens de lui parler a cessé d'être insistant, il ne presse plus personne, n'est plus aussi agressif, parfois il a l'air découragé, voûté, humain, il y a quelque temps encore on l'aurait poussé dans l'escalier, lui, son air dégagé et son stylo à quatre mines, et maintenant, simplement parce que des jours, des semaines ont passé, quand Berthier est assis une nouvelle fois en face de quelqu'un il a l'air si fatigué, si tassé, qu'on lève les mains, qu'on les fait retomber sur le bureau en lui disant qu'est-ce que vous voulez qu'on vous dise ?

On ne lui dit rien, on lui pose une question, qu'est-ce que vous voulez qu'on vous dise? on la lui pose pour qu'il se rende compte que la réponse est *rien*, et qu'il s'en aille, et en même temps, cette question qu'on croit lui poser, on se la pose aussi à soi-même.

Et c'est ce dont on a besoin pour commencer à parler, pas une question qu'on s'est fait poser, celle-là on n'y répond pas, on a sa dignité, surtout quand celui qui la pose a une croupe de coq, non, la bonne question, c'est celle qu'on se pose à soi-même en la posant à Berthier : qu'est-ce que vous voulez qu'on vous dise? on la lui pose pour qu'il soit finalement obligé de répondre *rien*. Mais cette question on se l'est aussi posée à soi-même, et là il faut répondre, ni le mot *rien* ni les généralités ne sauraient suffire, on se doit de chercher une vraie réponse, et devant Berthier on se met à se répondre à soi-même, par des généralités plus précises que d'autres.

D'ailleurs ce Berthier, il n'était pas si salaud, par exemple il n'a pas fait de rapport sur l'attaché naval, le pilote de porte-avions qui se prenait pour de la merde, ni sur Mazet, son stylo et ses archives, il comprenait certaines choses, Berthier, et parmi les gens qui disaient qu'il comprenait certaines choses, il y en a qui ont dit après tout si cette histoire de taupe est vraie, il faut bien des gens pour la débusquer, un sale boulot, mais un boulot à faire, et pour attraper de gros poissons il faut se mouiller le cul, ce n'est pas de la délation, Berthier avait d'ailleurs horreur de la délation, il l'avait dit à deux ou trois personnes, il avait simplement besoin d'indices, de généralités, pas toutes, mais certaines, plus précises que d'autres.

On en était là, bon, *des généralités plus précises que d'autres*! certaines généralités pouvaient le mettre sur une piste, il avait rangé son questionnaire, maintenant il avait l'air de demander de l'aide, il bavardait, il disait encore *je suis désolé*, mais sans accent ni menace, il avait même fini par ranger son stylo à quatre billes, et, quand il était assis, avec son visage fatigué, ses yeux sans fond, ça lui faisait une mélancolie de serviteur de maison au bord de la ruine. Il devenait humain.

Avec Berthier, les gens se sont mis à parler poliment, à bavarder, on n'avait pas à se plaindre. L'attaché naval était parti en congé ordinaire ; au deuxième étage on avait recommencé à arroser le papyrus dont les pointes avaient cessé de brunir, c'est vrai, c'est beau, du brun doré au bout des feuilles vertes, mais c'est un signe mortel, c'est une plante vivace, le papyrus, mais à la moindre sécheresse elle meurt.

Madame Cramilly ? non, personne ne l'avait encore vue reparler au papyrus, mais il était très probable qu'elle y pensait, elle semblait avoir peur de Berthier, mais elle trouvait toujours moyen de le croiser, elle le saluait, oui, les gens se saluaient à nouveau, on était à Moscou, mais entre Français, dans la loi française ! on cherchait un coupable, mais sans violence, on ne liquidait personne, pas comme les popofs dans un cas pareil. À l'ambassade de France on ne liquidait que de l'amour-propre, on parlait de choses et d'autres, et on se contentait de frayer avec la honte. Jusqu'au moment où on n'aurait plus rien à refuser à la honte.

Et même madame Cramilly, elle n'avait sans doute pas recommencé à parler au papyrus, mais elle cherchait à parler à Berthier maintenant, malgré sa peur, elle lui avait déjà parlé, à deux reprises, la deuxième fois c'est elle qui avait voulu, ça avait duré deux heures, et depuis il avait l'air de l'éviter et elle de le rechercher, on plaisantait de ce harcèlement de Berthier par une vieille dame qui lui réclamait un nouvel entretien sérieux sur des points importants.

À quoi elle ressemblait, madame Cramilly ? à la vieille dame de *Babar*, tout à fait la vieille dame de *Babar*, une petite allumette, lèvres minces, chignon gris et nez pointu, non, pas de châle sur les épaules, du moins pas au bureau, une robe droite, sombre, un col crème, aucun bijou, Berthier la fuyait, elle ne désarmait pas, la vieille dame de *Babar*, avec des informations de première importance à transmettre, des informations qui lui venaient d'une source très confidentielle, elle avait dû en parler une fois à Berthier, il la fuyait comme on peut fuir la douce et persévérante caricature de ce qu'on fait soi-même.

Parfois Berthier avait l'air joyeux, humain. Il avait trouvé quelque chose ?

Oui, une image dans le tapis, ou des oreilles de lapin dans un feuillage, ça disparaît dès qu'on change d'angle, ça reste de la laine et du feuillage, il ne trouvait rien, mais il avait fini par tout savoir sur tout le monde.

Seul de Vèze avait refusé de lui parler.

« Elle s'appelle Vassilissa, lui avait lancé Berthier, et elle se moque de vous. »

Berthier cherchait aussi des micros, il a ausculté tous les murs, il soliloquait, d'une voix douce, une espèce d'affection, il parlait à quelqu'un dans le vague, ou aux meubles, ou à son tournevis, comme madame Cramilly avec son papyrus, pas les mêmes mots, fais ça pour moi, allez, sois gentille, petite salope, un écho, juste un écho, un indice, bordel, il s'escrimait au tournevis, fais ça pour moi, et sa voix remontait sur le dernier mot, sur *moi,* devenait presque criarde, plus forte encore que quand il était *désolé,* puis il s'est mis à démonter des meubles vieux de deux siècles avec un tournevis, un marteau, et des violences d'infirme, il s'énervait à nouveau avec les gens, il retrouvait ses manières méchantes d'ennemi de l'innocence.

Ça ne décourageait pas madame Cramilly, elle voulait son entretien et semblait savoir à tout instant à quel étage Berthier allait se trouver, dans quel couloir il allait passer, et elle se mettait sur son chemin, elle lui réclamait un entretien sérieux sur des points importants, ou bien elle gardait le silence en le croisant, et elle le regardait droit dans les yeux, pour bien lui rappeler qu'en lui refusant cet entretien, il était en train de commettre une faute professionnelle.

D'autres fois, elle marchait derrière lui sans qu'il s'en rende compte, et quand il la découvrait il prenait l'air mauvais, sans pouvoir jamais la décourager.

C'est vrai, les gens ont commencé à se moquer de Berthier,

à dire *bonjour madame Cramilly* quand ils le voyaient venir dans le couloir, pour lui faire croire qu'elle était derrière lui, il n'osait même plus passer au deuxième étage, devant le papyrus, et le deuxième étage devenait le refuge des conversations détendues, comme l'a remarqué quelqu'un un jour :

« Je ne sais pas si le papyrus parle vraiment, ou si ça vaut la peine qu'on lui parle en particulier, mais au moins il nous permet de parler entre nous. »

Alors Berthier a changé de tactique, il s'est de plus en plus souvent réfugié dans la pièce minable que de Vèze lui avait fait attribuer, pas de fenêtre, une espèce de meurtrière horizontale avec une plaque de verre dépoli, et qui ne s'ouvrait pas, et quand Berthier convoquait un suspect dans ce trou à rat, le suspect commençait par le plaindre, c'est sinistre chez vous, vous n'avez pas pu obtenir autre chose que ça ? ça fait un peu placard.

Il ne répondait pas, il laissait le suspect marquer le point, s'installait derrière un bureau à cylindre qui devait dater des années 30, et le suspect assis en face de lui regardait le dos du cylindre que Berthier ouvrait au bout de quelques minutes, impossible pour le suspect de voir ce qu'il y avait dedans.

Sur un bureau normal, quand on entre on voit toujours ce qui traîne, pas sur un bureau à cylindre, Berthier jetait un coup d'œil de temps en temps dans son cylindre puis relevait ses yeux sans fond vers le suspect, bien sûr, il n'y avait rien dans le cylindre, ou un dossier vide, un curriculum de bon fonctionnaire, des notes des Renseignements généraux sur le suspect, la concierge qui dit que...

Et Berthier regardait dans le cylindre comme un petit flic de mauvais polar, pas de quoi se laisser impressionner, il aurait aussi bien pu laisser traîner un dossier au nom du suspect sur son bureau. Du bidon.

Il finissait par refermer son cylindre de petit flic dans un crissement de vieilles lamelles de bois bien sec, et tant pis pour lui s'il n'avait à se mettre sous la dent que ces quelques mois que tel suspect avait passés, à dix-neuf ans, dans la mouvance, comme on dit, des Étudiants communistes, dans la mouvance car il n'avait même pas pris de carte, quelqu'un avait dit au suspect qu'il ne faut jamais s'inscrire officiellement dans une organisation communiste, ça reste indélébile.

La carte, le suspect l'avait prise sous un faux nom, mais il n'avait jamais fait confiance au secrétaire de section qui lui avait donné la carte, c'était un stalinien, quand le suspect avait parlé des archives le secrétaire de section avait dit *non, dans les archives il n'y a que le pseudo*, en souriant, et dans le sourire le suspect avait voulu voir du mépris pour ses scrupules de petit-bourgeois trouillard, alors que c'était sans doute l'hypocrisie d'un secrétaire qui savait que dans les archives on mettait aussi le vrai nom, mais à l'époque c'est à lui-même que le suspect ne faisait pas confiance et il avait cru au mépris du secrétaire de section.

Qu'est-ce que Berthier a dans son cylindre ? une note qui dit que le suspect a été un sympathisant de l'Union des étudiants communistes ? ou une photocopie du talon de la carte, avec les deux noms, le pseudo et le vrai ? c'était il y a longtemps, le secrétaire de section qui avait inscrit le suspect aux Étudiants communistes était aussi membre du Parti, il était très respecté chez les étudiants, petite voix, petite taille, petites lunettes, gros travailleur, un futur grand linguiste, il était allé à un Congrès de la jeunesse mondiale en Ukraine, il en était revenu avec un petit flacon contenant du *tchernoziom*, cette terre si prometteuse.

Un jour le suspect a appris que cet ancien secrétaire stalinien avait quitté le Parti auquel il était si attaché, il avait fait un premier voyage à Pékin, au retour il avait travaillé six mois sur le front de classe, comme prolo dans une sardinerie en Bretagne, Prunère, le secrétaire de section qui était devenu maoïste s'appelait Prunère, il avait reçu la consigne de revenir à Paris, au comité central de l'organisation maoïste, on avait besoin de sa dialectique pour la lutte idéologique contre le révisionnisme du Parti communiste français.

À Paris les camarades pouvaient écouter Prunère pendant des heures, fascinés par sa dialectique, tous ceux qui à la base collaient et recollaient des milliers d'affiches, ceux qui distribuaient des tracts chaque jour en banlieue à six heures du matin, ceux qui mettaient des journaux sous leur canadienne ou leur blouson pour se protéger des coups de barre que leur flanquaient les valets du patronat ou du révisionnisme, ceux qui imprimaient leurs tracts dans la nuit sur une vieille ronéo qui déchirait les stencils qu'il fallait retaper, ceux qui faisaient les foins chez les paysans, les poubelles en usine, Machin tu vas t'établir !

Et Machin quittait sa deuxième année de droit pour aller coltiner des parpaings sur un chantier ou mettre des sardines en conserve, ceux qui quittaient soudain leur grande école sur ordre, pour aller à la rencontre du prolétariat, tous ceux-là étaient fascinés par la dialectique du Prunère stalinien devenu maoïste, et au fur et à mesure que les affiches étaient collées, les tracts distribués, les coups reçus sur la gueule, les foins engrangés, les brouettes de parpaings poussées par ceux de la base, le Prunère maoïste montait en grade dans l'organisation.

Plus ses camarades s'activaient, plus Prunère les représen-tait à un échelon élevé dans la hiérarchie, il avait travaillé dans une sardinerie, pas dix ans comme les autres, six mois, mais cela avait suffi pour qu'il emmagasine l'expérience prolétarienne dont l'organisation avait besoin, il était revenu à Paris, à un échelon encore supérieur, il jouait un rôle fondamental dans la *veille révolutionnaire* tout en poursuivant des études universitaires, il rédigeait les actes d'accusation qui permettaient de confondre les révisionnistes, aussi bien les révisionnistes objectifs que les faux révisionnistes objectivement bourgeois, il surveillait les autocritiques, et maintenait dans sa pureté la pensée Mao Tsé-toung.

Un soir, au cours d'une réunion d'épuration de la pensée Mao Tsé-toung, Prunère a exigé qu'une camarade soit envoyée à la production, à Nœux-les-Mines, et qu'un autre camarade aille faire la même expérience à Carmaux, tout le monde savait que les deux camarades vivaient ensemble, le camarade a accepté, mais la camarade s'est rebiffée, une sociologue, spécialiste des mécanismes d'exploitation du prolétariat, une fille d'origine très bourgeoise, le camarade Prunère l'a accusée de vouloir continuer à exploiter le prolétariat qu'elle prétendait défendre, elle est partie dans une obscure démonstration.

Elle disait qu'en faisant une carrière dans l'organisation révolutionnaire Prunère exploitait le travail des militants de base, qu'il pouvait faire sa carrière de permanent grâce aux milliers d'heures que les militants sacrifiaient pour l'organisation, il a suffi que Prunère la traite de gauchiste primaire pour clore le débat, et, comme la camarade sociologue avait cité à l'appui de sa thèse erronée des travaux de pseudo-savants yankees, elle a été exclue sur-le-champ. C'est celui qui vivait avec elle qui a rédigé la motion d'exclusion.

Donc le talon de la carte du suspect ne portait que le pseudo, c'était courant à l'époque, Berthier n'a rien, ou alors cette histoire de haschich quand le suspect était en poste au Maroc, mais son ami marocain, le colonel de gendarmerie avait calmé tout ça, deux cents grammes, ce n'était rien, et arrête tes conneries, tu sais bien que les gosses qui vendent sur le bord de la route sont de mèche avec les gendarmes un kilomètre plus loin, si tu veux fumer, passe à la maison, la famille n'est pas là, on fait la fête, il y aura des danseuses du bled, mais apporte du bon cognac, et des havanes, moi je préfère.

Berthier n'a rien sur le suspect, le suspect n'en est pas un, mais le suspect fouille malgré tout dans sa mémoire de suspect, un trop-perçu de salaire, jamais déclaré, une histoire de chèque qui avait failli mal tourner, et le cylindre finit par pouvoir contenir beaucoup de choses, et tout le monde est à nouveau repassé devant Berthier et le cylindre, des tas d'histoires, dans le cylindre ou pas dans le cylindre, beaucoup de suspects, une voiture accidentée revendue à un particulier sans trop de précisions, un gros oubli sur la feuille d'impôts, un compte à Lucerne ou à Klosters, parce que Genève c'est pour les ploucs, deux ou trois lettres idiotes à des amis réfugiés chez Franco alors qu'on ne partageait même pas leurs opinions sur l'Algérie française, une dette de jeu réglée tardivement, ça, ça peut coûter très cher, quelques jours à Vienne avec ce Polonais, bon, jamais revu, mais jamais signalé, un Polonais ou une Roumaine, très cher, ça aussi.

Il n'était même pas dans un vrai bureau, le Berthier, mais dans un placard, sans vraie fenêtre, et sans chauffage.

« C'est pour lui apprendre », avait dit de Vèze.

Berthier s'en fout, c'est lui qui apprend aux autres, il garde son parka, et il souffle le chaud et le froid sur les titulaires et les contractuels, les civils, les militaires, les sages, les malins, les faibles et les fiers, sa force, ce n'est pas de savoir quelque chose sur les gens, c'est de les convaincre qu'ils ont des secrets pour lui, et ils savent depuis toujours que ça n'est pas bien, Berthier attend, il laisse les suspects trier eux-mêmes dans leurs propres secrets.

*

Au *Waldhaus*, vous écoutez Lilstein, il n'a pas tort, il répète *nous ne servons plus à rien, jeune Français*, il faudrait l'écouter, tout arrêter, pas d'archives, pas d'archiviste, si ce qu'il dit est vrai vous serez à l'abri, ça fait plus de vingt ans que vous jouez le grand jeu, vous pourriez vous retirer de la partie, intact, vous continueriez à vivre à Paris, à fréquenter qui vous voulez, sans inquiétude.

Ce qui vous inquiète, c'est que Lilstein a l'air brisé, il dit *mélancolique,* mais vous ne l'avez jamais vu comme ça, s'il arrête il va s'enfoncer dans la dépression, un jour il dira *et puis merde,* ou quelque chose de cet ordre, et il balancera tout, à tout le monde, vous avez intérêt à devancer les choses, à passer dans l'autre camp, à être celui qui se sera retourné le premier.

Trahir Lilstein ? il ne vous a jamais mis en danger, on ne trahit pas quelqu'un sur un coup de tête, il y a le point d'honneur, et au-delà du point d'honneur il y a ceci : si vous passez dans l'autre camp, quel bagage emporterez-vous ?

Si vous n'avez pas de bagage de valeur, c'est au mieux quinze ans dans une cellule à la Santé, et tout ce que vous avez fait jusqu'ici perd tout son sens, ce sera à votre tour de plonger dans la mélancolie, c'est la pire ironie de la situation : vous allez arrêter au moment où Lilstein va enfin vous apporter un morceau royal, l'Afghanistan. Vous vous souvenez du vieux pacte : *nous serons des égaux,* avait dit Lilstein, le premier jour.

Lilstein n'a pas tort non plus quand il parle de vos maîtres respectifs, tel que vous connaissez votre Président il laissera faire les Russes et continuera de jouer de l'accordéon à l'Élysée.

Il suffirait donc de se servir des informations de Lilstein pour obliger votre Président à être plus dur avec les Russes, il ne pourrait plus laisser faire, ce serait ne pas avoir l'air de comprendre la gravité de la situation, s'il a des informations ou des conseils qui le poussent à la fermeté, il ne pourra pas faire celui qui a été surpris, et il transmettra aux Américains, et les Américains seront contents de la France et de son président, tout bénéfice, vous avez déjà fait cesser une guerre grâce aux informations que vous donniez.

Non, ce n'est pas de la mégalomanie, Lilstein vous donnait le vrai bilan des pertes américaines au Vietnam, celui que personne ne connaissait, on vous donnait de vrais chiffres avant même que le Président américain ne les reçoive, et vous diffusiez sans en avoir l'air, et vous allez empêcher une autre guerre grâce aux informations qu'on vous donnera. Cette fois, ce sont les Français qui annoncent aux Américains *les Russes vont envahir l'Afghanistan*. Une amitié renouée avec Washington.

Vous n'avez pas besoin d'être à une tribune, et de scander *arrière les canons, arrière les mitrailleuses*, cela n'a jamais servi à rien, vous êtes silencieux, vous mangez de la *Linzer* avec Lilstein et la guerre recule. À l'Élysée, votre Président est plutôt pour négocier avec les Russes, tout le monde le sait, il suffit de lire le journal, mais le jour où il saura que l'invasion va se faire il faudra qu'il le dise aux Américains, et il se rangera à leur côté, et l'Otan fera reculer les Russes.

« Le mieux, vous dit Lilstein, ce serait sans doute de tout arrêter, comme ça ils arrêteraient de chercher une taupe, nous aurons eu une belle aventure, et vous ne serez plus anxieux. Laissons-les faire la guerre, après tout, pourquoi les Russes n'auraient-ils pas droit à une petite guerre coloniale, comme tout le monde ? Je ne suis même pas sûr qu'il y aura beaucoup de monde pour essayer de les en empêcher. »

А

Tout le monde a défilé dans le placard de Berthier, sauf madame Cramilly, qui est allée se plaindre à de Vèze, et de Vèze l'a envoyée promener, et madame Cramilly lui a dit qu'elle avait vu Berthier sortir de son bureau à lui, l'ambassadeur, un jour qu'il était en déplacement.

« C'est son métier », a dit de Vèze.

Il a préparé un télégramme pour Paris : *c'est lui ou moi*.

Chapitre 6

1978

QUATRE OU CINQ LILSTEIN

Où de Vèze fait un tour de manège près du palais de Chaillot.
Où Lilstein continue, malgré votre âge, à vous appeler *jeune
Français*.
Où l'on assiste à la première rencontre de De Vèze avec la nièce
d'un maréchal soviétique.
Où vous avez, devant une dame, une réaction qui pourrait pertur-
ber vos activités de taupe.

MOSCOU, juin 1978

... les êtres ayant peu à peu laissé tomber
devant moi leur premier, souvent leur second
et leur troisième aspects factices...

Marcel Proust,
Le Temps retrouvé

Et Berthier a déboulé dans le bureau de De Vèze :
« Regardez si c'est pas mignon ! »
Il venait de la salle des télex, une nuit blanche et il avait fini par trouver des gadgets, pas dans les meubles, pas dans les murs, mais dans certaines machines, des trucs parfois très simples, des fils shuntés par un condensateur, ça module une haute fréquence qu'on peut lire à distance, ça vaut toutes les bretelles a dit Berthier, il était redevenu méchant, il a donné des ordres.
« Personne n'entre, personne ne sort tant que je n'ai pas fini. »
Il a réclamé des renforts à Paris, ils sont arrivés dans les vingt-quatre heures.
« Pourquoi *fa* dièse ? a demandé un des nouveaux venus à une secrétaire.
— Parce que c'est tout près du sol.

Une vraie garde à vue pour tout le monde, et une belle récolte, des capteurs électroniques dans des télex et surtout dans des machines à coder, du travail d'artiste, à même les circuits, des pièces déguisées en transistors ou en condensateurs, un matériel assez ancien, les bécanes dataient du début des années 60, et les gadgets aussi d'après les techniciens.

De braves bécanes, costaudes, à la française, avec socle en fonte, de celles qu'on ne remplace pas souvent, vérolées jusqu'à l'os par l'artisanat du KGB, sans doute pendant le transport de Paris à Moscou, oui, par chemin de fer, sous scellés, et elles avaient été contrôlées à l'arrivée, oui, par des mimiles, le début des années 60, cela voulait dire que la vérole avait été installée dès le règne de De Gaulle, près de quinze ans déjà.

À l'ambassade, on a respiré, on n'avait jamais cru à une taupe, et quand Berthier a pris congé tout le monde l'a félicité, du beau travail, en moins d'un mois, madame Cramilly lui a offert un petit papyrus en pot, il a eu des mots très gentils pour elle, il lui a dit qu'elle lui rappelait la vieille dame de *Babar*, beaucoup de confidences enjouées ont été échangées mais personne n'a dit à Berthier ce qu'était son surnom.

L'attaché naval est revenu, on était à Moscou, la vie n'y était pas toujours facile mais l'ambassade retrouvait les allures d'une communauté efficace et heureuse, avec son teckel, son papyrus, ses attachés militaires, ses stylos à quatre mines et sa vieille dame, une Célesteville en réduction d'où la colère, le découragement, la mollesse, la bêtise, la peur, la paresse et l'ignorance s'enfuyaient enfin sous les coups de la patience, du savoir, de l'intelligence et du travail.

La grande affaire était désormais la préparation d'un barbecue dans les jardins de l'ambassade.

À Paris, le Président n'a pas été mécontent de cette découverte, tout le monde s'est calmé, on a rapatrié les bécanes de Moscou, on en a installé de nouvelles, bénies par les Américains à qui on a même permis de les ausculter. À tout hasard on a mis une équipe sur les gens qui s'étaient occupés des messages et du chiffre pendant toute cette période, certains étaient à la retraite, à la campagne, ça a encore fait quelques dégâts individuels, sans résultat, il y a eu une belle note de synthèse, histoire d'en empêcher quelques-uns de dormir.

D'après la note, beaucoup de choses avaient transité par les capteurs, pas des trucs très secrets en eux-mêmes : pour ça on est fidèle aux bons vieux coursiers, pas de noms, pas de plans, mais n'importe quel malin pouvait se faire une excellente idée de la politique occidentale en recoupant quelques idées générales dans les messages échangés entre l'ambassade et Paris.

Et c'est là que les Russes avaient dû trouver comme un feu vert pour l'entrée en Tchécoslovaquie en 68, quand un ambassadeur de France demande ce qu'il doit transmettre au Kremlin comme mise en garde et qu'on lui répond *il a été convenu avec Washington, Londres et Bonn que nous resterons relativement flexibles.*

Peut-être les enquêteurs exagéraient-ils pour donner de l'importance à leur découverte.

Le ministre avait donc eu raison d'imposer Berthier, il a convoqué de Vèze à Paris, on ne sait pas si cette fois de Vèze a frappé avant d'entrer, ce qu'on sait c'est que le ministre s'est payé le luxe de présenter comme des excuses à de Vèze, cette mission Berthier, ça n'avait pas été facile, mais le dérangement en valait la peine

« C'est pour ça que j'ai tout assumé, mon cher ambassadeur, dès le début. »

Si de Vèze voulait prendre un petit congé, ça permettrait de marquer un peu de mauvaise humeur vis-à-vis des Russes, sans aller trop loin, oui, de Vèze pourrait même partir en voyage, pas longtemps, mais il pourrait respirer, le ministre, lui, ne le pouvait pas, de Vèze avait de la chance.

En sortant du bureau du ministre, de Vèze a croisé des amis de vieille date, les couloirs bruissaient à nouveau, les compagnons d'aventure souriaient, de belles poignées de main, des mains de gens qui avaient lancé des grenades sur des panzers et qui retrouvaient soudain leur vigueur chaleureuse, de Vèze s'est attardé, il a fait le plein de sympathie, debout, en plein couloir, et comme par hasard beaucoup de monde passait, ça a duré un bout de temps. Il a même cherché à croiser Poirgade, sans en avoir l'air, on lui a dit qu'il était en voyage :

« Vous savez, il a été très bien, il a toujours pris votre défense. »

Vers la fin de l'après-midi, de Vèze a quitté le Quai d'Orsay, envie de s'aérer, de marcher à son pas, il est passé par la porte latérale, faire un petit pèlerinage, longer la plaque apposée à la mémoire de l'équipage du *Quimper*, le char de la 2e DB que les Allemands ont flingué là, à la Libération, de Vèze connaissait l'équipage.

Sur le mur du ministère on a volontairement gardé les traces d'impacts.

De Vèze a continué, à droite, sur le quai, le long de la grande grille du palais, le monument à Aristide Briand, très kitsch, le bas-relief de bronze, Briand accueille un cortège de femmes reconnaissantes, des femmes bien verticales, robe très droite, avec des cheveux tressés en nattes et les nattes en couronne sur le haut de la tête, une frise surplombe le tout : un laboureur, un berger, du bétail, des épis, la France de 1932, avec un forgeron quand même, mais dans un coin, l'époque où Poincaré se félicite que la France soit à l'équilibre, moitié des gens dans les villes, moitié dans les campagnes, un idéal à préserver, pas comme ces Américains qui plongent dans la décadence et la pagaïe industrielle, bien vu, 1932, une France déjà en retard de trente ans, et heureuse de l'être.

Sur les côtés du bas-relief, en colonnes, un fatras de citations contradictoires sur la patrie et la paix, le désarmement et la défense nationale, tout ensemble, mais sans les paroles les plus célèbres de Briand, *arrière les canons, arrière les mitrailleuses*, le grand discours devant la Société des Nations, celui que l'instituteur leur avait donné en dictée, à Cluses, le grand rêve, et le rêve à apprendre par cœur. Un peu à côté de la plaque, pense de Vèze en souriant, mais au moins ça avait de la gueule. Il aimait bien l'instituteur, même s'il ne s'en est aperçu que beaucoup plus tard. Un homme assez jeune, un pacifiste, qui se mettait en short pour les emmener au stade en leur apprenant à marcher au pas dans la rue, ballon sous le bras, parce que, en fin de compte, la discipline, le collectif!

De Vèze a cinquante-cinq ans, mais c'est seulement maintenant qu'il s'aperçoit qu'il est quinquagénaire, ta sixième décennie lui a dit une amie, même si tu as renoncé aux bretelles tu es un homme mûr, il a de la paille dans la tête, il est face à la Seine, Paris, l'eau du fleuve, couleur verte, fatiguée elle aussi, des éclats de lumière quand une rafale de vent vient à contre-courant, Vassilissa n'a pas écrit, de Vèze hésite devant la Seine, il a toujours un moment d'hésitation quand il veut se promener sur les quais.

Les bouquinistes à droite? Ou plus de calme à gauche, vers Passy et l'île aux Cygnes?

Il n'a rien à lire en ce moment, il a beaucoup de livres chez lui mais aucun livre qu'il ait envie d'ouvrir avant de s'endormir, comme *Le Capitaine Fracasse* ou *Monte-Cristo*, un beau livre d'aventures, sans déprime, ou une biographie? bien écrite, avec de la pensée.

Il choisit les bouquinistes et prend à droite sur les quais, vers l'Assemblée nationale, il vient de recevoir trois invitations à dîner chez des compagnons mais il n'est pas dupe, il n'a plus que des souvenirs, comme une montre arrêtée, et qui fait faire des bêtises.

Il marche le long des quais, une autre plaque de marbre sur un parapet : c'est l'un de ses meilleurs amis, Varin de La Brunnelière, 1er régiment de marche du Tchad, engagé volontaire à dix-huit ans, tué à cent mètres de la Concorde, lettres d'or sur fond blanc, de Vèze se dit qu'il a encore quelques connaissances dans le quartier, sur du marbre, la même réflexion que son vieil ami Hatzfeld le jour où ils se sont promenés vers le haut de Belleville, Roland Hatzfeld, un communiste, mais sans carte, ou alors ça ne se sait pas, un compagnon de route comme on dit, grand avocat avec des entrées partout, il a son cabinet dans l'île Saint-Louis mais habite toujours ce coin de Belleville, pas une rue sans son Kherlakian ou son Leibowitz assassiné par les nazis.

Au cours de leur promenade, Hatzfeld s'était arrêté à plusieurs reprises devant des plaques, la tournée des copains avait-il dit, puis ils s'étaient assis dans une pâtisserie algérienne, une échoppe, des tabourets, pour manger des *baklavas*, miel, amandes pilées, vraie pâte feuilletée, le patron était venu saluer Hatzfeld.

« C'est le plus important la pâte feuilletée, a dit Hatzfeld, elle doit rester craquante malgré le miel, craquante mais pas dure, le *baklava* ça tient deux jours maximum, après c'est de l'escroquerie, ici, j'ai confiance, et pas de pois chiches ou de noisettes à la place des amandes. »

Hatzfeld a fait un geste de la main vers l'extérieur de l'échoppe, les rues qu'ils viennent de parcourir :

« Tu vois, la Résistance c'était comme le marxisme, plein de juifs et de métèques.

— Oui, a dit de Vèze, en se léchant les doigts, mais nous avions aussi des particules, Boyer de La Tour, du Chastellar, et c'est un Robin de Margueritte qui vous passait les consignes en 44, ils ont aussi leur plaque, sur les quais de la Seine.

— C'est plus huppé, nous sur les affiches allemandes on était la racaille, et fiers de l'être, on n'aurait pas donné notre place pour un empire, même si de belles âmes accusent aujourd'hui le Parti de nous avoir envoyés au casse-pipe.

— Le casse-pipe on m'y envoyait aussi, tous les deux jours, dit de Vèze, il paraît que la guerre c'est comme ça.

— Il faut avoir connu », a conclu Hatzfeld.

Quand ils sont sortis de la pâtisserie, de Vèze a pris son ami par l'épaule, il l'a serré en marchant à côté de lui. Hatzfeld est le seul survivant d'une famille de seize personnes. Au bout d'un moment, de Vèze a demandé :
« Ton Algérien, il est au Parti ? »

Hatzfeld, pourquoi ne pas téléphoner à Hatzfeld, retourner bouffer des *baklavas* ? De Vèze marche le long des quais, en direction de Notre-Dame, les premiers bouquinistes après la Concorde.

Tout à l'heure, au Quai d'Orsay, entre les belles poignées de main, il a reçu une consigne précise, c'est venu du Président, transmis par le ministre : un mois sans rejoindre son poste, le Président se fait plaisir, en croyant qu'il fait peser sur les Soviets la menace d'un rappel de l'ambassadeur de France, effectivement, monsieur de Vèze reste à Paris, en consultation, il n'est pas rappelé, pas officiellement, mais nous ne savons pas s'il ne va pas également prendre des vacances, vous savez, la vie à Moscou n'est pas de tout repos, oui, une grande amitié à préserver, mais pas à n'importe quel prix, cher ami.

De Vèze marche sur les quais et se met à penser à un voyage à Singapour, un petit pèlerinage, un retour aux années soixante, à la soirée dans la villa, il a envie de revoir tout ça, pourquoi en a-t-il à ce point envie ? une villa coloniale achetée aux Anglais et qui servait d'annexe au consulat de France, avec des effets de style *black and white,* le noir luisant des dominos de la façade qui se gorge encore de la lumière d'une fin d'après-midi et qui catapulte le blanc dans la verdure tropicale du jardin, la belle pente du toit de tuiles rouges, et l'immense *living* ouvrant sa collection de meubles acajou sur la végétation du jardin, avec une véranda où la table est déjà dressée, la nappe blanche, les assiettes de Sarreguemines à motifs bleus ; au-dessus de la table, il y a un lustre léger, une fois allumé il diffuse sur les visages une lumière indulgente.

Ce dont se souvient surtout de Vèze, c'est de la surprise qu'il avait eue ce soir-là, en 1965, il était venu exprès de son poste de Rangoon, il avait fait le voyage à Singapour pour saluer un homme qu'il a toujours admiré.

Et il avait commencé par en trouver un autre, inattendu, joyeux, grandes oreilles, qui lui avait lancé : *foutue, l'aventure !*

Sur les quais, de Vèze a dépassé le pont Royal, il va vers le pont des Arts, soudain il revient en arrière, il a vu un livre dans un casier de bouquiniste il y a quelques instants, le titre lui a tapé dans l'œil, il ne s'en souvient plus, un titre d'aventures, un auteur de grand large, un de ces livres qui donnent envie de partir, ou d'écrire, tout ce qu'il faut quand on est en vacances, le livre était rangé de face, à l'extrémité gauche d'un casier, de qui était-ce ? pas Pierre Loti, de Vèze longe les casiers, qui peut bien acheter tous ces journaux allemands des années d'Occupation ? non, pas un livre de Morand non plus, Kessel, tout à l'heure, il n'y avait que deux bouquinistes avec du Kessel, de Vèze revient en arrière, slalome entre les touristes, s'arrête devant une couverture sous cellophane, *Wagon-lit,* c'est le titre, le nom de l'auteur comme une garantie que ce ne sera pas une nouvelle madone des sleepings, Kessel, ça a de la gueule.

Ce soir, dans sa chambre, de Vèze va pouvoir partir, un grand livre, de grands espaces, pas de grands mots, de la vitesse, vérifier pourtant, le bouquiniste est mal luné, il n'ouvrira pas l'emballage, ça fait trois fois qu'on me le demande aujourd'hui, c'est une édition originale, à force ça abîme les livres, et les pages ne sont pas coupées, et un Kessel ça s'achète les yeux fermés, allez, je vais vous l'ouvrir, de Vèze n'aime pas ce bouquiniste, il le plante et repart, il se souvient que le livre qu'il avait vu n'était pas sous cellophane.

Il cherche l'autre bouquiniste, là, *Wagon-lit,* et c'est deux fois moins cher, et les pages sont coupées.

À quelques mètres, le bouquiniste est occupé, il parle d'un

autre auteur avec une cliente, oui, j'ai un exemplaire de sa première édition, de Vèze essaie de capter la conversation, klaxons, passage de bus sur les quais, j'avais payé ça cinq cents anciens francs, une couverture très abîmée, pétarade de moto, vous savez que c'est Gide qui l'avait refusé ? d'où le compte d'auteur, avec une dédicace, je l'ai fait relier pour moi, je le garde, parfois je passe le doigt sur la dédicace.

De Vèze ouvre *Wagon-lit,* c'est ça, un grand voyage à travers l'Europe, vers l'Est, gare du Nord, un soir à l'aventure, Paris, Cologne, Berlin, Olsztyn, Siauliai, Riga, plus loin, partir, une femme, là-bas, de Vèze lit, *je sentais les frissons de cette fièvre, de cette frénésie, de cet appel désespéré me prendre peu à peu, me gagner, me noyer.* Non ! tous ces kilomètres pour des phrases de coiffeur et des mots qui vont par trois, et *appel désespéré,* on est à Riga, mais la phrase n'a jamais démarré, de Vèze se trouve injuste, il cherche des choses plus goûteuses, tourne les pages du Kessel avec une bonne volonté d'enfant, il aimerait tant partir avec le livre, *comme si elle revenait à elle, un pli farouche se creusa entre ses sourcils,* il a le livre en main, *pli farouche,* deux mille kilomètres pour un pli farouche, il repose le livre, il est au bord des larmes, on ne peut jamais compter sur personne, un ministre, un plombier, des mois de folie.

Il n'a plus envie de livre, marre des bouquinistes, il rebrousse chemin, toujours sur les quais, repasse à hauteur de la Concorde, hésite à traverser le pont, il n'aime pas les Champs-Élysées, il reste sur la rive gauche, accélère l'allure en passant devant son ministère, continue jusqu'au pont de l'Alma, puis à hauteur de la tour Eiffel, le pont d'Iéna, à l'entrée du pont il y a un manège, un carrousel, encadré par deux chevaux cabrés, chacun sur un piédestal, des haut-parleurs diffusent *Ah, le petit vin blanc,* les chevaux par rangs de trois montent et descendent le long de leur axe pendant que le manège tourne, dans les haut-parleurs *La Mer* succède au *Petit vin blanc.*

Intercalés entre les rangs de chevaux il y a deux éléphants à nacelle pour les enfants les plus petits, les chevaux sont hideux, crème et dorés, avec des crinières marron, vertes, bleues, violettes, un des enfants est accompagné de sa mère, il pleure, veut descendre, le carrousel tourne ; parmi les chevaux il y a un âne, un seul, le guichet du manège propose une peluche pour tout achat de six tickets. Il y a aussi un *Carrousel gourmand*, qui vend de tout, pop-corn, gaufres bruxelloises, frites, glaces, cornets d'amour à deux boules, viandox, barbe à papa, crêpes, saucisses, avec deux angelots au-dessus de sa caisse. Juste à côté, un stand de souvenirs propose des tours Eiffel de toutes les tailles, et des porte-clefs, des foulards, des cuillères, des cendriers, des coupe-papier et des stylos, tous avec tour Eiffel. Il y a aussi un vendeur de marrons grillés.

De Vèze ne s'attarde pas, il regarde vers l'autre extrémité du pont d'Iéna, au pied du palais de Chaillot, à gauche, il traverse le pont d'Iéna.

Il est là : un carrousel encore plus grand, un manège à étage, les chevaux sont plus fins, les couleurs moins criardes, il n'y a pas d'âne, mais un cheval noir, la nuit est en train de tomber, il n'y a personne à l'étage, de Vèze s'approche du guichet, prend une place, attend la fin du tour, monte avec audace et décision le grand escalier qui mène à l'étage, là aussi les haut-parleurs diffusent *Ah, le petit vin blanc*, de Vèze est seul à l'étage, Paris tourne autour de lui, la Tour, le fronton de Chaillot, le grand bassin, les toits, les arbres, la Seine, le bassin et les bas-reliefs, le pont, la Tour, il est bien.

À Paris, le bon temps est revenu, les capteurs déguisés en transistors, ça a soulagé tout le monde, la France avait été piégée par de la mécanique, mais elle n'avait pas de taupes, ça, c'était pour les Anglais et les Allemands.

Au pays de Jeanne d'Arc, la race restait saine.

Après un mois et demi de congé, de Vèze est reparti pour Moscou, avec le sourire, il n'a finalement pas réalisé son projet de pèlerinage à Singapour, on lui avait dit que la villa *black and white* avait disparu.

À Moscou, il a repris ses rendez-vous avec Vassilissa, sans se cacher, de Vèze n'a jamais rien caché de sa vie privée, ça évite d'avoir à répondre à des questions de sous-fifres ou de croupes-de-coq, il inscrit tout sur l'agenda de son bureau, sans se gêner, des choses comme *visite de mademoiselle Vassilissa Soloviev,* ou *sortie, mademoiselle, Soloviev,* souvent il écrit en deux mots, *ma demoiselle,* sur un agenda qui est quand même une pièce officielle, exprès, ne rien cacher, avoir la paix, Vassilissa est grande, blonde, mathématicienne, spécialiste des algèbres non commutatives et nièce d'un maréchal, oui, membre du Comité central, c'est surtout pour ça qu'on leur fout la paix, Vassilissa a les gestes nets et la fesse musclée.

À l'exception de Berthier, personne n'a jamais osé parler à de Vèze sur ce sujet. Comment voulez-vous faire ? Avec son passé, il est intouchable, dès que vous voulez lui poser une question qu'il n'a pas provoquée, il vous regarde, et vous sentez qu'il va vous demander ce que vous foutiez entre 1940 et 1944, pas 45, il y avait déjà trop de monde, il n'a d'estime que pour des rescapés de la première heure, comme lui, et quand on lui envoie un rescapé qui peut lui dire des choses, le rescapé se contente de faire une toute petite remarque, parce qu'on ne traite pas un de Vèze comme un paillasson.

Oui, ça commence à bien faire, mais on ne peut rien faire, il faut attendre qu'il fasse une connerie, il n'en fait pas beaucoup, même cette fille à Moscou, c'est imprudent, une matheuse, spécialiste des algèbres non commutatives, on ne sait jamais, de toute façon ça ne se fait pas, et les Russes ont l'air aussi embêtés que nous, mais c'est transparent, c'est leur force, à ces deux-là, de faire quelque chose d'énorme sans se cacher.

La fille aurait levé un simple attaché culturel, elle serait déjà en résidence à Magadan, au moins à Iakoutsk, ou alors on aurait seulement rappelé l'attaché culturel, mais là elle

toise tout le monde, on peut toujours essayer de lui faire des
ennuis pour avoir couché avec un héros de la Seconde Guerre
mondiale, et les Russes savent que s'ils demandent le rappel
de De Vèze il ne sera pas remplacé par un gaulliste, c'est une
espèce en voie de disparition, ils préfèrent le garder, de Gaulle
aurait pu le convoquer, lui dire :

« Alors, de Vèze, on couche ! »

Mais de Gaulle n'est plus là, et qui sait ? il se serait peut-
être contenté de marmonner :

« De Vèze ? Il fait son métier d'homme. »

De Vèze et Vassilissa se voient le mercredi et le samedi, le
jour qu'ils préfèrent, c'est le samedi.

Le mercredi c'est vif, dans l'appartement de De Vèze à l'ambassade, Vassilissa sait qu'elle n'est là que pour deux heures,
elle se met très vite au lit, elle a offert à de Vèze un petit
tableau naïf qu'elle a elle-même cloué au mur de la chambre,
deux dauphins qui se serrent de près en sautant au-dessus
des vagues, elle déploie une énergie sans fioriture, une fois
elle a dit à de Vèze :

« Pour bien connaître les hommes, il faut les fatiguer. »

Le samedi, c'est différent, ils peuvent aller dans la petite
maison de campagne de Vassilissa, ce n'est pas du tout la
même Vassilissa que le mercredi, de Vèze aime beaucoup le
lit-placard de cette maison, matelas un peu mou, une grande
couette à vraie plumes, mais Vassilissa dit : non, promenade
d'abord !

Le bois de bouleaux et de marronniers est vieux, envahi de
buissons, mais il fait avec la lumière de beaux mélanges d'or
et de cendre.

Ils marchent jusqu'à une petite source, le long d'un ruisseau tordu, ils croisent des pêcheurs qui prennent l'air
mécontent et bredouille au passage des promeneurs, ils sur-
prennent des pigeons qui pataugent dans des flaques au
milieu du chemin, des chats à l'affût de mulots, ils arrivent à
la source, un gloussement presque imperceptible de petits

geysers crevant la tourbe à proximité d'un affleurement de racines à mufle noir, une source flaque.

Ils regardent, l'œil bientôt ivre d'eau, de sable, de reflets de branches et de soleil, ils restent longtemps, tout semble aller de soi, le gris du minerai de fer qui vire au rouge, la surface de l'eau a parfois des reflets arc-en-ciel.

« Non, ce n'est pas de l'huile, monsieur je-sais-tout, c'est la composition minérale, je t'expliquerai, j'aime bien pouvoir t'expliquer quelque chose de temps en temps. » L'eau clapote légèrement, un bruissement d'oiseau. Un silence à fond de feuillage fait tenir tout cela ensemble. Au retour ils cueillent des mûres acides mais comestibles.

Ils ont leurs lenteurs, de Vèze aime regarder Vassilissa se laver, il va chercher l'eau à la pompe, la fait chauffer, la verse dans le réservoir, une douche plus que rudimentaire, un filet d'eau, Vassilissa rit beaucoup et se sert de De Vèze pour suspendre sa serviette. Il leur arrive de passer la nuit de samedi dans la maison, ils ont un peu de temps, de Vèze embrasse les chevilles de Vassilissa, remonte en chantonnant parfois deux vers d'une chanson entendue chez des amis quand on couchait les enfants, il lui reste seulement deux vers, sans rime, *c'est joli un papillon, c'est comme une fleur qui bouge,* Vassilissa descend la main, lui caresse les cheveux, ça la trouble, et ça la fait sourire parce que de Vèze ne chante pas précisément juste.

Le dimanche matin, de Vèze est réveillé par le grincement d'une manivelle de moulin à café, il se lève, Vassilissa serre le moulin entre ses cuisses, il lui dit que dans une autre vie...

« Je sais, dit-elle, tu voudrais être moulin à café dans cette maison, mais parfois c'est ma tante qui s'en sert. »

Dès qu'il fait beau, on entend des chants d'oiseaux à travers le store. Personne ne les dérange, c'est leur maison de pain d'épice, on les laisse tranquilles, nous ne sommes plus au temps de Staline, de Vèze est un grand garçon, les relations

entre la France et la Russie ont toujours été particulières, de
Vèze est gaulliste, l'oncle de cette Vassilissa Soloviev est un
maréchal, un héros de l'Union soviétique, Stalingrad, troupes
de choc; ça doit être ça, l'affection de ce maréchal pour de
Vèze : le panzer, tu le grenadais comment? sous les chenilles
ou dans un interstice de la tourelle? le pire, c'est le sable ou
la neige?

Mais ils évitent peut-être soigneusement les souvenirs
d'anciens combattants, chacun sait tout sur ce qu'a fait
l'autre, ils se contentent de parler des livres ou des tableaux
qu'ils aiment, ou de promenades; et ce qu'ils ont fait jadis
donne seulement du timbre à leurs propos, ils parlent aussi
de la nature, les champs de colza, oui, d'un seul coup, au printemps, une grande claque de jaune sur des milliers de kilomètres, de l'Atlantique à l'Oural.

Le maréchal Soloviev porte un toast au colza, cette plante
qui, elle, au moins, continue à pousser, tovaritch de Vèze,
selon les directives de ton Grand Charles, de l'Atlantique à
l'Oural, ton Grand Charles que nous regrettons tous, je bois
au colza, à l'Atlantique, à l'Oural, au Grand Charles surtout! tu m'emmèneras voir l'Atlantique, à Brest, camarade
ambassadeur? dans les exercices d'état-major, à Moscou,
j'ai joué le rôle du commandant de la région militaire de
Bretagne, pas le Français, le Soviétique, celui des troupes
d'occupation, j'ai toujours réussi à atteindre Brest avec mes
hommes, du *Kriegspiel* très sérieux, c'était très bien, tu me
montreras la Bretagne, les champs de colza qui arrivent au
bord de l'océan, moi, je t'emmènerai voir l'Oural, quand je
serai à la retraite.

Et le maréchal porte un toast à l'amitié :

« *Za drouzhbou*, tovaritch. »

*

Derrière Lilstein il n'y a plus de grand vaisselier, vous êtes installés tous les deux dans votre grande chambre du *Waldhaus*, mais la patronne, pour vous faire plaisir, a mis au mur quelques assiettes peintes et les deux grands plats de son service alsacien, vous retrouvez, comme il y a vingt-deux ans, comme toujours, le grand plat avec la sortie de la veillée, les fileuses à la lanterne en hiver, et pour la première fois vous portez votre attention vers l'autre grand plat à côté, celui qui représente un bal en plein air, vous ne l'avez jamais trop regardé, vous avez toujours préféré les fileuses, mais aujourd'hui il y a quelque chose qui vous gêne et vous fait le regarder. Lilstein remarque votre gêne :

« Oui, ils l'ont changé, ils n'ont jamais réussi à retrouver le même. »

Et vous comprenez que c'est cela qui vous fait regarder le plat.

« Quelqu'un l'a cassé il y a quelques années, dit Lilstein, et la patronne n'a jamais retrouvé le modèle original, elle a retrouvé un autre bal, de même format, mais ça n'a plus rien à voir. »

Ce nouveau bal est plus statique que l'autre. Pour autant que vous vous souveniez de l'autre que vous n'avez jamais regardé avec attention, il était plus riche, plus enlevé ; dans celui d'aujourd'hui les gens sont raides comme leurs cols, le premier rang est vu de dos, plus facile à peindre, les jeunes femmes surtout, il n'y a qu'une seule danseuse de face, au second plan, un seul trombone en guise d'orchestre, et vous cherchez à vous souvenir de quelque chose que vous ne regardiez pas.

L'orchestre du plat qui a été cassé, c'était un vrai orchestre, avec trombone, trompettes, violons, et il y avait de vraies jeunes femmes qui dansaient partout, et même un couple qui partait à droite, vers le bois, en faisant semblant de danser, un couple qui prenait sa chance.

Dans le plat que vous avez sous les yeux les gens sont raides, figés, il y a aussi un bois à l'arrière-plan, mais personne pour y aller, ce n'est qu'un rideau d'arbres, un rideau de peintre maladroit, personne pour prendre sa chance, une fête triste. Vous vous souvenez, sur l'autre plat le temps se dépensait en riant, mais c'est parce que vous vous souvenez, désormais c'est foutu. Le premier bal a disparu, quelqu'un a dû une dernière fois regarder les morceaux avant de les mettre à la poubelle, Lilstein se retourne pour regarder le plat :

« Celui-là, jeune Français, il lui manque le rythme coloré de la vie. »

*

Très romanesque la rencontre de De Vèze et Vassilissa, un bal, oui, en présence de son oncle le maréchal Soloviev, un bal à Moscou, les Soviétiques adorent ça, en plein milieu des années 70, la nostalgie de Tolstoï, les tenues de gala, pas au Kremlin, ni dans un ministère, non, à l'ambassade de Grande-Bretagne, certains Soviétiques commencent à avoir de l'allure, mais la majorité c'est gros ventres, gros seins et petits parfums, et quand on n'est pas marié, comme de Vèze, on doit faire danser les femmes d'officiels soviétiques ou celles des ambassadeurs, très ingrat, le rôle, quand on aime danser, tordre la valse avec des matrones, une ou deux exceptions mais pas plus, c'est le numéro deux de l'ambassade de France, le ministre résident, qui a dressé l'ordre de passage, il n'aime pas les femmes, votre carnet de bal, monsieur l'ambassadeur, il était tout content de jouer ce tour à de Vèze.

De Vèze a valsé avec application, puis il est allé se détendre dans un coin de la salle, en compagnie de son vieux camarade Soloviev, il essaie de repérer quelques jolies femmes, tandis que de l'autre côté de la piste de danse, près du buffet, au milieu d'un groupe de diplomates amidonnés et sages, une jeune femme se demande si c'est vraiment l'ambassadeur de

France ce grand monsieur en habit avec une seule décoration, à peine visible, le petit ruban vert à liseré noir, il a l'air
jeune, pourquoi mon oncle lui a-t-il fait le salut militaire alors
qu'il ne porte qu'une décoration ? il doit y avoir un théorème,
pour se faire saluer avec respect et affection par un maréchal
de l'Union soviétique il faut et il suffit de porter une seule
décoration ; mon oncle, au moins, on ne peut pas se tromper, il ne manque que l'éclairage, il porte un kilo et demi de
médailles, c'est ma tante qui me l'a dit, pratiquement un kilo
et demi sur la balance de la cuisine, et encore il ne les met pas
toutes, pour ne pas offenser certains camarades.

Mon oncle ne parle pas à ce Français comme à un ambassadeur, comme à l'Anglais par exemple, ce Français il lui met
la main sur l'épaule comme à un vieux compagnon de guerre,
alors qu'on m'a dit que nos officiels ne devaient jamais avoir
de contact si rapproché avec des étrangers, chaque fois qu'il
y a une main sur une épaule d'étranger ils doivent faire un
rapport, ils ont vraiment l'air d'être de vieux compagnons,
pourtant mon oncle fait beaucoup plus âgé, quel âge a ce
Français ?

C'est compliqué, ma tante m'a bien expliqué, je ne suis
qu'une jeune femme, je n'ai pas le droit d'adresser la parole à
des étrangers de très haut rang, je peux répondre s'ils me
parlent, mais je ne dois pas les déranger, je ne peux pas me
diriger vers ce Français et lui demander pourquoi mon oncle
lui met si facilement la main sur l'épaule, je suis ici avec
des jeunes gens de mon âge, des artistes, de jeunes diplomates pleins d'avenir, pour mettre une ambiance joyeuse, de
l'insouciance, mais sans déranger les grands, et comme ce
Français a autre chose à faire que de m'adresser la parole,
nous ne nous parlerons jamais, pourtant il a de l'allure, c'est
à lui que je dois parler, je suis jeune, au bal de la cour j'ai seize
ans, mes yeux papillotent, j'ai une rose dans les cheveux, mon
cœur bat fort, j'ai des souliers de satin, je suis passée sur un
tapis rouge, un grand escalier fleuri, pour l'instant seul le Tsar
est en train de danser sur cette piste où personne n'ose se
lancer, j'ai les bras maigres, la poitrine aussi.

Je sais très bien danser, je sais qu'au bal il faut être très vite invitée, on ne m'invitera pas, il faut être parmi les premiers couples quand tout le monde peut encore vous voir, quelqu'un traverse la salle en diagonale, il est à plus de vingt mètres, je cligne des yeux pour dissiper un début de larmes, on ne m'invitera pas, c'est un prince, il vient par là, il vient vers nous, la salle est grande, on dit que c'est l'un des meilleurs danseurs de notre époque, et c'est un héros, il vient inviter ma sœur, ou ma cousine, il est beau, il a failli mourir à Austerlitz, un drapeau à la main, c'est moi qu'il a choisie, qu'a-t-il senti en me prenant dans ses bras? nous dansons, on nous regarde.

Non, je n'ai pas seize ans, notre tsar actuel ne danse plus, depuis au moins trente ans, et j'ai trente ans, je n'ai pas les bras maigres, je suis blonde, je nage bien, j'ai une très belle poitrine, je pourrais être beaucoup plus décolletée, mais ma tante a eu l'air triste quand j'ai essayé l'autre robe, elle n'a rien dit, l'air triste, avec moi ça lui suffit, elle le sait bien, la seule chose qu'elle ose me dire c'est que je pourrais être mariée, je lui ai demandé de me trouver un héros. Elle, ça a été facile, elle a vu un héros en 1943, elle l'a épousé, il l'adore, il ne l'a jamais battue, quand il boit il couche au ministère, il boit de moins en moins, j'ai essayé de trouver un mari, aujourd'hui il n'y a que de petits hommes, qui parlent de voitures, boivent sec, sont jaloux et vous écrasent sur des draps rugueux, ma tante conduisait des camions pendant la bataille de Stalingrad, mon oncle m'a dit que c'était une déesse, ils n'ont pas d'enfants, ils voudraient des petits-neveux, des petites-nièces, le Français m'a regardée, j'en suis sûre, est-ce qu'il y a d'autres jolies femmes ce soir?

Il y a toutes ces femmes occidentales, pas toutes, mais certaines sont vraiment belles, un peu maigres, et il y a toutes nos artistes, que les Occidentaux trouvent toujours moyen d'inviter, moi, je ne suis ni danseuse ni violoniste, mais je suis sûre que je suis très jolie quand on m'aime, je suis une très bonne mathématicienne, le plus souvent je n'ai pas besoin de calculer les résultats, je les vois, il paraît que ça s'arrête vers trente-cinq ans, mais pour le moment ça va très bien, et je joue du violoncelle, je devrais en jouer plus souvent, où ont-ils trouvé ces pyramides de cerises ? personne n'ose y toucher. Cette danseuse du Bolchoï a certainement repéré le Français, elle n'arrête pas de le regarder, les danseuses sont indécentes, elles savent qu'on leur permet tout, celle-là est vieille, c'est une étoile mais elle est vieille, c'est pour ça qu'elle met souvent sa main sur sa joue, à cause du gant blanc, pas loin de quarante ans, et maigre, très cambrée, et elle lui sourit, j'ai toujours rêvé de marcher comme une danseuse, elle lui tourne le dos, elle est maigre mais on voit bien que son corps a commencé à couler vers le bas.

Le Français la regarde, il doit être en train de se dire qu'elle ne se dandine pas, les hommes ne voient que ce qui les intéresse, les danseuses savent tout faire avec leur bassin, c'est vrai que je me dandine, on me l'a déjà dit, mais quand je pense à ne pas me dandiner je deviens raide des épaules, il faudrait un pas plus souple, plus lié, comme ça la fesse ne part pas à tort et à travers, la danseuse du Bolchoï a disparu et le Français parle maintenant avec mon oncle.

« En tant que maréchal de l'Union soviétique, je vais te confier une mission de confiance, tovaritch de Vèze, et tu vas obéir, termine ton verre, et fais danser ma nièce, la jolie blonde, la grande, là-bas, qui nous sourit de loin, fais-la danser, et dis-lui du mal des Occidentaux. Elle croit que les étrangers sont plus doux que les Russes, elle a trente ans, elle est belle, elle est célibataire, elle nous désespère, ma femme et moi, elle n'écoute rien, elle fait des mathématiques, ici, nous traitons les mathématiciens comme des vaches sacrées.

« Ils font ce qu'ils veulent jusqu'à ce qu'on les expédie à Iakoutsk, j'ai peur qu'elle ne veuille épouser un étranger, ça ne peut faire que des histoires, elle est sortie avec un Anglais, ne ris pas, ils ne sont pas tous homosexuels, ou alors ils changent, ça va faire des histoires, sois gentil, va lui dire qu'en Occident vous êtes aussi salauds que nous avec les femmes.

« Dis-lui qu'avec un Anglais elle fera aussi ses deux journées de travail, les mathématiques et les courses, les gosses, le ménage, la cuisine, comme ici, mais nous ne serons pas là pour garder les enfants, et on ne la laissera pas partir en Angleterre, on l'enverra à Iakoutsk, on la forcera à avorter, moi, je me fous de ce qui peut m'arriver, tout le monde sait que je n'ai aucune ambition, jamais eu, c'est Toukhatchevski qui m'a formé, je l'admirais, on l'a fusillé, et c'est grâce à ça que j'ai pu monter en grade aussi vite, sans ambition, et aussi parce que après la guerre j'ai accepté de faire de petites choses pour le bien de l'État.

« Ils peuvent me mettre à la retraite quand ils veulent, j'ai toujours voté avec la majorité, et je suis héros de l'Union soviétique, j'ai été décoré deux fois héros de l'Union soviétique, parce que, quand beaucoup de gens sont tués, on décore les survivants en l'honneur des morts, tu sais, sept millions et demi de soldats morts en quatre ans, ça fait soixante pour cent de pertes, beaucoup de héros morts, donc avec les survivants on fait des doubles, des triples héros, moi je suis un double héros qui vote toujours avec prudence, avec la majorité, ici c'est très respecté, je n'ai pas peur, c'est pour ma nièce que j'ai peur, surtout quand je ne serai plus là.

« Va lui dire du mal des Occidentaux, tovaritch, qu'elle se range, comme vous dites, et qu'elle nous fasse des petits-neveux cent pour cent russes, je les emmènerai à la patinoire.

« Tu n'as même pas besoin d'aller vers elle, regarde, c'est elle qui vient, elle sait que c'est interdit de venir déranger les officiels, mais il suffit que ce soit interdit, invite-la, dis-lui que vous êtes aussi salauds que nous, et que vous connaissez moins de poèmes, non, elle s'arrête, c'est au tour des hommes de danser, entre eux, leurs hommes en jupe.

« Tu vois, elle préfère regarder danser des hommes en jupe, avec leur musique criarde. »

De Vèze et le maréchal se sont interrompus, ils sont au premier rang, à quelques mètres du groupe de soldats écossais, pas de bal britannique sans les sabres en croix sur le sol, épées ou sabres droits, pointe contre pointe, sous les lustres, quatre hommes en jupe plissée et veste rouge, mains à la taille, ils sautent en rythme au-dessus des épées, la jupe qui vole au son des cornemuses.

Quelques spectateurs échangent des sourires, quatre autres groupes de quatre hommes aux quatre coins, qui dansent aussi, mais sans épée, cela doit être toute une hiérarchie, vingt danseurs en tout, ils sont nu-tête, et une douzaine d'autres hommes pour la musique, des cornemuses, et des tambours, ceux qui jouent du tambour ont des bonnets à poils noirs, des vestes jaune d'or, c'est une petite fanfare, avec un grand tambour-major, la danse des épées c'est plus que du saut en rythme, c'est léger, talon, pointe, demi-tour en l'air, ou bien des entrechats, pas de vrais entrechats, ce serait trop féminin.

Ce qu'ils font, c'est ce que peuvent faire des soldats quand ils sont allégés du poids des combats, on leur a enlevé leur sac, ils danseraient presque bien ; mais avec des tambours pour rythmer ça reste militaire, la main des camarades à prendre, pour faire un bel ensemble, ce n'est tout de même pas *Le Lac des cygnes*, ils finissent par ramasser leurs épées, amusante la tête d'un soldat qui ramasse son épée et salue avec, lèvres serrées, mâchoire bloquée, veines apparentes sur la main et l'avant-bras, lame à la verticale devant les yeux, regard vers l'horizon, ils ne voient personne, ils appellent ça l'air martial, ne pas avoir l'air joyeux, une femme regarde le lustre au-dessus du tambour-major, la musique criarde de Vèze l'aime bien, parce que dans le désert c'était le gros de l'infanterie, et les renforts, les cornemuses jouaient *Scotland the Brave*.

« Je sais, mon cher maréchal, tu n'aimes pas les hommes en jupe, mais à El-Alamein ce sont eux qui étaient en tête de l'infanterie quand nous avons enfoncé les lignes de Rommel, les Allemands avaient laissé un joli ventre mou au centre pour que les blindés alliés foncent dedans, et Montgomery n'a pas touché au ventre, il a laissé les blindés au garage et il a envoyé l'infanterie en masse sur l'aile gauche des Allemands, avec la musique criarde, ça avait de la gueule. Et le soir au campement ces types en jupe ont fait la même danse qu'ici, avec les épées par terre, j'aime bien, même s'ils ont fait la même chose à Waterloo.

« D'ailleurs, regarde, ils s'en vont, place à la valse ! Tu peux préférer la valse, maréchal, comme au congrès de Vienne, tu as des goûts de réactionnaire, elle vient vers nous, ta nièce, elle a la démarche un peu raide, militaire, c'est vraiment ta nièce ? »

*

Et soudain ç'a été l'autre alerte, quand les petits obsessionnels du laboratoire de Paris ont fait connaître les résultats de leurs analyses, après les grandes vacances. Tous les gadgets découverts par Berthier à l'ambassade de Moscou, tous les capteurs, dataient bien des années 60, mais certaines soudures, elles, étaient beaucoup plus jeunes, elles avaient été faites à peu près à la date de leur découverte, disons printemps 1978.

On a foncé.

Six voitures chez Berthier.

« Il est à l'hôpital », a dit sa femme.

Dans la salle de réanimation, Berthier était devenu un légume, avec des tuyaux, rouge, vert, bleu, partout ; congestion cérébrale d'origine indéterminée, irrécupérable.

Les yeux de Berthier étaient immobiles, ça n'a pas empêché certains enquêteurs d'y trouver la tristesse de quelqu'un qui s'était fait doubler après avoir doublé tout le monde. D'autres y ont au contraire décelé la joie du type qui avait enfin trouvé le bon sacrifice.

Un traître. Berthier avait pourtant une biographie en béton, et pas un sou de plus que son traitement, jamais de politique, parents catholiques, pauvres, études en prytanée militaire, un seul incident au dossier scolaire, un zéro en maths, en prépa Saint-Cyr, copie blanche, parce qu'il s'était aperçu que toute la classe trichait, femme catholique, pas de maîtresse, même pas un petit coup de travers, les enfants chez les scouts.

On a encore gratté. Rien.

Commando de chasse en Algérie, mais pas de corvée de bois, aucun de ces trucs qui vous dégoûtent un homme de sa propre gueule et lui donnent envie d'expier, en faisant n'importe quoi. Gaulliste, opposé aux putschistes d'Alger, mais n'avait dénoncé personne. Après l'Algérie, il était passé au contre-espionnage, un grand amateur des techniques de transmission, il avait franchi toutes les étapes du *confidentiel défense*, filtré à mort tous les ans, une perle.

Depuis l'affaire de Rome, il avait les pleins pouvoirs pour nettoyer les locaux diplomatiques à l'étranger, la seule chose qu'on ait trouvée, c'est un oncle maurrassien, sauvé de la cheminée à Buchenwald par le réseau communiste du camp, certains analystes de la caserne Mortier prétendent que c'est de là que c'est venu, toutes les vacances d'enfant et d'ado chez le tonton, en Normandie, sans doute à se faire raconter Stalingrad et la grande lutte contre la barbarie, entre la pêche à la truite, la cueillette des girolles et la pose de quelques collets, pas sûr que la suite vienne de là.

Berthier ne parlera plus, et l'oncle est mort en 1970, mort pauvre.

Il a bien fallu le mettre noir sur blanc : Berthier avait lui-même installé les gadgets qu'il avait fait semblant de découvrir.

Pourquoi ? Parce que les Russes avaient eu besoin de faire croire aux Français que les fuites venaient de leur ambassade

à Moscou. Et pour cela ils avaient pris le risque de griller
un expert plombier qu'ils avaient mis près de quinze ans à
installer.

Conclusion du premier pandore venu : c'était pour protéger quelqu'un qu'ils estimaient encore plus important pour
eux que Berthier, et qui était là depuis longtemps. Hypothèse
la plus probable : une taupe, opérationnelle à partir du milieu
des années 60, près de quinze ans que cette saloperie avait dû
démarrer.

Quand on a raconté ça à de Vèze, il s'est dit que ça corres-
pondait à peu près au temps de son séjour en Asie, quand il
était ambassadeur à Rangoon, une bonne époque, celle-
là aussi, il se revoit même en train de jouer au croquet, le
soir d'un passage à Singapour, sur le gazon d'une île qui, à
l'époque, appartient pour quelques mois encore à l'Empire
britannique, il attend l'arrivée d'un homme qu'il admire, il tue
le temps en discutant avec un vieux monsieur à grandes
oreilles et une jeune femme en robe jaune qui n'a pas mis de
jupon.

Dans le monde du contre-espionnage, l'affaire Berthier a
au moins donné une certitude : la taupe, ce n'étaient pas des
rumeurs.

On a recommencé les mises à l'air, tous les moyens, à la
DST l'un des patrons a décidé d'aller très loin dans le recours
aux capacités de l'esprit humain, il a fait passer sur des listes
de hauts fonctionnaires le pendule d'un radiesthésiste, avec
recherche du thème astral, des résultats intéressants.

On s'est de nouveau attaqué aux anciens de la Seconde
Guerre mondiale, surtout à ceux qui avaient réussi dans la
vie, et on a eu des gens fous de rage dans des bureaux de
ministres, à jeter leurs croix de la Libération sur la moquette,
beaucoup de gros mots, à nouveau les gaullistes en pétard, et
re-visite de leur patron et de ses compagnons à l'Élysée,
et l'un d'eux, un accent corse, qui racontait au Président des
histoires de patriotes, *et pas des marionnettes de la finance
internationale.*

Le Président est resté inflexible, les enquêtes ont continué, tous à poil.

Alors, dans de petits journaux qu'on recevait dans des enveloppes fermées, on a raconté des histoires du temps du bruit, de la fureur et de l'OAS, des histoires d'attentats contre de Gaulle.

Et comment de jeunes sous-ministres avaient sans doute donné aux tueurs les horaires de déplacement de celui qu'on appelait la grande Zohra, des précisions pas très contrôlables, mais avec une belle allure de précisions, ce qui était contrôlable en revanche c'étaient les photocopies du dossier de Salan devant la Cour spéciale, des comptes rendus de conseil des ministres retrouvés dans les papiers du général Salan le jour de son arrestation, on n'ajoutait rien, on laissait le lecteur deviner tout seul : qui pouvait avoir transmis au patron de l'OAS ce qui se passait en conseil des ministres ? un beau dossier, dangereux pour tout le monde, incontrôlable, le Président a fait calmer le jeu.

Cela s'est d'ailleurs calmé avec le temps, le Président s'est mis à dire et à faire dire *niet* aux Russes dans toutes les conférences, on a expulsé une partie de l'ambassade soviétique, la *Pravda* a parlé de la France comme d'un pays nerveux, puis les Russes ont eu l'air moins au courant, les Américains se sont montrés moins agressifs, le SDECE et la Sûreté militaire ont continué à brasser du vide, et la DST à agiter des pendules de radiesthésiste.

Et on a fait payer à de Vèze l'histoire de Berthier et des capteurs électroniques, les procédures de contre-espionnage ça existe, ce Berthier, même un type avec les pleins pouvoirs on ne le laisse pas tout seul dans les locaux sensibles d'une ambassade, avec un fer à souder.

De Vèze avait emmené Berthier à Moscou, de Vèze en était responsable, on a émis des réserves sur ses façons de faire, le ministre l'a cependant défendu, avec l'emphase d'un avocat débutant, on en a profité pour rappeler de Vèze à Paris, un

tour dans l'administration centrale avant un autre poste
d'ambassadeur, et de Vèze sait qu'il n'y aura pas d'autre
ambassade, on ne le mettra pas au rancart, non, on ne lui
proposera que des postes inacceptables et le rôle de celui qui
fait le délicat alors que nous sommes tous au service de
la France, il n'est plus intouchable, ils peuvent enfin oublier
Bir Hakeim, le champ de mines, la petite décoration verte
à bandes noires, solder trois décennies de grande gueule.

Un jour, au Quai d'Orsay, de Vèze écrit une lettre pour le
ministre, il dit qu'il a le sentiment d'avoir été victime d'une
machination, on n'a pas choisi son ambassade au hasard,
les enquêteurs auraient dû remonter plus haut dans le temps,
on aurait dû le laisser en poste, et cercler autour de lui,
patiemment. Si on le met sur la touche, ceux qui l'ont piégé
vont l'abandonner, passer à quelqu'un d'autre, il faudra tout
refaire, il est prêt à collaborer, à revoir tout son passé avec les
enquêteurs, il est sûr d'avoir croisé la piste de la taupe à un
moment de sa carrière, il faudrait tout recouper, patiemment,
il pense à Singapour.

Dans la lettre, il essaie aussi d'expliquer au ministre qu'il a
vu clair dans son jeu, il sait qu'en politique le pire salaud
est celui qui défend l'autre avec chaleur et se dédouane
ainsi pour mieux se défausser au bon moment, vous m'avez
défendu comme fait un paratonnerre en attirant la foudre sur
moi pour faire oublier que vous aviez imposé Berthier, vous
êtes ministre, vous faites des gaffes pour pouvoir les rattraper,
ça vous donne un sentiment de pouvoir, sur le dos des autres.

De Vèze trouve ses phrases compliquées, deux feuilles et
demie, il les met au broyeur et se contente d'une démission en
trois lignes, c'est la solution à tout, il confie sa lettre au courrier interne et sort en offrant à l'huissier une poupée pour sa
fille malade.

Il est seul, les choses n'ont plus grand sens, c'est Scapin
qui avait raison, il y a plus de dix ans, *foutue, l'aventure !*
Aujourd'hui il n'y a plus que des mensonges, et c'est le rire de

Scapin, quand il pastichait à Singapour l'homme que de Vèze était venu rencontrer, c'est ce rire ancien qui a pris les couleurs du vrai.

De Vèze prend les quais de la Seine vers l'amont, aller jusqu'à Notre-Dame, il dépasse le pont de la Concorde, descend au bord de l'eau pour échapper à la circulation, il a maintenant le temps, il va pouvoir voyager, aller à l'aventure, ou pas, il est trop tard, il fallait s'y mettre avant, il va essayer, acheter un voilier, ou devenir ethnologue, partir, est-ce qu'il a encore la forme ? ou bien se mettre à écrire, pour échapper à la meute, aux salauds, un peu tard ça aussi, écrire, de Vèze a raté quelque chose, pas facile de raconter des aventures quand on n'a que trente ans de rapports diplomatiques sous la plume, et des gens comme le joyeux Scapin de Singapour tout droit sorti d'une comédie qui vous lancent en rigolant que tout ça c'est fini, *foutue, l'aventure !* des gens qui ont raté leur coup et vous font profiter de leurs échecs.

Foutue, l'aventure ! de Vèze passe sous le pont du Palais-Royal, odeurs acides, il est seul, il crie pour entendre l'écho renvoyé par la voûte de pierres et de poutrelles, *foutue, l'aventure !* et dans l'écho il lui semble encore entendre la voix de Scapin, en coups de fouet, comme la première fois.

Ce n'est pas malin d'avoir démissionné, c'est ce qu'on attendait de lui, en démissionnant il a permis de tourner une page, ce pauvre de Vèze, une victime de l'affaire Berthier, et puis c'est de sa faute, le côté phallus à roulettes, dans la carrière il faut faire attention.

Le piège était préparé depuis longtemps, Moscou, ce n'est pas par hasard, on l'a désigné, et il a dû croiser celui qui l'avait désigné. Un jour, on a fait une fiche sur lui : baiseur, c'est par là qu'ils ont dû commencer, baiseur et grande gueule, déjà haut placé, un passé qui le fera aller encore plus haut, une belle cible, de Vèze aimerait bien retrouver celui ou celle qui l'a désigné.

C'est bien, cette promenade le long de la Seine, un couloir, avec le vent qui dissipe la saloperie, de Vèze a atteint la passerelle des Arts, il voit l'île de la Cité, la statue équestre d'Henri IV, sa préférée, il s'attarde un instant devant.

La taupe, les Français ont continué à la chercher, avec moins de remue-ménage, mais ils n'ont pas abandonné, elle devait faire partie d'un cercle évalué à trois cents personnes, pas suffisant, on a élargi le cercle à six cents.

Un jour, les Américains ont transmis à Paris la copie d'un document russe rapporté de Moscou par un transfuge, une belle synthèse, sur dix ans de conflits entre la France et ses alliés, très méthodique, avec de bonnes informations sur l'Otan, des informations qui n'auraient jamais dû sortir de la famille, c'est un des sous-directeurs de la CIA qui est venu exprès à Paris pour parler de ce document, un nommé Walker, Richard F. T. Walker, questionneur nonchalant :

« C'est vrai ce que les Russes disent que vous dites de nous ? C'est vraiment ce que vous pensez de nous ? Ou est-ce que c'est ce que les Russes voudraient que vous pensiez de nous et que vous pensez quand même ? Ou ce que vous racontez quand vous savez que les Russes vous écoutent pour que nous nous mettions à croire que vous le faites exprès et qu'on vous fasse enfin confiance ? C'est amusant, mais il faut nous le dire franchement, une fois pour toutes, car c'est curieux que les Russes croient que vous n'êtes pas un allié très docile alors que vous avez rompu avec la politique gaulliste, comme votre Président l'a plusieurs fois assuré au nôtre, de vive voix. »

Un Walker très Princeton, tweed et velours :

« Vous savez, ce qui nous gêne dans ce document russe, oui, il est authentique, on a vérifié, il a coûté deux ou trois vies, le père du transfuge en particulier, donc ce qui nous gêne ce n'est pas le côté bavardage politique généralisant, non, mais dedans il y a aussi des informations sur ce que la France pense des faiblesses du flanc sud de l'Otan, avec les bagarres entre les Grecs et les Turcs, c'est trop précis ces choses-là, le cliché de la nation bavarde, vous en avez vraiment parlé comme ça ? Vous devriez surveiller vos militaires, sinon nous allons nous intéresser à leur trou de balle, il y en a même chez nous qui pensent qu'on devrait s'intéresser à votre Président, mais ce sont des brutes. »

On a fait des promesses aux Américains, on leur a donné des garanties, et on s'est mis à rechercher de plus belle, du côté des militaires, et les militaires se sont mis à chercher du côté des civils, c'était reparti, incontrôlable, il a fallu redonner du mou.

Pour compliquer il y a eu deux suicides dans le cercle des six cents, ça a occupé beaucoup de monde, pour pas grand-chose, le premier mort en avait eu assez de compter ses métastases, et l'autre avait sans doute un vrai chagrin, un de ceux qui vous font hésiter en pleurant avant de donner le plus anodin des coups de fil, et vous vous bouffez les doigts jusqu'au sang en vous promettant qu'à partir de demain vous laissez vos ongles tranquilles, vous pleurez, et vous avalez un potage à l'*Optalidon*. Tout sauf une piste.

On ne voyait rien, comme les hiboux en plein midi, et l'autre hypothèse revint, qu'il n'y avait pas de taupe, que c'était une création de paranoïaques du contre-espionnage, des gens qui rêvaient d'un espion, comme d'autre paranoïaques rêvent qu'on a tué leur enfant pour pouvoir déchaîner sur les tueurs les tortures dont ils rêvent depuis qu'ils sont sortis de l'enfance, un fantasme de taupe, qui faisait dix fois plus de dégâts qu'une vraie taupe, d'ailleurs on ne l'appelait plus la taupe, on l'appelait le traître, quelqu'un qui vivait derrière son nom comme derrière une glace sans tain.

Il trahissait au moins depuis le début des années 60, on laissait *taupe* aux Anglais, leur façon d'oublier dans un mot la saloperie de la chose, comme si c'était un dessin animé, un bon gros bouledogue, belle robe fauve, qui glisse un bâton de dynamite dans un trou de la pelouse et qui attend, et la petite

taupe grise surgit d'un autre trou avec la dynamite dans la
gueule et la pose avec un sourire derrière le bouledogue, et le
bouledogue fait *boum*, retombe, s'aplatit, repart de plus belle
à la chasse à la taupe sur cinq notes de piano, gag sur gag, le
bouledogue fou de rage, tout rouge, creuse des centaines
de trous dans la pelouse pour chasser la taupe et le maître
arrive et met une rouste au bouledogue, qui devient gris, et à
la fin la taupe recueille le bouledogue au fond du jardin, gros
dodo placide, *that's all folks*, belle métaphore.

À Paris, on ne faisait plus de métaphore, on disait traître,
et on entendait siffler douze balles, dans le vide.

*

« Quoi qu'il arrive, vous dit Lilstein, il n'y a pas de risque,
il n'y a aucun dossier, aucun numéro de téléphone, aucune
adresse, aucun intermédiaire, aucune boîte à lettres, ils ne
savent rien, ils tentent un tas de choses mais c'est comme s'ils
essayaient de pincer le dessus du marbre. Et cette idée d'avoir
accepté il y a huit ans le secrétariat du Forum de Waltenberg,
c'est magnifique, jeune Français !

« Vous venez de Paris quand vous voulez, nous ne sommes
que deux à savoir que nous serons ensemble, très bien ce
forum, ça me rajeunit, malgré les bulldozers et l'héliport.
Personne ne sait rien, quand ils cherchent c'est du côté des
Russes, et à Moscou on ne m'a jamais demandé de donner
mes sources, ou, plus exactement, quand certains ont voulu
que je les donne, j'ai demandé à qui, ça a déclenché une
grande bagarre entre services, et au bout d'un moment plus
personne n'en a parlé, j'ai toujours fait comme si mes renseignements venaient de plusieurs sources à la fois et que j'étais
le seul à savoir les recouper.

« La seule chose que pourrait dire un transfuge à mon
sujet, c'est qu'à Berlin il y a quelqu'un qui voit loin, et ils n'en
sont même pas encore là, vous n'avez rien à craindre, si ce

n'est vos propres réactions, un transfuge pourrait livrer certains de mes agents, mais personne ne peut vous livrer, parce que vous n'avez aucune existence, pour aucun bureau, donc pas d'existence du tout, oui, je suis au courant, les Français commencent à mettre des gens très sérieux sur la piste, mais ils ne trouveront rien, pas de traces, et même pas de poivre pour camoufler les traces.

« Vous n'avez qu'une chose à craindre, votre propre anxiété de Français tourmenté, ajoute Lilstein, si c'était notre seul problème tout irait pour le mieux. »

Son visage s'affaisse, il vous demande si vous croyez encore à quelque chose.

« Parce que moi, dit-il, ils ont fini par me dégoûter, nos bergers sont des bergers galeux, j'ai bien envie de prendre ma retraite, nous mettrions la clef sous la porte, vous resteriez dans l'organisation de ce forum mondial, ça vous ferait une activité d'influence pour vous tout seul, en imaginant que tenir la porte d'un grand banquier est une activité d'influence, tout cela n'est vraiment pas drôle, je comprends seulement maintenant ce que pouvait être le sentiment d'un aristocrate allemand ou autrichien en 1918, celui d'un révolutionnaire vers 1935, au moment des procès de Moscou, la fin d'un monde, un autre monde qui arrive, où l'on a pas sa place, je suis sinistre n'est-ce pas ? Dites-moi plutôt où vous en êtes avec cette Chagrin, celle qu'on appelle la dame-pipi, ça nous changera les idées. »

Il y a quelques années il y avait eu une discussion serrée entre Lilstein et vous au sujet de cette femme, quand elle a commencé à monter dans l'entourage du Président à l'Élysée, il vous paraissait prudent de la ménager, de discuter avec elle, Lilstein s'y était opposé.

« Intriguez-la, elle doit vous soupçonner, tous les soupçons qu'elle aura eus au début viendront plus tard à votre rescousse, je vous l'ai toujours dit, ne cherchez pas à vous faire plus blanc que le commun des mortels. »

Vous avez résisté à Lilstein, vous lui avez dit qu'il ne connaissait pas l'ambiance du château, et vous avez fini par accepter de temporiser, vous n'avez pas non plus fait partie de ceux qui l'appelaient systématiquement *la dame-pipi*, d'ailleurs vous ne faites pas partie de l'entourage du Président, vous n'êtes pas son collaborateur, vous êtes un visiteur du soir, un conseiller officieux, de belles conversations à bâtons rompus, la culture, la politique, la stratégie, vous n'hésitez pas à le contrarier, Chagrin a essayé de vous rencontrer par hasard dans les couloirs, elle a eu droit à votre froideur. « Soyez même méprisant, jeune Français, a dit Lilstein, ce genre de personnage, on ne le remet jamais assez à sa place. »

Le Président lui-même vous a dit un jour que vous devriez discuter de temps en temps avec Chagrin, ça lui ferait plaisir, vous auriez pu ne rien dire, vous avez dit qu'elle vous ennuyait, que vous n'aimez pas les gens qui étouffent la vertu sous la vertu. Le Président a ri.

Et Chagrin vous a agressé, c'était dans l'antichambre du Président, une pièce avant l'antichambre proprement dite, Chagrin arrivait, vous partiez, elle l'avait fait exprès, peut-être pas, en tout cas elle était suffisamment près du bureau présidentiel pour que vous preniez la mesure de son importance, suffisamment loin pour vous parler avec brutalité, elle vous a agressé, le Président avait dû lui parler de votre *ennui*, elle vous a agressé alors que dans la pièce il y avait les deux gardes du corps de permanence, les paroles de Chagrin ne s'adressaient pas à eux, mais ils vous entendaient vous faire traiter comme un larbin, elle avait de la surface, Chagrin, on la craignait.

Elle s'avançait en tenant un dossier, elle s'est arrêtée devant vous, vous a jeté :

« Pourquoi prenez-vous ces airs prétentieux avec moi ? »

Menton en avant, beaucoup de menton, la Chagrin, vous auriez pu répondre *moi, pas du tout*, et protester de vos sentiments, vous avez fait quelque chose de beaucoup plus intense, vous l'avez regardée en souriant, elle a deviné qu'on lui offrait une amitié, plus qu'une amitié, et vous lui avez dit quelque chose que vous ne vous seriez jamais cru capable de dire, vous ne savez même pas encore aujourd'hui d'où cela vous est venu, comme si quelqu'un avait vécu depuis toujours avec vous sans jamais s'exprimer et soudain lâchait, devant cette femme de plus en plus puissante, une phrase inattendue, imprévisible, qui allait chercher Chagrin au fond même de ce qu'elle devait avoir de plus précieux, et qui dévoilait en vous un être dont vous n'aviez jamais soupçonné qu'il eût cette violence, vous lui avez répondu :

« Parce que vous êtes une pouffiasse. »

Pas trop fort, pas une colère, *pouffiasse,* et soudain vous vous êtes souvenu, un mot qui vous avait déjà coûté très cher, vous l'aviez oublié, votre femme ne vous l'avait jamais pardonné, elle vous avait rendu ridicule, mais c'est vous qui aviez fait la plus grosse bourde en l'insultant, votre avocat a dit que cela ne vous avait échappé qu'une seule fois, l'avocat de votre femme a fait remarquer à la juge que sa cliente avait pendant des années dû vivre avec un homme qui remâchait le mot *pouffiasse* sans oser le prononcer.

Cette violence vous l'aviez oubliée au point que vous aviez cessé de vous en croire jamais capable, ça vous avait coûté un divorce, et devant Chagrin vous avez à nouveau lancé ce mot interdit suffisamment fort pour que les deux inspecteurs de faction aient un haut-le-corps, et soient soudain présents dans la scène, pour que Chagrin soit à la fois atterrée qu'il y ait des témoins, et se mette très vite à penser qu'elle vous tenait, parce que vous veniez de commettre l'irréparable.

Vous ne racontez pas cet incident à Lilstein, parce que vous avez le sentiment que vous venez de tout foutre en l'air, vingt ans foutus en l'air sur un seul mot, comme avec votre femme, vous dites seulement à Lilstein que vous vous entendez très mal avec Chagrin, comme il vous l'avait d'ailleurs demandé, Lilstein change de sujet, se lamente sur la fin de la *Gemütlichkeit* qui régnait à Waltenberg, et reparle du vieillard de Moscou qui l'inquiète tant. Il vous dit qu'aujourd'hui, même les succès ont un goût amer :

« Mon plus grand succès a été mon pire échec, oui, l'affaire Haupt, tout ce qu'ont raconté les journaux est en gros exact, j'avais réussi à mettre quelqu'un dans l'entourage du chancelier Haupt, une vraie prise directe au sommet, comme vous, mais en plus précis encore, toutes les notes confidentielles lui passaient par les mains, oui, c'était son secrétaire, Eisler.

« Je n'avais rien à faire, simplement le voir quand j'en avais besoin, ou lui envoyer quelqu'un, c'était même gênant d'avoir autant d'informations aussi sûres, nous mettions plus de temps à dissimuler ce que nous savions qu'à chercher ce dont nous aurions eu besoin si cet homme n'avait pas été là. Je voulais le protéger, mais c'était une mine d'or, ils m'ont obligé à l'exploiter à fond, ça a été la catastrophe, Eisler est tombé, et en tombant il a fait tomber Haupt qui était le seul Allemand à avoir une vraie vision de ce que devait devenir l'Allemagne, nous avions longtemps protégé Haupt, c'était un vrai social-démocrate, un ennemi, mais de grande valeur.

« Quand il avait failli se faire renverser par la droite du Bundestag j'avais acheté deux députés chrétiens-démocrates, vote secret, Haupt s'attendait à être renversé, il a été tellement surpris qu'il est resté assis sur son siège pendant que le Bundestag se levait, au moins ses amis, pour lui faire une ovation, il était K.-O. Cette fois-là, c'est moi qui l'avais sauvé.

« Pour mieux le faire tomber ensuite à cause d'une trop bonne taupe ! C'est pour ça que j'ai toujours fait attention avec vous, jeune Français, je vous ai gardé pour moi, je ne parle même pas de vous à mon miroir de salle de bains, aucun autre contact que moi, et pas de démesure. Willi Haupt, du point de vue technique sa chute n'était pas gênante, nous avions d'autres informateurs, mais quelque chose a été foutu, jusque dans le goût de ce que nous faisions. »

Haupt, Chagrin, les bouffons, le dégoût, ce n'est pas la soi-rée la plus gaie que vous ayez passée avec Lilstein. Le lendemain il a disparu.

Vous êtes resté quelques jours à Waltenberg, une session informelle du *Forum*, une petite trentaine de participants, sur la question des taux d'intérêt en Europe, tout à fait aride. Vous êtes le seul Français présent. Vous avez suivi les débats sans y prendre part.

Le soir, dans le salon, il y a eu une conversation plus libre, et plus politique, sur les bruits de bottes soviétiques en Orient, en Afghanistan, vous avez pensé à ce que vous avait dit Lilstein, vous n'êtes pas dupe, vous voyez son jeu, jusque dans sa tristesse, il n'est jamais aussi fort que quand il n'a pas le moral, il adore ce rôle, il s'y détend, il semble appeler à l'aide, vous savez qu'il pourrait donner l'ordre de vous liquider, non, vous n'arrivez pas à penser que c'est possible, vous faites le tour de vos Lilstein, il y a le premier, celui que vous venez de quitter, qui mange sa *Linzer* comme un enfant, il est mélancolique, il est contre les va-t-en-guerre, il a accepté d'embrasser des bouchers pour pouvoir changer le monde et le monde ne change pas, alors il fait tout pour qu'il change, vous êtes amis, et le monde change, mais pas comme il voulait, il veut prendre sa retraite et il lâche tout, il vous dévoile les batteries de son propre camp pour empêcher le pire, comme au moment de Cuba, parce qu'il déteste les bergers galeux, comme il dit, il vous dévoile tout pour que les Américains réagissent très vite, brutalement, et fassent reculer les Soviétiques, donc pas d'invasion de l'Afghanistan.

Mais vous n'êtes pas sûr de ce premier Lilstein, il y en a certainement un second, aucun scrupule, on ne va pas laisser ce pays asiatique revenir en arrière, retrouver le droit de cuissage et la dîme féodale, il y a des acquis à préserver, les frontières du socialisme à défendre, un Lilstein favorable à l'intervention, qui se sert de ses doutes et de vous pour faire

croire aux Occidentaux qu'il y a des Soviétiques très haut placés qui sont contre cette intervention, donc intelligents, et les
Occidentaux doivent aider ces communistes intelligents en se
montrant flexibles, et grâce à cette flexibilité les Soviétiques,
les va-t-en-guerre, pourront entrer en Afghanistan et mettre
les Occidentaux devant le fait accompli, mais peut-être que
Lilstein est vraiment contre l'intervention, et il se servirait alors de cette flexibilité occidentale pour dire à Moscou
que cette flexibilité est sans doute un piège voulu par les
Américains.

Les Américains montrant par leur flexibilité qu'ils veulent
que les Soviétiques se foutent à leur tour dans un bourbier en
Afghanistan, et entrer en Afghanistan serait tomber dans un
piège impérialiste, il ne faut donc pas entrer.

Mais si Lilstein veut l'intervention, il peut aussi bien dire
qu'en faisant croire aux Soviétiques que cette intervention
est un piège impérialiste, les Américains veulent que les
Soviétiques reculent devant l'idée d'une intervention et qu'ils
fassent ainsi preuve d'une faiblesse très préjudiciable à la
défense des intérêts du socialisme dans le monde. Ça, c'est le
quatrième Lilstein. Vous vous dites qu'il doit y en avoir
d'autres.

Et vous en avez eu assez de réfléchir tout seul, vous avez
escamoté Lilstein de votre réflexion pour pouvoir parler à
voix haute, ce soir-là, dans le salon du *Waldhaus*, devant
quelques collègues du *Forum* et deux ou trois jolies femmes
vous avez repris vos hypothèses.

Vous en avez fait une analyse en plusieurs points, un vrai
Kriegspiel, un bouquet d'hypothèses, comme une belle fleur
de papyrus, au coin de l'un des canapés, devant une dizaine
de personnes, parfois une petite pause pour goûter des
effluves de *Monte-Cristo*, et ceux qui ne fument pas acceptent
avec le sourire de respirer ce qui est rare et coûteux, vous êtes
euphorique, vous n'avez jamais parlé aussi librement, vous
vous foutez de Chagrin, de Lilstein et de sa retraite, de tout,

vous savez qu'à Paris votre altercation avec Chagrin a tout mis en l'air, elle va vous fermer l'accès au Président.

Et à votre retour on est venu vous chercher à Orly, trois hommes silencieux, une Citroën, la XM que vous n'aimez pas, une suspension qui donne mal au cœur, on vous a conduit séance tenante à l'Élysée, en passant par le jardin.

Étage du patron, antichambre du patron, il n'aime pas qu'on l'appelle le patron, tout le monde est tendu, vous sentez que vous n'êtes plus celui qu'on aime bien parce qu'il met le patron de bonne humeur, vous ne pouvez accrocher aucun regard, l'un des types qui vous accompagnent gratte directement à une porte, vous laisse passer, referme sur vous, et là le Président vous fait une vraie scène de jalousie :

« Il paraît qu'à Waltenberg vous avez fait une analyse éblouissante de la politique soviétique, cher ami, je suis déjà au courant, ne faites pas le modeste, non, ce n'était pas du journalisme, on m'a raconté que c'était en quatre points, une logique superbe, mais on a été incapable de me donner les détails, quand vous faites des analyses brillantes vous pourriez m'en réserver la primeur, entre amis, au lieu de parler à tort et à travers dans un salon suisse, j'en suis jaloux, je vous le dis entre amis, vous savez pourtant que moi je ne raconte rien de nos conversations. Naguère, sur Cuba, vous avez été d'excellent conseil, l'Afghanistan, pour être bref, si les choses se précisaient, que conseilleriez-vous ? »

Vous répondez au jaloux que vous n'en savez rien, le jaloux vous presse, vous finissez par dire qu'il faut faire preuve de cette qualité diplomatique qui est de règle depuis Choiseul et Talleyrand, ni prudence ni témérité, se donner le temps de voir. Si les Russes envahissent l'Afghanistan et gagnent, ce n'est jamais qu'un bled de paysans, et s'ils perdent, les résultats seront magnifiques pour tout le camp occidental.

« Oui, cher ami, dit le Président, c'est la sagesse même. Pour Cuba vous étiez plus dur, je vous reconnais bien là. »

Sourire du jaloux, tout de gentillesse amusée, votre souci du camp occidental dans son ensemble, et même de l'Alliance atlantique, avec des analyses brillantes qui débouchent sur du *wait and see.*

« Mais moi, en tant que chef d'État, je dois agir, je dois penser aux intérêts de la France, pas seulement à l'alliance atlantique, cette fois-ci les Russes ne doivent pas être trop affaiblis, sinon c'est la fin de notre indépendance nationale, quelque chose comme un pénible face-à-face avec les mangeurs de hot-dogs, il ne faut pas que les Russes soient humiliés, obligés de reculer, Cuba, ça leur a suffi, et ce bled d'Asie ça reste dans leur sphère traditionnelle. »

Vous dites au jaloux qu'il a peut-être raison, que vous ne savez pas, vous imaginiez qu'il serait beaucoup moins gaullien, il aime tant se donner l'air d'un Anglais ou d'un Américain de la Côte Est, et voilà qu'il se met à parler d'indépendance nationale, il se fait élire contre un gaulliste qui en est désormais réduit à honorer de sa présence des soirées de veuve de maréchal, et une fois élu il fait la politique qu'il combattait, qu'il rejetait au moins du bout des lèvres, il la fait à ses risques et périls, le jaloux adore jouer ce rôle devant vous, il ne doit pas souvent le jouer, mais quand vous êtes son seul public il n'y manque pas, l'indépendance nationale, les journalistes disent que c'est à cause des constantes françaises, votre jaloux est tenu par l'histoire, la géographie, l'économie, les pommes de terre frites, mais vous savez que si le jaloux fait cela c'est surtout parce que depuis quelque temps il aime de plus en plus faire des choses qu'il n'aime pas faire, il s'y sent plus à l'aise, c'est un théorème politique, faire de préférence ce qu'on n'aime pas faire, on contrôle mieux, on est moins déçu.

Vous vous dites qu'il doit y avoir un dernier Lilstein, celui qui a prévu que vous le soupçonneriez d'avoir au moins quatre faces, que vous en feriez quatre hypothèses, et que ces hypothèses finiraient par vous amener dans le bureau du Président qui finirait, lui, par vous dire que son choix sera finalement d'être flexible devant les Soviétiques, que les Allemands feront pareil et que les Américains eux-mêmes viennent de lui confirmer qu'ils n'iront pas très loin.

Et vous savez que vous allez porter ces informations à Lilstein.

Le Président vous raccompagne jusqu'à la porte de son bureau, il vous parle avec tendresse :

« Il y a quelqu'un ici qui gagnerait beaucoup à discuter avec vous, ça lui ferait du bien, ça lui ouvrirait l'esprit, elle a une tâche difficile, débilitante, elle manque de perspective, c'est vrai, elle vous déteste, vous ne l'avez jamais traitée de *dame-pipi*, je le sais, mais on m'a rapporté un très gros mot, elle vous avait cherché mais ça m'a étonné de votre part, je ne vous croyais pas aussi réactif, maintenant elle vous hait.

« Elle raconte des horreurs sur vous, mais sans y croire vraiment, j'aimerais que vous ayez quelques échanges avec elle, j'aime que les gens s'entendent autour de moi, ah, non, vous ne venez déjà pas souvent, ne commencez pas à faire l'offensé, vous savez que je vous aime beaucoup, j'essaie de parler simplement, vous êtes le seul à avoir refusé de m'accompagner en Afrique, j'en connais qui tueraient père et mère pour venir chasser avec moi, non, je n'en demande pas tant, et je vous interdis bien de dire à Chagrin les mêmes choses qu'à moi, je veux l'exclusivité, ne lui parlez pas, c'est aussi bien, et quand vous êtes en Suisse vous pourriez essayer d'être moins brillant, c'est si difficile ? Samedi vous venez bien dîner ? Je le veux ! »

*

Sur les quais, de Vèze poursuit sa promenade, il se met à rire tout seul, un souvenir de la soirée à Singapour, en 1965, il se souvient d'un gag, un tour qu'on lui avait joué pendant le dîner, il n'a jamais su qui, il soupçonne le cher Scapin aux grandes oreilles de lui avoir fait ça.

Mais il n'a jamais réussi à savoir qui lui avait joué ce tour pendable. Ça pouvait même être l'homme qu'admire de Vèze, l'invité d'honneur, non, quand même pas. L'homme qu'admire de Vèze a d'ailleurs raconté cette soirée de 1965 dans un de ses livres, de Vèze a été vexé de ne pas être cité, le livre parle surtout de Scapin, avec tendresse, alors que celui-ci s'était montré plutôt rude avec l'homme qu'admire de Vèze, à un moment on avait même frisé un incident assez grave.

Mais au fond, dans le livre, Scapin et l'homme qu'admire de Vèze sont assez d'accord, l'homme ne dit pas *foutue, l'aventure!* mais dans son avant-propos il dit que le comique compte autant dans l'Histoire que le tragique, que la présence du comique est partout irréfutable et glissante comme celle d'un chat, que l'aventure n'est plus qu'un appartement abandonné, que la pensée ne peut jamais reconquérir la durée, il en vient presque à dire que l'Histoire est finie.

Au fil des pages, de Vèze a pensé que tout cela devenait un peu sombre mais il a retrouvé par endroits ce qu'il avait ressenti ce soir-là, en 65, à Singapour, des mots lancés dans le plaisir, et qui bourdonnent comme des abeilles dans une haie à contre-jour.

De Vèze continue à marcher le long des quais de la Seine, il commence à être fatigué, il se souvient du livre de Kessel, quand tout semblait s'être arrangé, retrouver le bouquiniste, acheter *Wagon-lit*, il a été injuste, *je sentais les frissons de cette fièvre*, des clichés il en faut, et ce genre de livre ça n'est pas inutile, on se dit qu'on pourrait en faire autant, ça aide, des frissons de fièvre tout le monde en a.

Lord Jim, ou *Typhon*, c'est autre chose, mais on se sent si nul, c'est cela le paradoxe des romans de Conrad, quand on est dedans, on se sent à la fois heureux et nul, et pour être heureux on oublie qu'on est nul, c'est seulement si on a soi-même envie d'écrire que ça vous reprend. De Vèze possède beaucoup de livres, presque autant à Moscou qu'à Paris, souvent des livres en double, il en emporte à Moscou et quand il a envie de les regarder à Paris il les rachète.

Et chaque soir c'est la même recherche, quel livre prendre avant de s'endormir ? des milliers de livres sous la main et rien pour l'immédiat, pour se réconcilier ne serait-ce qu'un petit moment avec sa propre respiration, une lecture heureuse avant le sommeil, chaque soir de Vèze parcourt les rayons de sa bibliothèque, un ami lui a dit si tu n'as pas de maison de campagne c'est parce qu'elle est sur tes étagères.

Une fringale de romans surtout, ces dernières années, tout ça pour se retrouver le soir à chercher ce qu'il pourrait bien lire ou relire, hésiter, prendre, lire une page, remettre, ergoter pendant près d'une heure en laissant passer le moment de l'endormissement, le soir rien ne lui semble avoir de goût, *La Route des Flandres*, par exemple, dans la journée il peut se plonger dedans, en interdisant qu'on le dérange, mais le soir, il ne trouve rien à lire, il ne sait d'ailleurs pas exactement ce qu'il veut, un jour il a essayé devant une jeune libraire un peu insistante, au Quartier latin.

Il a fini par dire je voudrais un roman d'aventure qui se termine bien, la jeune femme l'a regardé en souriant :

« Vous voulez qu'il se marie ? Ou qu'il gagne beaucoup d'argent ? Ou les deux à la fois ? »

Elle a fait elle-même la réponse :

« J'ai bien peur que nous n'ayons pas cela, ou alors en classique, *Guerre et Paix* ?

— Oui, a dit de Vèze, ça se termine assez bien, au bout de douze cents pages la jeune héroïne a pris du poids, elle est devenue popote, adore la couture et traite son mari comme un gros nounours, oui, Natacha avec vingt kilos de plus, de toute façon elles finissent toutes par grossir, vous avez raison, je vais vous prendre *Guerre et Paix*.

326   Chapitre 6, Paris / Moscou, 1978

— Vous le trouverez sur l'étagère », a dit la jeune fille, froidement.

Puis, plus avenante :

« À moins que vous ne le préfériez en *Pléiade* ?

— Non, je vais encore chercher », a dit de Vèze.

Il lui a demandé le rayon des polars, les polars c'est simple, il suffit de regarder la dernière page, pas la quatrième de couverture mais la dernière page du récit, on voit tout de suite si ça se termine bien, puis la première page, pour la qualité de l'attaque, deux conditions, et s'il a le temps de Vèze parcourt deux ou trois pages au milieu, pour le rythme, la tonalité, comme il a fait pour le Kessel, il y a dix ans il était capable de lire du Ellroy le soir, même les plus glauques. Aujourd'hui il ne peut plus, il peut les lire pendant la journée, en voyage surtout, pas le soir, le matin c'est assez efficace, Ellroy, un coup de batte de base-ball entre les jambes ou une femme décapitée, ça vous vaccine contre la terreur et la pitié, vous refermez le livre et vous pouvez aller affronter tous vos interlocuteurs de la journée avec une âme forte.

Mais pas question de lire *Le Dahlia noir* le soir, pourquoi réussissais-tu à le faire il y a dix ans ? il y a dix ans tu lisais du Chase, dans un des polars un type avait un réseau de train miniature, il violait une femme dessus, la femme sentait un morceau de la gare lui entrer dans l'épaule, ça devait être *Méfiez-vous fillettes*, quelqu'un corrigeait une fille en lui faisant couler de la térébenthine sur le pubis, elle mettait quelques instants à comprendre, se débarrasser de la terreur et de la pitié avec des histoires de térébenthine avant d'entrer dans le sommeil.

Tu n'aimais pas le sommeil, tu te jetais dedans, un Chase ou un Ellroy à la main, et aujourd'hui tu ne supportes plus de polar violent avant de dormir, ça voudrait dire que tu n'as plus besoin de vaccin contre les rêves, tu n'as plus peur du sommeil, c'est un progrès, alors pourquoi traînes-tu pendant une heure le soir devant tes bouquins ? tu n'as plus peur de tes rêves et tu n'arrives pas à trouver le sommeil, et le matin tu as de plus en plus de mal à retrouver ton corps, tu veilles trop, tu perds ton élasticité intérieure, des centaines de livres sous la main et pas foutu d'en trouver un là-dedans pour une petite demi-heure sur l'oreiller, sauf, pour la énième fois, *Les Secrets de la princesse de Cadignan.*

De Vèze s'arrête au bord de l'eau, la vie était belle, il a fallu qu'un jour Croupe-de-coq débarque à l'ambassade, non, cela avait commencé plus tôt, beaucoup plus tôt, un jour, à Moscou, à Berlin, ou à Prague, un bureaucrate a sorti la fiche de De Vèze et a fait une note proposant qu'on en fasse la cible d'une manipulation, la note a circulé, elle est montée de plus en plus haut, jusqu'au moment où la décision a été prise.

Ou bien quelqu'un d'en haut a dit trouvez-moi une cible, et la consigne est redescendue jusqu'à l'obscur bureaucrate qui a fait remonter la fiche de De Vèze, et c'est de Vèze qui est sorti vainqueur de la compétition entre les fiches, de quoi être fier, on a fait de lui une cible, il en est sûr, on s'est servi de lui pour une intox, sinon on ne lui aurait jamais laissé autant de liberté à Moscou, avec Vassilissa, les services français ne veulent pas l'admettre, mais il est sûr d'avoir été l'objet d'un *traitement* comme on dit.

Et les Français le *traitent* à leur tour, mais comme s'il n'était qu'une anecdote, alors qu'il est sûr d'avoir été au centre de la machination, il aurait suffi de le laisser en poste à Moscou, et d'observer ce qui allait se passer, on aurait pu apprendre beaucoup de choses, on aurait pu faire croire aux types d'en face que la France avait toujours su, qu'on ne leur avait donné que des tuyaux crevés, on aurait retourné la machination, mais non, la nouvelle clique en a profité pour liquider un gaulliste, une clique, héritiers de Pétain et de l'OAS, ils voulaient sa peau depuis longtemps.

Ou encore : c'est la taupe elle-même qui l'a désigné, c'est cela, la taupe l'a croisé un jour, à Singapour ? à Moscou ? ou ici, à Paris, c'est elle qui a rédigé la note, c'est elle qui a proposé le nom de De Vèze pour une éventuelle intox, on a mis de Vèze en observation dès le milieu des années 60, et un jour on s'en est servi, pour protéger la taupe, de Vèze a parlé de ça à Paris, on l'a écouté, ingénieux, un des participants à la réunion a même dit que ça pouvait être du grand art, penser à la protection de la taupe en même temps qu'on la mettait en place, de Vèze en coupe-circuit, et Berthier en ultime recours, et de toute façon c'est foutu.

Et maintenant? partir? ou écrire le livre qu'il voudrait lire? pas d'argent pour s'acheter un bateau, je n'ai même pas de quoi vivre de mes rentes, j'ai démissionné, des années avant de toucher ma retraite, un prudent aurait négocié une disponibilité avec traitement, il va falloir trouver un boulot dans le privé, pas le temps d'écrire.

Trente ans d'années mortes, de Vèze est à hauteur du Petit Pont, non, du pont au Double, tu confonds, le Petit Pont c'est celui d'avant, celui qui va à l'Hôtel-Dieu, le vent nettoie l'ardoise des immeubles, leurs arêtes, tout est très clair, un homme est là, de profil, debout face au fleuve, manteau gris, usé, casquette pied-de-poule, un vieux, un demi-clochard qui s'appuie sur une canne avec dignité, il a le regard tendu vers l'autre rive, Notre-Dame.

De Vèze s'arrête, se dit qu'il est plus près de cet homme que de sa propre jeunesse, et si j'ai le temps de le regarder c'est que je ne suis plus rien, la bonne droite s'est débarrassée d'un gaulliste, même les Américains ont dû être consultés, pour de Vèze c'est la fin de tout, il est sûr que son ministre et le Président ont voulu faire plaisir aux Américains, à ce type de la CIA dont on parle, Walker, lance-machin, ils lui ont donné la peau d'un gaulliste pour le calmer.

La fin de tout, de Vèze se demande s'il a envie de se venger, si je me venge est-ce que la vengeance a elle aussi été programmée par ceux qui m'ont mis dans cette panade?

De l'autre côté du pont au Double, avant le parvis de Notre-Dame, il y a des jeunes qui font du patin à roulettes, ils ont aligné des boîtes de Coca-Cola vides, ils slaloment à une vitesse folle entre les boîtes, les renversent rarement, virtuoses, beaux virtuoses.

Face à la Seine, le vieux n'a pas bougé, manteau gris, la canne et la casquette, demi-clochard qui crie soudain :
« On les aura ! »

Chapitre 7

1965

LES USAGES DU CROQUET

Où Max Goffard retrouve son auteur à Singapour et se souvient de la guerre du Rif.

Où de Vèze parle de Bir Hakeim et décide de séduire une lectrice de romans.

Où vous retrouvez Lilstein à l'hôtel *Waldhaus* pour lui faire part de vos scrupules d'espion parisien.

Où Lilstein vous réconforte en vous racontant l'histoire de Toukhatchevski.

SINGAPOUR, juillet 1965

> *Dans les organisations traditionnelles, s'esti-*
> *mer soi-même c'est d'abord provoquer.*
>
> René Fraimond,
> *La Fin du monde rural*

Le parc d'une grande villa, à l'heure de l'apéritif.

L'invité d'honneur, l'homme qu'admire de Vèze n'est pas encore là. Ils sont une bonne demi-douzaine à l'attendre sur la pelouse, le consul de France à Singapour et sa femme, deux autres diplomates au-delà de la trentaine, un gris avec une barbe en cul de singe et un rose en chemise saumon avec un prénom à tiroir. Viennent également d'arriver un jeune historien à la mode, Philippe Morel, et sa femme Muriel.

Le personnage le plus marquant du groupe c'est un homme assez âgé, façons brusques, monocle à l'ancienne, très enjoué, des allures de comédie, une sorte de Scapin à grandes oreilles qui amuse la galerie en attendant, il s'est présenté à de Vèze : baron de Clappique.

De Vèze n'aurait jamais imaginé que Clappique existait réellement.

« Ça n'est pas son vrai nom, lui a glissé le consul, en réalité c'est un journaliste, Max Goffard, il m'a promis d'être sage

mais il s'impatiente, il est venu exprès pour voir notre invité
d'honneur, lui faire la surprise, j'ai cru que c'était une bonne
idée de les réunir, ils se connaissent depuis longtemps, mais
ce monsieur Goffard s'est mis en tête de se faire appeler
Clappique, j'ai peur d'un incident. »

Le journaliste en rajoute un peu sur la brusquerie :
« Mes oreilles, rentrez sous terre ! Ce sont des radars, pas
des choux-fleurs, pendant des années on m'a dit choux-fleurs,
j'ai fait la guerre de 14 avec des choux-fleurs, c'est la technique moderne qui m'a sauvé, la guerre suivante je l'ai faite
avec des radars, l'arme absolue du reporter ! oui, j'ai connu
les pantalons rouges, l'été 14, les trois étapes et les tartines,
et hier matin Johnson a décidé de lâcher ses B 52 sur le
Vietnam, drôle d'histoire ! »

Et tous les gens qui sont sur la pelouse sont outrés, les
Américains n'ont rien compris, il faudra bien les arrêter d'une
façon ou d'une autre, au moins les freiner.

Le consul a confié à de Vèze que le journaliste a combattu
pendant toute la durée de la Première Guerre mondiale et
qu'il était en 1918 le seul survivant de sa compagnie.

« Ça ne l'a pas rendu casanier, vous saviez qu'il a aussi été
l'un des survivants de l'accident du *Hindenburg* ? Pas facile,
pas facile du tout. Et entre deux guerres mondiales il a fait les
colonies, le Maroc surtout, la guerre du Rif dans les années
20, on l'appelait Goffard l'Africain. Demandez-lui de vous
raconter, dit le consul en suçotant une pipe en écume, il
renoncera peut-être à se faire appeler Clappique. »

À soixante-dix ans Max Goffard est à nouveau en Asie, pour
le compte d'une agence de presse.

« Ouais, dit-il, je ne sais pas si vous êtes comme moi, mais
Paris, les quais de la Seine, je tiens une semaine, pas plus, là
je vais au Vietnam, la dernière guerre coloniale, je les aurai
toutes vues, toutes leurs histoires d'indépendance, depuis le

Rif, l'entre-deux-guerres, tu parles, une vraie guerre ça aussi, des précurseurs, d'une certaine manière, avec quelques manières à l'ancienne, pas du meilleur goût, au Vietnam c'est la fin de règne, je boucle la boucle, je voulais aussi aller à Pékin mais pas de visa, et personne n'est intervenu pour que je puisse en avoir, je ne plais pas toujours, on me reproche de faire de l'ombre. »

Un sourire, regard de Max vers l'entrée du jardin :
« Je saurai me venger ! »

En attendant l'arrivée de l'invité d'honneur, la femme du consul a proposé une partie de croquet, son mari n'a eu que le temps de lui jeter un regard, les autres ont marché, tu te rends compte, elle n'a rien trouvé de mieux que de nous faire jouer au croquet sous prétexte que c'était la grande mode à Singapour.

Max a été enthousiaste :
« C'est reparti comme en 14, non, en 25, ou 26, j'y ai joué en 14, mais la dernière fois c'était en 26, à Rabat, les jardins de la Résidence, chez Lyautey, grand moment, il faudra que je vous raconte Lyautey, vous savez à l'époque j'en parlais beaucoup avec notre cher retardataire, les colonies, la guerre du Rif. Lui c'était l'Indochine, il me coupait la parole, me disait mon cher Clappique moi c'est l'Asie, définitivement ! Et il fallait que j'écoute, passionnant d'ailleurs, et de temps en temps j'avais le droit de lui parler du Rif, bon, en attendant qu'il arrive, tout le monde aux maillets. »

Max a tout expliqué aux néophytes, aux Morel, aux deux diplomates, le gris et le rose, les neuf arceaux plantés dans le gazon, la boule qu'on tape avec le maillet, mais surtout pas comme au golf, espèce de barbare, regardez, on est de face, jambes écartées, le maillet comme un pendule entre les jambes, vers l'avant, et un beau p'tit coup sec, tac, chacun son tour, par équipes de deux, les neuf portes, oui, neuf, je n'y peux rien, vous le diplomate rose, ne rigolez pas, neuf portes, dans l'ordre, et retour, Rabat, c'était autre chose !

Max s'échauffe, fait beaucoup de gestes, de petits pas, de clin d'œil, non, a-t-il dit à de Vèze, je n'ai jamais aimé qu'on m'appelle l'Africain, la guerre du Rif, à l'époque j'ai mal fait le métier, chut, pas un mot, parfois Max entre dans une espèce de rêverie qui n'écoute plus personne, il pose le regard sur l'océan, la pelouse, les arbres, mal fait le métier.

Dans un coin du jardin, du côté de la mer il y a un mélange qui a l'air inextricable, des racines qui deviennent des branches ou des troncs, des branches qui s'enfoncent dans le sol, des mélanges d'arbres et de feuillages à ne plus savoir qui fait quoi, le regard revient sur la pelouse, le consul a dit que son jardin est un véritable gouffre, dès qu'on arrête d'entretenir, de drainer, d'arracher ne serait-ce qu'une petite semaine, la sauvagerie revient, ça rampe, on ne voit rien, et un matin on se retrouve avec des machins qui envahissent la véranda, la pelouse n'en parlons pas, très fragile une vraie pelouse, le sol, le climat, un beau vert régulier, taille hebdomadaire au sécateur par jardiniers accroupis.

Max regarde le jardin, une grande tache blanche sur le vert, neuf arceaux, il y a longtemps, un type en jellaba blanche joue au croquet sur le gazon, il est borgne, 1926, les jardins de la Résidence, Rabat, l'œil droit du type est intact, il apprend vite, joue bien, c'est l'un des meilleurs fusils de l'Atlas, cher ami, l'œil en moins c'est dans une bataille contre nous, maintenant il est des nôtres, une des plus belles cérémonies de soumission que nous ayons organisées, vous auriez vu l'air avec lequel il a rendu son fusil ! on aurait dit qu'il nous le donnait à nettoyer, des seigneurs, dommage que les temps changent, belle réception, oui, c'est bien une odeur d'orangers, 1926, une fin de règne que personne ne voit venir, le moment où Lyautey va se faire mettre sur la touche par Pétain, mais personne ne s'en doute.

Le mouton du méchoui, non, l'agneau, cuit à l'étuvée, à la Résidence on laisse le méchoui ordinaire aux touristes, on est plus raffiné, un four en terre, une flambée très dure, quand ça commence à faire de grandes braises on jette un seau d'eau sur le foyer, on pose deux, trois agneaux de lait, on scelle le four, on laisse cuire dix à douze heures, la viande est d'une tendresse incomparable, Lyautey aime beaucoup jouer au croquet, voyez comme il est prévenant avec notre borgne, une école de gouvernement, de stratégie, les alliances, jouez, vous allez comprendre.

À l'époque au Maroc ça va mal, alors on joue au croquet, en essayant de ne pas trop se réjouir des défaites espagnoles au nord du Rif, treize mille hidalgos tués en deux nuits au début de la révolte, ils ne s'en sont jamais remis, beaucoup de prisonniers égorgés, les simples soldats, pour les officiers les Rifains demandaient une rançon, avec des délais assez courts, Lyautey aime bien regarder manger ses invités, à la marocaine, avec les doigts, un peu de mépris pour ceux qui mangent avec les deux mains, pour ceux qui bâfrent, qui ne laisseront rien dans le plat, il valait mieux être prisonnier des réguliers d'Abd el-Krim, avec eux on ne mangeait pas beaucoup mais ils essayaient d'adopter des lois modernes, les autres, les moins réguliers, ceux qui ne combattaient que quand on passait sur leur territoire, ils ne savaient pas traiter les prisonniers.

Quand ils ne les égorgeaient pas ils les attachaient la tête en bas à un poteau et ils allumaient un feu au pied du poteau, en répétant aux uns la fournaise aux autres le paradis, remarquez, nos soldats ne faisaient pas beaucoup de prisonniers non plus, quelques photos de têtes coupées alignées sur une murette par des bidasses rigolards, on envoie ça au pays, quand on gardait un type c'était pour le faire bavarder, et les lettres aux copains, hier on a occupé un village, les fatmas à s'en péter les choses. Les officiers de Lyautey n'aimaient pas.

Sur la pelouse du consulat, de Vèze a remarqué la femme de l'historien, une robe jaune, épaules nues, tissu léger, flottant, il tente de se rapprocher, par réflexe, pour avoir quelque chose à faire en attendant l'invité d'honneur, parce qu'elle est mariée, parce qu'il veut qu'elle le regarde, pas une aguicheuse, pas très grande, presque boulotte, chevelure châtain clair, nez pointu, le geste vif, pas mon genre, ça serait reposant.

Et le mari historien a senti le jeu de De Vèze, comme le chien qui se met d'instinct entre sa patronne et le promeneur, il passe son temps à s'intercaler sans en avoir l'air entre de Vèze et sa femme, comme Moine, Albert Moine, un ancien du lycée Montaigne, Moine est au restaurant avec sa femme, elle est dix fois mieux que lui, un jour on l'a vu en compagnie de cette femme, personne n'a su comment il s'était débrouillé, brune, belle, oui, comme dans *Le Meilleur des mondes*, pneumatique, et les yeux qui brillent. Dès qu'il voit venir de Vèze à leur table dans le restaurant Moine se lève, face ronde, petites lunettes rondes qui le font ressembler à Beria, il se met devant la table, il salue, serre la main, ma chérie je te présente mon ami Henri de Vèze, Éliane, mon épouse, ça fait vingt ans que ça s'est passé mais tu as encore dans l'oreille l'intonation de Moine, si distinguée, *mon épouse,* histoire de marquer que vous n'êtes plus si proches que ça, il sourit, Moine, il te connaît, il s'est intercalé, la main gauche devant lui, tenant la serviette pour te rappeler qu'il a autre chose à foutre que de te parler, pas question de t'inviter à sa table, la comédie est finie, le partage des femmes a eu lieu, et tu sens que si tu veux passer en force l'homme distingué t'agrippera et se jettera à terre avec toi, cet historien avec sa femme c'est kif-kif bourricot.

La seule chose que puisse faire de Vèze c'est regarder la jeune femme de biais, boulotte, très vive, sur fond de feuillage, une végétation folle de collectionneur qui a juxtaposé aux plantes des tropiques quelques espèces importées de Cornouailles, celles qui ont survécu, car nos plantes d'Europe, en général, il leur faut de l'hiver, du vrai.

Max a fait les équipes de croquet : le consul et sa femme, non, a dit le consul, il faut que je surveille l'arrivée de notre hôte, le protocole, bon, a dit Max, de Vèze, je vous inflige à notre *consulesse*.

La femme du consul est une petite dame à la bouche découragée, à la poitrine plate, *consulesse* ne lui a pas plu, madame Morel, a continué Max, vous gardez votre historien de mari, gare aux scènes de ménage, le croquet c'est moins violent que le tennis conjugal mais ça peut aussi déraper, et nos deux inséparables futurs grands diplomates, le rose et le gris, restent ensemble, moi, je supervise, il sourit en observant la scène, les premiers gestes sur fond d'arbres, les palmiers-éventails, et les arbres-bouteilles en flacons de Perrier surmontés de palmes sans épines, et d'autres palmiers plus grands, qui tirent l'espace vers le ciel, pourquoi Singapour a-t-il l'air si petit aujourd'hui ? rien en comparaison de ce qu'on avait là-bas, parce que j'étais jeune ? les mêmes arceaux, peut-être pas d'arbres-bouteilles, mais les mêmes boules, les mêmes maillets, Rabat, gazon et gravier, le même jeu, mais si étriqué aujourd'hui.

Même les graviers du chemin ont l'air moins bien qu'en 26, toi aussi tu es moins bien, des cailloux mal dégrossis, c'est moins bien entretenu, six petits cailloux et un caillou plus gros, en pleine révolte, six petits cailloux, on quitte la Résidence de Rabat, ses graviers au cordeau, et ses jacarandas, ici, à Singapour, je n'ai pas vu de jacarandas, quatre cents kilomètres de virages, et on se retrouve en plein djebel, devant d'autres petits cailloux, et on ne comprend pas.

C'est un jeu, a dit l'officier des Affaires indigènes qui accompagne Max dans le village rifain, six petits cailloux dans une main, de l'autre elles lancent le gros caillou, et avant de le rattraper la petite fille doit avoir posé l'un des petits cailloux à terre, et ainsi de suite, je lance le gros, je chope un petit, je le pose, je récupère le gros avant qu'il n'arrive au sol, je le relance, je chope un petit, je pose à côté du premier, au bout de la série ça recommence, elle relance le gros caillou en l'air et cette fois elle pose deux petits cailloux, pas ensemble, à la suite l'un de l'autre, vite, pendant que le gros caillou vit sa vie on regarde bien en l'air, on le suit des yeux, pour éviter de le prendre sur le pif, et les petites filles qui ont réussi la passe de deux ont le droit de lancer à nouveau le gros caillou, pour choper et poser trois petits cailloux l'un après l'autre à chaque lancer, oui, au fil du temps ça se corse, de plus en plus de chance de prendre le caillou sur la gueule, non, je n'ai pas vu jouer, c'est l'officier des Affaires indigènes qui m'a décrit ça, parce que j'avais vu à deux reprises par terre des petits tas de petits cailloux, à l'entrée d'un patelin bombardé, il y avait aussi des traces de marelles, et des *fiancées de la pluie*.

Le mari idéal, se dit de Vèze en regardant Morel, pire que Moine, pire qu'un chien de garde, un arrière de foot, marquage à la culotte, jamais le temps de créer la moindre complicité avec cette femme.

Morel joue le premier, tape sa boule très vite, revient vers sa femme, Morel, vous tapez trop fort, lance Max, vous avez passé la deuxième porte sans avoir passé la première, vous devez repasser la 2 en sens inverse pour pouvoir passer la 1, et vous repasserez la 2 à nouveau, dans le bon sens, pour que ça compte, et Morel proteste, ces règles vont lui faire passer trois fois la porte 2, et de Vèze est resté à côté de sa femme, c'est normal, dit Max, ça s'appelle dépiler, vous avez empilé des bourdes, on vous permet de les dépiler, c'est un jeu très honnête, surtout si on tape la boule franchement au lieu de la pousser discrètement avec son maillet comme le p'tit collègue que voici ! Max désigne le diplomate gris, vous poussez au lieu de taper, défendu, coup nul, vous devez émettre un son, sauf votre respect, cher monsieur, un son reconnaissable, bois du maillet et bois de la boule, un joli *tac*, vous avez passé la porte dans le bon sens, mais le coup n'est pas franc, vilain, on vous a vu, il faut rejouer la porte à l'envers, dépilez donc !

De Vèze regarde la jeune femme, le sein flotte un peu quand elle se penche pour jouer à son tour mais il tient vraiment bien sa place, c'est l'avantage avec les boulottes, de la chair jeune, élastique, offerte, une femme pour la sieste, la

femme est nue sur de Vèze, elle le chevauche, il lui prend les
seins, elle sourit, creuse le dos, et Max qui a vu le jeu de De
Vèze et celui du mari qui s'intercale s'amuse comme un petit
fou, monsieur Morel, je voulais vous demander, il accapare le
mari, vous ne trouvez pas qu'il y a parfois une drôle d'odeur
dans l'air, acide, ça ne vient pas de la ville, de Vèze veut en
profiter pour se rapprocher avec maestria de la femme et Max
alors, une main sur l'épaule de Morel, interpelle de Vèze,
vous ne voyez donc pas que c'est à vous de jouer, où avez-vous
la tête ?

De Vèze tape une boule, n'importe comment, pour se
libérer, mais Max l'oblige à rester : racontez donc à Morel
comment ça se passe, l'Histoire contemporaine, le vécu, ça
le sortira de son Grand Siècle, mais pas tout de suite, bon,
écoutez-moi tous, jusqu'à présent vous n'avez eu que les
règles de base, tout ce qui ferait un jeu de crétins, mais le croquet c'est autre chose !

Dans le croquet, il y a le croquage, c'est-à-dire tout ce qui
rend ce jeu profondément humain, agressif, pervers, avec
alliances, vengeances, trahisons, double jeu, rabibochages,
ah, les rabibochages, qu'est-ce que le croquage, mesdames et
messieurs ? c'est le droit d'envoyer au diable la boule de l'adversaire, avec la sienne, comme à la pétanque, il se croit
près du but, l'adversaire, et vlan, au diable ! vous êtes déjà
sur le trajet retour, vous croisez quelqu'un qui s'est attardé,
un fatigué, un innocent, et vlan, l'innocent vous expédie à
Pétaouchnock, et vous vous demandez si son innocence
n'était que de l'innocence, jouez, c'est de la pure stratégie,
chut, pas un mot, on joue, je surveille.

Max sourit en regardant les premiers essais de ses élèves, le
fin du fin c'est l'innocence, on ne doit pas vous voir venir, un
regard franc, un beau gazon, l'air innocent de Pétain, à Rabat.

Lyautey n'avait rien vu venir, le grand chef de Verdun qui
débarque, mission d'inspection au Maroc, parce que les
Rifains d'Abd el-Krim commencent à chatouiller nos lignes

de défense sur l'Ouergha, et le grand chef de Verdun envoie gentiment sa boule toucher celle de Lyautey, il a donc le droit de croquer, d'abord toucher, ensuite croquer, grands sourires innocents, avec votre permission monsieur le Maréchal, mais je vous en prie monsieur le Maréchal, Pétain croque et Lyautey se retrouve à Pétaouchnock, semi-retraite, retour en France, personne pour l'accueillir à la descente du bateau, remonte sur Paris, la seule chose qui m'attendait rue des Saints-Pères c'était une lettre des impôts, rappel d'arriérés.

Plus tard un susucre, haut commissaire de l'Exposition coloniale, sur le moment je n'ai rien vu, personne n'a rien vu, Lyautey ne voulait pas de guerre dans le Rif, on négocie, on temporise, on divise, on isole, on reconquiert les esprits et les cœurs, je constate que la construction de la biblio-thèque de l'école arabo-berbère a encore pris du retard, je vous demande de vous consacrer personnellement à la sur-veillance des travaux, vous me rendrez compte directement par quinzaine.

Une école des fils de chefs, les rebelles veulent une répu-blique rifaine, on ne la leur donnera pas, mais on peut négo-cier une espèce d'autonomie avec allégeance au sultan à Rabat, cérémonie, manteau blanc, parasols, esclaves noirs, Abd el-Krim baiserait la main, ça se négocie, il ferait le geste de baiser la main, et le sultan retirerait sa main, non, il devra baiser la main, et le sultan lui donnera ensuite l'accolade.

Dans l'accolade, Abd el-Krim devra baiser l'épaule, non, aucun baiser, que préférez-vous ? un homme qui fait sem-blant de baiser la main et qui tient sa parole ? ou un autre qui lèche le dos de la main, la paume de la main, l'autre main, et mijote ensuite un sale coup ? Lyautey a vraiment eu la tentation de laisser s'établir Abd el-Krim, pour foutre les Espagnols à la porte du Maroc, pour leur apprendre à être restés neutres en 14, le ciel était plus bleu, plus vif qu'en Asie aujourd'hui, moins de nuages, une odeur d'orangers et autant de bordel, des troupes coloniales étrillées par des péquenots qui dévalent de leurs montagnes, même pas de vraies montagnes, dévalent quand même, un matin l'appel à la *harka*, vingt types par *douar*, quelques douars par *leff*, pas de chiffre précis, quelques *leffs* pour une fraction de tribu, et une tribu ça fait vite des centaines et des milliers d'hommes. Levée en masse, une armée d'hommes sans chefs, mais qui se connaissent tous, ils dévalent, la vie je la porte serrée sur le dos, et je suis emporté par elle comme sur une pente, la viande était succulente à la Résidence, autour des agneaux servis entiers Lyautey observait les mangeurs.

Ses officiers à lui savaient arracher les morceaux d'une prise légère et comme distraite, trois doigts de la main droite, le regard ailleurs, servir les meilleurs morceaux aux invités, aux caïds venus pour être honorés ou aux Parisiens qui ne savent que faire de ces morceaux qu'on pose poliment au bord du grand plat devant eux, on sert du vin rouge, on y met de la glace, les dames de Paris rient très fort, de belles tentes d'apparat, la plus grande pour les plus grands, et puis d'autres groupes sous d'autres tentes de plus en plus rustiques, le protocole, les plats qui passent devant les officiels de haut rang puis devant les petits officiels, puis les subalternes, quand ils ont été piochés pour la cinquième ou la sixième fois ils arrivent chez les serviteurs, et enfin chez les femmes, dans l'arrière-cour.

« Regardez la superbe menace, dit Max en désignant un galop de nuages gris foncé au-dessus de Singapour, ça va tomber, mes bons.

— Non, dit Morel, le vent de la mer empêche les nuages de se concentrer, ça n'éclatera pas.

— Et l'arbre n'a pas encore bougé », ajoute le consul.

Il a sorti d'une boîte de *Capstan* deux petites lamelles de tabac et les brise dans sa paume avant de les mettre dans le fourneau de sa pipe.

« Quel arbre? demande Morel.

— Celui-ci, dit le consul, en désignant un arbre léger

comme un grand papyrus, quand l'orage menace vraiment, il se rétracte, il n'a pas bougé, nous sommes tranquilles.

— Jouez donc, mesdames, ordonne Max, puisque l'arbre le veut ainsi. »

Singapour, c'était le bon temps, les uns avaient raison, les autres avaient tort, tort de bombarder, pour ceux qui avaient les bombardiers, tort de ne pas négocier, pour ceux qui tenaient la forêt, les rizières, les nuits. Et ceux qui avaient mis quarante ans à comprendre, les Anglais, les Français, pouvaient jouer au croquet à Singapour, comme jadis, et se dire qu'ils avaient enfin raison.

*

Au *Waldhaus*, cette fois, c'est vous qui êtes arrivé en avance, vous avez débarqué la veille de Paris, vous vous êtes installé dans la vallée, à l'hôtel du village, le *Prätschli*, et le matin vous avez pris le téléphérique pour vous rendre au *Waldhaus*. Vous êtes mal à l'aise, vous avez un pressentiment, vous êtes assis près d'une fenêtre et vous voyez Lilstein venir vers vous en traversant la salle, droit comme un I, avec des gaucheries d'étudiant, il sourit, vous salue, s'installe, se frotte les mains, vous dit d'emblée :

« Ils sont foutus, jeune Français, je sais qu'ils ont pris la décision, ils vont bombarder le Vietnam, des tapis de bombes, Johnson l'annoncera dans deux semaines, vous pouvez prévenir votre ami, le ministre, ça lui permettra de faire des pronostics, excellent pour sa réputation !

« Les Américains sont foutus, qu'ils bombardent tant qu'ils veulent, un bourbier, ils peuvent faire la guerre par en haut, plus ils bombardent moins ils pourront s'installer, et ils repartiront, la queue entre les jambes, comme vous dites, c'est votre de Gaulle qui a raison, et nous deux, et quelques-uns de nos amis, nous travaillons pour la raison, la raison traversera tout ça, à nous de l'aider, comme au moment de Cuba, ce n'est pas de l'espionnage, c'est de la diplomatie, discrète, pourquoi cet air sombre ? C'est une information qui vaut de l'or, ils vont bombarder dans deux semaines, tout va bien ! Continuons.

« En restant prudent, pas trop vite, pas de démesure, regardez, le chemin parcouru depuis dix ans, vous n'êtes plus n'importe qui, Cuba, je vous ai donné un bon tuyau, *les Soviétiques retireront leurs engins,* vous avez pu en faire une belle analyse, il a bien aimé ça, votre ami ministre, aujourd'hui on le respecte, et il vous en est reconnaissant, pas trop, il a l'art d'oublier les services rendus, mais il sait que vous lui êtes très utile, il a refait votre analyse en plein conseil, devant de Gaulle, tenir bon, à tout prix, très fort, il n'est pas gaulliste mais dans l'épreuve c'est un homme sûr, résister à Khrouchtchev, soutenir à fond les Américains, Khrouchtchev retirera ses fusées, vous voyez le résultat, nous avons fait reculer la mort, c'est notre seule gratification, continuons, humblement.

« Notre seule récompense, c'est le résultat, votre ami a soutenu les Américains et il a plu à de Gaulle, il faut le faire, et en plus le camarade Nikita, ce dangereux amateur, est passé à la trappe, gentiment, un cinq-pièces à Moscou, ça n'est pas rien, et quand les passants lui demandent si ça va, Nikita répond *couci-couça,* à la trappe, l'amateur, je ne suis pas sûr qu'entre Beria et lui nous ayons gagné au change, oui, je me souviens très bien de vous avoir raconté les différentes morts de Beria, vous avez d'excellents souvenirs, trois morts ? Non, au moins six, et vous avez tout à fait raison, dans les notes du médecin sur le délire de ma mère il n'y avait pas le nom de Beria.

« Pas une seule fois. J'ai d'abord cru que c'était une ultime prudence, il faudra en reparler, Beria, un sadique, un psychopathe, un obsédé sexuel, les Russes aiment bien se faire peur en donnant des coups de pied dans les cadavres. Si l'Union soviétique est le pays qu'un type pareil pouvait dominer, elle est vraiment peu de chose, ou alors Beria c'est autre chose qu'un déchireur de petites culottes, imaginez,

Pierre le Grand meurt avant d'être devenu Pierre le Grand, et
ce sont les grands seigneurs qui se chargent d'écrire sa biographie, ou même l'empereur Auguste, il meurt avant d'être
l'empereur Auguste, et c'est Antoine qui fait son portrait,
Octave le psychopathe, ce qu'il était certainement, comme
Beria, qui était tout sauf Auguste, ou Iago, imaginons Iago,
pour vous dérider. »

Les digressions de Lilstein, c'est pour dérider bien sûr, et
pour vous imposer sa façon. Vous aviez décidé de garder
l'air sombre, de l'obliger à vous demander ce qui n'allait pas,
vous avez médité ce que vous allez lui dire, que vous venez de
relire *Faust*, que ça ne marche plus, et voilà qu'il vous impose
à nouveau ses anecdotes ou ses fantasmes, quand il aura fini
ce sera trop tard, il aura repris la main, vous voudrez parler
et vous ne trouverez pas le ton, vous serez hésitant ou abrupt,
hors de propos.

« Imaginez, poursuit Lilstein, le cher Iago qui finit par
devenir un ministre éclairé, un spécialiste du développement
maritime, il meurt vingt ans après cette regrettable histoire
de mouchoir, dans l'affliction générale, avec son buste face à
la mer pour la suite des siècles, j'ai une hypothèse très audacieuse, que fait Beria quand il succède à Iejov? que fait Beria
à la mort de Staline? il a toujours été proche du programme
de Boukharine, un droitier, travail, rentabilité, quelques
mécanismes de marché, le Parti s'occupe d'idéologie et fout
la paix aux cadres, en finir avec l'antisémitisme et le côté
grand-russe, quand il est mort une partie des gens du complot
des blouses blanches ont dû attendre leur libération pendant
deux ans, simplement parce que l'ordre de les relâcher était
signé Beria.
« Chaque fois qu'il a vraiment eu la responsabilité de la
sécurité il a fait ouvrir les portes, et en 53 il va très loin, il est
prêt à une réunification de l'Allemagne à condition qu'elle soit
neutre, il a une vraie idée du développement et de ce que sont
les nationalités, nous en reparlerons, oui, c'est très dangereux

de raconter des choses pareilles, même aujourd'hui, c'est pour ça qu'on a mis autant de soin à tuer Beria, une mort à plusieurs versions, nous ne savons pas faire différentes versions d'une même voiture, mais pour la mort nous sommes imbattables.

« Une quatrième version, donc, plus romanesque, Beria à la soirée de l'ambassade de Pologne, écu décoré d'un aigle blanc sur fond rouge, on peut ajouter sans risque de se tromper que la femme de l'ambassadeur a une peau de pêche, des fossettes, et qu'elle a mis du *Chanel*, Beria est venu dans sa voiture à lui, avec Vorochilov et Boulganine, belle table, viandes fondantes, on boit beaucoup, évidemment vodka polonaise, fin de la réception, on repart dans la nuit, la voiture, Beria, Boulganine, Vorochilov, tout le monde est éméché, on va à la Loubianka, chez Beria, une farce d'ivrognes, avec Malinovski et Koniev dans une voiture qui suit, le chauffeur de Beria a changé, c'est un colonel, Beria en trois minutes devant une cour présidée par le maréchal Koniev, jugé, condamné, exécuté dans une cave qu'il connaissait très bien.

« Il y a d'autres versions, je vous raconterai plus tard, des histoires de balles dans le dos par ses amis, nous, nous ne courons pas ces risques, nous avons confiance l'un dans l'autre.

« Et puis les temps commencent à changer, à nous deux nous faisons reculer la terreur, nous contribuons modestement à faire reculer les ombres de la mort non naturelle, et votre ami ministre ne peut plus se passer de votre conversation, nous avançons, vous êtes en train de relire *Faust*? Pourquoi me dites-vous ça?

« Parce que vous avez des doutes? C'est normal, vous êtes français, et si vous aviez moins de grands sentiments vous auriez moins de doutes. »

*

La femme du consul et celle de Morel s'expliquent autour d'un arceau, la jeune femme a vite compris et ne se laisse pas faire :

« Vous avez passé la 4 à l'envers, n'est-ce pas ? »

Max, Morel et de Vèze regardent la scène, le diplomate rose vient se joindre à eux, chauve, sanguin, l'œil niais et dur, le visage qui descend en escalier vers de grosses lèvres, il zézaye :

« C'est un jeu très féminin.

— Vous avez l'air soucieux », dit Max.

Le diplomate rose se plaint :

« On a du mal à trouver des serviteurs honnêtes à Singapour, ils ne savent rien et en plus ils volent. J'en ai un, ce matin, pour qu'il rende un smoking, il a fallu que les policiers le fessent sérieusement, à l'anglaise, une badine, c'était très dur à regarder, un type de dix-huit ans, très lisse, presque pas d'odeur, n'a pas compris tout de suite ce qui lui arrivait, la poitrine plaquée sur la table, il a rué, on lui a attaché les pieds aux pieds de la table, des fesses blanches, il a avoué au quatrième coup, mais le sergent a dit d'aller jusqu'à quinze, ce smoking je m'en moquais, mais force doit rester à la loi et à l'ordre, comme disent les Anglo-Saxons. »

Le menton du diplomate désigne l'horizon, tire la graisse du cou qui reprend ses plis quand le menton redescend.

Drôle d'histoire, pense de Vèze, un sodomite qui célèbre la loi et l'ordre. C'est pour mieux se dissimuler, lui a dit un jour un ami, mais de Vèze imagine que c'est plus compliqué, il y doit y avoir une vraie volupté à défendre la loi et l'ordre dans une société qui vous fout en prison chaque fois qu'elle vous coince avec un bidasse dans une vespasienne, de Vèze a connu des officiers aux mœurs dites particulières, mais qui riaient à gorge déployée, et sans se forcer, chaque fois qu'on rapportait devant eux le mot de Clemenceau sur Lyautey, *enfin un général avec des couilles au cul, malheureusement c'est pas les siennes,* comme s'ils assumaient avec joie le fait d'avoir deux existences, l'une parmi des ombres folles et l'autre à la lumière, dans une société impitoyable aux ombres folles, et dont ils étaient les gardiens, souvent héroïques.

Morel quitte Max et de Vèze, il repart vers sa femme, suivi du diplomate rose.

« Ils sont mignons ce jeune couple, dit Max à de Vèze, je parle du mari et de la femme, mais elle doit parfois le trouver barbant, même s'il lui fait fréquenter les ambassades, vous saviez qu'il a été au Parti communiste? D'ailleurs, il n'est pas le seul ce soir à avoir fait ses classes au Parti, pas vous, vous n'avez pas eu le temps, en tout cas tous les jeunes gens de cette soirée, oui, je suis bien renseigné, c'est mon métier, pas un de ces jeunes gens qui n'ait succombé à la tentation, même le barbu en gris, même son copain en rose, et peut-être même la jeune femme, mais Budapest, 56, ça a été radical, ils ont tous rompu, en racontant plus ou moins pourquoi dans la *presse bourgeoise,* oui, j'ai aussi vu ça, Budapest, un peu de tout.

« Le plus dur? Avec les chars russes on n'a que l'embarras du choix. Ma plus belle trouille si vous voulez : des gosses, un des ponts du Danube, juste avant l'arrivée des Russes, une bande de gosses, même pas treize ans, personne ne savait d'où ils venaient, des gueules de misère absolue, je parlais avec des passants qui trimbalaient des miches de pain, un des passants lance aux gosses en riant : vous êtes pas un peu jeunes pour jouer avec ça? Rafale sèche, les gosses avaient des mitraillettes, mon passant qui baigne dans son jus, rétamé, les gosses qui continuent à nous braquer, des yeux de voleurs de poules.

« Les passants qui avaient des miches de pain les ont posées à terre devant les gosses et on a tous reculé, tout doucement, ces gosses étaient inaccessibles, la vraie guerre j'en ai vu autant que vous, mais jamais eu autant la trouille que ce jour-là, bref, Budapest, pour les jeunes gens qui sont

ce soir avec nous, ça a été la rupture avec les rêves sans
classes, et aujourd'hui ils sont tous gaullistes, ou centristes,
ou attentistes, c'est pour ça qu'ils admirent tant le monsieur
que nous attendons, il a fait comme eux, ou plutôt ils ont fait
comme lui, les risques et le panache en moins.
« Moi ? Ça ne m'a jamais vraiment tenté, jamais lu Marx, je
préfère Shakespeare, l'Histoire aboie toujours comme un
chien fou. Au fait, monsieur l'ambassadeur, vous saviez que
nous nous sommes déjà rencontrés ? Évidemment vous ne
pouvez pas vous en souvenir. »

Max quitte de Vèze, part en zigzag sur le gazon, le ciel
s'est éclairci, parfois le vent apporte des restes de pluie ou
d'embruns, au loin quelques essais d'arc-en-ciel, tout cela est
pâle, l'océan et l'humidité délaient, aplatissent, manque de
relief, de terre en relief, *ars*, au Maroc c'était plus contrasté,
ils appelaient ça *ars abu lhawa*, les nuages qui s'en vont, un
soleil encore mouillé, la terre brune, éclatante d'humidité,
un arc-en-ciel à contre-jour, très vif, l'officier des affaires indigènes avait traduit pour Max, *ars*, c'est la noce, les *noces du
chacal*, le chacal c'est vraiment leur animal, leur *Roman de
Renart*, et aussi leur politique, le chacal et le lion dormaient
ensemble au bord du ravin, le chacal dit au lion pousse-toi s'il
te plaît, et le lion endormi commence à dégringoler dans le
ravin, au dernier moment il lance ses griffes, arrache la queue
du chacal et tombe en disant je saurai te reconnaître ! le chacal s'en va, sans queue, il rassemble tous les chacals, leur dit
allons manger des abricots, ils arrivent devant l'abricotier,
comment faire ? je vais tous vous attacher par la queue à
l'abricotier, vous secouerez, nous mangerons, il les attache,
va faire le guet pendant qu'ils secouent. Il revient en courant,
les chasseurs ! les chiens ! sauve qui peut !
Et il file. Les chacals tirent, s'arrachent tous la queue, le
lion rattrape notre chacal, c'est toi qui m'as fait tomber, je t'ai
arraché la queue, notre chacal lui dit tous les chacals sont
sans queue, convoque-les, ils viennent tous, qui reconnaître ?

La queue coupée, c'est une histoire politique, monsieur Goffard, ici, dès qu'un chacal perd sa queue il se débrouille pour que ça n'arrive pas qu'à lui, c'est comme ça qu'on les tient.

Max rejoint la jeune femme, s'empare de son coude avec la familiarité qu'on permet aux hommes de son âge, il écarte Morel.

« Nous avons à parler chiffons. »

Il amène la jeune femme sous les yeux de De Vèze, et au moment où de Vèze va parler Max entraîne la jeune femme vers l'épouse du consul, l'abandonne, je l'amuse, c'est avec moi qu'elle se sent le plus à l'aise ce soir, je suis le plus âgé mais je ne suis pas si vieux, quel âge a Chaplin ? cette jeune femme s'ennuie, nous pourrions nous revoir en ville, entre quatre murs, je ne serais pas un compagnon encombrant, oui, mais je ne suis pas Chaplin, c'est beau ces liserons, ce bleu, ces dégradés de terre de Sienne, très rare pour des liserons, de vraies chimères, dans la région de Chefchaouen une chanson disait *on ne me séparera pas plus de toi qu'on ne séparera les coquelicots des liserons*, c'était une guerre de buisson en buisson, de rocher en rocher, poursuite sur éboulis en s'accrochant à des touffes de genévrier, dès l'aube sur des pistes à chacal, connaissent le terrain par cœur, malheur à ceux qui ont abandonné les champs pour la ville, de superbes massifs de lauriers-roses en lit d'oued qui n'avaient pas vu de vraie pluie depuis des années, certaines racines allaient chercher l'eau à plus de quinze, vingt, trente mètres, les lieutenants d'Abd el-Krim disaient qu'après la victoire ils rebâtiraient *Al Andalûs* et ses fontaines, mais leurs hommes détestaient les villes.

Le diplomate rose revient vers de Vèze, lui demande ce qu'il pense de monsieur Goffard qui tient tant à se faire appeler Clappique, assez provocateur n'est-ce pas ? vous n'avez pas le sentiment qu'il cherche l'incident ? cette façon de dire je saurai me venger en regardant vers la porte d'entrée ? oui, il passe par ici une ou deux fois par an, le consul le cultive pour ses informations, nous ne l'aimons guère, et ce soir il a l'air encore plus incontrôlable que d'habitude.

De Vèze fait semblant d'écouter le diplomate rose tout en regardant la femme de l'historien, à quelques mètres, sur fond de feuilles vertes et de liserons.

« Ce jardin est magnifique, dit le diplomate rose, vous ne connaissez rien aux plantes ? Je vais vous réconcilier avec, je ne parle pas des orchidées, il n'y a que ça dans toute l'île, mais vous avez vu ces arbres, cette collection ? »

De Vèze ne voit rien.

« Je vais vous montrer, pas les cocotiers, ni les palmiers ou les bambous, regardez, les girofliers, et derrière, au fond à gauche, ce machin qui a l'air inextricable, au bord de la mer, oui, ça sent un peu aigre, l'ammoniac, la décomposition, vous en avez quand même entendu parler ? Une spécialité de la région, l'ancien propriétaire avait voulu la recréer dans son jardin et ça a si bien marché qu'on n'a jamais réussi à s'en débarrasser, il faudrait surveiller quasiment tous les jours, ou mettre à sec, trop de travail, alors on laisse en l'état, ce n'est pas désagréable à regarder et ça ne sent que quand il fait trop chaud, tout un monde de formes improbables, un demi-monde, des larves, des crabes transparents, des poissons qui respirent par les poumons, des têtards, des boules glaireuses, ça fermente, ça suce, des racines qui empoignent l'air, des araignées d'eau dans l'embrouillage des branches, je vous ennuie, vous avez vu, ça a bougé, vous savez qu'on voit parfois des singes dans le feuillage, des vrais, sur la pelouse c'est autre chose, paume vers le ciel la main du diplomate rose désigne les joueurs de croquet à quelques mètres, il donne l'impression de les soupeser, susurre : on a fait deux guerres mondiales pour défendre ça ! »

De Vèze ne relève pas, le visage de la jeune femme est attachant, fossettes, nez pointu, juste ce qu'il faut de lèvres, un très léger début de dents de lapin, de Vèze guette le moment où il la verra de profil, puis il oublie le visage pour saisir les effets du contre-jour sur les jambes à travers le tissu de la robe, des jambes presque robustes, pas trop ce qu'il aime, je les préfère plus longues, l'aristocratie des longues jambes, mais celles-ci ont de l'allure, musclées, elles se passent assez bien de talons hauts, de quoi animer la soirée sans se gâcher la vie.

Et Malraux fait enfin son apparition dans le jardin de la villa, costume gris anthracite, pochette blanche, cravate sombre, le pas vif, il n'a plus de mèche rebelle, la calvitie progresse sur le crâne de part et d'autre d'une zone centrale où le cheveu résiste, il a un petit sourire, il a l'air d'aller beaucoup mieux que ne le dit la rumeur :

« Ne vous dérangez surtout pas ! Du croquet ! Je tiens à ce que vous finissiez cette partie, je ne savais même pas qu'on pût encore y jouer, rassurez-vous mon cher consul, je ne dirai pas au Général que ses diplomates jouent à ce jeu si anglais, heureux de vous revoir, de Vèze, vingt ans depuis la dernière fois ! D'ailleurs je me joins à la partie, comme ça je serai aussi coupable que vous tous, oh, un vulgaire pastis, pernod si vous avez, pas trop d'eau, un seul glaçon, merci. »

Malraux s'empare d'autorité d'un des maillets.

« Vous savez que j'y ai joué, ici même, en 1925, pas dans cette villa, à l'hôtel, au *Raffles*, les Anglais appelaient le croquet *the lord of lawn sports*.

— *Lord, lord,* dit Max à la cantonade, ça leur va bien, ce sont les paysans français qui ont inventé le croquet, et on l'a refilé aux Anglais via l'Irlande, le seigneur des sports de gazon sent la patate, d'ailleurs il est en train de crever, le lord, tué par le base-ball, ils finiront par tout tuer, les Yankees, sauf dans des coins comme Singapour, le dernier confetti d'Empire, pour un p'tit semestre encore, bientôt une république indépendante. »

Max se tourne vers Malraux :

« Cher auteur, ajoute Max en se tournant vers Malraux, si vous acceptez d'être mon partenaire j'entre dans le jeu, j'étais

en train d'expliquer à la jeunesse la règle du croquage, le croquage mes bons c'est donc quand j'ai réussi à toucher la boule
d'un autre joueur avec la mienne, ça me donne le droit de la
taper à nouveau, beaucoup plus fort, mais dans les règles,
chut, pas un mot, je vais chercher la boule que j'ai touchée,
regardez bien, je la place contre la mienne sans la bouger
d'un milli-poil, je mets le pied sur ma boule, et clac, coup de
maillet sur ma gentille boule, j'envoie gicler l'autre, la vilaine,
je peux l'envoyer le plus loin possible, ou viser avec finesse et
lui faire passer une mauvaise porte, très diplomatique, faire
commettre des fautes à l'adversaire, comme ça la vilaine
devra dépiler. Dépilez, il en restera toujours quelque chose. »

Ils ont joué un moment, pendant que le jour tombait sur la
ville et l'océan, de temps en temps Max repartait dans sa rêverie, Rabat, sa jeunesse, à peine trente ans, dans ma tête je me
suis arrêté à trente ans, j'ai toujours l'impression d'avoir cet
âge-là, qu'est-ce que je bourlinguais à l'époque ! tu pourrais
en parler à cette jeune femme, pas sûr qu'elle t'écouterait, elle
parle très bien, très précise, tu es plus vieux que Chaplin
quand il a épousé sa femme, et celle-ci ne fait pas réellement
attention à toi, elle observe l'ambassadeur à Rangoon, sans
qu'il s'en rende compte, il se contente de faire le coq devant
elle, il ne voit pas qu'elle l'observe aussi, il n'y avait pas de
femmes comme elle à Rabat, celle-là sait parler, la voix de
quelqu'un qui ne dépend pas du regard des hommes, elle sait
des choses, elle sait répliquer, son *n'est-ce pas* de tout à l'heure
à la femme du consul c'était très bien, à Rabat les femmes
avaient parfois de l'allure, mais dès qu'elles parlaient ce
n'était plus ça, Lyautey ne savait pas les choisir, et Max
n'était intéressant que lorsqu'il parlait, il allait chercher ses
idées dans les yeux des femmes, un ami lui avait dit il y a des
regards de femmes c'est mieux que quand on les baise, il faisait des conquêtes, aujourd'hui tu n'es qu'un vieux conteur
qui a besoin de réclamer la parole, il faut leur raconter *la
fiancée de la pluie*.

La poupée sur un tas de fumier, dans le Rif, à Chef-chaouen, pas la même odeur que celle qui vient ici du fond du jardin, plus forte, poupée c'est beaucoup dire, une pelle à céréales, en bois, on y ajoute un morceau de bois en croix sur le manche, oui, la partie large de la pelle ça fait les hanches, toute une conception de la femme, donc un petit bout de voile en coton, de la laine rouge pour faire un manteau, une ceinture de soie, des pièces de monnaie espagnole autour de la tête, l'officier des affaires indigènes avait ajouté c'est pour la pluie, ils crèvent de sécheresse en ce moment, et on ne les laisse descendre dans la plaine que s'ils font leur soumission, malheur à ceux qui ne se révoltent que lorsque leur cou est déjà entre sabre et billot, alors ils font une poupée, les enfants font une poupée, ils appellent ça *la fiancée de la pluie*, ils la mouillent et la baladent entre la mosquée et le marabout, en priant pour la pluie, à la fin du parcours ils vont la planter sur un tas de fumier et rentrent chez eux en attendant que la pluie vienne, de Vèze, vous rêvez, mon bon, c'est votre tour.

De Vèze a presque eu le sentiment d'être heureux, en jouant au croquet, en buvant son whisky, en suivant les oiseaux dans le ciel, en parlant avec l'écrivain qu'il admire, et en regardant la jeune femme, Malraux et Max ont fait équipe, ils ont joué à la va-vite, Malraux avait tendance à inventer de nouvelles règles à chaque instant, ils se sont même disputés, Max jouait au vieillard à caprices pour rester maître des opérations, il provoquait Malraux, une fois il l'a appelé jeune homme, il n'a pas recommencé, il faisait exprès de se parler à lui-même, ou de dire foi de Clappique, et Malraux faisait semblant de ne rien entendre pour ne pas avoir à relever, le consul leur jetait des regards inquiets, il avait invité Clappique de sa propre initiative, il sentait venir l'incident avec Malraux.

Quelque chose a brutalement pris de Vèze à l'idée qu'il n'allait sans doute plus revoir la jeune femme, il me la faut, elle n'a rien à foutre avec ce type, coincé de bibliothèque, les femmes sont à ceux qui les aiment le plus.

La jeune femme a vu un grand oiseau entre les nuages.
« Un albatros, dit de Vèze en se rapprochant d'elle.
— Pas du tout », dit Max.
Et la femme du consul :
« C'est une frégate.
— Quatre mètres d'aile, précise Max, un oiseau tout en aile, ça vole à dix mille pieds, ça dort sur l'orage. »
Il regarde de Vèze :
« Il y a les frégates et il y a les fous, le fou, c'est l'oiseau ridicule, le patapouf des plages, on lui tape dessus et il ne se sauve même pas, tout le temps en train de bouffer, et il est fasciné par les frégates, elles ont un truc pour ne pas se fatiguer, elles attendent qu'un fou passe en l'air à portée, et elles lui tapent sur le crâne jusqu'à ce qu'il crache le poisson qu'il a dans la gueule, oui, elles tapent, le poisson tombe du bec et elles le rattrapent au vol, de belles manières, les frégates.
— Tout est faux, dit Malraux, dans la nature les frégates et les fous s'entendent très bien.
— C'est du roman, dit Max, et même...
— Du Goffard », coupe Malraux.
La jeune femme :
« Dès qu'il y a des noms masculins et des noms féminins les gens cherchent à faire compliqué. »

*

« C'est seulement parce que vous avez des doutes que vous faites cette tête ? vous dit Lilstein d'une voix douce, mais le doute c'est essentiel dans notre métier ! Et à votre âge c'est une qualité qui n'a pas de prix, vous me voyez travailler avec un enthousiaste ? Je ne tiendrais pas six mois, vous seriez un Français enthousiaste, à grands sentiments ! Trop dangereux ! Si vous voulez marquer une pause, prendre du recul, faites-le, des doutes sur quoi ? Vous vous prenez encore pour un espion ? Jusqu'à présent c'est moi qui suis votre espion, Khrouchtchev et ses fusées, il y a quelques années, Khrouchtchev prêt à reculer, un sacré tuyau, on m'avait demandé de vous le donner ? Ne soyez pas sarcastique, c'est de la politique, pas de don sans arrière-pensée, ce qui compte c'est le résultat, peut-être que mon information venait des camarades qui au même moment poussaient Khrouchtchev à la fermeté, en sachant qu'il céderait, pour mieux le dégommer après, oui, vous avez raison, ils se sont fait un beau rôle, vous êtes un analyste plutôt fin, trop peut-être, un beau rôle, peut-être que ça s'est passé comme ça, peut-être pas.

« Pas de vrais doutes ? Des scrupules ? Ce que vous ne supportez pas c'est d'être en permanence avec des gens de droite ? Et vous voudriez rester un peu à gauche, soigner vos scrupules, l'écart est trop grand entre vos deux âmes ? Ah, non, pas les gaullistes de gauche, aucun avenir, soyons sérieux, le Général finira par s'en aller, restez à droite, avec votre ami ministre, il va monter, et vous monterez avec lui, il sera parfois obligé de s'arrêter mais il finira par monter très haut ; si vous voulez réduire l'écart entre vos deux âmes, celle qui rêve et celle qui agit, réduisez les rêves, d'ailleurs vous réussissez plutôt bien à droite, je sais qu'on vous a invité chez le Premier ministre, à la campagne ? Une promenade à dos de mulet ? Superbe, allez-y, vous avez des doutes, vous faites la tête, vous avez mal à votre âme de gauche, et vous êtes invité chez le Premier ministre ! Vous voyez, il suffit d'avoir des doutes pour que les choses arrivent toutes seules.

« Cela dit, vous me permettez un conseil ? Faites votre promenade à dos de mulet, mais n'allez pas plus loin, le Premier ministre ça ne servirait à rien, vous n'êtes pas de la même génération, vous auriez l'air d'un nouveau venu, surtout à dos de mulet.

« Vous n'êtes pas sûr que ce soient des mulets ? De grands poneys ? C'est pareil, l'équitation ça rend bête, je suis injuste, mais une bonne partie des gens qui se sont trop occupés de moi portaient des bottes de cheval, n'allez pas plus loin, nous avons le temps, vous voyez, je ne vous traite pas comme un agent, je ne vous dicte rien, j'essaie de vous mettre en garde, avec mon expérience, si vous voulez tenter le coup du côté du Premier ministre, faites-le, mais croyez-moi, c'est un cercle très surveillé; avec votre ami c'est différent, vous faites déjà partie d'un cercle qui se construit, ça a l'air naturel, je vous dis cela simplement parce que j'ai quinze ans de plus que vous, et que j'en suis déjà à ma troisième vie, nous avons le temps, si je vous traitais comme un agent vous seriez déjà grillé, la durée d'activité d'un grand agent dépasse rarement dix ans, parce qu'il faut un réseau, des consignes, des intermédiaires, des archives.

« Pour vous c'est différent, il n'y a que vous et moi, et de la conversation, comme chez Platon, et j'essaie de vous mettre à l'abri des accidents, c'est comme sur la route, il ne suffit pas de respecter le code, il faut toujours se donner la possibilité d'aller dans le fossé sans bobo, la bonne vitesse c'est celle qui vous permet d'aller au fossé si un chauffard vous arrive droit devant.

« Je sais que vous ne ferez pas d'erreur, jeune Français, mais je veux vous mettre à l'abri des chauffards, vous préfériez vraiment les gaullistes de gauche? Ils n'iront pas loin, il vaut mieux garder votre pensée de droite, elle vous va très bien, tirez-en des plaisirs adoptifs, si vous tenez à des plaisirs de gauche vous n'avez qu'à lancer qu'au fond Lénine avait raison, l'État doit dépérir, dites ça en riant, si vous en avez encore envie, et vous danserez à deux bals à la fois.

« N'approchez pas du Premier ministre, quand il a une cigarette entre les lèvres il ferme presque complètement l'œil qui est au-dessus, mais c'est avec celui-là qu'il surveille tout, il connaît trop les hommes, il n'aime pas votre ami, il ne vous aimera jamais, ce serait amusant d'organiser des bals avec votre ami, il aime ça, dès qu'il y a des femmes les hommes parlent plus fort et disent beaucoup de choses pour couvrir la voix des autres hommes, je ne suis pas hostile a priori au rôle que peuvent jouer les femmes dans notre métier.

« Encore une fois, il ne s'agit pas d'espionnage! Nous faisons un métier sérieux, nous prenons ensemble le pouls des événements, nous sommes des régulateurs de tension, un grand métier, avec de petites conversations, l'art de ne pas provoquer de catastrophe, c'est bizarre, je ne sens pas l'odeur de notre *Linzer* aujourd'hui. »

*

À Singapour, après le croquet, on est passé à table, une table ronde, tout le monde se voit sans avoir à se pencher à droite ou à gauche, d'ailleurs il n'y a plus ni droite ni gauche ni centre.

« Une table gaullienne, a dit Max en riant.

— Venez, de Vèze », a dit Malraux en l'installant à sa gauche.

La femme du consul a laissé faire. De Vèze s'est dit qu'il avait de la chance, surtout quand il a vu que la jeune femme s'installait en face de lui, Max continuait sur sa lancée :

« Gauche, droite, bâbord, tribord, on tire des bords, pas vrai jeunes gens ? Chut, pas un mot, art de gouverner, marine à voile, pour orienter le gouvernail on a une barre qui pivote, de la barque à la grande caravelle, donc pour virer à droite, à tribord, inversion autour du pivot, on dit au timonier d'envoyer sa barre à bâbord, un verre fauché par la main de Max, vide, et le bateau part à tribord, à droite, quand on est marin ça se passe très bien.

— Quand on est gaulliste également », dit le diplomate gris.

Le consul le fusille du regard, regarde Malraux, Malraux sourit, l'ambassadeur adoucit son regard, le diplomate rose lance des regards durs vers le diplomate gris, j'ai dit cent fois à Xavier de ne pas en rajouter sur ce cynisme d'homme de droite, c'est très mal porté, Max reprend :

« Très juste, mon bon, la fin de la guerre d'Algérie c'est une histoire comme ça, le Général va à Alger, lance *barre à tribord*, la foule applaudit, mais tous les vrais marins ont compris que c'était pour virer à bâbord, chut, pas un mot, la suite, progrès technique, poulies, câbles, renvois, la barre remplacée par une roue qui finit par tourner dans le même sens que la direction voulue, toutes les marines du monde s'y mettent, *barre à bâbord*, ça veut désormais dire que la roue tourne vers bâbord pour virer à bâbord, à gauche si vous préférez, chut, pas fini, la marine anglaise, traditions, garde l'ancienne formule, obstinément : pour virer à tribord, l'officier de Sa Majesté commande *barre à bâbord*, et en entendant *bâbord*, le timonier tourne la roue vers *tribord, God save the tradition*, et le bateau vire à tribord ; quand on est anglais, ça se passe très bien, bon, quelques accidents avec les pilotes dans les ports étrangers, pas tant que ça, mais la presse en parle, d'où la radicale réforme de la *Royal Navy* en 1933. »

En s'asseyant, de Vèze a heurté un pied, il ne sait pas si c'est celui de Malraux à sa droite, ou de Max, ou même celui de la jeune femme en face de lui, il a dit pardon, très brièvement, sans regarder personne en particulier, personne n'a réagi, on leur a servi une langouste mayonnaise, le diplomate rose a eu l'air surpris, de Vèze a encore oublié son nom, il se souvient que le gris avec sa barbe en cul de singe s'appelle Poirgade, Xavier Poirgade, Xavier, ça lui va bien pour un rigide, déjà l'un de nos grands spécialistes de stratégie lui a dit le consul, il est très introduit à Paris, parfois trop proche de certaines positions américaines, un atlantiste, mais on l'écoute beaucoup, la main droite du consul monte à droite de son visage, paume légèrement vers le ciel, le prénom du diplomate rose, ce serait amusant, un nom plus souple, pour faire complément avec ce Xavier, Jean-Philippe, Jean-Jacques, de Vèze ne se souvient pas.

Le diplomate rose contemple la mayonnaise, il fallait s'y attendre, on est au beau milieu de l'Asie et le consul nous fait le coup du dîner à la française, et ça donne une langouste mayonnaise, pourquoi pas du pan-bagnat pendant qu'on y est ? peur des plats asiatiques, il y a quand même un juste milieu entre la langouste mayonnaise et le jeune chiot cuit au miel, mais à part moi qui sait manger ici ? pas le consul, il ne mange pas, il attend d'être nommé ambassadeur en tirant sur sa bouffarde et en se teignant les sourcils, pas sa femme, elle est anorexique ; Malraux ? il carburerait volontiers au pernod jusqu'au dessert ; le jeune couple ? pas encore ; l'ambassadeur à Rangoon, le de Vèze, il doit bouffer des boîtes de singe dès qu'il est seul, pour se rappeler Bir Hakeim ; quant à mon cher Xavier il a horreur de la mayonnaise, des taches jaunes sur de la soie grise c'est très vilain, j'aimerais qu'il se fasse une tache, cette mayonnaise est fadasse, ils ont dû couper l'huile d'olive avec de l'arachide, et personne pour s'en apercevoir, et la langouste manque de goût, trop cuite, on ne sent plus l'iode, c'est un infirmier qui a cuit ça, il n'y a que les mots qui intéressent ces gens-là, au lieu de goûter un repas ils écoutent une histoire et demandent à cet histrion de Max ce que c'est que cette réforme de la *Royal Navy*.

« Très simple, mes bons ! dit Max, en 1933 l'*Admiralty* décide : *tribord toute* voudra désormais dire que le timonier doit tourner sa roue dans le sens tribord, pour envoyer le bateau à tribord droite, comme tout le monde.

— Donc, fini les accidents, dit le diplomate rose pour abréger le discours de Max.

— Sauf ceux qui sont dus aux vieilles habitudes, reprend Max, 1942, l'*Argus*, porte-avions anglais, Méditerranée, convoi vers Malte, trois torpilles italiennes, bâbord avant, si le navire continue tel quel il les rencontre, la manœuvre est simple, virer très vite en direction des torpilles — vers bâbord — fermer l'angle, les torpilles passeront devant, le capitaine a tout vu, commande pas l'*Argus* pour rien, instinct, virer à bâbord, il hurle, *barre à tribord*, eh oui, lapsus, angle ouvert, tout le flanc du navire, 230 mètres de long, qui va se présenter aux torpilles, chut, pas un mot, un capitaine anglais qui hurle, jamais vu ça, le timonier s'affole, réflexe d'avant 1933, roue à bâbord, et hop, mon *Argus* vire à bâbord, angle fermé, torpilles évitées, j'adore ces histoires de changement de cap. »

La conversation est revenue sur les Américains, les bombardements massifs sur le Nord Vietnam, ça ne marchera jamais, des fois ça marche, dit Max, ça dépend des bombardements mais des fois ça marche, à condition d'assommer les civils, ceux-là ne marcheront jamais tranche Malraux, Johnson a même décidé ça parce qu'il sait que ça ne marchera pas, il a besoin d'un échec, de Vèze tourne dans sa tête les phrases qu'il voudrait dire à Malraux, le jour finit, la brise de mer, les fleurs jaunes, la jeune femme, derrière elle les arbres virent lentement au bleu sombre, personne n'ose demander à Malraux pourquoi Johnson a besoin d'un échec, de Vèze n'a pas approché Malraux de si près depuis la Libération.

Ce qui le surprend c'est que Malraux a l'air de s'intéresser à lui, il a brusquement demandé à de Vèze, devant tout le monde, devant la jeune femme :

« Dites-moi, de Vèze, Bir Hakeim... »

Et la jeune femme a regardé de Vèze en souriant, comment fait-elle ? ce n'est qu'un décolleté sans indécence mais c'est d'une douceur, on a l'impression qu'on pourrait glisser la main à tout instant sans rien craindre, en trouvant le bon geste, ni agressif ni timide, on vous attend, on est un peu contrariée que vous le fassiez ainsi, mais on vous attend, juste ce qu'il faut, trouver l'étape intermédiaire, la main soudain très proche, en quelques mots, mais sans s'appesantir, très peu d'étape intermédiaire, pas comme au temps des premiers films à deux dans le noir, quand la main s'installait d'abord sur l'épaule de la fille façon copain qui prend ses aises, on vous la retirait aussitôt et il n'y avait ce jour-là plus rien à faire, ou bien la fille vous laissait faire et attendait la suite en trouvant inutile de passer par ce simulacre de camaraderie, de Vèze avait connu une fille qui avait pris la main posée sur son épaule et l'avait carrément mise sur son sein en disant et maintenant on regarde le film, des bribes d'adolescence au cinéma, Morgan, Gabin, quelques caresses, une autre fois la fille et lui s'étaient embrassés et caressés pendant toute la séance.

Le reste de sa jeunesse il l'a passé dans un camp d'entraînement des FFL, et les films étaient pris par des cinémitrailleuses d'avions, il voulait être pilote de chasse, mais ça prend trop de temps, on l'a envoyé en Afrique, mais là, avec cette femme, elle sait ce que c'est qu'une main sur un sein, les étapes sont inutiles, inventer un mouvement naturel, ne pas passer par-dessous, la caresse se ferait encore sur le tissu, non, tout de suite la peau, le grain de la peau, passer par le haut en venant de l'épaule, mais comment se placer ? derrière elle ? non, de face, tous les deux debout, après le repas, derrière les arbres, la regarder, avancer la main droite en cassant le poignet, les doigts vers l'extérieur, entrer par le côté de l'échancrure, la paume venant sur la pointe, faire pivoter le poignet, les doigts vers le bas, tout le sein dans la main, son poids, d'un seul geste, de Vèze pense à l'inévitable poire, de jolies poires, mais la poire c'est trop dur, ça ne dit rien de vrai sur les seins, des seins en forme de poire, tout le sein dans la main, on appuie à peine et le sein gonfle dans la main, la femme de Moine au restaurant, elle était décolletée, des seins plus larges, à bout de doigts on sent un battement, on est godiche, c'est même cela qu'elles attendent, que dans ces instants vous soyez godiche, car vous entrez dans un domaine où la vraie connaissance leur appartient, leur plaisir, et elles se méfient comme de la peste de ceux qui sont trop sûrs d'eux-mêmes.

Ou bien ne rien faire avec les mains, d'ailleurs cette histoire de main droite qui entre dans l'échancrure c'est compliqué, non, être très simple, les mains derrière le dos, sans défense, se pencher, embrasser la naissance du sein, le grain de beauté, simplement poser les lèvres, à la dérobée.

*

« Je suis sûr que vous continuerez à jouer à la perfection, vous dit Lilstein, parce que vous avez vraiment eu envie d'être celui que vous jouez, vous en avez toujours à moitié envie, m'envoyer promener, devenir comme eux, un homme de droite, la droite parisienne si distinguée, c'est comme moi, chaque fois que ma secrétaire oublie quelque chose je deviens un adepte du capitalisme sauvage, vous, vous voudriez devenir un authentique réactionnaire à dos de mulet, mais en même temps vous n'aimeriez pas ressembler à votre famille, pas tout le temps, alors parfois, comme vous dites en français, vous ne savez plus sur quel pied danser, nous, nous disons *danser à deux mariages à la fois.*

« Vous savez qu'on dansait ici, avant guerre, jeune Français ? C'est même là que j'ai fait mes premières armes, la grande salle du *Waldhaus*, à seize ans, même pas, je faisais plus vieux que mon âge, il y avait des bals, des soirées dansantes, on ouvrait toutes les portes, ça faisait une très grande salle, dans la journée les séminaires et les concepts, le soir la galanterie, je me croyais capable de faire beaucoup de choses, je refaisais le monde, mais quand je me suis retrouvé aux bras d'une femme ça n'a pas été drôle du tout, une grande créature, des épaules très droites, une voix un peu grave, voilée, elle m'a invité, moi.

« C'était pour ne pas faire de jaloux parmi les autres, mais je ne me le suis pas dit tout de suite, une valse, bon, je savais vaguement tourner, mais la suite c'était un tango, j'ai fait les premiers pas d'un air très majestueux, comme j'avais vu faire et comme j'avais lu, pour le reste je ne savais rien, c'est elle qui a guidé, une poigne de fer, elle faisait celle qui est emmenée mais c'est elle qui guidait, je n'avais qu'une seule ressource, faire la marionnette molle et suivre le mouvement, elle faisait la femme conquise et l'instant d'après elle faisait celle qui résiste, et elle dirigeait tout, du grand art, elle était très distinguée et en dansant le tango elle faisait la chienne, elle montrait que ce n'était pas elle, que c'était la danse qui lui demandait d'envoyer sa cuisse sur ma hanche et ses fesses en enfer.

« Et plus tard dans la soirée un ami journaliste français

s'est approché de moi, nous avons regardé la femme danser avec d'autres hommes plus sveltes et plus experts, mon
ami journaliste m'a dit nous avons une amie très distinguée,
et pourtant on la sent capable de quitter tout ça pour aller
égorger un bouc ou un faon et le déchirer en balançant les
morceaux en l'air, regardez bien ses pieds, Lilstein, elle en a
toujours un dans les ténèbres.

« À un moment, pendant le bal, une Autrichienne m'a
dit que j'avais l'air d'avoir appris le tango avec les soldats de
Frédéric II, c'était faux, je me sentais tout mou, la grande
femme souriait, mais la main me tenait serré, je forçais mon
jeu, l'air impérieux, ridicule, ne forcez jamais, jeune Français,
soyez simplement quelqu'un de nécessaire, à ce point nécessaire que vous n'aurez pas besoin de chercher à vous imposer,
il sera simplement insupportable que vous ne soyez pas là,
l'insupportable fauteuil vide, on ne saurait commencer sans
vous, on vous appelle, on vous attend, et en vous attendant
on se moque des chaussures bon marché que vous portez,
marron foncé, pour aller avec tout, ça vous rend sympathique, on se moquera de vous avec affection, vous n'aurez
pas besoin de mendier des invitations, vous devez devenir
celui qui manque, celui qu'on attend.

« Si j'ai revu cette femme qui dansait le tango ? Je ne sais
pas si je vous le dirai un jour, ce que je sais c'est que je la
revois ici même, il me suffit de fermer les yeux, ou même en
les laissant ouverts, tout à l'heure, en montant, je suis passé
devant la piscine, qui n'a pas changé, c'était doux. »

Lilstein va continuer à vous parler de la danseuse de tango,
une partie de ce qu'il revoit ira vers vous, l'autre partie reste
pour lui, il a seize ans, une porte de cabine non verrouillée,
pas de cri, une silhouette sous la douche, au fil des années
il voit de moins en moins le visage, ce qui subsiste c'est ce
qu'on trouve parfois dans des musées, buste, bassin, cuisses,
il faudrait dire perfection, il a refermé la porte, oui, en restant
dehors, et pendant des années il a pu rêver à ce qui se serait

passé s'il l'avait refermée sur lui après être entré, et les rêves même se sont calmés, il y a un livre chez lui qu'il n'ouvre jamais, il le garde, il l'a perdu chaque fois que la police l'a arrêté, la première fois il l'a racheté, la seconde c'est un de ses collègues qui le lui a rapporté en même temps qu'une bonne partie de sa bibliothèque, je les avais mis de côté chez moi, je savais que tu t'en sortirais.

Lilstein a remercié sans rien dire d'autre, il n'ouvre jamais le livre, il se contente de vérifier qu'il est là, dans la reliure de l'exemplaire que les nazis ont brûlé il avait caché une lettre, dans celui qu'il a racheté il sait seulement qu'à une certaine page il retrouverait l'image exacte de ce qu'il a vu devant lui sous la douche, hanches, cuisses, il est sûr en comparant ses deux souvenirs, la douche et la page de ce *Dictionnaire de la sculpture grecque*, que les deux images sont identiques, des hanches solides et longues, poitrine haute, cuisses, comment dire, pas des poissons, ses cuisses fuyaient sous moi comme des truites, je la pris près de la rivière, pas de rivière, pas de poète, et d'ailleurs je ne l'ai pas prise, fesse pointue, elle pousse un cri quand tu ouvres la porte, se tourne, trois quarts dos, la fesse pointue, tu n'en es déjà plus très sûr, ce qui a dû changer c'est ton critère de beauté, aujourd'hui tu trouverais trop mince ce corps d'Aphrodite de dictionnaire, les seins un peu jeunes, il vaut mieux ne pas regarder dans le livre.

« À Paris, le contre-espionnage aura des soupçons, vous dit Lilstein, de même que vous avez des doutes. Il faudra qu'ils aient des soupçons, nous faisons quand même un métier à risque, avec de la peur constructive, et le charme des jours fébriles, cela ne sert à rien de se rendre insoupçonnable, un jour quelqu'un finit par se demander pourquoi vous êtes à ce point insoupçonnable, vous perdez votre temps à soigner votre pureté et quelqu'un finit par lancer *ce type est trop propre, si ce n'est pas un agent soviétique il ne fait que rater sa vie.*

« Il faut des taches dans une biographie, sinon c'est trop beau, tous les insoupçonnables que j'ai connus ont fini par tomber, alors que tout le monde est marqué par le péché, il faut qu'ils soupçonnent des gens d'un tel rang que le soupçon en devient plus dangereux que les fuites elles-mêmes, alors ils relâchent la pression, ils se disent que chercher la taupe reviendrait plus cher que les dégâts que fait la taupe.

« C'est ce qui s'est passé chez les Anglais, toutes ces taupes, même celle qui dirigeait leur propre service d'espionnage, ils se doutaient bien de quelque chose, ils ont mis des années à les coincer, pas pour protéger de vieux camarades de Cambridge ou des petits frères en pédérastie, il peut y avoir un vrai plaisir à liquider de vieux camarades, non, si les Anglais ont longtemps hésité c'est parce que c'était si gros que ça ressemblait à un piège.

« Les Anglais ont la mémoire des grands pièges, ça ressemblait trop à l'affaire Toukhatchevski, on ne comprend rien à la réussite des taupes installées en Angleterre si on ne se souvient pas de Toukhatchevski. »

*

Devant tout le monde, à la table du consulat, Malraux a brusquement demandé à de Vèze :
« Bir Hakeim, comment fait-on pour trouver la sortie, en pleine nuit ? »
De Vèze :
« Le repère, c'étaient les cinq étoiles de la constellation du Corbeau. »
Malraux :
« Qu'est-ce qu'on se dit sur le moment ? »
De Vèze :
« On se dit que c'est peut-être aventureux. »
Max :
« C'est vrai qu'à l'époque les types de Berlin et de Vichy voulaient vous passer par les armes ? Le ramassis de Français blancs et nègres, et les judéo-bolcheviques de la Légion ?

— Oui, dit de Vèze, de Gaulle s'est précipité à la radio pour répondre qu'on en ferait autant aux prisonniers allemands, et Radio-Berlin a fait marche arrière, ils nous traiteraient comme des soldats, mais ça ne donnait pas plus envie d'être prisonnier.

— Vous étiez vraiment en jeep ?

— Non, on a raconté des histoires de jeeps mais nous n'en avions pas, j'étais sur un de ces petits machins à chenilles qu'on appelait *bren carrier*, un mètre cinquante de haut, on pouvait tenir à cinq dedans, pas très protégé mais ça passait partout. »

De Vèze a sauté trois fois sur les mines de Bir Hakeim, il fallait ouvrir le passage, de Vèze, vous prenez un des *brens*, vous y allez, et quand on sautait et qu'on était encore vivant on revenait prendre un autre *bren*, on repartait jusqu'à ce que ça passe.

De Vèze n'a jamais donné de détails, pas par modestie, mais parce qu'il n'aimait pas les *brens*, ce qu'il aurait voulu c'était un avion, et ailleurs qu'à Bir Hakeim, il aurait aimé commencer plus tôt, en pleine chevalerie, pilote de chasse au-dessus de Londres, un *spitfire*, comme Mouchotte, quand quelques centaines de types entre dix-huit et vingt ans ont réussi à bloquer Hitler, la bataille d'Angleterre, un rêve, ou alors chez les Américains, l'aéronavale, la bataille de Midway, au même moment qu'à Bir Hakeim, vers dix heures du matin, en un instant quelques dizaines de pilotes coulent les porte-avions japonais et c'est fini, le Japon a perdu et il sait que ce n'est plus qu'une question d'années. À chaque fois une poignée de types dont tout dépend.

En Afrique c'était différent, un tout petit machin dans un corps d'armée de deux cent mille hommes, ça pouvait être héroïque, mais pas décisif, pourtant Bir Hakeim, ça n'était pas si mal, même si c'était une retraite, c'était aussi une aventure, ça préparait El-Alamein, le vrai tournant, des rochers, deux armées.

« La guerre à l'état pur, dit Max, caillasse, soldats, pas de civils, une histoire racontable, avec du radar, de plus en plus de radar. » Malgré lui, de Vèze regarde les oreilles de Max. Et Max sourit à de Vèze. Il aime bien de Vèze, lui trouve un peu trop d'illusions, l'héroïsme, une maladie, pas la vraie guerre, on est à table, pas le moment pour Max de caser ses épisodes de toux convulsives, lambeaux purulents de muqueuse trachéale projetés par la toux, grosses cloques aux aisselles et à l'aine, qui desquament au bout de deux jours, sans compter les cloques internes, *ars abu lhawa*, le chacal et ses noces, croyaient pas si bien dire, un malin Abd el-Krim, il a réussi à les regrouper, dans un pays où les querelles sont tellement fortes qu'il est interdit aux hommes d'aller au souk, seuls les femmes, les enfants et quelques vieux ont le droit.

Des vallées de violence archaïque, avec talion, où il pouvait y avoir une centaine de morts par vendetta en un an, un homme a porté atteinte à mon honneur, je le tue pendant une fête, ses frères me recherchent, les anciens discutent, pèsent les arguments, je paie l'amende de la tribu, on ne me fera rien, et celui qui offrait la fête dans laquelle l'homme a été tué reçoit aussi une indemnité, les parents du meurtrier déposent des fusils devant l'assemblée de la tribu, on évalue, les parents du mort disent *encore*.

Les parents du meurtrier ajoutent deux ou trois fusils, puis les anciens s'écrient *assez, récitons la* fatiha *sur eux*, ceux qui ont livré leur fusils peuvent les racheter, les fusils qui restent sont mis aux enchères, quand la vente est finie on enlève le prix du bœuf qui a été sacrifié pour la réunion de l'assemblée, le prix de l'huile pour la cuisine, on partage le solde entre chaque clan, et l'assemblée se sépare pendant que le crieur proclame *il n'y a de Dieu que Dieu, nous sommes tous frères, nous ne détestons que les Espagnols !*

Parfois les parents de la victime peuvent continuer à se venger sur les parents du meurtrier, le frère du mort garde le droit de tuer mon frère, et si les victimes sont des femmes ou des enfants on ne peut pas racheter la dette de sang, si les meurtriers ont disparu on attend que leurs enfants à eux soient en état de porter les armes pour les tuer, maudite la nation dans laquelle chacun agit en nation.

C'est plus compliqué que ça, monsieur Goffard lui disait l'officier des Affaires indigènes, la violence archaïque c'est vite dit, c'est d'abord leur honneur, à défendre quand il est atteint, mais celui qui porte atteinte à l'honneur n'est pas seulement un délinquant, il doit le faire, il doit défier, leur archaïsme ce serait d'être toujours en train de défier et de défendre, Abd el-Krim a voulu faire une république avec tout ça, avec des téléphones, des mitrailleuses, de l'honneur et des communiqués de presse, en leur interdisant la vendetta, il faudrait ajouter quelques chants d'amour pour les lectrices, *ô ma mère, c'était écrit, pour qui avais-je lavé ma robe ? pour celui qui a de si beaux yeux, mais il n'a rien vu, ce soir je me jetterai dans les flots bleus.*

Max, face à de Vèze, les oreilles en choux-fleurs, rosies par l'alcool et la conversation :

« J'en suis très heureux de mes oreilles, une garantie de longévité, comme Picasso, grandes oreilles lui aussi, il fait le portrait d'Helena Rubinstein, il lui lance *Helena vous avez des oreilles d'éléphant, aussi grandes que les miennes, quel âge avez-vous ? — Vous le savez, Pablo, je suis plus vieille que vous — Helena, les éléphants vivent longtemps, nous ferons pareil*, et moi je ferai comme Picasso et Helena Rubinstein, la confrérie des grandes oreilles, je vivrai encore longtemps, même si le monde est de moins en moins drôle. »

Fourchette pointée au-dessus de sa langouste mayonnaise, Max s'esclaffe d'une voix qu'il cherche à rendre caverneuse comme si, au-delà de son corps, elle venait des entrailles de la terre, il regarde de Vèze :

« *Foutue, l'aventure !* »

Voix caverneuse comme d'une leçon de ténèbres, avec la gouaille des grands valets de farce jaillis de l'ombre et d'un

monde si épais, si élémentaire qu'il est impossible d'y distinguer la moindre des choses auxquelles de Vèze croit depuis
toujours, un magma que viennent l'une après l'autre crever de
grosses bulles, et toutes les bulles se valent, discorde et trahison jusqu'au tombeau, l'aventure chevaleresque, à jamais
finie l'aventure, les plus malins se confient aux étoiles, Max
ponctuant ses affirmations par des borborygmes, *ha-ha,
hin-hin.*

Ça ne venait pas de l'arrière-gorge ou du nez, plutôt un res-
saut de l'abdomen, les muscles de l'abdomen, mais pas une
commande aux muscles de l'abdomen, les muscles qui se
mettent d'instinct au service de quelque chose qui vient des
entrailles, là où le temps n'existe pas, des bribes d'une voix
ancienne en moi, pas la mienne, je dirai tout, la vérité est une
chienne, une voix d'avant moi, qui cherche à en sortir, Max
n'écoute plus, il ne regarde plus, il part dans la voix, voix
d'avant, et les morts de ma vie, la boue dans la bouche, le type
vous parle, et l'instant d'après vous êtes en train de mettre sa
jambe droite dans un sac, et un copain vous passe quelque
chose de petit, boueux, poilu, sa moustache, collée à un morceau de crosse.

Ce type n'avait pas le droit de partir comme ça, avec des
pans entiers de ce que vous êtes, ce que vous lui aviez montré,
sans lui vous n'êtes plus rien, le gâchis, les gosses, quand ils
ont ouvert les portes des wagons à Novossibirsk, du gosse de
koulak, en *rigor mortis,* tu ne prends pas de notes parce que
tu sais que tu dois faire oublier que tu es journaliste, tu dis à
l'officier rouge la guerre jamais *kharacho,* tu fais le fataliste
devant lui, tu trouves ça aussi normal que lui, qui ne trouve
peut-être pas ça normal du tout mais qui le cache aussi, fataliste, vivement la paix camarade journaliste, nous devons être
en acier pour que le pain du futur puisse enfin être cuit.

Ne pas lui dire ce que tu penses de ses métaphores à la
mords-moi le truc, toute ton humanité qui se résume à une
envie de vomir et tu t'en veux de ne pas pouvoir vomir, être en
acier, camarade tête de nœud, se taire, les voix du silence, les

voilà les vraies voix du silence, j'ai pelé mon esprit comme une orange, des deux côtés, et je n'ai rien laissé au milieu, c'est ça l'aventure.

« On a fait de moi un farfelu, dit Max, un petit Clappique farfelu, alors que mon vrai nom est Carnaval, même plus de quoi faire un carnaval. »

De Vèze dit à Malraux en lui montrant Max :

« Il n'a pas changé, pourquoi est-ce le seul à qui vous ayez accordé le droit de revenir ?

— Il ne m'a rien demandé », répond Malraux.

De Vèze se repent d'avoir posé la question.

Max a entendu, il rit :

« C'est parce que notre grand auteur a envie d'écrire *Vingt ans après,* et même trente, et parce que je suis le plus important personnage de sa *Condition humaine,* mon bon. »

Il compte sur ses doigts :

« Kyo, Katow, Tchen, moi je suis d'Artagnan ! »

Et la jeune femme, à Malraux :

« Il n'a pas tort, il est aussi important que les autres.

— Ah, vous avez remarqué, dit Malraux d'une voix plus douce.

— C'est votre antihéros, dit la jeune femme à Malraux qui la regarde avec intensité. »

Oubliant de Vèze, elle poursuit :

« C'est Clappique qui donne toute sa dimension à l'histoire, son envers. »

Malraux sourit à la jeune femme et de Vèze essaie de ne pas garder la bouche ouverte, il y a des années on lui a dit ça te donne l'air bête, mais s'il serre les mâchoires ça fait pète-sec, fermer la bouche sans caler les dents, mais il sait que son visage est un peu rond, il cesse de rêver à l'échancrure du tissu jaune, de quel droit cette femme s'installe-t-elle dans la conversation ? de quel droit attire-t-elle le regard de

Malraux ? cette heure appartient à de Vèze, pas à une femme d'historien, du bas-bleu, antihéros, est-ce que tu sais ce dont tu parles ? quand de Vèze avec ses camarades a raccompagné Amilakvari, personne n'avait envie de jouer à l'antihéros, ni au Clappique, l'histoire et son envers, tu parles, quand même pas avec un valet pareil, un Scapin.

Pour couper court, de Vèze dit dans un souffle à Malraux :
« Je suis de la génération qui apprenait par cœur l'oraison funèbre de Kyo, j'étais sous les ordres d'Amilak. »

Max a entendu, il prend la voix de Malraux, intonation venue de plus haut dans le pharynx, voix en exclamation à la fin de chaque proposition, comme si c'était à tout instant le *qu'il mourût !* de Don Diègue, Max exagérant chaque trait, rubato, glissando, il récite la mort de Kyo comme s'il s'agissait d'un pastiche, il chevrote presque :

« *Il aurait combattu pour ce qui, de son temps, aurait été chargé du sens le plus fort et du plus grand espoir,* chut, pas un mot, de la grande prose, mes bons ! »

Max rit comme on tousse, entre les mots, en chassant des bouffées de rire de ses poumons et de ses tripes, il s'esclaffe, en limite de sarcasme :

« Chateaubriand, dans un préau, à Shanghai ! »

Le consul jette un regard inquiet vers Malraux dont le visage est pâle.

Sur le moment, le pastiche et le rire ont rendu de Vèze furieux, il en a voulu à Max, idiot de vouloir se faire reconnaître en Clappique, il en a aussi voulu à cette femme, il n'imaginait pas que cela se passerait comme ça, ce moment lui appartenait, de Vèze voulait raconter à Malraux qu'il s'était récité la mort de Kyo, à El-Alamein, après Bir Hakeim, une histoire difficile, il y a une butte rocheuse qui verrouille le champ de bataille d'El-Alamein, on envoie les Français libres, Amilak, vous avez six heures pour prendre ce machin, passez par le thalweg.

Et Dimitri Zedguinidzé dit Amilakvari, prince géorgien

chassé par les révolutionnaires de 1917, lieutenant-colonel
dans la Légion étrangère, part à l'assaut, pour la France et
Montgomery, avec de jeunes Français de vingt ans, des anar-
chistes espagnols et des marxistes allemands, pas d'appui
d'artillerie, l'attaque échoue, retraite.

Amilak ferme la marche, en képi, il est compagnon de la
Libération, un éclat de mortier en pleine tête, devant la croix
de bois d'Amilakvari, de Vèze s'est récité *du sens le plus fort
et du plus grand espoir*, et la suite, et il le fallait, le sens le
plus fort, parce que l'assaut de la butte rocheuse c'était
un cafouillage, un cafouillage avant la victoire remportée
trois jours après, mais un vrai cafouillage, et un héros mort
dans un cafouillage a besoin du sens le plus fort, et ce Max qui
pastiche, qui fait le pitre.

Max ne regarde plus personne, il joue avec sa fourchette,
cinquante ans qu'ils disent que je fais le pitre, hier soir
j'ai encore joué au poker avec deux officiers allemands, je
les avais rencontrés en 14, ils couraient devant moi, sous les
obus, je les ai abattus, deux balles dans le dos, à deux mètres,
septembre 14, n'ont rien vu, parfois ils reviennent la nuit, on
joue au poker, je ne vois pas leur visage mais je vois leurs
cartes, je les laisse gagner, je fais le pitre, ce type qui a fait
Bir Hakeim n'en est jamais sorti, un pitre à sa façon, la tête
qu'il fait quand je lui envoie *foutue, l'aventure*, tu veux des
guerres de chevaliers, comme l'officier des affaires indigènes,
une guerre de preux, comme l'autre avec ses charges pour la
photo, face aux vaillants adversaires arabo-berbères, on était
là, sur la butte, colonel Corap, un ancien élève de Pétain, cinq
journalistes autour du colonel, il lance : *Bournazel vous pouvez y aller*, il n'a pas dit : allez-y ! il n'a pas donné d'ordre, il a
libéré des héros qui piaffaient, l'héroïsme ça ne supporte pas
d'attendre, on a tous pris ça en sténo.

La badine du colonel désigne la colline d'en face, et
Bournazel charge avec ses trois lieutenants et ses soixante-
dix cavaliers indigènes, pour la photo ; il est en manteau

rouge, képi bleu, Corap raconte, les insoumis se figurent
que les balles qu'on tire vers ce manteau rouge ricochent et
reviennent tuer le tireur, il faut montrer aux gens venus de
Paris ce qu'on sait faire au Maroc, *sous le ciel embrasé, dans
l'ardente vibration des solitudes de rocaille,* une guerre de seigneurs, contre de farouches guerriers, courageux jusqu'à l'in-
conscience, un collègue de Max écrira *ce dont nos officiers
sont capables, une charge debout sur les étriers, burnous rouge
qui flotte au vent, chevauchée infernale, joie enivrante, la montagne vaincue, Bournazel qui allume une cigarette, le retour au
petit trot au-devant de son chef, élégante silhouette négligemment drapée dans son manteau,* les insoumis sont défaits, on
en a retrouvé un dans une caverne, les deux cuisses brisées,
ses camarades n'avaient pas pu l'emmener, ou il avait refusé,
il était adossé au rocher, protégé jusqu'aux yeux par une
murette de pierres sèches, trois fusils, de l'eau, des olives, on
ne savait pas qu'il était seul, il nous a bloqués pendant
deux jours.

On l'a retrouvé mort, visage calme, très digne, une cinquantaine d'années, l'officier des Affaires indigènes a ajouté
*nous avons deux sortes d'ennemis, monsieur Goffard, le sau-
vage, qui tranche la gorge de nos blessés, et le guerrier de belle
race que nous respectons et qui nous respecte, nous avons les
deux, le problème, c'est que c'est souvent le même bonhomme.*
À la fin, c'est Corap qui a mis le grappin sur Abd el-Krim,
un vrai raid, il a obtenu sa reddition, mais sans chichi, prisonnier, empaqueté, embarqué pour la Réunion, le titre de
gloire de Corap, son dernier, la suite est moins flambante,
promu général, en mai 40 il a une armée, la 9ᵉ, devant les panzers, c'est plus difficile qu'avec des péquenots à fantasia,
Corap s'emmêle les pinceaux, armée en débandade, limogé,
ou plutôt la retraite d'office, la débandade de 40, *foutue,
l'aventure.*

Vaut mieux faire le pitre, au moins on n'est pas surpris par
1940, cette débandade c'est la réponse à la question qu'on me
posait en 18, Max, comment avez-vous fait pour tenir ? on

répondait que c'était pour le pays, parce qu'on y croyait, consentement patriotique, tu sors de la guerre avec une croix, une médaille et des citations, capitaine de réserve, tu te retrouves vingt ans après devant les Allemands avec tes médailles, et tu comprends qu'en 14 ce n'était pas du consentement, on n'a pas consenti à cette saloperie, on a obéi, c'était de l'obéissance, on y allait on était mort, on flanchait on était mort, les gendarmes contre la trouille et *debout les morts!*

Et en 40 on s'en est souvenu, on n'a pas attendu, raconte qui voudra, la connerie de l'état-major, les congés payés qui empêchent de construire des avions, les ministres qui se sauvent, toutes les raisons qu'on voudra, en réalité si les types se sont taillés c'est parce qu'ils ont enfin fait ce qu'ils avaient eu la trouille de faire vingt ans avant, ce que leurs pères avaient eu la trouille de faire, ils n'ont pas eu envie de devenir de la tripe dans les arbres, des gueules cassées, alors *debout les vivants!*

Et cette fois ils étaient trop nombreux, les vivants, pour que les gendarmes les arrêtent, ou que le colonel les fasse fusiller, les fusilleurs et les gendarmes se taillaient comme tout le monde, avant tout le monde, le sens et l'espoir on avait donné.

De Vèze regarde Max et la femme de l'historien, une gourde et un pitre, et elle ose parler d'antihéros, l'envers de l'histoire, qu'est-ce qu'elle en sait? voilà ce qui se passe quand on laisse parler des gens qui ne savent rien ou qui rient de tout, de Vèze a envie de créer un incident, on entend une autre voix, ce n'est plus Max, *il mourrait parmi ceux avec qui il aurait voulu vivre,* la suite de la mort de Kyo, ah, non, pas ça!

C'est la jeune femme qui continue à réciter, de quoi se mêle-t-elle? toutes les mêmes, on les regarde, elles le sentent, qu'elle aille au diable, jamais touché un flingue de sa vie et ça parle d'antihéros, elle est en train de tout détruire, basbleu, les autres se taisent, vas-y, récite, c'est l'heure du thé à la

Comédie-Française, elle continue, *il mourrait comme chacun de ces hommes couchés, pour avoir donné un sens à sa vie,* les autres convives font une drôle de tête en l'écoutant. Comme si c'était un miracle que je puisse connaître ça par cœur, qu'une femme puisse s'intéresser à autre chose qu'à des liserons dans une haie, ou au sexe des messieurs, cet ambassadeur est peut-être intelligent, mais il se croit obligé de faire le coq parce que j'ai une robe légère et que je suis mariée, *qu'eût valu une vie pour laquelle il n'eût pas accepté de mourir?* et Philippe qui ne se doutait pas que je connaissais le roman, il croit qu'il suffit de m'aimer, de m'épouser, et de me regarder comme un furieux parce que ce soir je n'ai pas mis de jupon, un mari moderne, j'en ai fait le tour, *mort saturée de ce chevrotement fraternel, assemblée de vaincus où des multitudes reconnaîtraient leurs martyrs,* ce monsieur Goffard a du culot, aucun respect pour son auteur, il lui vole le rôle, Malraux est beaucoup plus attentif aux gens que je ne l'imaginais, de l'allure, pas de tics, il joue beaucoup ce qu'il dit, sans prudence, *légende sanglante dont se font les légendes dorées.*

*

« Vous connaissez bien cette affaire Toukhatchevski? Je n'insiste pas, vous avait dit Lilstein, au moins une histoire que je n'ai pas à raconter.

« Donc, si des gens sont sur votre piste à Paris, il faut qu'ils voient des traces, ne soyez pas perfectionniste, ne cachez pas ce qui peut faire trace dans votre vie, un rêve d'adolescent, un mauvais traitement qui aurait pu vous rendre méchant, et ne faites pas comme si vous aviez oublié la biographie de votre père, tout le monde la connaît, il faut donner à penser aux chiens de garde, ce ne sont que des chiens, ne rompez surtout pas les relations qu'on pourrait vous reprocher, on doit pouvoir vous faire des reproches, ayez les mœurs qui vous plaisent, laissez les mêmes traces que tout un chacun, et tout le monde aura les mêmes traces que vous, et ceux qui cherchent tourneront en rond, ils se mettront à envisager une histoire de faux traître, plus de dégâts qu'un vrai, l'idée, c'est que ceux qui vous cherchent doivent se dire que la chasse leur coûte beaucoup plus cher que n'importe quel gibier, c'est ça le coup de génie des Russes avec les gens de Cambridge, les Anglais se sont décidés très tard à enfumer leurs taupes parce que ça leur coûtait encore plus cher que ce que les taupes leur faisaient perdre.

« Vous n'avez qu'une chose à craindre, vous êtes parfois trop brillant, il vaut mieux être timide, maladroit, du genre à vous essuyer les pieds sur le paillasson en sortant de chez les gens, des analyses brillantes, des gestes patauds, il faut donner aux gens le sentiment qu'ils ont quelque chose à vous apprendre, ils adorent enseigner, vous êtes sur un vélo avec des roulettes d'appui pour la roue arrière, une grande allée de marronniers à l'automne, le soleil sur les feuilles mortes, vous hésitez, beaucoup de gens vont vouloir vous apprendre à faire du vélo sans roulettes d'appui, pour le plaisir d'avoir été des initiateurs de la jeunesse.

« Ils vous aideront, jeune Français, ils vous soutiendront, vous pousseront, et vous regarderont filer tout droit dans la belle allée de la vie, sur deux roues seulement, et ils auront le cœur plein d'une belle joie didactique, et vous aussi, vous éclaterez de rire, pour leur montrer votre joie, vous savez qui a monté l'opération Toukhatchevski ?

« Eh non, pas le contre-espionnage allemand, pas Canaris, je me doutais bien que votre vaste culture n'était pas complète sur ce sujet, un coup splendide, tout le haut commandement de l'Armée rouge et celui de l'espionnage soviétique décimés à partir de 37, en à peine plus d'un an, non, pas une folie de Staline, ni une simple affaire politique, le tyran qui se débarrasse des grands officiers qui risquaient de lui enlever le pouvoir, Staline en avait envie, certains généraux pouvaient être tentés, mais ça n'aurait pas suffi, non, il a fallu un petit coup de génie, le génie d'une ordure, c'est pour ça qu'on en parle peu, Heydrich, le premier couteau des nazis, le coup de génie n'est pas venu d'un Allemand *bien élevé*, un *professionnel* comme Canaris ou Gehlen, il est venu d'une ordure sadique, et le génie c'est que ce n'était pas un coup direct, le maréchal Toukhatchevski prenant contact directement avec les chefs nazis, trop gros.

« Heydrich a fait beaucoup mieux, il a commencé par la copie d'une instruction de Hitler donnant ordre à la Gestapo de surveiller l'état-major de la *Reichswehr* parce que des généraux allemands semblaient comploter quelque chose avec Toukhatchevski et ses petits camarades de Moscou, une instruction de Hitler tout à fait authentique puisque Heydrich avait demandé à Hitler de la rédiger pour les besoins de la cause, et puis il a gonflé progressivement le dossier, quelques fausses lettres de généraux allemands avec des signatures copiées sur des chèques, plus quelques papiers avec la signature de Toukhatchevski imitée par un expert, des allusions à des rencontres qui auraient pu avoir lieu quand Toukhatchevski était en mission à l'étranger, du badin, du faux badin qui a l'air faussement badin, dans une des lettres un général allemand parle de leur passion commune pour les violons.

« Oui, Toukhatchevski était un rejeton d'aristocrates, études au conservatoire, et il avait appris à fabriquer des violons chez Vitatchek, la lettre avec les violons a vraiment mis Staline en rage, on n'y parlait que de violons, le côté *ce n'est pas possible et ça ne s'invente pas,* surtout ne rien lui servir d'achevé, lui laisser de quoi imaginer, il imagine très bien, le camarade Iossif Vissarionovitch, un beau complot militaro-fascisto-trotsko-droitier au profit de l'Allemagne, Toukhatchevski fait le lien entre Boukharine et Trotski, il a rencontré des généraux allemands à Londres et en même temps le fils de Trotski, Sedov, non, ça, ça n'est pas dans le dossier monté par Heydrich, ç'aurait été trop gros, c'est Staline lui-même qui le précise, et mieux encore, Toukhatchevski a tout avoué, après une petite nuit à la Loubianka.

« Il a même avoué le lien avec les chefs du NKVD, qui fait le lien ? Une femme ! Une Mata Hari germanique, une émule de Fräulein Doktor, une certaine Joséphine Guenzi, c'est Staline qui raconte ça, elle a enrôlé ces hommes *sur la base d'une partie de son corps de bonne femme*, authentique, du jargon d'époque, et Staline ajoute, un discours vraiment étrange, devant le conseil militaire du commissariat à la Défense, juin 37.

« Il ajoute *elle est belle, elle répond aux propositions des hommes et après elle les détruit*, on se croirait dans l'Ancien Testament, un jour tout ça sera publié, Joséphine Guenzi, elle n'aime pas les militaires, elle n'aime pas Staline, elle n'aime pas Hitler, elle n'aime pas les hommes, elle circule entre Moscou et Berlin, on a retrouvé une radioscopie dans les papiers de Toukhatchevski, un cliché obscène, un visage de femme de profil, elle embrasse un sexe d'homme, personne ne sait ce que pense Joséphine Guenzi, on ne voit que le profil d'un crâne de femme, et le sexe de l'homme, une *vanitas*, en radioscopie, normalement on ne peut pas voir un sexe, pas d'os, une blague d'étudiants en médecine, un montage, mais la fausse radioscopie est devenue l'un des éléments à charge, la mettre en doute c'était mettre les charges en doute, et puis une érection c'est fait pour crever les yeux, les choses se sont passées très vite, personne n'a osé dire que c'était impossible, Toukhatchevski avait peut-être ce cliché pour rigoler entre amis.

« Ou alors c'est un agent de Iejov qui l'a mis dans les papiers du général, les flics se sont acharnés sur Toukhatchevski, tu vas crever beau militaire, il paraît qu'on lui a amené la Guenzi, un beau visage, très doux, un petit chevreau d'Astrakhan, parle, tu nous fais pitié tu sais, le cœur des hommes est un coffre à secrets, nous avons la nuit pour percer le coffre, on a revu la Guenzi au moment du pacte Ribbentrop-Staline, jamais il n'y eut visage plus innocent, elle s'est évanouie quelque part dans le vaste monde, elle savait beaucoup de choses, elle savait cacher qu'elle les savait, elle aimait tout, deux ou trois de mes collaborateurs l'ont croisée avant guerre, elle riait comme une enfant, elle ne pensait qu'à aimer et à vivre, elle a dû regarder crever Toukhatchevski, on ne partage la mort de personne, le soir pour se détendre elle lisait des romans d'amour, quand l'héroïne s'installe dans un bain chaud pour attendre son amant.

« Une affaire difficile à croire, d'un côté un complot au sommet, et en même temps un complot qui ne marche pas et qu'on découvre avant le moindre commencement de réalisation, l'explication de Staline, on ne s'appelle pas *coryphée de la science* pour rien, c'est que ce complot à la tête ne saurait avoir de racine puisque *l'URSS dont l'agriculture est prospère connaît maintenant des succès extraordinaires*, tout l'état-major soviétique décimé.

« Non, décimé ça veut dire qu'on vous enlève un dixième, là le dixième c'est à peine ce qui survit, et pas n'importe quelles victimes, les techniciens, les modernistes, les spécialistes de la guerre de mouvement, des blindés, des fusées, les gens des instituts de recherche, et les spécialistes de l'Allemagne au NKVD, tout ça disparaît en 37, il n'a fallu qu'une nuit pour que Toukhatchevski avoue, et au départ c'est une fausse histoire de complot montée par Heydrich, à laquelle Staline se met à croire dur comme fer à cause des violons, parce que la façade appartient toujours à celui qui la regarde, c'est ça qui a freiné les Anglais plus tard, quand on leur a dit qu'une partie de leur service d'espionnage et de contre-espionnage était au service de Moscou, ils ont cru qu'on leur montait une intox à la Toukhatchevski. »

Chapitre 8

1965

LA LOCOMOTIVE ET LE KANGOUROU

Où l'on voit que la guerre du Rif reste une obsession de Max Goffard.

Où Lilstein vous raconte l'histoire du cocher Sélifane et vous demande de toujours penser librement.

Où il est question de cyanure et de caramels mous.

Où Lilstein essaie de vous traduire ce qu'il entend par *Menschheit*.

Où la conversation entre Max Goffard et son auteur tourne très mal.

Où de Vèze décide de faire du pied à sa voisine de table.

SINGAPOUR, juillet 1965

Les romans ne sont pas sérieux, c'est la
mythomanie qui l'est.

André Malraux,
La Condition humaine

Sur la véranda, la femme en robe jaune a cessé de réciter,
personne ne veut parler, des hirondelles glissent, des fau-
cilles, au ras du gazon, elles crient, rebondissent vers le ciel,
les serveurs débarrassent, apportent un gigot d'agneau, des
flageolets, du beaujolais, le consul fait signe de faire goûter le
diplomate rose, c'est notre gastronome, il est très recherché
dans la colonie diplomatique, il conseille même les Russes,
c'est son domaine d'excellence, avec l'opéra, les vieux enregistrements.

Le diplomate rose goûte, dit aussitôt au consul que son
beaujolais est excellent, il n'en pense pas un mot, une piquette
de radin, tout à fait ce qu'il faut avec ton gigot d'agneau, vieil
arriviste, ces jeunes serveurs chinois me font peur, ils vont
finir par me faire une tache, Xavier prendrait l'air pincé, cela
dit ils ont l'air assez agiles, quel âge peuvent-ils avoir? je ne
les avais jamais vus, sont-ils du consulat? ou des extra? à qui
demander? amusante cette jeune femme, rien qu'à la voix elle

est en train de foutre en l'air les numéros de Goffard et du héros de Bir Hakeim, et Malraux la draguerait presque, tête du héros de Bir Hakeim.

Avant guerre, de Vèze n'aurait pas aimé cette façon de réciter, trop neutre, la mort de Kyo ce n'est pas une page pour les femmes, mais la voix est bien, simple, elle détache bien les syllabes, elle est assez belle quand elle récite, pas de cabotinage, dit les choses, très simplement, juste ce qu'il faut de lèvres, tout le monde la regarde, même Malraux, elle n'est pas coquette, connaît-elle seulement la suite ? Goffard pourrait reprendre, moi je ne peux plus, ils auraient pu se taire, cette heure était à moi, venir de Rangoon pour ça !

Malraux regarde la jeune femme, regard qui encourage, coudes posés sur la table, les mains viennent se joindre à hauteur du nez, ne laissent voir que les yeux, le froncement des pattes-d'oie, boutons de manchettes en argent. La jeune femme reprend, la voix très posée, *comment, déjà regardé par la mort, ne pas entendre ce murmure de sacrifice humain...* le mari a l'air surpris qu'elle connaisse ça par cœur, *qui lui criait que le cœur viril des hommes...* il est comme les autres, ce héros de Bir Hakeim, il va aimer ma voix, mais c'est trop tard, *est un refuge à morts qui vaut bien l'esprit...* le grain de beauté sur le sein ressemble à une pépite de chocolat, cette fois la jeune femme se tait, un grain de chocolat sur une brioche à pâte légère et tiède.

Le refuge à morts *qui vaut l'esprit*, cela sonne comme une réponse monsieur le ministre, dit Morel content d'avoir trouvé cette question à poser quand sa femme s'est tue, il s'en veut de ne pas connaître l'œuvre de Malraux aussi bien que tous ces gens, mais au fond il n'a aucune estime pour *La Condition humaine*, il est historien, il en est resté à ce que disait l'un de ses professeurs, *des faits divers chinois dans un bouillon d'adjectifs*, de l'histoire comme Morel la déteste, du roman piqué dans les journaux, pour séduire à la va-vite, comme cet ambassadeur en face de sa femme, c'est gros comme une maison qu'il veut la séduire à la va-vite avec sa grande gueule.

« Oui, dit Malraux, c'était une réponse à Benda, il accusait les intellectuels d'avoir trahi l'esprit en s'engageant contre le fascisme, il avait tort, et puis c'est très oral ce passage, je voulais de la voix, sortir le roman du silence des pages, j'en avais quasiment fait un cantique. »

Et Max :

« Ouais, un cantique, la mort du chevalier, la fin du héros, moi, dans le roman, je racontais l'autre cantique, le dissonant, celui qui déglingue l'émotion, compliqué, les cantiques, surtout avec la dissonance !

— Quel autre cantique ? demande Morel à Max.

— Le cantique à la *Pieds Nickelés*, celui qu'il me fait raconter avant la mort de Kyo, dit Max, quand je réussis à m'embarquer sur le bateau qui quitte Shanghai, ouais, pendant que les autres jouent à la viande grillée dans des chaudières de locomotives, je m'tire de Shanghai avec une astuce à la *Pieds Nickelés*, gare aux *Pieds Nickelés*, le maître m'a foutu un taffetas sur l'œil en précisant *à la Pieds Nickelés*, comme Filochard, ouais, pas très gentil, alors que je rêvais d'être au moins le fou d'un Roi Lear, ou Scapin, un vrai grand fourbe, mais le maître a toujours fait de moi ce qu'il a voulu, il m'a bluffé dès notre première rencontre, en Indochine, il y a plus de quarante ans, je l'ai aidé à sortir de prison, et puis il a utilisé mes articles sur Shanghai pour son roman, et pour que ça ne se voie pas il m'a mis dedans, il m'a vieilli, il a fait de moi un antiquaire, et il m'a collé ce nom de Clappique, j'ai dû me bagarrer pour qu'il supprime une scène dans laquelle il m'avait fourré, vous vous rendez compte, un hôtel, je suis dans le noir, avec une grande femme nue, et des types qui respirent autour, des voyeurs en partouze.

« J'ai l'air malin, et il me fait fuir dans les couloirs, pantalon ouvert, je n'ai jamais digéré, je ne suis pas sûr que ce ne soit pas à lui, cette histoire de voyeurs, il a fini par l'enlever, et l'attaque du poste de police dans le roman, le morceau de bravoure qui emporte tout, c'est moi qui l'ai d'abord décrite dans *Le Soir*, j'y ai assisté avec une consœur, Andrée Viollis, et Albert Londres, alors mon *ouais*, monsieur Poirgade, même s'il vous fait tiquer, je m'en sers quand je veux, surtout quand je suis triste parce que mon auteur a fait de moi un Pied Nickelé, même pas le bouffon d'un Roi Lear, même pas le droit de prophétiser, alors que j'étais fait pour ça, oh, je sais bien, aujourd'hui on me laisserait dire, mais il n'y a plus rien à dire.»

Et Max a soudain le sentiment qu'autour de la table personne ne l'écoute, ou qu'on fait semblant de l'écouter parce que personne n'aurait la vulgarité de l'interrompre, simplement on attend qu'il ait fini, il pourrait raconter n'importe quoi, ne pas raconter l'histoire du cantique, il pourrait ne pas être là, quitter Singapour, ne pas aller au Vietnam, toujours raconter la même chose, je vais finir en mendiant, j'aurais dû être mendiant dès le départ, Max-le-mendiant, mendiant et fou, plus tard les Japonais ont mis Shanghai à sac, les rats ne font pas de différence dans le caniveau entre un nourrisson et un chien, le nourrisson bouge moins, les vaillants samouraïs ne rigolent plus, et ces gens qui sourient autour de la table pendant que la lune se lève au fond du jardin me prennent pour un mendiant, les gosses avec leur *fiancée de la pluie*, plus de gosses, on n'avait retrouvé que la poupée rifaine sur son fumier, les petits cailloux, les *fiancées de la pluie*, le Rif et ses histoires de chacals, ses comptines de moissonneurs, chants de promesse, *je nettoierai pour toi le grain, je criblerai le grain, j'irai chercher du bois, je farderai tes joues, entoure-moi de tes bras, donne-moi à boire afin que les méchants aient de la peine*, rapport d'Armengaud, commandant les forces aériennes françaises au Maroc, j'ai l'honneur d'appeler respectueusement votre attention sur les résultats obtenus par le bombardement systématique et intensif des souks, en l'espace de quelques jours cinq bombardements ont fait au minimum cinq cents victimes, j'ai donné instruction pour les bilans de ne préciser que le nombre des victimes, sans spécifier âge ou sexe, l'impression produite a été immense.

La terreur règne chez les indigènes qui ont même tendance à exagérer les pertes subies, le 15 septembre 1925, plusieurs escadrilles, cent soixante-neuf avions monomoteurs sur le bled Beni Zeroual, les bombardiers lourds Breguet et Farman *Goliath* ont été réservés à la ville de Chefchaouen, ville ouverte, ils portent l'étoile chérifienne avec au centre une main de fatma, ceux de la 1ʳᵉ escadrille ont une *svastika* à la place de la main de fatma, l'état dans lequel la ville a été mise par les bombardements a même impressionné les Espagnols.

Bombardement par vagues sur la ville, pendant trois jours, aucune riposte, les guerriers sont à près de cent kilomètres, mitraillage de tout ce qui bouge dans les rues, par avions plus légers, à gauche à l'entrée de la ville une grosse moitié de taureau au milieu du chemin, les mitrailleurs faisaient aussi des cartons sur les ânes pour les voir lancer la tête en arrière comme des fous quand ils étaient touchés.

Déflagrations, une femme se retrouve avec un sein au milieu de la figure, une moitié de gosse dans les pieds, les oiseaux de l'enfer, des gosses et des femmes qui lancent des cailloux vers les Breguet, trois jours de bombardement, le nombre réel des victimes civiles de Chefchaouen est difficile à déterminer en raison de la répugnance des aviateurs français à préciser les pertes infligées, Max et l'officier des Affaires indigènes traversant ce qui fut un patelin, poussière ocre, ciel très lourd, très gris, le gris envahit tout.

Max disant vous parliez l'autre jour d'un adversaire à deux faces, le sauvage et la belle race, et nous combien en avons-nous, de faces ? Max posant la question autrement, votre paladin debout sur les étriers, képi bleu et manteau rouge, comment fait-il pour défendre la veuve et l'orphelin si la veuve et l'orphelin se mettent aussi à disparaître ? quand je dis disparaître c'est parce que je n'ai pas envie de parler

de boyaux qu'on essaie de rentrer avec les mains, de bassins écrasés, de boîtes crâniennes avec un truc bizarre qui
cherche à se répandre, des bouches qui appellent l'air, qui ne
vient plus.

Un grand boum, et on n'est plus que la somme de ses nerfs,
à vif, surtout quand la peau a disparu, disons donc par
euphémisme disparaître, même si on sent encore une odeur
qui a du mal à disparaître dans le coin, j'ai connu ça à
Douaumont, quand on se rend compte que l'œil n'est qu'un
viscère parmi d'autres, et le souffle de la bombe ça peut vous
étriper un corps en une seconde, on se racontait que c'était
pour défendre des femmes et des enfants, à l'arrière, mais ici,
la seule chose intacte, un vrai miracle, c'est ce tas de fumier,
avec cette espèce de poupée plantée dessus, au milieu des
odeurs de fumier, de poussière, de chair pourrie, de poudre,
il n'y a plus que ça, la poupée et les odeurs dans l'air de plus
en plus chaud, de plus en plus dense, aucun souffle, les
odeurs en nappes suspendues dans l'air.

Fumier et charognes achèvent de rendre leur humidité
sous le soleil ocre, on a enterré les humains, il n'y a plus que
des morceaux de murs et des charognes d'animaux pour dire
ce qui s'est passé, dans vos statistiques vous comptez les
humains d'un côté, le bétail de l'autre, il doit bien y avoir un
rapport, une corrélation, tant de corps humains et tant de
charognes, si je dis ça c'est parce que en comptant les charognes ici, il y en a vraiment beaucoup, on devrait pouvoir
inférer un chiffre pour les humains rien qu'en comptant les
charognes, des odeurs en nappes dans l'air gris, l'humidité
qui vibre dans la chaleur, les odeurs en miroitements, tenues
en suspens dans l'épaisseur de l'air, comment fait-il, le paladin, quand il n'a plus qu'une *fiancée de la pluie* à protéger ?
allez le demander à Pétain, Max, mais faites vos bagages
avant, n'oubliez pas, nous sommes ici pour faire cesser la
violence.

L'officier racontait ses quatre ans à faire la classe à des
gamins, le Moyen Atlas, vous savez de novembre à mars ça

frisque, c'est pas les Ardennes mais chaque gosse apporte sa
bûche, fallait voir la vitesse à laquelle ils apprenaient le français, et les cigognes à ailes noires sur le toit des premières
écoles en dur, on en profite pour faire la leçon de choses, les
préparatifs du grand voyage, que font les cigognes au mois de
mai ? le gosse qui lève le doigt, m'sieur, le cigogne i'nique, Max
disant les indigènes ont tué huit Français à Casa, nous avons
bombardé tout le quartier indigène, nous avons occupé
Casa, ils ont tué le docteur Mauchamp à Marrakech et nous
avons occupé Oujda, pratiquement huit cents kilomètres
entre Oujda et Marrakech, mais Oujda est une ville très intéressante, nous débarquons, on finit toujours par nous tuer
quelqu'un, alors avions, canons, représailles, occupation, tout
le pays, pour civiliser, bien sûr, et faire des leçons sur les
cigognes et le présent de l'indicatif.

Dans le Rif, l'officier des Affaires indigènes tenait tête à
Max tant qu'il faisait jour, le soir devant le feu il disait je
n'aime pas ça, je suis pour une guerre féconde, inévitable et
féconde, l'Histoire avance par le mauvais côté de l'Histoire,
mais je n'aime pas ça, et dans la zone espagnole c'est pire, j'ai
fait une liaison entre Pétain et Franco il y a deux mois, c'est
innommable.

Max change de voix, se tourne vers la femme du consul, ce
n'est pas parce que le maître a fait de moi un Pied Nickelé que
je dois manquer à la reconnaissance du ventre :

« Madame, ce gigot est remarquable. »

Le diplomate rose a plongé dans son verre. Dur et saignant
le gigot, à la fois dur et saignant, il faut le faire, et ce faux
Clappique doit le savoir, *remarquable,* vieil hypocrite, du
compliment de pedzouille pour du mouton pas cuit qui sent
encore l'étable, et Xavier qui en a repris ! il aime ça, toutes
les odeurs sauvages, il fallait le voir tout à l'heure dans le jardin, devant la mangrove, il adore ça, dès qu'il y a de la larve,
du bouillon glaireux, de l'embryon sans membres, sans
yeux, de la peau de méduse, des odeurs de vasière qui vous
prennent au pharynx, il faut que ça gargouille, la terre qui a

l'air de se sucer elle-même, avec des bulles, des cratères, des clapotements de vert juteux, il aurait envie d'aller nager dedans, et il prétend qu'il aime l'opéra plus que moi, qu'il traverserait l'Europe pour retrouver un enregistrement de Tadeo, ce qu'il aime c'est quand ça grouille, tout ce qu'on trouve là où ça grouille.

Il aime les crabes, monsieur Xavier Poirgade, il s'est inventé un crabe à chercher, une sale bête, la première fois qu'il m'a donné le nom j'ai rigolé, une pince énorme, l'autre est normale, mais une des pinces est aussi grosse que le corps entier, ils appellent ça des crabes violonistes, ça se déclenche à la puberté, Xavier est capable de passer des heures à guetter ce crabe, il mange trop vite, il va passer la nuit à se plaindre, et ce rouge, du beaujolais qui a mal voyagé, du vin pour femme seule, mérite même pas d'être pissé, ils bouffent tous sans faire attention à ce qu'ils ont dans l'assiette ou dans le verre, des mœurs de sauvages.

*

« Oui, jeune Français, vous répète Lilstein au *Waldhaus*, à cette époque-là j'ai vraiment cru au complot de Toukhat-chevski, en 37 je suis dans ce qui reste de l'appareil clandes-tin du Parti à Berlin, Hitler est partout, et nous, notre pre-mier souci c'est la chasse aux trotsko-boukhariniens, je fais comme tout le monde, je dénonce, je me sers de Toukhat-chevski pour mettre du liant, complot bonapartiste, ça passe comme une lettre à la poste, je suis jeune, implacable, sans en rajouter.

« Mais très vite je sens que je suis moi-même en train de glisser, la mode c'était les réunions autour d'une table où chacun devait dénoncer ce qui n'allait pas chez son voisin, on prenait le risque de se réunir et c'était pour se tirer dessus les uns les autres, comme à Moscou, je n'aimais pas ce jeu, c'était fou, on pouvait tomber parce qu'on était droitier, et si on se gardait à droite on tombait pour gauchisme, on cherchait des têtes de bourreau autour de soi, et celui qui avait le regard idoine c'était votre meilleur ami, une fois j'ai cru me défausser en racontant une histoire.

« J'avais trouvé l'histoire chez Gogol, la servante Pélagie qui se met en tête de montrer le chemin au cocher de Tchitchikov, et comme elle ne sait pas reconnaître la droite de la gauche elle s'embrouille, et le cocher Sélifane l'engueule en lui disant *va donc, pieds sales, tu ne sais même pas distinguer ta droite de ta gauche*, nous sommes tous des Pélagie, oui, c'était balourd, et je savais qu'à la réunion suivante cette histoire me coûterait cher, l'un d'entre nous avait déjà fait remarquer que mes propos étaient d'une désinvolture étonnante, j'allais avoir droit à mon histoire de complot, c'était l'affaire d'un semestre, si la Gestapo ne mettait pas son grain de sel entre-temps.

« Trois mois après mon petit numéro en réunion, Staline prononce son discours sur le projet de constitution de l'URSS, traduction allemande, diffusion clandestine, et à la réunion suivante tous les camarades me regardent d'un drôle d'air, mon histoire, celle du cocher Sélifane et de Pélagie les pieds sales, Staline venait aussi de la raconter dans son discours, moi j'avais eu quelques mois d'avance, je devenais intouchable, une pure coïncidence, on vivait une époque où Gogol était sans doute la lecture la plus actuelle qui fût, mais avec Staline il n'y avait jamais de coïncidence, je connaissais aussi par cœur beaucoup de citations de Lénine, j'en ai casé une sur la souplesse nécessaire aux organisations, l'atmosphère autour de moi s'est détendue, quelque temps après le bruit a couru que j'allais être convoqué à Moscou, ma chance c'est peut-être que les nazis m'aient coincé avant mon départ, peut-être aussi qu'à Moscou on ne m'aurait pas voulu de mal, je suis passé entre beaucoup de gouttes.

« Morale de l'histoire, pour aller vite, jeune Français, lisez Gogol, comptez avec l'imprévisible, n'appliquez jamais aucune règle de façon trop stricte, laissez aux possesseurs de règles la joie de vous les rappeler, faites des compliments vulgaires aux maîtresses de maison, utilisez votre couteau pour manger la salade, même si vous connaissez par cœur la vieille histoire de l'oxydation, cela mettra vos interlocuteurs en surplomb, ils adorent ça, ils voudront vous apprendre ce qu'ils savent, vous, vous saurez aussi de belles choses, il y a presque dix ans vous avez été l'un des premiers à savoir que le prétendu rapport attribué au camarade Khrouchtchev était vrai, bientôt les Américains vont entrer en force au Vietnam, je vous donnerai beaucoup de choses.

« D'abord les chiffres de leurs pertes réelles, sans fard, vous verrez, ou c'est votre ami ministre qui verra, c'est amusant, la gueule d'un secrétaire d'État américain quand on lui donne les vrais chiffres, peut-être même qu'il ne les a pas, qu'il a besoin de gens comme vous pour connaître les chiffres que son patron interdit de lui donner, vous, vous les aurez, vous serez censé les avoir estimés, je vous dirai comment, un grand analyste des affaires internationales, pour peu qu'on le laisse penser librement, vous serez un grand analyste, votre ami ministre vous adore déjà.

« Je veux que vous pensiez librement, vous avait dit Lilstein, je veux que vous m'apportiez la contradiction, la liberté de celui qui pense autrement, vous serez libre, et vous convaincrez, votre ami ministre, il pourra briller en conseil devant de Gaulle, et vous m'aiderez à être convaincant chez moi, moi aussi je joue le rôle du faucon, mais pas hystérique, pas *va-t-en-guerre*, et je donne des informations telles que la majorité du Comité central se dit que l'ennemi n'est pas si fort que ça, et qu'on n'a donc pas besoin de trop serrer la vis. »

*

« Vous ne nous avez toujours pas dit ce qu'était un cantique à la *Pieds Nickelés*, monsieur Goffard, dit la jeune femme.

— Le cantique dissonant, répond Max, c'est juste avant la mort de Kyo, *il aurait combattu*, moi je ne combats pas, pour quitter Shanghai je me fous un balai de marin sur l'épaule, je monte en clandestin à bord d'un beau navire, ô ma mémoire, et mon auteur préféré me fait raconter une histoire de cantique à un passager qui traîne par là : les ouailles en Amérique du Sud qui apprennent un cantique pour la visite de l'évêque, six mois de répétition au grand air, et le grand jour arrive, mes ouailles s'alignent devant la mission, sous les arbres majestueux, comme ici, en moins travaillé, pas une jungle de jardin anglais à trente-six espèces, *un, deux, trois,* dit le missionnaire chef de chœur, et mes ouailles tellement émues, tellement la trouille que pas un son ne sort de leur bouche, pas un son, et le cantique s'élève quand même, par miracle, mon bon, par miracle ! »

Et Malraux, pastichant la voix de Clappique, entre Guignol et Scapin :

« Par miracle ! »

Malraux avec des gestes à la Clappique, des mains paumes en avant vers la jeune femme, les doigts très écartés :

« Par miracle ! »

De Vèze découvre soudain que le jeu outré de Max c'est une caricature de celui de Malraux, ça l'a toujours été, si bien que Clappique joue Malraux et que Malraux joue sa propre caricature, comme s'il était clown dans un film burlesque aux images plus saccadées encore que les gestes de clowns, Malraux s'esclaffe :

« Par miracle, et parce que depuis six mois, dans les arbres, les perroquets ont eu tout le temps d'apprendre le cantique ! »

« Vous lui gâchez son émotion », dit la jeune femme en montrant de Vèze.

Elle le trouve assez beau, il a été un héros, il se surveille quand il mange, refuse le pain, mais il reprend de la mayonnaise, et finit par lancer la main vers un croûton, sans regarder sa main, il doit avoir un peu de cette graisse qu'on appelle mauvaise, et ne pas aimer qu'on le regarde quand il se déshabille ; il est l'homme des grandes situations, que ferait-il sur l'herbe, dans la clairière, quand surgit le garde champêtre et qu'il nous dit de déguerpir ? et moi, à plat ventre sur une serviette je ne peux pas me relever parce que j'ai enlevé mon soutien-gorge pour bronzer, et le garde champêtre ne veut pas partir avant que nous ne soyons debout, c'est au bord du Rhin, il fait chaud et humide, la sève tombe des feuilles.

De Vèze est absent, il regarde la jeune femme, pense à sa façon de réciter, voix calme, précise, pour la tombée du soir, quand les couleurs s'atténuent sur les choses, qui enlèvent leur masque. Il se tourne vers Malraux :

« J'aimais bien la mort de Kyo, et voilà que le cantique, c'est du perroquet.

— Pour l'émotion, il vous reste le don du cyanure et la mort de Katow », dit la jeune femme à de Vèze.

De Vèze ne répond pas, les fesses de la jeune femme, il regrette de n'avoir pas cherché à les regarder avant de passer à table, il a vu les jambes, pendant tout ce temps-là il a oublié les fesses, tu vieillis, pas des jambes de Série noire, mais des chevilles bien découpées, cou-de-pied cambré, chaussures noires, juste ce qu'il faut de talon, tout est sous la table maintenant, pas très longues, les jambes, mais pas bêtes, avec de l'affection on s'en accommode. Cette formule, de Vèze s'en veut tout de suite, elle gâche ce qu'il voudrait maintenant éprouver pour la jeune femme, retrouver cette envie d'embrasser la naissance du sein, tu as la pulsion assez décousue lui a dit une amie il n'y a pas longtemps, les fesses, il les voudrait à la fois sérieuses et un peu molles, il se surprend à dire gentilles.

Max, haussant le ton :

« Le cyanure, le cyanure, il n'y a pas que ça dans la vie !

— C'est pourtant le sommet du roman, dit le diplomate gris, Katow qui renonce à son cyanure pour l'offrir à deux jeunes condamnés qui ont peur de la chaudière. »

Le diplomate gris se tait, avale une bouchée de camembert, il aime beaucoup cette scène du jeune condamné qui serre la main de Katow, des hommes jeunes, musclés, désemparés, qui serrent votre main dans la leur, et de l'humain passe enfin entre des hommes, autre chose que la saloperie des mâles, la bande des mâles, et les pires, les petits-bourgeois qui singent la violence d'en bas, à la mer, quand on l'a sorti de l'eau, à Nice, après lui avoir enlevé son maillot, une *mise à l'air*, devant les filles, une moitié des garçons scandait : *Xavier, bizuth, pédé!* et l'autre moitié imitait un chœur de vierges : *y s'en sert pas, y s'en sert pas*, on lui avait attaché un petit ruban, et les moniteurs au lieu de punir avaient rigolé, et au service militaire ç'avait été pire, avec le cirage, la seule chose que méritent ces salauds, c'est une bonne raclée, le diplomate gris ajoute :

« C'est beau, cette poignée de main. »

Tiens, il se réveille celui-là! de Vèze n'aime pas ce Poirgade, phraseur gris anthracite, replet, chafouin, moustache et petite barbe autour de la bouche, en cul de singe, inquisiteur et mordeuse d'oreiller, spécialiste de stratégie ou pas, très lancé ou pas, il ne supporte pas ce type, un regard, pour lui faire comprendre. Pourquoi le consul le couve-t-il à ce point ?

« Une intense manifestation de charité », dit le diplomate rose.

Et toi, ça t'excite encore plus que les coups de canne sur tes larbins, pense de Vèze qui ne retrouve pas le nom de ce zazou à chemise saumon.

« Les hommes, leur agonie, la charité qui transcende, c'est magnifique, très pascalien, dit le diplomate gris en soutenant le regard de De Vèze.

— C'est ce qu'on raconte dans les camps scouts, à la veillée, ou sous la tente, réplique Max en regardant le diplomate gris, rentrez sous terre, je t'en foutrai de l'agonie et de la charité! »

Un silence autour de la table, Max n'essaie pas de le briser, les lambeaux de membrane pulmonaire, ils ont un autre jeu, monsieur Goffard, avec des fèves blanches et des fèves noires, avait dit l'officier des Affaires indigènes, ça se passe au souk, pendant que les femmes et les vieux vendent ou troquent, les gosses jouent avec des fèves ou des petits cailloux, je vous raconterai, il faut qu'on parte, je n'aime pas être là, je n'aime pas ça, ce sont les ordres, c'est l'État-major qui décide, les bombardements, ils disent que c'est stratégique, les Espagnols font pire, ils regardent des photos de camarades morts et mutilés, ils montent dans leurs avions et ils foncent, ils oublient tout, Pétain et Franco disent que c'est stratégique.
   Max se tourne vers Malraux :
   « Not' truc c'était quand même plus rigolo que leurs contes pour la patrouille des Castors ! »

   On a servi le dessert, une tatin un peu molle, pâte caout-chouteuse, mais avec un bon sauternes, le diplomate rose aime le sauternes, le premier vrai vin de la soirée, le beaujo-lais était dégueulasse, quand nous serons rentrés, il faudra que je dise à Xavier de se débarrasser de son tic, cette façon de tirer sur les revers de son veston, une main de chaque côté, pour se rajuster, c'est insupportable, il n'arrête pas, s'il croit que c'est avec ça qu'il va faire carrière ! depuis le début de l'année il est de plus en plus nerveux, et cette manie de man-ger la salade avec son couteau ! ce n'est même plus besoin de lui faire la réflexion, oh, et puis après, ils étaient au moins quatre ce soir à en faire autant, et je m'y suis mis pour ne pas avoir l'air plus malin que le reste.

   « Pour monsieur Clappique, dit le diplomate gris en se tournant vers Malraux, *La Condition humaine* c'est *rigolo*, mais ce n'est qu'un point de vue de personnage secondaire. »
   Malraux ne relève pas, se tourne vers la jeune femme :
   « Il y a un autre don que celui du cyanure. »
   Il a les coudes sur la table, mains croisées sous le menton,

le visage penché, le regard vers le haut qui dégage beaucoup de blanc dans l'œil, sous la prunelle, la voix est sérieuse mais la prunelle a l'air de s'amuser.

« Je ne vois pas d'autre don », dit le diplomate gris.

De Vèze ne voit pas non plus, alors qu'il croyait connaître le roman par cœur, il a oublié, comme il a oublié tout ce qu'il a lu des nuits durant, au whisky, pendant la guerre, après la guerre, lu trop vite, relu en sautant les pages, tout Faulkner, tout Dostoïevski, Gogol, Flaubert, tout Malraux, la fringale, comme Malraux, du type qui n'a pas fait d'études longues, des pages par cœur, il lui en reste quelques phrases, lu dix fois *La Condition humaine* et il ne se souvenait pas des perroquets, le don du cyanure, il ne connaît que ça et il n'a pas vu ce que Malraux appelle *l'autre don.*

« Les caramels ! le don des caramels ! crie Max, vous ne lisez pas, chut, pas un mot, vous ne voyez rien ! à la garde ! les caramels mous, trois pages après le cyanure dans le roman, au moment d'écrire le temps retrouvé, quand c'est Malraux lui-même qui fait son Clappique, j't'en foutrai du personnage secondaire, un auteur qui fait ça toutes les trois pages, mes p'tits amis, personne n'y voit goutte, bon, farfelu toutes les cinq pages, les caramels, quand le ministre des Finances dis-tribue des p'tits caramels à Paris dans son bureau, à Ferral et aux banquiers, des caramels mous, bien collants, ça vous bousille tout le poignant, toutes les charités, l'autre zozo qui offre son cyanure aux deux p'tits jeunes pour leur éviter la chaudière, intense moment de charité, il n'est pas seul à faire offrande, le zozo, les caramels, l'histoire, l'envers, l'endroit, *foutue, l'aventure !* la révolution s'est plantée, alors cyanure et caramels pour tout le monde !

— C'est une formule de journaliste, lance Morel.

— Rentrez sous terre, répond Max qui rebondit, un histo-rien ça n'est qu'un journaliste qui regarde en arrière. »

Encaisse ! se dit de Vèze, qui voit comme dans un rêve le roman de Malraux se peupler d'êtres inattendus, un rêve ou un vertige d'ivrogne, vieillard à tête de chat qui dit je vends des femmes, Russe à mine de Croquignol accoudé à un bar nickel, cadavre d'étranglé dansant la couverte, fou battu à mort, grosses filles aux seins énormes entassées les unes sur les autres, et c'est Clappique qui surgit du tas de filles comme d'une boîte de Pandore, transe de squelettes, Hercule habillé en femme, lapins mangeurs d'appareils photo, ah, si seulement l'alcool ne rendait pas malade, trains de prostituées lancés à toute vapeur vers le quartier général communiste par de grands connaisseurs de l'âme humaine, un monstre composé d'ours, d'homme et d'araignée qui vient vers vous, jeune femme debout au balcon d'un dernier étage, contemplant le coucher de soleil, de Vèze à genoux derrière elle, il lui a enlevé sa culotte, et dans la rue il y a un cocher qui pleure ses chevaux au milieu de victimes humaines et qui répète tout ça pour rien, pour rien, la jeune femme dit embrasse-moi.

« J'aime bien ces jeunes gens, dit Max, modestes, et ils vous récitent votre œuvre, en ont-ils de l'avenir ! pas comme moi, avec le balai de marin que vous m'avez foutu sur l'épaule, je vous en veux, vous me traitez comme un farceur, vous n'avez jamais cru à mon sérieux ! cyanure et caramel, l'envers et l'endroit. »

Malraux ne relève pas, lisse la nappe devant son assiette, le consul ne sait quoi dire, il trouve Goffard de plus en plus violent, on ne devrait pas parler comme ça au ministre, il ne faudrait même pas être témoin de scènes pareilles, il ne faut rien dire, être celui devant qui la scène n'a pas eu lieu, ou alors intervenir pour empêcher la scène, et si ça rate on est celui qui a donné de l'importance à ce qui ne doit pas avoir eu lieu.

Max s'est tu, la tête lui tourne, il se sent libre, mais pas bien, je brûle, tu manges, et tout se répète, tout fume et tout se répète, tout fume, les gens se jettent au sol, le sol rouge du Rif, la bouche pleine d'un goût métallique, il tombait quelque chose comme du soufre, les gens devenaient aveugles, leur peau se noircissait et ils la perdaient, le bétail gonflait, mourait, les plantes séchaient en quelques heures, les gens partaient dans les grottes avec le bétail, on ne pouvait plus boire l'eau des ruisseaux, les bronches inondées d'une mousse blanche qui étouffe la victime comme si elle se noyait pendant deux jours, d'abord on ne sent rien, puis ça commence avec du sable sous les paupières, Churchill disant *nous étions les abeilles de l'enfer,* diphosgène, chloropicrine et tabun, Berenguer, haut commissaire espagnol à Tétouan, août 1922 : *j'ai toujours été réfractaire à l'utilisation des gaz de combat contre les indigènes, mais après ce qu'ils nous ont fait à Anoual je vais les employer avec une vraie délectation,* et Alphonse XIII en 1925 à l'attaché militaire français à Madrid : *il faut oublier les vaines considérations humanitaires, l'important est d'exterminer les Beni Ourriaguel, Churchill lui-même n'a pas négligé les gaz, en 1919, en Irak, sur les villages,* si on l'utilise avant les heures chaudes, le gaz est très efficace, directive du commandement espagnol : *je rappelle une fois de plus qu'il est nécessaire d'observer les délais réglementaires avant de pénétrer dans une zone bombardée à l'arme spéciale, regrettable incident hier, soixante victimes parmi nos propres hommes,* et le sifflet de la locomotive de Shanghai fait tut-tut chaque fois qu'on enfourne un prisonnier.

Autour de la table personne ne parle. Alors Max :

« Chut ! pas un mot, reprend Max, *La Condition humaine,* c'est la locomotive et le perroquet !

— C'est même la locomotive et le kangourou », dit la jeune femme en regardant de Vèze.

Silence général, elle a rougi, de petites plaques jusque sur le cou, Max a cessé de bouger, il semble soudain plus petit, chez lui au contraire le sang s'est retiré des joues.

« Là, vous me bluffez, dit-il.

— Vous voyez bien que vous ne savez pas tout », dit Malraux.

Morel regarde sa femme comme s'il ne la connaissait pas.

« Quel kangourou ? » demande de Vèze.

Et Max, le regard qui bégaie :

« Où ça ? vous vous foutez de nous, ma belle, avec vot' kangourou, où ça ? »

Malraux, sourire de chat :

« À l'endroit même où les femmes deviennent soudain
très attentives, racontez-leur, madame, pendant que je goûte
le plaisir d'avoir de vraies lectrices et de boire un grand sauternes, monsieur le consul, je vous félicite. »

De Vèze lève son verre à hauteur de ses yeux, l'incline :

« Comment appelle-t-on déjà cela, le vin, quand il redescend lentement le long de la paroi ? des jambes ou des
larmes ? »

Il suffit que ma femme le regarde, pense Morel, et ce type
se met à faire des remarques de pignouf, et c'est ambassadeur
de France.

« On dit les deux, répond Max, les jambes et les larmes,
il faut les deux, pour plaire à tout le monde, recette du succès,
faire pleurer Margot, faire bander Marcel, comme disait un
de mes patrons avant guerre.

— Farceur ou pas, dit Malraux, moi, je ne vous ai jamais
fait dire de cochonnerie.

— Monsieur Goffard, laissez madame parler du kangourou », demande le diplomate rose.

*

« C'est plus grave que je ne crois ? vous demande Lilstein.
Ce ne sont pas seulement des doutes que vous avez ? Vous
voulez arrêter ? Vous êtes libre, je vous ai toujours dit que
vous étiez libre, je vous mets à l'aise : votre retrait, vous voyez
je ne parle pas de défection, ni de trahison, votre retrait ne me
gênerait pas. À Paris, je peux vous faire remplacer, sur-le-

champ. Vous pouvez vous retirer, si un jour vous voulez reprendre contact, si vous avez besoin d'un renseignement, je serai toujours là.

« Comment je ferai pour vous remplacer ? C'est peut-être déjà fait, vous avez peut-être, dès le départ, eu une doublure, non pas une doublure, quelqu'un qui travaille avec moi sur le même mode, pas avec votre ami le ministre, mais avec quelqu'un d'autre, qui montera lui aussi, un homme, une femme que je rencontre ailleurs, au bord de la mer pour changer, vous avez des craintes, des doutes, des envies d'arrêter parce que vous n'avez toujours pas saisi, vous croyez toujours que je vous demande d'espionner un centre de décision, vous manquez d'ambition, prenez du champ, regardez, c'est nous deux le centre de décision.

« Nous deux, personne d'autre, quand nous sommes réunis et que nous décidons de faire quelque chose rien ne peut nous contrecarrer, et personne ne peut nous identifier, aucun gadget entre nous, pas de téléphone, pas de radio, pas de codes, pas de cache, pas de boîte à lettres, dormante ou pas, pas d'intermédiaire, pas d'encre sympathique, pas de grille, pas de micro-points, pas de micmac, si un jour j'arrête de venir ici, et sans vous avoir averti, cessez tout, immédiatement, cela voudra sans doute dire que les idées que nous défendons traversent une mauvaise passe, et moi avec, ne laissez jamais rien qui ressemble à une preuve, tout dans la tête, des indices, c'est inévitable, mais jamais de preuve, ils ont la maladie de la preuve, et jamais d'aveu, si je disparais ne me cherchez pas de successeur, *no longer mourn for me,* aucune régularité, aucun gadget, vous achetez des disques anciens, et vous en revendez, de temps en temps vous mettez une annonce dans *Le Figaro,* attention, vendez et achetez pour de bon, cinq, six fois par an, ce n'est pas beaucoup.

« Moi j'ai seulement besoin de l'annonce, trois jours avant le rendez-vous, vous parlez anglais, allemand, espagnol, voyagez souvent, vous en aurez le prétexte, vous aimez l'opéra, ça coûte cher ? C'est excellent l'opéra, au prix où sont les vraies places on peut y développer sa culture en même temps que la haine des riches, ayez la réputation du type qui peut faire mille kilomètres pour aller écouter un chanteur ou un violoniste, quelques voyages par an, Allemagne de l'Ouest, Autriche, et vous passez souvent par la Suisse, à Zurich il y a des disquaires fameux, d'excellents bouquinistes, et un train direct pour Waltenberg, si vous n'aimez plus ces voyages dites-vous que vous pouvez arrêter quand vous voulez, vous avez une doublure, dont vous n'êtes peut-être que la doublure, on vous soupçonne, parmi d'autres, et on ne pourra jamais rien prouver contre vous, ce qui me permet d'abriter votre doublure, plus vulnérable, derrière votre voyante personne, je plaisante. »

*

« Le kangourou, il est sur le lit de Valérie Serge, dans le grand hôtel de Shanghai, dit la jeune femme.

— Madame Serge, dit Max, pour une grande couturière, c'est déjà bien trouvé.

— Baron, dit Malraux, laissez parler.

— C'est au moment où Ferral, reprend la jeune femme, fait remplir la chambre de Valérie avec des oiseaux en liberté, pour se venger du lapin qu'elle lui a posé, sur le lit il y a le doux pyjama, tout ce qui reste de son amante, la soie rouge et or, il s'en empare, il en frôle son visage et se met à rêver.

— À des kangourous, dit le diplomate rose qui rosit encore plus en regardant le diplomate gris.

— Non, répond la jeune femme, il rêve à des choses violentes, comme les hommes aiment s'imaginer que les femmes demandent secrètement qu'on leur fasse, bref, il rêve, pendant que sur le lit de leurs amours se dresse un joli kangourou bien vivant, un kangourou qui fait des yeux de biche épouvantée.

— Chut, pas un mot, lance Max, un p'tit kangourou velu, superbement érigé, mon cher, votre roman, c'est tout à

fait ça, la locomotive et le kangourou, un kangourou à mous-
taches !

— Mais personne, dit la jeune femme, à part quelques lectrices qui n'aiment pas les lits désertés, ne voit jamais le kangourou dans le roman, alors qu'il est bien là.

— C'est peut-être pour ça qu'on le lit un peu moins aujour-
d'hui, glisse Malraux, et que les journalistes trouvent que je
manque d'humour, ne protestez pas, de Vèze.

— Oh, dit Max, le manque d'humour, ça nous a fait de
beaux tirages, des lecteurs révolutionnaires, des moralistes,
des classiques Larousse, la droite, la gauche, Trotski, des
maurrassiens, mais ces gens-là n'ont pas besoin de kangourous, nous autres si, les gens de roman, ça finira par se savoir,
chut, pas un mot, fini les kangourous, aujourd'hui, maître,
vous êtes en route pour le pays des talapoins, et sans moi !

— Qui sont les talapoins ? demande le diplomate gris.

— Des moines asiatiques, répond Morel.

— Et voltairiens, dit Max.

— J'avais oublié ce mot », dit Malraux.

Et Max :

« C'est moi qui vous l'avais appris, vous voulez oublier
parce que dans une semaine vous avez rendez-vous avec le
grand Mao, au pays des talapoins, du sérieux en perspective,
déprimant le sérieux, moi je racontais que c'était Tchang
Kaï-chek qui allait habiller les Chinois en talapoins, mais
c'était en 27, raté, c'est Mao vingt ans plus tard qui les a habillés comme ça, des talapoins bleus, j'avais vingt ans d'avance,
la blague, machine à défricher le temps, il suffit de laisser
courir, la farce vient toute seule. »

*

« Je ne vous ai jamais demandé une collaboration bureau-
cratique, vous dit Lilstein, vous pouvez y mettre un terme

quand vous voulez, c'est une relation d'homme à homme, *Menschheit*, jeune Français, vous savez comment s'appelle mon département ? l'*Aufklärung*, chez vous on dit les *Lumières*, mes fonctions à l'*Aufklärung* ? Je ne vous l'ai jamais dit ? Je ne vous cache jamais rien, je n'y ai aucune fonction officielle, aucun vrai bureau, mais tous les gros dossiers passent par moi, je ne dépends que du ministre qui sait que je ne dépends pas vraiment de lui mais d'une ligne directe, plus à l'Est. Officiellement je m'occupe de commerce international, je fais ça très sérieusement, surtout avec nos cousins de Bonn, ils m'aiment bien, je leur fais croire que je fais plus que du commerce, que je suis un homme du secret, avec du pouvoir, ils me prennent pour un hâbleur ou un provocateur.

« Vous connaissez la lettre de Kant sur les *Lumières* ? Grand texte ! *Ose penser !* Vous et moi nous sommes des *Aufklärer,* vous avez un idéal, vous aussi, comme tous ces gens qui sont des singes de leur idéal, mais vous, vous n'êtes pas un singe, vous êtes un acteur, comment je traduirais *Menschheit* ? quelque chose entre humanité et virilité, rassurez-vous, une virilité sans fascisme.

« Et puis non, virilité, c'est un peu forcé, ce serait plutôt le fait d'être homme, on peut se contenter de dire *humanité*, mais avec une notion d'*honnêteté*, vous trouvez que j'exagère ? Il y a aussi un peu de *compagnonnage* ou encore... pas facile... c'est le fait d'oser être homme, avec le risque, c'est entre l'humain et le héros, entre la ruse et le respect de la parole donnée... mais pas un entre-deux, plutôt une troisième rive, tout ce que nous faisons c'est de la troisième rive.

« Si j'étais amoureux de la femme qui m'a fait danser la valse et le tango il y a trente ans ? Vous avez des questions bien directes pour un Français, j'espère que quand vous posez des questions à votre ami ministre vous êtes moins abrupt, il y avait déjà une piscine dans cet hôtel à l'époque, petits carreaux bleus, étincelantes barres de cuivre, hublots, elle s'allongeait sur l'eau, sur le dos, elle glissait, le menton rentré, la nuque très souple, une belle encolure, elle enchaînait les bassins, une petite écume de battements de pieds, les gestes des bras très amples, pas rapides du tout, c'était très neuf comme style, je restais à l'extérieur de l'eau, je ne voulais pas nager avec elle, j'ai toujours nagé comme un caniche, parfois elle me demandait de la chronométrer, ou bien je disparaissais, je descendais dans la galerie de service qui courait tout autour de la piscine, là où il y avait des hublots.

« Je regardais son corps, elle avait un adorable début de ventre, elle ne me voyait pas, elle devait se douter que j'étais là, elle faisait comme si elle ne me voyait pas, elle avait des muscles longs et un petit début de ventre, elle faisait une cinquantaine de bassins d'affilée, elle disait que la nage sur le dos lui était nécessaire, une cantatrice travaille toujours debout, elle devait prendre soin de ses vertèbres, quand je me mettais au hublot du petit côté je pouvais la voir arriver, tête en avant, quand elle repartait j'étais juste dans l'axe de ses jambes, à la fin j'apportais son peignoir, je faisais exprès de le poser assez loin pour pouvoir venir vers elle, la regarder pendant qu'elle venait vers moi, à l'époque les autres femmes disaient que ses jambes et ses épaules étaient laides, à cause des muscles, vous pouvez sourire, ne laissons pas refroidir notre *Linzer*. Vraiment ? Vous ne comprenez pas très bien ce que c'est que la troisième rive ? »

Devant votre découragement et vos hésitations Lilstein a fini par avoir un mot assez dur :

« Les gens comme nous, quand ils se découragent, ça redevient des minables, c'est ce qui nous guette. »

*

« Il y avait une autre histoire farfelue, ajoute Max, celle de l'homme qui voulait envoyer des prostituées par trains entiers à l'état-major communiste.

— C'était pour les ramollir », dit Malraux.

Regard de Max, droit dans les yeux de Malraux :
« D'après ce que disent les Américains sur les caprices
du Timonier en ce moment, il y a au moins quelques wagons
qui ont fini par arriver, des wagons de petites lolitas pour le
camarade Président qui ne voit plus depuis longtemps ce qu'il
a sous le ventre, elles sont dressées à aller chercher. »

De Vèze observe la jeune femme, Goffard en fait trop,
manque de tenue à table, trop d'alcool, de Vèze se demande
si la jeune femme va rougir à nouveau, il l'imagine avec Mao,
allant chercher, elle est adossée au crépuscule, les cheveux
presque sombres, le blanc des épaules et de la naissance des
seins, la robe jaune, le regard clair, une ligne de menton très
douce, comme chez les enfants, s'il y avait des catleyas de touristes sur la table je pourrais contempler le pistil, ça serait
vulgaire à souhait, qu'est-ce qu'elle fout avec son historien ?

C'est décidé, à minuit de Vèze va prendre la main de la
jeune femme, mais il n'a pas dix-neuf ans, il n'est pas à côté
d'elle mais en face, je ne vais quand même pas lui faire
du pied sous la table comme un Russe ? que faire d'autre ?
attendre le lendemain ? faire une cour ? elle sera partie avec
son historien, adieu brioche, les fesses, elles doivent être légèrement rebondies.

« Des lolitas, dit Malraux, baron, c'est du cliché ! »

De Vèze interloqué, Malraux sort de ses gonds, Goffard en
a trop fait, et sur Mao, qui va recevoir Malraux à Pékin.

« Du cliché, répète Malraux, baron, vous me décevez, je ne
vous avais pas donné ce goût étonnant pour les ragots de la
CIA ou des Soviétiques. »

Goût étonnant, se dit de Vèze, dans la bouche de Malraux
cela signifie qu'il est en train de traiter Goffard d'agent provocateur, une casserole que Goffard traîne derrière lui depuis
les années 30, et l'accusation est très gaulliste, CIA et KGB
dans la même casserole, les lolitas c'était le mot de trop.

De Vèze, le consul, le diplomate gris, tous les convives cherchent le moyen de changer de conversation, et ne trouvent pas, n'en ont pas envie, ne voudraient pas être là, mais n'empêche, quelque chose est en train de se passer, on ne résiste pas à une belle divulgation, on se tait, on la laisse s'avancer, avec ses ombres.

Dans l'entre-deux-guerres la casserole de Goffard, c'était seulement les Soviétiques, il en disait du mal, mais il avait d'excellentes informations en provenance de Moscou ; et sur le Maroc il était aussi bien informé que les Anglais du *Times*, tout le monde sait que les reporters du *Times* renseignaient aussi l'*Intelligence Service*, Goffard faisait du colportage entre Paris, Londres et Moscou, on ne savait pas pour qui en dernier lieu.

On aurait aimé lui demander entre quatre yeux, mais il jouait au poker avec Briand et Berthelot, et plus tard avec Daladier et Chamberlain, oui, à Munich, avec la moitié des ministres de l'Europe, être à table avec Malraux ça ne le change pas, il a eu Bergson comme prof à Henri-IV, il était là en 19 quand Lloyd George a dit en regardant une carte de la Tchécoslovaquie *ce n'est pas un pays, c'est une saucisse,* il a fait une tournée officieuse pour Briand en Europe, en 28, le mouvement paneuropéen, très lié aussi à Lyautey, il n'a jamais réussi à le réconcilier avec Briand.

Sur le fond Briand était d'accord avec Lyautey, mais il le haïssait, en souvenir de 1916 quand Lyautey le contrait en plein conseil des ministres. Au Maroc Goffard copinait avec les officiers des Affaires indigènes formés par Lyautey, il savait tout ce qui se passait sur le terrain, assez mal vu des Espagnols, il avait mis la main sur une instruction de *coronel*, ramasser tous les débris de bombes, ne rien laisser traîner, au besoin les Espagnols rachetaient ces débris aux Rifains qui les avaient pris sur la gueule, ils les manipulaient avec des gants, non Chefchaouen ce n'étaient pas des gaz, seulement des bombes de cent kilos, secteur français, une ville de femmes, un bombardement stratégique, on n'a aucune preuve que les Français aient utilisé des gaz, nulle part dans leur secteur, Pétain aurait voulu, pour aller plus vite, mais Chambrun s'y est opposé, ces bombardements, les Rifains, ça les a brisés.

Les femmes surtout. Elles étaient terribles, comme les femmes gauloises dans César, elles excitaient les hommes, avec des chansons contre les lâches.

Mais après Chefchaouen elles ont commencé à se calmer, il était temps, on était très près de la catastrophe, à l'État-major on parlait d'abandonner Fès, une lame de fond, ou plutôt une boule de neige, un pays méditerranéen à boules de neige, ça roule, ça s'agglutine, des milliers d'hommes du jour au lendemain derrière Abd el-Krim, ça emporte tout, en avalanche, une armée boule de neige, il a même voulu en faire un État, un État boule de neige, ce type avait commencé comme un bon serviteur, conseiller du gouverneur espagnol, journaliste au *Telegrama del Rif*, plus tard on appellera ça des *béni-oui-oui*, aurait pu prendre une retraite méritée, après trente ans de chacals écrasés dans la presse espagnole, il a fallu qu'il se révolte, s'est retrouvé entre un pays qui se bouffait lui-même par vendetta, et des civilisateurs pas trop civilisés, qui vous montrent leurs voitures et leurs avions et qui vous rappellent à chaque instant que vous, Abd el-Krim el-Khattabi, vous restez de la merde, à croire qu'ils ne sont là que pour ça, pour ce rappel.

Et les Français parlent des Espagnols comme les Espagnols parlent de vous, Abd el-Krim, de la merde, ils parlent aussi de vous comme ils parlent des Espagnols, mais pas Lyautey, et il y a des Français en France qui font même votre éloge, vous êtes un petit peuple épris de liberté, qui veut se mettre à vivre au XXe siècle, mais sans colons, la république du Rif, les officiers espagnols parlaient parfois de leurs propres hommes, de leurs Basques, de leurs Catalans, de leurs Andalous de Jaén comme ils parlaient des indigènes, chacun achetant son mépris à l'étage au-dessus.

Abd el-Krim ne savait sans doute pas trop où il en était, une boule de neige lui aussi, *chérif, zaïm, fqih, raïs, amir, khalifat, mawlana, sidna, ghazi,* il avait ramassé tous les noms au passage, et même *sultan.*

Tantôt musulman à l'ancienne, pas de tabac, pas de marabout, pas de danses sur les braises, la main droite des voleurs, les cinq prières.

Et tantôt regarde vers la Turquie, la table rase à la Mustafa Kemal, c'est la religion de nos pères qui nous a mis dans cet état-là, en quatre siècles nous n'avons même pas été capables de prolonger la balayette par un manche à balai, bon, Abd el-Krim ne leur a tout de même pas fait le coup des casquettes à ses Rifains, en Turquie, dans certains coins, à l'entrée des villages il y a une potence, avec une vraie corde, et une pile de casquettes ; en arrivant au village les paysans doivent échanger leur turban contre une casquette, ils ont le choix.

Tous ces rôles c'est compliqué mais Abd el-Krim n'en écarte aucun, *khalifat* c'est presque un successeur du Prophète, *sultan* ça prend la place du sultan du Maroc, qui n'est pas content, débarrassez-moi de ce rebelle, il aurait dit ça à Pétain, *ghazi* ça veut simplement dire conquérant, *fqih* c'est un religieux, *émir* c'est le chef des croyants, mais *raïs* c'est un chef laïque, une sorte de président.

Zaïm c'est ce que les Anglais appellent un leader, *sidna* et *mawlana* c'est vraiment très traditionnel, entre not' maîtr' et notre seigneur, Abd el-Krim joue sur tout ça, une cité mythique, et il n'est sûr de rien, un jeu de bascule, les Espagnols nous envahissent, les tribus s'insurgent, je me sers de l'insurrection pour montrer aux Espagnols que je suis indispensable, je montre aux Français qu'ils doivent s'appuyer sur moi, aux Espagnols qu'il faudra négocier, je mélange la guerre sainte et la révolution à la turque, pendant cinq ans les Européens n'y comprennent rien, inconcevable que ces gens-là puissent se battre pour devenir autre chose que ce que nous voulons qu'ils soient, c'est la main de Moscou, l'or de Londres, la voix de Berlin, une voix qu'on entendait dans les postes

français assiégés, ça venait des lignes rebelles, accent allemand de déserteurs de la Légion, *en avant les Rifains, nom de
Dieu, vous n'avez plus rien au cul !*
Les Allemands on les tient sur le Rhin, ils viennent poi-
gnarder la France dans le Rif.
Cela dit, ils aidaient aussi les Espagnols : une fabrique
d'ypérite et de tabun construite clefs en main à Melilla, à peu
près dix mille bombes de gaz larguées en trois ans, Abd el-
Krim croit la France incapable de faire la guerre, il rassemble
beaucoup de monde, ceux qui viennent à lui, ceux qui ne
viennent pas et qu'il force, ceux qu'il achète, et qui seront
parfois plus loyaux que ceux qui étaient venus dans l'enthousiasme et qui trahiront au premier revers, il a aussi des
otages, comme nous, une vraie boule de neige, mais la boule
de neige s'arrêtera au bas de la pente, à l'entrée de la plaine,
devant les grandes villes, qu'il n'ose pas prendre, malheur à
ceux qui ont abandonné les champs pour la ville, Goffard
connaissait bien tout ça, on l'appelait l'Africain, et trente ans
plus tard il a aussi été l'un des premiers à avoir en main le
rapport Khrouchtchev, il a fait du scoop, dans l'intérêt de
beaucoup trop de monde.

« La CIA et le KGB, reprend Malraux, c'est la main
dans la main, les atlantistes et les Soviets, à propos d'atlantistes, baron, votre ami Kappler, toujours aussi proche des
Américains ? »
Max tout blanc, Malraux poursuit :
« Kappler, un homme difficile, mais au lieu de se contenter
de faire le difficile avec les femmes il a fallu qu'il s'occupe de
politique, et personne ne sait jamais où il se trouve, une visite
amicale en zone soviétique en 47, passe encore, mais revenir
à l'Est en 56 il fallait le faire, vous en aviez discuté ? Lequel
des deux a fait lire à l'autre le rapport Khrouchtchev ?
Kappler s'installant à l'Est après avoir combattu les communistes aux côtés de la CIA.
— Avec vous, maître, dit Max.

— Oui, dit Malraux, l'histoire de *Preuves*, j'ai écrit dans *Preuves*, avec Sperber, vers 52, 53, avec Kappler aussi, une grande revue, le camp de la liberté.

— Avec de drôles de financements. »

Malraux, sans relever cette remarque :

« Mais Kappler nous a bien eus, s'installer à l'Est en 56, après Budapest!

— Il n'est resté que trois ans, dit Max.

— Il est reparti en Suisse en 59, ajoute Malraux, et aujourd'hui on retrouve son nom dans des revues de la CIA, les revues où il publie sont subventionnées par les Américains, l'homme de tous les virages.

— C'est parce qu'il est sincère, dit Max.

— L'homme de toutes les sincérités, dit Malraux.

— Il n'a jamais su pratiquer le mensonge nécessaire, lui. »

Max ne bouffonne plus :

« Nous nous éloignons du sujet, maître : Pékin, le Grand Timonier et les petites lolitas. »

À cette table Goffard et Malraux sont ceux qui se connaissent depuis le plus longtemps, près d'un demi-siècle d'amitié et ils sont en train de rompre, quand Malraux dit *cliché*, *ragot*, le regard est baissé, il ne veut plus voir cet homme qui le prenait par la main dans les années 20, et Max en a assez de son auteur, des dizaines d'années qui se déchirent, une allégresse de destruction, chacun détruisant ce qu'il a été pour l'autre, je te laisse ma défroque, amuse-toi, lolitas, ragots, ça ne veut rien dire, parce que c'était lui, se déchirer pour la même absence de raison, parce que c'était, parce que ce n'était pas, ou le trop de vertige, ou bien ils n'avaient jamais été amis, ou encore un jour ils ne veulent plus de cette barre que l'autre a sur vous, ou encore le retour de ce qu'on avait détruit pour pouvoir être amis, qu'est-ce qui était dissimulé depuis si longtemps?

« Cliché, ragot, répète Malraux qui a la réputation d'avoir la rupture chirurgicale, du travail de mouchard! »

Malraux ne reprend pas le mot *lolitas,* mais tout ceux qui sont autour de la table ne pensent qu'à ça, soudain il se calme, sourit, l'index vers Max qu'il regarde à nouveau :

« Une histoire, mon cher, à vous d'écouter, un homme pauvre, sans terre ni troupeau à garder, ça se passe à Bali, il trouve une tortue qui parle, il en parle à tout le monde, le roi le fait arrêter et envoie chercher la tortue, la tortue refuse de parler, le roi fait étrangler l'homme pauvre, alors la tortue prend la parole *malheur à celui qui, n'ayant rien à garder, ne garde pas au moins sa langue !* »

Max sourit, ne dit plus rien, le consul en profite :

« Au fond, monsieur le ministre, la tortue c'est le ragot, le cliché, qui finit par piéger le colporteur.

— À propos de clichés et de lolitas, maître, demande Max en reposant son verre, savez-vous ce que Nabokov a dit de notre roman ? »

Vieux polémiste, se dit de Vèze, ne jamais répondre à une accusation, renvoyer une question, mais tu vas quand même dans le mur.

« Nabokov est souvent intéressant, dit Malraux mais si vous m'en parlez, mon cher, ce doit être une vacherie, ou un ragot. »

Cette fois, Malraux a parlé sans regarder Max.

« Pour Nabokov, poursuit Max, *La Condition humaine,* avec sa pluie chinoise, ses nuits chinoises, ses rues chinoises, ses foules chinoises, c'est la *Compagnie Internationale des Grands Clichés,* Nabokov recommande d'essayer avec du belge, *ils sortirent dans la nuit belge.* »

De Vèze se dit que Goffard n'en a plus pour longtemps à être un personnage, on ne parle pas comme ça à Malraux.

Une algarade, tout le monde s'est tu, le consul et sa femme ne sont plus là, ils font du kayak avec une cuillère dans leur tasse de café, ils ne sont surtout pas parmi ceux qui assistent à une algarade où Malraux est en cause, ça coûte cher ces choses-là, si Malraux demande au consul de mettre Goffard à la porte, Goffard connaît beaucoup de monde, il a survécu à l'incendie du *Hindenburg*, et si Goffard refuse c'est Malraux qui se lève en accusant le consul de l'avoir attiré dans un guet-apens, c'était la dernière chance du consul, cette transformation du consulat en ambassade.

C'est la faute au beaujolais, léger, fade, ils en ont bu comme de l'eau, une algarade, et devant ce Xavier, un petit attaché, mais qui a déjà l'oreille du secrétaire général et du ministre, et qui ira loin, avec ses mines d'inquisiteur et sa barbe en cul de singe, on le fait monter très vite, à cause de ses mœurs, parce qu'on sait qu'on pourrait le casser n'importe quand, il n'est dangereux pour personne, il ira loin, ce n'est pas lui qui plaidera pour moi à Paris quand on va savoir ce qui s'est passé à cette table, dans quelques heures, on peut leur faire confiance, le sauternes ils n'en ont pas trop bu.

C'est le beaujolais du milieu qui a fait mal, le consul aurait dû ouvrir ses derniers gevrey-chambertin, il n'y en aurait eu que trois bouteilles et le gevrey-chambertin au moins ça ne se boit pas à la régalade, sinon vous prenez une claque dans l'arrière-gueule, il n'aurait pas dû écouter sa femme qui a voulu garder les trois gevrey pour fêter la promotion à venir, Malraux après tout il n'est que de passage, et il n'aime que le pastis, c'est bien connu, et maintenant à la table du consul il y a un incident majeur, le sauternes, tout de même, mélangé à trop de beaujolais, ça n'a pas dû arranger les choses, un incident majeur à ma table, et le gevrey-chambertin on le boira pour un déménagement à la sauvette, *la nuit belge*, c'est malin, et les autres aussi ont la trouille, ils ne feront rien, qu'est-ce qui a pris à ma femme, rien, il ne lui prend jamais rien.

Elle est comme ça, il a suffi que je dise gevrey-chambertin et elle a dit non, j'aurais dû dire prenons le beaujolais, c'est elle qui aurait dit non il faut prendre les meilleures bouteilles, et Goffard se serait tenu tranquille, ça fait trente ans qu'elle passe son temps à dire le contraire de ce que je dis, j'aurais dû la quitter quand il était encore temps, quand j'en ai parlé à Jean-Claude, il m'a dit elle t'emmerde avec ses non, elle t'em-

merdera de plus en plus, mais si tu la quittes c'est pire, tu
t'emmerderas sans raison, oui, mais cette fois c'est foutu,
incident, je sais bien que c'est anodin, cet incident, cher ami,
pas de quoi fouetter un chat, tout le monde connaît le caractère de Malraux, ce genre de chose s'oublie vite, mais comme
me l'a rappelé le ministre qui est désolé de ne pas être en
mesure de vous recevoir, le cœur du métier de diplomate, c'est
d'éviter les incidents, retour à Paris.

Pas d'ambassade, une sous-direction de sous-département,
et trois pièces pour vivre rue Vaneau, au deuxième étage, vue
sur cour, je préfère être seul, elle ira grommeler ses non aux
passants, ou aux voyageurs du métro, non, elle ira dans sa
putain de campagne, avec des bottes en caoutchouc, des
gants en caoutchouc, la tête en caoutchouc, et des patins dans
l'entrée, le consul regarde sa femme, lui sourit pour l'encou-
rager à sourire malgré tout au milieu du naufrage.

De Vèze dit à Malraux :
« Nabokov est un demi-habile.
— Et pourquoi donc ? »
Malraux s'est reculé sur son siège, il a croisé les bras,
expression polie sur le visage, une politesse de rupture, sans
doute ses dernières paroles de la soirée et il a même l'air d'en
vouloir à de Vèze, de Vèze ne sait pas très bien pourquoi il a
dit que Nabokov est un demi-habile, il a senti que les choses
allaient mal tourner, il a lancé une formule, et maintenant il
est embêté, il cherche quelque chose avec *destin* et *littérature*.
« Le cliché, dit-il, c'est du destin. »
De Vèze sent qu'il n'arrivera à rien.
« Je ne comprends pas, dit le diplomate rose.
Ta gueule, pense le consul, ta gueule.
« Je ne comprends pas non plus, intervient Morel qui aime
de moins en moins de Vèze.
Comme ça vous êtes deux, pense de Vèze, trois avec le gris
qui fait semblant de comprendre, et quatre avec moi qui n'ai
pas encore trouvé.
Ils sont amusants ces deux-là, se dit Morel en regardant le

couple gris et rose, au moins ils ne lorgnent pas ma femme, pas comme ce type qui n'a jamais réussi à sortir de sa légende, une ambassade à Rangoon, une bataille en 1942, il croit que ça donne le droit de déshabiller les femmes des autres.

Morel a envie de provoquer un incident, ça ne serait pas mal, un incident, ça ferait oublier la tension entre Malraux et Goffard, monsieur l'ambassadeur le décolleté de ma femme a l'air de vous intéresser, Morel a vu dans un dîner une femme avoir ce courage de l'incident, mon mari, vous le prenez tout de suite, ou bien ça peut attendre ? pour qui se prennent ces types, tout leur appartient parce qu'ils se font servir à table, voiture avec chauffeur, Morel a horreur de cette caste, le titre dégrade, la fonction abrutit, il a connu des gens qui sonnaient mille fois plus juste, héros mais pas ramenards, et qui avaient repris leur place de typo ou d'aiguilleur sans aller vendre leurs médailles dans un ministère, Flaubert avait raison, Morel a envie de gifler sa femme.

« Le truc du destin, c'est pourtant simple, mes bons, » dit Max.

Il lève un doigt, marque une pause.

Goffard à ma rescousse, pense de Vèze, Goffard sait qu'aujourd'hui sans Malraux il n'est plus qu'un vieil homme dont l'histoire va s'effacer, il a écrit des milliers d'articles de journal, parfois ça vaut une page de Malraux mais c'est du journalisme, il n'en survivra rien.

« Ils crèvent tous, nos héros, continue Max, victimes du destin, comme on dit dans les feuilletons.

— Du destin et de la répétition, dit de Vèze.

— Ils meurent, l'Histoire se répète », ajoute Max.

La jeune femme garde le silence, tous les convives ont maintenant redressé la tête, le consul a fini son café, il joue avec son cure-pipe, le fait tourner entre le pouce et l'index comme une hélice d'avion.

« Le cliché, précise de Vèze sans vraiment savoir ce qu'il dit, c'est irréductible, c'est la part du destin dans l'écriture.

— Va donc pour les clichés, dit Max, et c'est pour ça qu'à Shanghai l'angoisse est souvent terrible et la pluie toujours chinoise, et que Nabokov a tort, bien joué, monsieur de Vèze, vous avez la formule encore un peu amidonnée mais si vous voulez faire un livre d'entretiens avec le maître vous avez gagné, et vous m'avez sauvé.

— Oh, les clichés inévitables, c'était déjà une idée de Paulhan, dit Malraux qui sourit à nouveau.

— Les lecteurs sont bêtes, s'écrie Max, ils ont le nez sur les clichés et ils ne voient pas les kangourous !

— Ne retirez pas à monsieur de Vèze le mérite de sa formule », dit la jeune femme.

Et Morel n'aime pas du tout la façon dont sa femme défend ce type, mais il sait qu'il n'y pourra rien, il aura tout raté ce soir, un crétin subalterne, voilà ce que tu es pour ces gens-là, ta science, ta paysannerie au XVIIIᵉ, ils s'en foutent, ils ont le pouvoir, ils t'invitent, tu fais des conférences, tu dînes à Singapour, belles assiettes, ils te séparent de ta femme, demain ils diront que tu étais sinistre.

« Monsieur de Vèze a une très belle façon de sauver les clichés », dit la jeune femme.

Je vais lui faire du pied, décide de Vèze, mais sans ma chaussure. Comment fait-elle pour avoir des mains pareilles ? Plus grandes, plus lourdes qu'on ne s'y attendrait, des lèvres qui sourient, des mains qui ne plaisantent pas.

« Moi au moins je n'étais pas un cliché, dit Max.

— En êtes-vous sûr ? demande Malraux, cliché, pastiche, imitation, c'est le cœur du sujet, on ne s'exprime pas, on imite, matière première de l'écrivain : l'œuvre des autres, et le cliché c'est ce qui reste des autres dans le langage. »

Malraux menton dans la main gauche, la main droite en l'air, index pointé, il faut d'abord écrire l'adjectif *terrible* pour pouvoir s'en débarrasser, on imite, l'index atterrit sur la table, on n'y peut rien, Malraux est lancé, de Vèze appuie la pointe de sa chaussure gauche contre le talon de sa chaussure droite.

« Ça vaut mieux que de ne jamais écrire son roman, par peur des adjectifs, n'est-ce pas, baron ? »

La voix de Malraux a sifflé.

« Vous aviez pourtant une belle histoire à raconter jadis, Kappler m'en avait parlé, dans les bureaux de *Preuves*, la peur des adjectifs, il faut prendre de la distance. »

L'index de Malraux trace une ligne sur la table.

« On pastiche et on isole le dixième qui n'est pas imité, on essaie de mettre le reste en accord avec ce dixième. »

Malraux s'est reculé, les mains au-dessus de l'assiette se mettent à caresser l'idée comme ferait un potier attentif.

« On joue avec le pastiche dépassé, le début de mon roman, cher baron... »

La voix reprend peu à peu de la rondeur, de l'affection :

« Évidemment c'est du polar, ordinaire, la nuit, les klaxons, l'angoisse, le lecteur doit avoir les poils qui se hérissent, pas de honte à avoir, voyez Hugo, *Les Misérables*, l'angoisse qui tord l'estomac. »

Les mains de Malraux jointes à nouveau, un index tendu :

« On pastiche le polar, ou Laclos. »

De Vèze retire doucement sa chaussure droite.

« Valérie, c'est une Merteuil au petit pied, dit Max en souriant.

— C'est cela, dit Malraux, on pastiche Faulkner ou les Russes des années 20, le pastiche dépassé devient un filtre à regarder le monde avec un œil différent. »

Malraux lance sa main gauche doigts écartés devant ses yeux comme une grille :

« On regarde Shanghai à travers un simulacre de Série noire, ou on pastiche les *Pensées* à travers les *Pieds Nickelés* — la main droite elle aussi doigts écartés, contre la gauche, en grillage — un double filtre, Filochard et les deux infinis, ça finit par faire une œuvre. »

Il envoie ses bras devant lui, index pointé à chaque main, il scande ses mots, mouvements de front, visage penché, menton rentré, pupilles qui remontent vers le haut pour compenser, l'œil écarquillé.

« Il faut des années à un écrivain pour écrire avec le son de sa propre voix, traverser la voix des autres, de toute façon elle est là, et si on ne pastiche pas en imitant on n'est qu'un perroquet, on refait Maupassant ou Tourgueniev sans le savoir, ou en faisant semblant d'avoir oublié, comme Nabokov ou votre ami Kappler, baron. »

Main gauche de Malraux sur la table, posée en patte d'araignée, sur le bout des doigts.

« Et ça manque de kangourous !

— Ça manque aussi de chats », dit la jeune femme, en montrant le gros chat noir qui s'est glissé sur ses genoux sans se faire remarquer.

De Vèze décide qu'une femme qui le met dans cet état en plein dîner avec Malraux, ça n'a pas de prix. Il finit de doucement retirer son pied de sa chaussure droite.

Un petit grésillement dans le ciel, au-dessus de la jeune femme, la première étoile, celle des audacieux, un courant d'air passe sous la table, rafraîchit la chaussette, le sol de la véranda est tiède.

« On me reproche de rater les chats dans mes histoires », dit Malraux.

Il s'est reculé sur sa chaise, mains croisées sur les genoux, visage à nouveau penché, regard relevé, il attend.

« Ce n'est pas vrai, affirme la jeune femme en caressant l'animal, ils sont même votre double.

— Que voulez-vous dire ? » demande de Vèze d'une voix agressive.

Il n'en veut pas à la jeune femme, pas comme tout à l'heure, quand il la vouait au diable, maintenant il a peur, peur de se remettre à penser que cette femme est un bas-bleu, qu'elle a trop lu, une de ces femmes qui passent leur temps à vous reprendre sur le moindre mot, un de ses copains a vécu vingt ans avec une femme pareille, il est en maison de repos, peur de se détacher d'elle, de ne plus avoir envie de ses fesses, et maintenant la voilà avec une histoire de double, et tout le monde prête l'oreille parce que dès qu'on parle de double dans un dîner ça fait spirituel.

« Quand Kyo regarde monsieur Clappique devant le *Black Cat*, vous décrivez en vous mettant derrière Kyo, qui a une allure de chat, dit la jeune femme à Malraux, et derrière Clappique, au fond de la scène, il y a une auréole de chat qui nous regarde, la scène est prise entre deux chats. »

Malraux sourit, une expression rare, jamais sur les photos, une joie d'enfant à confitures, peut-être quelques femmes ont-elles droit à cette expression.

« Chat devant ! »

Max a crié.

« Chat derrière ! Chat partout ! Raminagrobis avec nous ! »

Un ange passe, Max fixe son assiette, tout le monde le regarde, il se tait, le consul joue de nouveau avec son cure-pipe, Max ne regarde personne, est-ce que ces gens-là devine-raient la façon dont les gosses jouaient avec les chats dans les faubourgs de Rabat ? Lyautey jouait au croquet, les gosses jouaient au chat étoile filante, dans les villes, pas dans le Rif, dans le Rif il n'y avait plus d'animaux, plus rien à bouffer, comme nous dans les tranchées, un chat capturé ça s'appelait un lapin, l'officier des Affaires indigènes dit qu'ils n'ont même plus l'ordinaire nourriture de disette, plus d'artichauts sau-vages, tiges de mauve, figues de Barbarie, racines, ni tabac ni haschich pour tromper la faim, la faim mange les muscles, entre les bombes et la faim ils ont fini par arrêter, ils sont des-cendus pour essayer de bouffer, ils n'avaient plus rien à vendre, ils marchandaient des morceaux de leurs vêtements, dans certains douars du Rif il n'y avait plus un seul homme vivant, les femmes se vendaient, on a été très bien, on leur a offert des cérémonies de soumission, de grands rassemblements, pavillon tricolore et pavillon chérifien, tout le régiment.

Un commandement, garde-à-vous, les talons claquent, les cerveaux se ferment, les vaincus bien rangés en demi-cercle, clairons, tambours, ouvrez le banc, on appelle ça la *targuiba*, le chef vaincu conduit un taureau devant le chef vainqueur, un coup de couteau, jarret tranché, le taureau s'affaisse, se débat, c'est la violence qui finit, allégeance et pardon, taureau sur le flanc, dix hommes pour le tenir, des mouvements de pattes, un autre coup de couteau pour l'égorger, il est seul à bouger devant tout ce monde qui le regarde crever, la violence qui s'en va par l'aorte, les effluves de sang tiède pour les premiers rangs, quand la tribu n'avait pas de taureau c'est l'administration militaire qui fournissait la bête à sacrifier, remboursable en corvées, Bournazel était là, avec ses goumiers, non, il n'est pas mort pendant la guerre du Rif, c'est plus tard, plus au sud.

Au pied du djebel Sargho, mars 1933, très simple, il charge et prend une balle dans le ventre, d'après la légende Giraud lui avait donné ordre de mettre une jellaba grise sur son manteau rouge, ça lui a enlevé *sa baraka*, carnet du docteur Vial *je trouve à l'orifice de la balle une hernie intestinale et péritonéale volumineuse, déjà étranglée et tordue sur son pédicule, extrêmement douloureuse*, Bournazel le nez déjà pincé, lèvres exsangues, *j'ai froid docteur, c'est long de mourir, sale comme ça*, c'est tout, avait-il gardé son manteau rouge ? le chat étoile filante dans les faubourg de Rabat, les gosses lui trempaient la queue dans du pétrole, ils mettaient le feu, un bel éclair sonore dans la nuit.

Max déplace sa main droite dans l'air avec lenteur, la suit des yeux, lance une dernière formule :

« Le chat fantôme d'Alice et des merveilles !

— Alice qui jouait au croquet », dit la jeune femme.

Elle regarde de Vèze, il ne dit rien, il est si maladroit, il voudrait coucher avec moi, on voit bien ce qu'il appelle coucher :

c'est prendre, et disparaître, et revenir quand il veut, quelques promenades pourtant, au début, et puis tu oublierais, monsieur qui porte beau, tu es viril et toi aussi, quand tu ne peux pas faire ce que tu veux une troisième fois, tu dois jeter ton oreiller contre le mur.

« Ce chat, c'est le génie du lieu, conclut la jeune femme.

— Et de l'écriture, dit Malraux.

— À qui est ce chapardeur? demande la jeune femme en empêchant le museau du chat d'atteindre son assiette.

— À moi, dit Max, c'est un cadeau de mon auteur, je l'emmène partout où je vais, sinon il miaule et gêne les clients de l'hôtel.

— Comment l'avez-vous appelé? demande la jeune femme à Malraux.

— *Orphée*, dit Malraux, j'ai le même à Paris, mais celui-ci je n'ai pas eu le temps de lui apprendre les bonnes manières. »

De Vèze se dit qu'il va poser son pied sur celui de la jeune femme avec beaucoup de naturel, elle va lui jeter son verre à la figure, non, elle va simplement avoir un petit regard de mépris, pourquoi ne pas attendre une autre occasion? pourquoi pas dix ans pendant que tu y es? tu passes ton temps à attendre, attendre de partir, attendre une femme, tu pourrais aussi attendre que tout vienne d'elle, en rêver seulement, où ai-je lu ça? un dîner Louis XV, un homme qui lance des regards appuyés à une femme en face de lui, il veut briller, traits d'esprit, grand vin, la femme quitte sa chaussure sous la table et pose son pied sur la braguette du type, il ne sait plus quoi faire, est-ce qu'une femme peut vraiment faire ça? tu peux en rêver, attendre, et repartir sans rien.

Max regarde de Vèze :
« Un chat, c'est moins encombrant qu'un kangourou. »
Malraux :
« Le kangourou dans la chambre, regardant Ferral, c'est parce qu'il me fallait quelque chose d'un peu grotesque, en filigrane.

— Seule l'écriture peut encore faire ça, ajoute Max, au cinéma, un plan d'une seconde sur le kangourou suffit à faire rigoler la salle pendant que Ferral rêve qu'il tord et dévore Valérie membre à membre.

— Je ne l'ai pas écrit tout à fait dans cet esprit, rectifie Malraux.

— N'empêche, dit Max, il y a du Barbe-Bleue là-dedans, et du kangourou.

— Ça n'est pas fait pour détendre, dit Malraux regard baissé, paume droite de face vers Clappique, c'est fait pour le comique, c'est sans issue.

— L'erreur de Ferral, dit la jeune femme, c'est de nous prendre pour des gamines à tordre et à dévorer. »

Elle regarde de Vèze, trouve qu'il ressemble à Ferral, en mieux, de l'autre côté de la folie, sait-il dévorer ? sait-il faire autre chose ? il veut dévorer, et cela ne doit pas être désagréable d'être sa nourriture d'un soir, mais saurait-il aussi descendre la rue Lepic en mangeant des cerises dans un sachet que nous partagerions ? ce serait notre première promenade, et un autre jour, plus accoutumés l'un à l'autre, nous pourrions acheter des crevettes, des petites grises, lavées à la fontaine entre nos mains, et les manger telles quelles, en regardant passer les gens, il apprendrait qu'entre deux érections la vie continue, pourquoi ne pas essayer ? Philippe est si loin, il est en face de moi, si on le remplaçait ça ne changerait rien.

Il ne m'aime pas, il voulait se marier, c'est tout, j'avais envie d'un héros quand j'étais petite, quelle audace reste-t-il à celui-là, à part ses regards appuyés, à quelle épreuve le soumettre ? il dit que nous sommes égaux, nous travaillons tous les deux, nous gagnons pratiquement la même chose, il descend la poubelle, mais pour lui une femme aimante c'est une femme qui vit à travers ce que fait son mari.

Il dit qu'il est à moi, mais tout ce que j'aime dans la vie c'est à travers lui que je dois le sentir, tous les couples que nous fréquentons, des femmes modernes, connaissent par cœur la carrière de leur mari, la femme qui dit tout cru ce que le mari ne veut pas dire le poste de Cochin, la chaire de la Sorbonne, ou la direction générale, untel est un con, surtout quand untel est le rival du mari, le mari sourit, chérie tu es excessive, il descend la poubelle une fois sur deux, les voyages c'est lui qui les choisit, il n'a jamais pleuré quand j'ai réussi mes concours, ah, vous êtes la femme de Morel, et Morel toujours devant.

C'est cet homme qui faisait des bonds de jeune chien entre les arbres au Luxembourg quand je lui ai dit je t'aime, pourquoi est-ce que j'aime cette situation? je vis pour lui, il était médiocre en philo, je l'ai aidé sans en avoir l'air, sa thèse, j'ai tout revu, et mon livre à moi n'est pas fini, il a commencé à foncer et j'ai adoré le regarder faire, il n'a pas besoin de moi, je suis patiente avec lui et ça m'énerve, il m'empêche de fumer, c'est parce qu'il m'aime, il m'empêche de reprendre du gâteau, l'amour c'est la somme de tout ce que tu m'empêches de faire, Malraux n'est pas comme ça, il m'appelle madame, c'est amusant sa préface aux *Liaisons*.

« L'erreur des hommes, poursuit la jeune femme, c'est de croire que nous en sommes restées aux histoires d'ogre et de Barbe-Bleue.

— Ah, les ogres, dit Max, foutus les ogres, nous, au moins, nous avions pris le siècle à la gorge, des ogres terrifiants, tout un roman, maintenant ils appellent ça l'aventure intérieure, mes baisades au Quartier latin vues par le trou de la conscience, pas d'ogres, pas d'histoire, plus d'histoire, déprime de crétin amnésique, entre fenêtre et bidet, plus de personnage, des pronoms personnels, est-ce que j'ai une tête de pronom personnel? des voyeurs, des pisse-trois-gouttes, ou alors le contraire, on devine tout avant d'avoir lu, plus rien, il n'y a plus d'ogres dans l'encrier, ni dans la chambre des dames, nulle part, plus d'ogres, plus d'aventure, chut, écoutez! »

Max pose un regard rieur sur de Vèze qui a décidé de passer à l'action, de poser son pied droit sur celui de la jeune femme, pas de caresse, simplement poser le pied sur le sien, comme si c'était une vieille habitude, sa voûte plantaire le démange, il veut d'abord se gratter sur le contrefort de la chaussure qu'il a enlevée.

« Chut, ordonne Max, pas un mot ! L'ogre : *aimez mais soyez fin, adorez votre belle, et soyez plein d'astuce, n'allez pas lui manger, comme cet ogre russe, son enfant, ou marcher sur la patte à son chien.* »

De Vèze ne retrouve pas la chaussure qu'il vient d'enlever, ni à droite, ni à gauche, nulle part, il passe, repasse son pied sur le plancher en essayant de garder le buste droit.

« J'aime ces vers de Hugo, dit Malraux, ce côté grotesque.

— Quel est ce poème, demande Morel ?

— C'est l'histoire de l'ogre russe amoureux d'une fée, il lui croque son marmot parce qu'elle l'a fait attendre, dit Malraux, et parce qu'il prend les choses au pied de la lettre.

— Et parce que mioche rimait avec brioche », conclut Max.

De Vèze ne trouve rien, s'énerve, on m'a escamoté ma chaussure, c'est ce salaud de Scapin qui m'a escamoté ma chaussure, ou bien c'est elle, c'est pour ça qu'elle sourit.

Malraux encore :

« En fait on ne sait pas si Hugo se moque des ogres amoureux ou s'il plaide pour le droit de dévorer les femmes.

— Il avait, dit le consul, une belle réputation d'anthropophage.

— Sa chère Juliette en savait quelque chose », dit Max.

De Vèze se voit déjà à la fin du repas, obligé de se lever devant tout le monde sans sa chaussure droite, les plaisanteries, pire, l'absence de plaisanterie.

La jeune femme sourit à Max.

« Est-il vrai, demande le diplomate gris, qu'à la fin de leur vie Juliette lui interdisait d'aller dévorer les petites bonnes sous le toit ?

— Oui, répond Malraux, elle lui interdisait de dévorer, mais lui l'obligeait à manger, elle avait un cancer, elle ne supportait plus de déglutir ; à table, devant tout le monde, il lui lançait *vous ne mangez pas madame Drouet ?* Et elle se forçait à prendre quelques bouchées pour plaire à son vieil ogre.

— La fin des amours, dit Max.

— La fin de tout, cher baron », dit Malraux, coude droit sur la table, main ouverte vers le haut, portant un plateau invisible.

Et dans le *cher baron* il y a, surprenante et tenant soudain toute l'assemblée sous son emprise, une douceur inattendue, ce n'est pas de l'ironie, ni de la politesse, pas non plus la douceur qu'un romancier pourrait, tout bien pesé, avoir pour son modèle, c'est une douceur exagérée mais scrupuleuse et attentive, celle que des mains auraient pour un masque millénaire, comme si Malraux — au-delà de leur querelle — se souvenait, ne voulait se souvenir désormais que de l'époque où, très jeune encore, au sortir d'une guerre qu'il n'avait pas faite, il avait rencontré un Goffard qui essayait à coups de fous rires et de réflexions sur James Ensor d'échapper à l'ombre des enfers, v'voyez, jeune homme, les tableaux d'Ensor, c'est ter... rrii... blement... chut, pas un mot, ça y est, j'ai nos billets pour Bruxelles, et Anvers, des masques qui se disputent un pendu, terriblement en avance sur la vie !

Plus tard, Malraux a publié son propre récit de la soirée à Singapour, il n'a pas parlé de De Vèze, qui s'est toujours demandé pourquoi, il n'a pas non plus parlé du couple Morel, il a surtout parlé de Clappique, avec tendresse, et en passant sous silence l'incident des lolitas.

À Singapour, à table, il y a eu encore un petit moment de tension, quand on a parlé des obsèques de Churchill, en février, c'était superbe, entre Moulin et Churchill nous aurons eu de superbes obsèques ces derniers temps, Max était reparti dans sa parole, la beauté des trois cents marins qui tirent la prolonge d'artillerie, le pas lent, le pied qui s'interrompt au milieu de son déplacement, et qui reprend, on ne marche pas, on célèbre un rite, pas question d'un *une deux*, le *une deux* c'est pour les vivants, qui vont de l'avant, ici, chut, pas un mot, l'avant c'est un trou dans la terre, alors on fait *une, temps d'arrêt, deux, temps d'arrêt, une, temps d'arrêt, deux,* et ça provoque une espèce de tangage, trois cents marins. Trois cents casquettes blanches comme de l'écume de vagues lentes, qui emportent le Premier Lord de l'Amirauté.

« Il était temps pour lui, dit Max, il devenait incontrôlable, il pestait contre ce qu'il appelait la *négrification* de l'ONU, quand mon ami Linus est allé l'interviewer il y a dix ans Churchill lui a montré un journal anglais avec la photo d'un Noir et d'une Blanche, deux membres de l'Armée du Salut, et il a dit à Linus *est-ce cela que je vais trouver au ciel ? alors je ne veux pas aller dans un endroit pareil,* la femme de Churchill était beaucoup plus digne que lui, un vrai grand âge. »

Dans le récit de Malraux, Clappique et lui s'entendent bien, ils discutent surtout d'un scénario de film dont il n'avait pas été question devant de Vèze, Malraux a également ignoré les deux diplomates, le gris et le rose.

Il n'a pas non plus rappelé la gêne qui s'était installée autour de la table quand Max a parlé des rumeurs de taupes qui couraient déjà à l'époque, Malraux avait balayé ça d'un geste, des officiers OAS qui tentent de vendre de la camelote aux Américains, des assassins, qui popotent en exil en attendant la prochaine amnistie, Max avait encore cité son ami Linus Mosberger :

« Chut, pas un mot, d'après Linus il y a beaucoup moins de taupes en France qu'en Angleterre ou en Allemagne parce que le Français, vous vous pointez devant un Français avec une photo de ses galipettes, et au lieu de s'effondrer il vous en commande une demi-douzaine pour les copains, tandis que les Anglo-Saxons, pan-pan cul-cul jusqu'à vingt ans, ça fait du vulnérable. »

Malraux ne semble pas non plus avoir eu affaire au même consul, avait-il parlé avec Clappique le lendemain, au *Raffles*, et mélangé une nouvelle conversation avec celle de la soirée ? a-t-il inventé ? après tout, c'est son droit, il a bien fait citer le poème de Hugo par Clappique mais il n'a pas parlé du kangourou sur le lit de Valérie, il a pourtant parlé d'un autre kangourou, celui de Nina de Callias, une grande mondaine, que connaissait Verlaine, et qui a posé pour *La Femme aux éventails* de Manet, la magnifique Nina.

En lisant Malraux, de Vèze s'est dit que la jeune femme avait eu ce soir-là le même décolleté que Nina de Callias sur le tableau, mais sans voile, sans bijou autour du cou car on aurait moins vu le grain de beauté à la naissance du sein, pas d'aigrette non plus dans les cheveux, pas d'éventails sur le mur du fond, il n'y avait pas de mur du fond, la jeune femme était adossée à la nuit, le blanc des épaules, la douceur du menton, Malraux a raconté dans son récit à lui que le kangourou avait mangé tout le vert du grand tapis de Nina pendant le siège de Paris en 1870.

Au moment où tout le monde se disait au revoir à la porte de la villa de Singapour, Max avait montré le ciel à de Vèze :

« Regardez, la lune qui rend les cœurs malades, chut, il faut qu'on se voie tantôt, beaucoup de choses à vous dire, nous nous sommes déjà rencontrés, évidemment vous ne pouvez pas vous en souvenir, vous aviez à peine cinq ans, on se voit à Rangoon ou à Paris, ou dans les Alpes. »

Chapitre 9

1928

LE BUSTE DE FLAUBERT

Où Hans Kappler rêve de Lena Hotspur et converse avec son ami Max Goffard.

Où Max Goffard s'essaie à l'écriture érotique et propose un rôle de paysagiste à Hans Kappler.

Où Max Goffard finit par prendre le train pour Waltenberg et le *séminaire européen*.

Où l'on apprend comment Max Goffard est devenu grand reporter et se passionne pour le sport.

PARIS, septembre 1928

*Il faisait partie d'une société de croquet
et jouait assidûment dans les allées du
Luxembourg.*

Georges Duhamel, *Salavin*

Ça se passe au jardin du Luxembourg ; Hans et Max déambulent, en vieux amis. Un jour ils sont sortis de leurs trous, face à face, une sonnerie, l'Armistice, c'est fini. Max voit s'avancer un officier boche qui lui dit en français :
« Échangeons du tabac, c'est la passion des honnêtes gens. »
Ils parlent pendant des heures ; le Boche lui raconte qu'il va essayer de retrouver une femme et Max, lui, n'a aucune idée de ce qu'il va faire.
Depuis, ils se donnent rendez-vous au moins une fois par an. Aujourd'hui c'est une matinée de septembre, la première partie de l'automne avant le froid : l'automne des fruits, une palette de brun, vert sombre, orange, rouille, avec des touches de cendre et de bleu lavande. Max et Hans flânent, remontent vers la sortie nord du jardin en passant par des coins retirés, le bronze de Bacchus sur son âne avec les nymphes qui se tordent autour de lui, le buste de Verlaine, la pluie parfois, le vent qui chasse la pluie, les arbres qui s'égouttent et une lumière émeraude surgit au bord des allées.

Ils vont jusqu'à la lisière du verger, reviennent vers le centre du jardin en passant par le petit théâtre de Guignol ; à travers le feuillage, la lumière forme par endroits des parages de clarté, instables, où viennent se réchauffer, mêlés à ceux de la terre, des arômes de marronniers, de platanes, parfois ceux plus mordants et plus doux d'une résine d'épicéa quand le soleil ranime les odeurs et les tient en suspens à la charnière de l'ombre pour le plaisir aussi du regard — arbres, ombres, arômes et lumières alors ensemble dans un rôle fragile, à la merci du nuage qui viendra resserrer le jardin sur un gris sans appel.

Devant le grand bassin, des enfants armés de baguettes lancent leurs voiliers de location à la poursuite de terribles pirates.

« Écoute ça, dit Max en ouvrant son journal, j'aime beaucoup monsieur Sarraut en ce moment, vous les Allemands vous ne pouvez pas vraiment savoir ce que c'est qu'un empire colonial, les conséquences sur la beauté des phrases : *Les indigènes revendiquant le droit d'exprimer directement leurs vœux, monsieur Albert Sarraut a pensé que cette juste revendication devait être examinée avant qu'elle n'affectât la forme d'une aigre exigence.* Aigre exigence ! Juste revendication ! Les coloniaux vont étriper Sarraut pour avoir dit un truc pareil. »

Coup de pied de Max dans les feuilles mortes.

« Hans, ça finira mal, regarde ! »

Nouveau coup de pied.

« Le passé pourrit déjà devant nous. »

Ils poursuivent leur flânerie.

« Qu'est-ce que tu écris en ce moment ? »

C'est Max qui a posé la question, le souci de ce que fait l'autre, et qui va l'obliger à parler de ce qui lui fait mal.

C'est attentionné et cruel comme toutes les bonnes questions ; les deux hommes s'entendent bien, Hans est un angoissé, Max a de plus en plus le sentiment d'être un raté, surtout quand il est avec Hans, ils sont amis. Hans répond, en regardant le feuillage, qu'il écrit un journal, c'est tout, il a déjà publié quatre romans dont trois depuis la fin de la guerre ; il traduit aussi beaucoup de littérature française pour une maison de Stuttgart ; il est ce qu'on appelle un écrivain reconnu. Max à nouveau :

« Tu as vraiment arrêté le roman ? »

Hans ne sait pas. Tout ce dont il a envie pour le moment c'est de tenir un journal, comme Jules Renard, écrire par petits bonds, le style vertical, sans image, l'image cause la vieillesse du style, trouver chaque jour une note comme celle de l'ami timide qui s'essuie les pieds *en sortant* de chez les gens, ou celle de la femme qui se tait à gorge déployée, est-ce que j'aime vraiment Renard ? Renard veut faire une cure de roman pour se débarrasser du roman, il faudrait en faire autant avec son journal, le lire jusqu'à plus soif, oui, Hans connaît le mot de Renard, le journal qui dévore l'œuvre qu'on aurait pu écrire, les questions de Max font mal à Hans qui ne sait jamais s'il pourra faire mieux que ce qu'on a jusqu'ici aimé dans ses récits. Pour Hans, le *Journal* de Renard ce sont des centaines d'histoires brèves, la vie telle quelle, superbe, j'ai envie de le traduire, même s'il écrit un peu sec pour mon goût.

« La vie très écrite, dit Max, Renard a une phrase en tête, qui se jette sur tout ce qui passe, il part à la chasse dans les rues de Paris, il ne vit plus que pour son journal et il appelle ça être libre.

— Et toi, qu'est-ce que tu fais ? »

Hans a pris le coude de Max, à la française, il tente de mettre de la délicatesse dans sa question. Max voulait être écrivain avant la guerre, maintenant il essaie de raconter une histoire, une histoire qui lui file entre les pattes.

« Je suis le romancier qui se met au journal, dit Hans, et toi...

— Oui, je suis le journaliste qui vient au roman, tu es gentil, mais ça n'est pas exactement un *roman* ; c'est une histoire vraie, des gens que j'ai croisés l'an dernier, en Haute-Savoie. »

Hans a été blessé par *tu es gentil*, le soupçon de mauvaise pensée, il s'égaie à voix forcée, la Haute-Savoie ! du régional ! Max va vraiment se mettre à parler de fondue aux trois fromages et de petit ramoneur avec des servantes au grand cœur et des adverbes en *ment* ?

« Ça me ferait du bien, ça me changerait du journalisme et des phrases en rafales de mitrailleuse, il y a un an j'étais encore en reportage dans le Rif.

— J'ai lu tes papiers », dit Hans.

Non, Hans n'a rien lu, c'étaient des informations pour la presse, ce qu'on pouvait montrer, pas tout, Hans, ne pas tout dire si on veut rester sur le terrain et ne pas se faire rapatrier *manu militari*, pas commode le reportage dans le Rif avec les militaires, on reste à tout hasard, on salope le métier, un ou deux mois, on s'en va, on revient.

Pendant quatre ans Max a fait l'aller-retour au moins deux fois par an, à chaque fois je me disais que je raconterais plus tard, je regardais, pour écrire mes articles je parlais surtout de la beauté des branches d'acacia dans le lit des oueds, et des toubibs qui soignaient le trachome. Quand on écrit comme ça, on coupe tout ce qui dépasse ; à force de couper c'est l'œil qui ne voit plus, ce qu'on n'a pas voulu voir revient la nuit, et qu'on ne nous dise pas que la guerre aurait dû servir de vaccin, nous c'était entre soldats, maintenant j'entends crier dans la nuit, ce n'est pas dans la nuit c'est dans le rêve, et je me réveille en criant, Hans, j'en ai marre du reportage, on voit trop ce qui arrive aux civils, ou alors le reportage sportif.

« Et tu n'as rien trouvé de mieux que de partir pour Shanghai juste après le Rif ? »

Max voulait se changer les idées, Shanghai, son bordel flottant, la première fois qu'il a lu ça c'était dans le quotidien préféré de son père, *Paris-Soir*, il avait treize ans, il a pouffé, c'était au salon, avec des invités, il était dans son coin, il a pouffé.

« Qu'est-ce qui te fait rire, Max ? »

Son père est très fier d'avoir un fils qui lit les journaux.
« Je lis un reportage sur Shanghai, papa. »
Les deux mots étaient cachés dans un paragraphe, *bordel flottant*, Max les lit à voix haute pour tout le salon, va te coucher, dans une autre famille ç'aurait été une baffe et va te coucher, chez moi pas de baffe, seulement va te coucher, une immense froideur de la voix paternelle et deux ans sans journal.

Max s'est rabattu sur le piano, il jouait Bach, et Wagner réduit pour le clavier, ça l'a aidé quand il est devenu journaliste, un vrai talent de salon, dans les meilleures familles, dans toute l'Europe.

La Chine, c'est aussi la peinture au pinceau fin, des gens qui mettent trois ans pour apprendre à dessiner un rocher, les cinq nuances d'encre noire, la cascade comme un être vivant, le pinceau qui fait circuler du souffle entre les montagnes, voilà ce que Max cherchait, pas les bordels flottants, plutôt le rouleau qu'on ouvre lentement dans une arrière-boutique, le temps qui cesse de dévorer, reprendre le temps, avant de peindre un bambou laisse-le pousser en toi-même.

Et trois semaines après l'arrivée de Max en Chine, Tchang Kaï-chek a commencé à liquider ses révolutionnaires, Shanghai, locomotives à l'arrêt, chaudières, hurlements, oui, toute la presse en a parlé, le comble de l'horreur a dit la presse, il y a eu plus classique, la grande place, des types à la queue leu leu, des femmes aussi, une majorité de civils, décapitations au sabre, pas facile, même avec des gens attachés, ils se couchent, ils ne veulent pas se mettre à genoux, certains rampent en hurlant, les innocents surtout, vont pas loin, des cris à se casser la gorge, pas assez de billots, des coups ratés, les bidasses de Tchang Kaï-chek reviennent sur la besogne, se mettent à plusieurs, tirent les cheveux, on y va à la baïonnette, le travail qui n'avance pas, les prisonniers alignés l'un derrière l'autre par centaines, parfois quelqu'un de plus calme, s'avance sans qu'on ait besoin de le tirer ou de le pousser, crie quelques mots, non on ne traduira pas ça pour

Max, et les officiers de Tchang frappent leurs bidasses incapables avec leurs badines à l'anglaise, se tournent vers Max, des astuces à l'anglaise en montrant les condamnés :

« Ils n'auront plus mal aux dents. »

Pas assez de sable, pas assez de sciure, des types glissent dans le sang comme dans un *Charlot*, les officiers argumentent :

« Non, pas de coups de grâce, nous devons faire des économies cher monsieur, c'est la guerre, vivement qu'elle finisse, non, vous ne pouvez pas partir, le quartier autour de la place n'est pas sûr, oui, tout l'après-midi, après tout, vous n'êtes pas mal ici, moi, j'aimerais bien être à votre place, ni victime ni bourreau, et ce soir vous direz du mal de nous dans votre dépêche. »

Dans l'histoire savoyarde de Max il n'y aura pas de petit ramoneur, et pas trop de fondue, ni de tartiflette, moins connue la tartiflette mais avec de vraies patates c'est royal. Max cherche une phrase simple, comme l'air là-haut, et comme dans Jules Renard, pour oublier Shanghai, et le Rif, les couchers de soleil le soir sur les collines de terre fauve comme un poitrail de cheval, dans le Rif aussi on a égorgé des prisonniers, des milliers de bidasses espagnols aux mains d'Abd el-Krim, non, pas les officiers, et les Espagnols gazaient les villages rifains, trois vagues de bombardiers à l'aube, l'aurore aux doigts verts, le produit est plus efficace avec la rosée du matin, quitter tout ça pour une histoire au milieu des Alpes, un couple, en promenade dans les champs à la sortie du village, avec un chien de chasse.

« Et en arrière-plan, dit Hans, on va trouver le souffle du vent, la terre grasse, les odeurs de sous-bois et quelques nuages sur les sommets pour accrocher les dernières flammes du soleil, *Alpenglühen* à la française ? »

C'est à peu près ça, ce serait bien si Hans acceptait de se charger des descriptions, Max mettrait en sous-titre *Décors et objets par Hans Kappler,* très chic, mais ne me fais pas de phrases mille-pattes avec plein de ramifications, de subordonnées, d'incises, d'antépositions, de remords, de détails, vingt lignes de tourment avant le point ou l'alinéa, tout ce qui fait un succès en Allemagne, ici les lecteurs sont un peu paresseux.

Hans sourit, Max se rend compte que Hans est en train de lutter contre de la tristesse, il n'aurait pas dû parler de phrases mille-pattes, il cherche un mot pour se corriger, mais Hans poursuit comme si de rien n'était :

« Tu sais, à propos de descriptions, Colette a continué à écrire des descriptions pour les récits de Willy bien après leur séparation, un jour il lui a commandé quelques pages de paysage méditerranéen pour un roman, elle s'y est mise et puis elle a calé, elle ne connaissait pas bien la Côte d'Azur, elle lui a demandé la permission de transposer en Franche-Comté, ça n'a pas gêné Willy, et au moment du *bon à tirer* quelqu'un a demandé si, quand on se mettait à la fenêtre à Besançon, on pouvait vraiment voir la mer. »

Hans ferait ça plus sérieusement, d'ailleurs, regarde, on nous surveille, Max et Hans sont dans un coin sombre et désaffecté du Luxembourg, quelques brouettes mal rangées, un grand tas de feuilles mortes, et au milieu, regardant vers eux, sur un petit piédestal, un buste raté, gueule pas commode, un bronze de tâcheron, modelé à la va-vite, Flaubert.

Max et Hans oublient tout pour parler de Flaubert, lui, il a parfois horreur des descriptions, la précision inepte, le travail de pignouf, l'art est dans le vague, oui mais madame Arnoux et ses rubans au début, qui se pressent contre ses tempes, et le coup des cheveux gris à la fin, et puis dans la correspondance, le vieux Gustave, quand il parle du détail qui détourne de l'ensemble mais qu'il faut garder car tout finit par se mettre en perspective, des détails superbes, Hans a levé le doigt, docte, soudain il rougit.

Et pour Max c'est inouï de voir Hans faire une chose pareille, Hans l'œil brillant, les joues rouges, le doigt levé vers la façade du Sénat, une lettre de Flaubert, il récite :

« La femme... »

Hans veut se donner l'allure d'un professeur qui dicte le théorème de Thalès en plein jardin du Luxembourg, mais il a rougi dès qu'il a commencé, le visage devient incontrôlable, il récite en français :

« La femme que l'on baise... »

Il hésite ou fait semblant d'hésiter, il précise, c'est une lettre à Bouilhet. Et pour Max c'est inouï, en allemand Hans n'aurait jamais osé. Il récite dans son français presque sans accent, un doigt vers le Sénat :

« Que l'on baise en levrette, toute nue, devant une vieille psyché en acajou plaqué, Max, je crois que c'est surtout la psyché et l'acajou qui l'intéressent, l'acajou plaqué.

— Tu as raison, dit Max, et toi aussi tu as mis de beaux meubles dans tes romans.

— Oui, mais pas tout ce qu'on peut faire en compagnie d'une dame.

— Même pas au brouillon ? »

Hans ne répond pas, petit silence, Max relance la conversation, comment Hans se débrouille-t-il pour que ça tienne si bien, ses descriptions ? secret d'atelier dit Hans, raconte-moi plutôt ton histoire savoyarde sans ramoneur, avec tartiflette, une histoire vraie, donc quatre-vingt-quinze pour cent de mascarade ; non, Hans n'y est pas, elle est vraiment vraie, cette histoire, Max a passé quinze jours là-haut à se la faire raconter par tout le village et la vallée ; Hans continue à douter, un couple, une promenade, un chien de chasse, ça fait vrai, mais ça ne suffira pas à tenir le lecteur, il faut quelque chose qui sorte de l'ordinaire, et vite.

« Ce qui m'a frappé, dit Max, c'est que l'homme avait une jambe de bois.

— Et une jambe de bois, par les temps qui courent c'est vraiment une trouvaille ? Il l'avait rapportée de la guerre ?

— Douaumont. La femme avait un drôle de regard, intense et absent, un léger sourire, elle était physiquement plus valide, mais c'est lui qui semblait la soutenir et la guider. Elle avait l'air absent.

— Oui... »

Hans a failli dire *ja* et même *yo*, le *yo* un peu populaire de son ami Johann, jadis, au début de la guerre, juste avant le coup de sabre, c'est cela la trace de Johann chez Hans, une hésitation entre *ja* et *yo*, plusieurs fois par jour, depuis quinze ans, mais Hans a dit *oui*, à Paris il se surveille, se force à dire jusqu'au moindre petit mot en français, dire *oui* avec le naturel d'un Parisien, c'est ce qu'il y a de plus difficile, il dit :

« Oui, la femme énigmatique, ça peut faire jusqu'à vingt mille lecteurs ; chez votre Maupassant c'est une femme trahie et qui n'a pas pardonné, la grande jalousie désormais muette, le sourire de celle qui a toutes les journées d'une vie pour se venger, il faudra faire avec, mais gare au cliché, et le chien ? »

Max sourit, le visage s'ouvre, un superbe setter irlandais, pas fragile du tout, les mains de Max dessinent un arrondi dans l'espace, un chien bien cerclé par les courses au grand air, il courait dans les herbes hautes, on ne voyait plus que deux taches de feu, les oreilles, par intervalles. C'est l'histoire qui sort de l'ordinaire, Hans, le type est du pays, la femme est venue de Suisse, avant la guerre, ils se sont rencontrés en 1913, à Genève, sur le pont du mont Blanc, un début d'après-midi, elle quittait le Valais pour la France, lui il allait faire quelques courses, il n'a jamais pu se rappeler lesquelles, peut-être des livres chez Payot.

Hans voit la scène, il faudra vérifier que Payot existait à l'époque, ton héros a remarqué la femme de loin, ça nous donne le temps d'esquisser l'endroit, il est au milieu du pont, l'eau et les montagnes se balancent légèrement, par masses bleutées, quelques oiseaux bien nourris guettent les mains des passants, au sommet des grands hôtels les drapeaux claquent, beau soleil, l'hôtel des Berghes, il faudra parler de l'hôtel des Berghes. Ça suffira, il faut savoir faire carte postale de temps en temps, la femme maintenant !

« C'est la souplesse de son pas qui a frappé Thomas, dit Max, l'homme s'appelle Thomas, Thomas de Vèze, aristocratie malmenée par l'Histoire, je crois que je ne donnerai que le prénom, un joli pas, assez singulier pour une femme à l'époque, ni saccadé, ni contraint, ample comme la jupe, égal, il m'a dit que souvent les femmes ont un pied plus hésitant que l'autre, pas celle-là, elle vient vers lui, allante, décidée, brune, elle est en cheveux, à Genève, tu te rends compte ? Elle ne porte pas de gants, ne baisse pas les yeux, des yeux bleu clair.

— C'est comme si j'y étais, dit Hans, quand elle a dépassé Thomas il se retourne, en bon Français il vérifie les fesses, la *royale arrière-garde aux combats du plaisir,* et il se met à la suivre.

— Non, tu n'y es pas, aujourd'hui encore Thomas ne sait pas ce qui lui a pris, elle va le croiser, et il lance *vous êtes très belle !*

— Ton Thomas de Vèze est un puceau, Max, même en Allemagne on ne fait pas un truc pareil.

— Elle a répondu *qui êtes-vous ?* Ils ne se sont plus quittés, ils ont marché le long de la rive nord du lac.

— Max, je la vois, elle venait de déjeuner, elle se croyait le ventre lourd, somnolente, elle a oublié ses lourdeurs, pour le décor je propose une première note furtive, un vent léger, par intermittence il retourne les feuilles des arbres et en fait apparaître le revers argenté. »

Max dit à Hans de ne pas se moquer, Thomas veut tout savoir, la femme lui dit qu'elle s'appelle Hélène, elle vient de tout quitter, pour des raisons qui ne le regardent pas, la voix est un peu grave.

— Oui, dit Hans, une voix d'alto, j'ai toujours aimé les voix d'alto. »

Et la bouche de Hans reste ouverte, le menton se met à trembler comme chez quelqu'un qui va pleurer, Hans ne

trouve plus de mot, on se croit fort, on a réussi à tout dominer, les souvenirs sont en ordre, bien classés, 1913, Arosa,
Waltenberg, les fous rires, le lac gelé, le grand aigle, les promenades à bicyclette, le lit surélevé, le trou dans la chaise, les
reproches quand il regardait sa montre, l'heure du thé, la première fois, la main qui le prend par la nuque, le rose sur la
neige des sommets, le sein de profil à contre-jour dans l'embrasure, et même cette chose idiote un jour au *Waldhaus*,
l'Amérique aussi est en place, loin devant dans le temps,
transformée en pure idée de voyage, et Hans a rencontré
d'autres femmes, certaines l'ont fait souffrir comme on dit,
c'est excellent, pouvoir enfin dire voix d'alto sans trembler,
sans rougir, nous allions chez madame Nietnagel, chaque
semaine nous descendions à Lucerne, j'adorais cela, nous
avions l'air d'un vieux couple en voyage, quand Lena me
regardait en chantant, la Nietnagel lui disait ne tournez pas la
tête, ça déforme les cordes vocales, ça déforme tout, les yeux
de crocodile de la Nietnagel posés sur moi, elle me disait
Kappler, trop de consonnes dans ce nom, le regard de crocodile passait au-dessus de ma tête, devenait vague, je savais
qu'elle regardait par la fenêtre, elle guettait le soleil, les
rayons sur le jaune pâle des murs de la pièce, elle faisait
vraiment bien travailler Lena, au retour, dans le train, Lena
posait sa tête sur mon épaule, une fois elle a répété *Kappler*,
Kappler, moi j'aime bien ton nom.

On croit avoir réussi à tout mettre en ordre, on dit voix
d'alto et c'est ce crétin de menton qui se met à trembler, un
muscle de rien du tout, une contraction stupide, on referme
la bouche mais la lèvre inférieure s'y met aussi, et la mâchoire
qui va avec, à la guerre j'avais pourtant cessé de pleurer, Lena
pourrait être là, au milieu de l'allée, elle pourrait s'avancer au
milieu de l'allée, une robe en lainage avec des couleurs
d'automne, ou me tenir le bras à la place de Max, Max ne dit
rien, il a pris le coude de Hans, il règle son pas sur le sien, il
ne pose aucune question mais Hans lui répond quand même :
« Je ne l'ai pas revue. Je ne sais même pas où elle est. »

Un silence.

« Si tu veux, je peux essayer de chercher pour toi.

— Non, Max, c'est mon affaire, si je voulais je l'aurais déjà retrouvée, je rêve tous les matins et ça me suffit, j'attends, je veux vraiment avoir changé.

— Pour retrouver la même femme ? Si tu n'es plus le même, elle ne t'aimera plus.

— Elle ne m'aimait plus, en Suisse on s'est quittés sur quelque chose de très dur, une idiotie, elle était très bien, moi je suis un propre à rien, je vais changer. »

Le menton de Hans s'est calmé. Hans rit doucement, il va devenir irrésistible et il ira en Amérique, Max l'accompagnera, Hans n'ira pas, je ne suis bon qu'à rêver, c'est ce que je préfère, j'ai la réputation de travailler mais en réalité je passe des heures à rêvasser, les rêves de Hans sont des rêves de midinette, de mégalomane, de revanche, ce matin j'ai rêvé en venant au Luxembourg que je me faisais harponner par des contrôleurs du métro, ils appellent la police alors que je suis en règle, je clame mon droit, la police est là, mon accent allemand, je rêve que je prends des coups de pèlerine, on m'emmène au commissariat, un commissaire qui lit des livres se rend compte de la situation, j'ai pris des coups de pèlerine, je prends ma revanche, je les mets tous dans le pire des torts, le commissaire me parle de mes livres, je finis en me vengeant, à bon droit, je rêve tous les jours, une débauche de rêves, je retrouve Lena en rêve et pendant ce temps-là je vieillis dans mon bureau, je me dissous dans l'air de mon bureau et je rêves aussi parce que le remords d'avoir rêvé me donne la force de travailler. Mais pour le moment, Max, il faut que j'évite de dire voix d'alto, donc ta Valaisanne aura une voix plus aiguë, mais très juste, qui domine facilement les bruits de la circulation et des vagues que le lac envoie parfois contre le quai, des vaguelettes.

À vrai dire, d'après Max, c'est surtout Thomas qui a parlé.

« Max, je l'entends d'ici ! Ton Thomas de Vèze parle comme

il n'a jamais parlé, ni aux autres ni à lui-même, il vient de
faire la rencontre de sa vie, ses propres paroles lui paraissent
étranges, plus indulgentes à tout, hésitantes, il ne sait plus
rien, et en même temps il a le sentiment qu'il va tout découvrir, il s'embrouille, il lance quelques regards vers la gorge de
la femme, elle ne semble pas s'en formaliser, parfois la fente
du tissu s'entrouvre, il voit la naissance des clavicules, il y en
a dix fois moins à voir que sur les femmes d'aujourd'hui au
Luxembourg mais pour lui c'est tout un monde, ça peut provoquer bien des émois en 1913, la naissance des clavicules.

Max, en tant que responsable des objets de ton récit, est-ce
que j'ai le droit de lui mettre une chaîne très fine autour du
cou, une petite notation, sans phrases mille-pattes?

— Oui, mais pas de croix, ni de médaille, elle est athée et
elle a deviné qu'il est protestant, à ses regards, à ses vêtements, un protestant qui ne se déteste pas et qui a du mal à
faire l'innocent, comme moi. Et vers la fin de l'après-midi...

— Attends, Max! Laisse-les-moi cinq minutes, c'est quand
même le lac Léman! Qu'est-ce qui a pu attirer l'œil de cette
femme vers Thomas?

— Peut-être mes oreilles, dit Max, j'ai envie de lui prêter
mes oreilles.

— On va dire que tu en fais trop, je les vois, tu sais!

— Tu vois mes oreilles?

— Arrête, je vois Thomas, Hélène, ils se promènent au
bord du Léman, ils jouent à identifier les arbres sur le quai ou
dans les jardins des villas, ils flânent, certains arbres ont des
branches si basses que les feuilles peuvent caresser leur
ombre au sol, d'autres n'ont encore qu'un duvet de bourgeons, elle sait que ce sont des thuyas, elle en sait bien plus
que ton Thomas, certains jardins sont de véritables parcs,
avec des nappes de violettes ou de dahlias, ou de grandes
compositions où le jaune des hortensias vient bousculer le
bleu pâle des asters, et le regard glisse pour se reposer un instant sur l'orange musqué, le vieil or, l'ocre et le pain brûlé d'un

massif d'*Helenium*, le plus difficile à réussir c'est l'ocre, lui garder sa chaleur mais sans faire crier. »

Hans dessine une rondeur entre ses mains, la chaleur de l'ocre, ce que disait Lena pour le chant, mettre de l'ocre dans la voix, une voix ronde, ample, l'ocre est une couleur qui a gardé du clair-obscur dans sa chaleur. Il reprend :

« L'ocre c'est plus difficile que le rouge des fleurs en forme de torches à bout de hautes tiges, des *Kniphofia*. »

Hans s'échauffe, il s'échauffe toujours quand il parle français, les noms de fleurs, la joie de manier des mots rares, une belle végétation, oui, c'est vrai qu'il triche, Max montre du doigt les parterres de fleurs étiquetées qui s'étalent devant eux, l'impeccable travail de la brigade des jardiniers du Luxembourg. Hans ajoute :

« Je suis sûr qu'à Genève ce sont les mêmes fleurs. »

Parfois Hélène et Thomas entendent, sous les buissons, glisser un battement d'ailes, ou bien le cri rauque et doux des corbeaux qui s'envolent dans les chênes.

« Non, Hans, en France le doux cri des corbeaux ça ne marche pas, c'est joli mais le mot corbeau a été traversé par nos luttes anticléricales et depuis il n'est plus tout à fait le même, surtout pas doux, difficile de s'en servir comme fond sonore d'une rencontre amoureuse.

— Alors je mets des merles, dit Hans, ou des merlettes, il me faut quelque chose pour animer l'arrière-plan.

— Mets des freux, je ne sais pas pourquoi mais des freux ça me paraît plus noble que des merles. Hans, nous n'avançons pas.

— Tu m'as bien chargé des décors et des objets ? Bon, que font-ils dans la vie ?

— Elle est infirmière et sage-femme, lui est instituteur.

— Tu m'étonnes de plus en plus.

— Il comprend vite qu'elle est à la dérive.

— Max !... Il sait déjà qu'elle vient d'être brisée par un premier amour ?

— Il va l'apprendre très vite.

— Yo ! Une liaison avec un homme marié...

— On ne peut rien te cacher. »

Max n'a qu'un seul moyen de s'en tirer, c'est que la suite sorte vraiment de ce *gnangnan* comme vous dites en français, l'inconvénient, quand c'est vrai, c'est qu'on devine tout, mais peut-être que ça va plaire. Et la suite ?

« La suite ? Thomas va ramener Hélène dans son pays à lui où on a justement besoin de quelqu'un comme elle, cela n'ira pas sans désordre, une Suissesse au beau milieu de la Haute-Savoie.

— Elle va être terrifiée par tes Savoyards, Max, elle va vouloir répandre l'hygiène parmi les populations, des maisons de montagne à pièce unique, la vache d'un côté, les humains de l'autre, une rigole au milieu pour le purin, et la queue de la vache attachée à un fil pour qu'elle n'asperge pas trop, il va falloir qu'ils se lavent, de beaux affrontements en perspective, et les moutons qui couchent sous le lit, et les bancs creux, on y met le fourrage, et tous les beaux objets...

— À propos d'objets, Hans, tu sais que c'est un pays où le barbier te propose encore un supplément de trente centimes *pour la cuillère* ?

— Pour la cuillère ?

— Il te la glisse dans la bouche, pour bomber la joue sous le rasoir.

— Et si tu ne veux pas de cette cuillère ?

— Il fait ça avec son pouce.

— *Scheisse !*

— Dans tes cambrousses, ils doivent bien avoir l'équivalent.

— Dans le Sud, en Bavière, avançons.

— Thomas installe Hélène au pays, dit Max, et nous avons oublié quelque chose, le trajet en bateau, de Genève à Évian, c'est ce qu'il y a de plus beau.

— Tu as raison, le bateau s'appelle *Le Simplon,* il a été mis en service en 1911, il circule sur un triangle Genève-Ouchy-Évian, il est blanc, très large, avec deux fortes roues à aubes sur les flancs, il jauge deux mille huit cents tonneaux et peut transporter plus de mille passagers ; de profil, une cheminée jaune et noire inclinée lui donne des allures de coursier, et, à l'avant, quand il y a du brouillard, les jeunes gens peuvent se croire sur un transatlantique dans des embruns de grand large.

— J'oubliais que dans une autre vie monsieur Kappler a été ingénieur en constructions navales.

— C'est de la beauté pure, Max, quand on est au milieu du pont inférieur on peut contempler la machinerie *Winterthur* que le constructeur a laissée à l'air libre : deux jambes d'acier de deux mètres de long jaillissent à l'horizontale l'une après l'autre de la chaudière et se précipitent sur le berceau de fonte peint en rouge qui leur sert de litière, elles sont ramenées en arrière par une force invisible, puis jaillissent à nouveau alternativement dans un mélange de rage et d'application, elles font tourner l'arbre des roues à aubes grâce au jeu de deux énormes bielles, deux masses d'acier asymétriques qui s'opposent d'abord au mouvement puis le soutiennent une fois qu'elles sont lancées en rotation, et chaque articulation de l'ensemble, chaque point de frottement est surmonté d'un flacon en verre à capuchon de cuivre contenant l'huile qui lubrifie le tout en permanence, une belle huile ambrée.

— Suffit pour *Winterthur*, avançons, Hans, on monte installer notre couple dans la montagne, un village à mille mètres d'altitude.

— Je te le fais ? »

Max prend le bras de son ami et fait mine de le pousser : « Avançons !

— Il l'a épousée ?

— Pas tout de suite.

— Il faudra expliquer l'installation, les formalités, comment une étrangère peut prendre place dans un village français, Max, c'est statique tout ça, avec quoi tu animes ?

— Avec une salope.

— Une quoi?

— Une salope, celle qu'il y avait avant.

— Dans la vie de l'instituteur?

— La fille d'un patron d'usine de la vallée, une protestante, elle aussi.

— Avec de grosses pattes?

— Non, on m'a dit qu'elle était belle, un peu maigre pour la campagne mais belle, elle leur a fait une vie impossible.

— Ça c'est bien! En Allemagne, elles n'osent pas. Qu'est-ce que c'est là-haut, une vie impossible?

— Un matin Hélène s'est retrouvée avec une trentaine de villageois devant la maison qu'on lui avait attribuée, des mines sombres, ça a été tout un cirque. Hans, est-ce que tu connais toutes ces dames?»

Autour d'eux, les statues des reines de France, Hans regarde celle de Catherine de Médicis, profil, épaules, il rêve; sous les arbres, à une vingtaine de mètres, des jeunes filles en robe jouent au tennis, elles ont tendu une corde rouge entre deux troncs, elles rient, elles crient, elles n'ont pas les chaussures qu'il faut, l'une d'elles revient de la fontaine avec un seau, le seau est percé, laisse couler un peu d'eau, la jeune porteuse refait les lignes du terrain avec le filet d'eau, d'où viennent ces joueuses?

«Sans doute des midinettes, dit Max.

— Qu'est-ce que c'est, des midinettes?

— Des employées de maison de couture, c'est leur pause de midi, une pomme en guise de déjeuner, ça permet de garder la ligne, avec un peu d'exercice au jardin avant de retourner dans leurs ateliers de Saint-Sulpice, j'ai fait un reportage il y a deux mois, elles s'étaient mises en grève, celles de chez Mavillon, les fourrures, une grande maison patriote, les patrons leur disent qu'elles sont les fées de la mode, dix-huit francs par jour pour dix heures de travail et une belle technique d'émulation : on leur donne à toutes la même tâche au même moment, les trois dernières sont renvoyées et on prend le chrono de la première comme base du temps de travail.

— Tu as publié ça?

— Tu es fou, c'est du bolchevisme, j'ai simplement conseillé à une des filles d'envoyer cinq lignes à *L'Humanité*. Avançons, Hans, une trentaine de villageois devant la maison d'Hélène, notre fille de patron avait fait raconter que cette étrangère était une jeteuse de sorts, des gens l'ont cru, ceux à qui son père donnait du travail.

— Des ouvriers?

— Des paysans, en Haute-Savoie, pendant l'hiver ils font des rouages d'horlogerie ou du décolletage pour les industries de la vallée, la moitié de leurs revenus.

— Tu me laisseras décrire les machines, les gestes? Je serai incollable sur le décolletage.

— Ce qui rend cette fille furieuse, c'est qu'on lui a raconté que Thomas ne couche pas avec son infirmière, la rumeur c'est qu'*il la respecte*.

— Alors que ta jeune bourgeoise protestante était très vite *passée à la casserole*, comme une fille de ferme.

— Elle n'avait pas trop résisté, et Thomas n'avait pas été le premier. Elle se serait accommodée qu'il couche avec une autre fille, elle aurait trouvé un autre garçon, mais c'est le *respect* qui lui est resté en travers de la gorge.

— Et du reste.

— Hans, à Paris tu deviens égrillard.

— Ton Thomas a fini par coucher avec Hélène?

— C'est elle qui en a décidé ainsi. Lui, il était parfait, avec des allures de chien battu. Il expiait les fautes de l'autre homme, là-bas, en Suisse, l'homme marié, quitté dans le drame.

— Et sans doute un avortement, avec curetage. Gare le feuilleton, Max!

— Tu veux décrire le curetage?

— Non! Enchaîne!

— Elle a fini par être attendrie par les bonnes manières de Thomas.

— Tu me laisses faire la scène cruciale, Max ? Je n'ai jamais osé.

— Je l'ai déjà écrite.

— Alors tu me laisses faire le chalet de Thomas, j'ai toujours eu envie de faire un grand chalet, le jeu des forces dans la charpente d'un chalet.

— Celui de Thomas n'est pas si grand, les grands chalets, les gens n'aiment pas, là-haut, c'est dur à chauffer.

— Ça ne fait rien, dit Hans, un grand chalet de bois sombre, qui craque dans le vent, juste à l'entrée du village, un chalet de grande famille, deux familles d'instituteurs pourraient y tenir mais ton instituteur vit seul, on entre par une petite porte, sous un beau linteau, avec une date vieille d'un siècle déjà, un couloir, un portemanteau, une porte à gauche, la grande pièce, qui donne sur deux autres, on revient dans le couloir, à droite il y a une cuisine et trois autres pièces, au fond un escalier, même pas un escalier, des marches sans rampe, il faut se tenir aux montants, on arrive sur une espèce de mezzanine, puis nouvel escalier, non, une échelle, longue et tordue, quand on arrive en haut une énorme poutre transversale barre le passage sur toute la largeur du grenier, trente centimètres au-dessus du plancher, il faut l'enjamber, il y en a deux autres identiques au milieu et au fond du grenier, on appelle ça des entraits, au milieu de chacune de ces poutres il y a une poutre verticale, comme un grand mât, ce grenier ressemble à un trois-mâts sans les voiles, une autre poutre est alignée sur le sommet des trois mâts, c'est elle qui fait la crête du toit, la faîtière, un grenier immense, c'est très solide, plus que solide, c'est intelligent, le poids de la faîtière, le poids du toit, tout cela tombe le long des trois mâts, les poings de Hans serrés devant lui, il fait un geste qui coulisse vers le bas le long de tiges imaginaires, une force qui tombe le long des mâts, sur les entraits, qui pèse, qui cherche à les tordre, à les casser, en plein milieu, mais en même temps il y a toute la force de résistance des entraits qui luttent de toutes leurs fibres, et il y a aussi une autre pression qui glisse en diagonale à partir du sommet sur les flancs du toit, le long des

chevrons, des forces qui glissent comme sur les côtés d'un triangle pour tirer sur les extrémités de la base, pour tendre les
entraits vers l'extérieur, les mains de Hans sont descendues
sur les côtés du triangle, ces trois poutres transversales sont
tendues comme des cordes, et les forces s'annulent, les forces
qui tombent à la verticale le long des mâts sont annulées par
la résistance propre à chacun des entraits et par les forces qui
glissent sur les côtés et qui viennent les tendre à chaque
extrémité, les mains de Hans s'éloignent l'une de l'autre à
l'horizontale, le poids ne pèse plus, il joue, les trois grands
mâts on appelle ça des poinçons, Max, laisse-moi raconter,
bientôt on aura tout oublié, il n'y aura plus que du ciment, les
entraits, la faîtière, les chevrons, les poinçons, c'est un vais-
seau, un jeu de poutres, un jeu de forces, quand il y a du vent
ça craque comme un beau voilier, je rêve d'habiter un truc
comme ça, j'en ferais une bibliothèque, mon bureau.
— Tu auras surtout froid », dit Max.

Hans et Max repassent devant le cortège de Bacchus, un
grand bronze, le dieu ventre en avant sur un âne, de jeunes
ménades se contorsionnent autour de Bacchus, l'une est
même renversée à terre, les membres partent dans toutes les
directions, Hans s'arrête :
« C'est moins parlant que chez Flaubert.
— Oui, mais elles ont un sacré tempérament, il n'est pas
vraiment beau et elles sont là à essayer de lui faire un tas de
trucs. »
Ils s'éloignent, descendent les marches au centre du jardin,
tournent autour du grand bassin, un enfant pleure, son
bateau est coincé au milieu du bassin, à la base du jet d'eau
central, là où les vents ne circulent pas, où les flots retombent
en créant un léger tourbillon, où les voiles faseyent ; le voilier
ne pourra plus repartir, c'est certain, il va disparaître, la mère
du petit garçon le lui dit, c'est bien fait pour lui, il n'avait qu'à,
ou alors on va le lui voler, et arrête de pleurer, tu es grand
maintenant, la mère donne une tape sur la main de l'enfant.

Il y a quinze jours c'est toute l'armada du bassin qu'on a volée, après avoir fracturé la remise au bord de l'allée centrale, de mauvais plaisants, on a tout retrouvé au bout d'une semaine, il n'empêche, un bateau ça peut disparaître, surtout un bateau à voiles, l'enfant qui pleure connaît une légende de voilier qui disparaît, c'est ce qui va arriver à son bateau, il va disparaître sous le jet d'eau central, appelé par tous les voiliers qui ont déjà disparu depuis des années et des années, il va les rejoindre dans le grand océan, une armada de voiliers en plein océan, l'enfant pourra commander son voilier, juste derrière le navire amiral, de grosses vagues, des capitaines courageux, il regarde la façade du Sénat.

Des vagues hautes comme des immeubles, les bateaux font face à la tempête, la dernière bataille, mais la propriétaire des voiliers et son aide viennent tendre un cordon en travers du bassin, ils font passer le cordon au-dessus du mât du voilier en perdition, le ramènent vers des eaux plus navigables, le vent peut à nouveau souffler dans les voiles sur la petite surface du bassin, le soleil rit dans le jet d'eau, l'enfant doit partir, non, il n'y aura pas de fois supplémentaire, tu le fais exprès, tu fais exprès chaque fois que je suis gentille de n'être jamais content, tu te débrouilles toujours pour m'en vouloir et pour pleurer, on avait dit une seule fois, c'est un quart d'heure, pas plus, tu étais d'accord, et maintenant tu pleures, c'est de la méchanceté, chaque fois qu'on te fait plaisir tu en profites pour en réclamer encore plus et pour pleurer, si tu continues tu n'auras plus rien, plus jamais !

Hans aurait bien aimé que Max le laisse raconter au moins une partie de la scène d'amour entre Hélène et Thomas, il en veut à Max d'avoir pris les devants :

« Une scène un peu chaude, Max, tu as pris le meilleur ! Je rêve d'écrire une chose pareille.

— Ça ne sera pas publié.

— Tu me laisseras lire ta scène ?

— Non, dit Max, j'ai osé l'écrire mais je n'ose pas la faire
lire, j'ai peur des réactions.

— Si tu l'as écrite, c'est que tu as rencontré une femme.

— Tu sais bien comment ça se passe, le seul rendez-vous
c'est le public. »

Et Max explique à Hans qu'il lui est très difficile d'affronter
le public, de quitter le public qu'il se fait pendant qu'il écrit
et de passer au public réel, il se fait du public une idée très
compliquée, il a certes quelques alliés imaginaires qui l'accompagnent dans ses phrases, mais il y a aussi en permanence devant lui, sur sa droite, quelqu'un qui le regarde et
qui n'aime jamais ce qu'il écrit, quelqu'un qui est en face, qui
n'a pas pu lire la phrase que Max est en train d'écrire, mais
il semble la connaître au moment même où elle s'écrit, elle
semble s'écrire dans la tête de ce personnage en même temps
que sur la page de Max et la phrase fait sourire cette face sans
visage, la fait sourire d'un insupportable air entendu, ce n'est
pas un lecteur amical qui lui dirait qu'on entend trop
d'alexandrins dans son texte, trop de vers blancs, trop d'évi-
dences, tu tiens tant que ça à dire que le laitier est passé à cinq
heures dix ? non, celui qui sourit en face de Max c'est quelqu'un qui est prêt à se moquer de tout ce que Max trouve de
plus précieux dans ses phrases.

Pas quelqu'un de bienveillant comme Hans quand celui-ci
lui dit gare le feuilleton, pas quelqu'un de précis comme son
directeur, François Mérien, qui lui dit ça manque de rythme,
enlevez un verbe, mettez un point, non quelqu'un qui n'a pas
besoin du livre de Max, mais qui aux yeux de Max a quand
même de l'importance, quelqu'un qui sourit en disant :

« Est-ce bien utile ? »

Max ne met pas de nom sur cette face sans visage comme
il en mettrait sur un critique imbécile, cette face vide c'est à
la fois le public qu'il faudrait conquérir et celui qui ne sera
jamais d'accord, le public que Max s'impose dans toute sa
hargne, dans tout ce qui doit à ses yeux faire un vrai roman,

le public qui est là chaque fois que Max enlève ou corrige un mot, qui lui dit :

« Si tu crois que ça suffit ! »

Public détestable et nécessaire, avec son exigence folle et jamais rassasiée de qualité sans visage, tout ce qui fait que Max s'en veut à mort de ne pas répondre à cette folie qui est la sienne, en veut aussi à ce public qui lui demande tant, il finit par en vouloir à tous ceux qui formeraient le vrai public, ses semblables, ses contemporains, tout le monde, chaque phrase lui devient une cage et il en veut à tous ceux qu'il convoque devant cette cage, il finit par vouloir leur mettre la tête dans les latrines.

Il se met à haïr des gens qui ne lui ont rien fait, simplement parce que lui-même se dit qu'il ne sait rien faire, et parfois Max se fait pragmatique, met une voix dans ce public, et ce qui en est le plus proche par la tonalité c'est la petite voix flûtée du journaliste à la mode, un peu pédale, un peu vendu.

Max sait que pédale et vendu sont des mots idiots, mais il en a besoin pour donner un nom à la haine qui le prend, pour donner un nom à ce qui va être son échec, il a mis son livre devant cette face sans visage, reconnais-moi, moi qui fais tout pour qu'en moi tu puisses te reconnaître, un combat de la reconnaissance, il va le perdre, pédale, vendu, un nom à ce quelqu'un qui se moquerait de sa scène d'amour, de la baisade, comme dirait Flaubert, que Max a écrite à une époque où cela peut encore coûter assez cher, où cela suffit au moins à faire interdire votre livre à la vente publique, à le cantonner dans le monde des érotiques pour notaires.

Et Max se méfie d'autant plus qu'il n'y a pas longtemps, à Paris, un écrivain a été condamné pour obscénité, Victor Margueritte, pour *La Garçonne*, amende, et radiation de la Légion d'honneur pour *elle cueillait les sombres lavandes, il avait profité de sa croupe baissée, relevé sa jupe et elle avait senti le dieu brûlant la posséder.*

Une Légion d'honneur, on dit qu'elle avait été obtenue au combat. Retirée pour une croupe baissée. Et deux ou trois

paragraphes de plaisir saphique. Max a écrit la baisade parce
qu'il est jaloux, non pas de Margueritte le romancier dont on
voit trop les mains de marionnettiste, mais jaloux d'un
Anglais dont il vient de lire un livre qu'à Londres on se passe
sous le manteau.

Ce livre a mis Max en état de rage parce qu'il s'est rendu
compte en le lisant que c'est exactement ce qu'il aurait voulu
écrire, ce qui aurait, en un coup de tonnerre, établi sa réputation de romancier singulier, et il se met à haïr le romancier qu'il aurait voulu être, comme il hait le lecteur qu'il voudrait avoir.

Il a fallu que ce soit cet Anglais vieillissant qui écrive ce que
Max devait écrire, pas tellement l'histoire elle-même d'un
garde-chasse et d'une lady, mais cette façon si directe avec des
mots comme trou, pénis, baiser, couilles, et en même temps
une tendresse, un goût de pomme, des gestes fins, tout ce qui
a donné à Max envie de raconter que cela a eu lieu avec
Thomas parce que Hélène n'a plus supporté les allures de victime que prenait Thomas, elle a pris sa décision, malgré tous
les sourires du lecteur dont Max entend déjà les sarcasmes,
elle va lui donner ce qu'il désire depuis le jour de leur rencontre, Max mettra seulement moins de métaphores que
l'Anglais, et c'est Hélène qui agira, elle ne veut plus se laisser
prendre.

Un soir elle entre chez Thomas, en chemise sous sa cape,
monte dans la chambre, il dort déjà, elle enlève sa cape, le
léger bruit le réveille, ne bouge pas! elle entre dans le lit,
bloque Thomas sur le dos, l'empêche de faire les mouvements
que les hommes croient nécessaires à la séduction des
femelles, elle n'a pas envie qu'on essaie de la séduire, on lui a
toujours fait mal, c'est elle qui le déshabille.

La verge de Thomas quand elle lui retire son caleçon, mais
elle ne veut pas la toucher, elle n'est pas une prostituée, elle
vient par affection, Thomas est nu maintenant la peau plus
douce qu'elle ne s'y attendait elle en est émue elle répète ne
bouge pas! et descend sur Thomas en mettant sa tête dans

son cou, la verge, une appréhension, Thomas a un mouvement qui lui fait mal, elle dit chut ! elle s'empare de la verge, et Max se dit que le mot verge ne convient pas tout à fait mais que choisir d'autre ? pénis, médical, phallus, trop savant, sexe, oui, sexe.

C'est le mot auquel Max a d'abord pensé dans le métro, quand le regard effrayé d'une passagère lui a fait comprendre qu'il venait de le prononcer à voix haute en cherchant ses phrases, mais justement c'est le mot qui s'est trop vite présenté, Max se divertit en essayant d'autres mots, le chauve, la queue, le chinois, la bite, il se ravise et Hélène guide la verge de la main en disant *doucement*, c'est elle qui s'enfonce, le contact la surprend, cela fait plus d'un an qu'elle n'a pas senti cela et la sensation n'est pas la même qu'avec l'autre, Thomas n'ose pas regarder Hélène, il a fermé les yeux et respire plus fort, elle dit *laisse-toi faire*.

Elle empêche Thomas de bouger, elle ne veut pas qu'il se déchaîne comme on dit, elle aurait peur, et sans l'avoir prévu c'est elle qui maintenant il faudra relire l'auteur anglais se dit Max il sait faire durer décrire changer les métaphores celle de la fonte sous la flamme, celle de l'épée, celle des vagues onduleuses dans le vif de la chair, laisser ça aux poètes avec celle du doux ciseau qui court sur le tissu, Hélène remue lentement, ne pense qu'à ce qu'elle fait, plus vite guette aussi Thomas son souffle pense à elle-même elle se contracte soudain, et quand ce sera fini ne pas mettre trop de fleurs non plus pas trop de cloches de jacinthe comme chez l'Anglais ni reines des bois ni campanules, Thomas a eu un petit cri, elle reste allongée sur lui, de temps en temps un battement lui vient encore entre les jambes, combien d'années a-t-elle perdues ? Elle embrasse le visage de Thomas, lèche les larmes sur ses joues, il tente de la caresser elle le retient elle ne veut pas retrouver un mâle, avec leurs saccades, leurs torsions, l'air idiot qu'ils prennent en dominant, le mouvement bête de leurs fesses, certains mordent, ou font dans le cou d'insupportables suçons une de ses amies lui a dit *ils apprennent l'amour au régiment, en même temps que la marche au pas.*

Elle lèche le cou de Thomas, les lèvres, les seins, les aisselles, une foule d'envies lui viennent, elle embrasse le nombril, descend jusqu'à la frise de poils sombres, les trouve jolis,
le sexe s'est recroquevillé dans l'ombre calme, pas plus
méchant qu'une virgule, comme sur un Michel-Ange, elle fait
jouer ses cheveux dessus, elle chantonne.

« Donc je n'aurai pas le droit de lire la scène qui réchauffe
ce chalet savoyard, Max, tu ne veux pas que j'ajoute au moins
une cheminée, une belle flambée ?

— Ou une psyché en acajou ? C'est toi qui fais du feuilleton, l'histoire n'a même pas commencé.

— Ta baisade n'est pas le sommet du récit ?

— Je ne publierai pas de baisade.

— Dans soixante ans, Max, sur le manuscrit, ça pourrait
faire une belle variante, les variantes font vivre les œuvres.

— Pas de variante.

— Il n'y aura donc pas de sommet du récit, même pas une
phrase comme dans *Les Mille et Une Nuits,* un pur moment de
poésie, *le garçon avait un derrière si beau que les dix-huit
jeunes filles se mirent à chanter* ?

— Pas de baisade, je ferai une ellipse, je reprendrai juste
après.

— Qu'a fait Thomas juste après ?

— Il a fait comme nous.

— Il s'est rendormi ?

— Il est parti à la guerre, après avoir épousé Hélène, elle
n'était pas d'accord avec la guerre, mais elle était suisse.

— Lui, il était comme nous, un peu socialiste, hostile
avant...

— Inscrit au carnet B, avec les types à arrêter au premier
jour de la mobilisation.

— Et chez toi comme en Allemagne on n'a arrêté personne
puisque tout le monde était d'accord, on y allait une bonne
fois pour toutes.

— Il a eu une conduite héroïque.

— Votre médaille militaire ?

— Ajoute la Légion d'honneur, et la croix de guerre.

— Und eine jambe en moins.

— Hélène n'a pas du tout aimé ça, Thomas est rentré au pays en 1917, un héros, même les journaux de Paris avaient parlé de sa conduite, une biographie exemplaire, un instituteur pacifiste, fils du peuple, capitaine en trois ans et six blessures, et qui défend sa position à Verdun jusqu'au dernier homme, et qui ramène son commandant blessé — un Langle de Cary, catholique et royaliste — en rampant alors que lui-même ne sent plus très bien sa jambe droite, un vrai sujet de *une*, avec dessins rehaussés de gouache, ils se sont déchaînés, mais Hélène n'a pas du tout aimé.

— 1917, votre bonne époque, ça flottait dans les rangs.

— Dans les vôtres aussi, dit Max. Hélène travaillait dans une usine d'armements de la vallée, elle était discrète mais très informée, quand Thomas est revenu elle s'est mise à parler aux gens : Zimmerwald, Kienthal, les conférences pour la paix révolutionnaire, elle a participé à des grèves.

— On l'a arrêtée ?

— Tu es fou ! en France, monsieur, on ne touche pas aux femmes de héros.

— On l'a laissée faire ?

— On l'a soignée, ça aussi c'est toute une histoire. »

Hans et Max sont assis sur deux fauteuils métalliques, une femme en gris anthracite surgit derrière eux, ils ne l'ont pas vue venir, elle porte un petit cylindre de métal suspendu sur son ventre, un cylindre à manivelle comme ceux des contrôleurs d'autobus, nous allions partir madame, ça n'est pas une raison, deux tours de manivelle, elle tend deux tickets, dix sous s'il vous plaît, elle repart vers un jeune garçon qui vient de s'asseoir et se lève brusquement en la voyant, hep, vous là-bas, le garçon disparaît.

Max et Hans se sont levés, ils ont encore marché pendant

une heure, entre les flâneurs, les enfants, les jardiniers, ils ont regardé marcher les femmes en essayant de repérer d'éventuels pieds hésitants, celle-là c'est le gauche, perdu, c'est le droit, ils ne sont jamais tombés d'accord, ils se sont attardés dans le coin des joueurs d'échecs, Max a pris Hans par le bras quand il a senti que celui-ci avait envie de disputer une partie, ils ont continué jusqu'aux joueurs de croquet et là c'est Hans qui a obligé Max à s'éloigner, Max a ri en disant pour une fois que j'ai une passion facile à assouvir! Ils sont passés près des ruchers modèles, près de la porte qui donne sur la rue d'Assas, des abeilles s'affairaient encore, des éclairs brun et or.

Ils ont parlé du futur proche, pour une fois ils allaient se retrouver plus longuement, une rencontre en montagne, des intellectuels, des hommes politiques, des artistes, des économistes, des savants, des philosophes, en terrain neutre, un coin perdu de montagne, en Suisse, Max y va pour son journal, Hans parce qu'il est membre du *Comité pour les États-Unis d'Europe*, ce sera dans six mois, au tout début du printemps.

Max a demandé à Hans s'il aurait le temps de l'accompagner à Bruxelles, j'ai promis à un jeune écrivain de l'emmener, Bruxelles et Anvers, nous faisons une tournée des tableaux de James Ensor, *Squelettes se disputant un hareng, Le Roi Peste*, il adore ça depuis des années, il veut revoir les originaux, la grande orgie belge, pas délicat du tout, *L'Exception donnant un coup de pied aux fesses de la Règle*, tu connais Ensor?

— Pas plus que ça. Qui est le jeune écrivain?

— Une vraie promesse de grand écrivain, on s'est rencontrés il y a une demi-douzaine d'années, il a plaqué le lycée pour écrire, il a déjà bourlingué, il était en Indochine quand j'étais dans le Rif, on se racontait ce qu'on avait vu, il a été plus courageux que moi, du journalisme de combat, anticolonialiste, en plein Saigon, maintenant il est éditeur de livres d'art, il a déjà écrit un roman, très ambitieux le roman, Orient et

Occident à bras-le-corps, et à côté il publie des p'tits récits rigolos, je te le présenterai et un jour toi aussi je t'emmènerai voir les tableaux d'Ensor, la vérité du siècle, *L'Entrée du Christ à Bruxelles,* du tonnerre, le Christ monté sur un âne, les bannières *Vive la sociale,* les bonnes femmes qui se font peloter dans le cortège, les chopes de bière et Jésus, pompette, qui bénit tout ça.

« C'est un peintre avec du caractère, quand on ne veut pas acheter un de ses tableaux il décloue la toile et il en fait une carpette, il a aussi le génie de l'insulte, *démolisseur à suçoir,* pour parler d'un critique ce n'est pas si mal. Mon jeune écrivain adore ça. Ensor fait aussi des p'tits dessins sur le vif, la plage à Ostende, avec des joueurs de croquet sur le sable, et des joueuses, trois coups de pinceau à l'encre de Chine, et tout y est, les neuf arceaux, le maillet comme un pendule entre les jambes, et l'air qui circule entre les personnages, l'air c'est ce qu'il y a de plus difficile, je t'ai dit que j'avais joué au croquet avec Lyautey ? À Rabat, à la Résidence, c'était il y a deux ans, juste avant que Pétain ne fasse mettre Lyautey à la porte du Maroc, regarde, il y en a qui ne doutent de rien ! »

Max montre à Hans une jeune femme assise sur les genoux de son compagnon, la chaisière s'est approchée, l'homme rit.

« Attends, dit Max, tu vas voir. »

Hans et Max s'immobilisent.

La femme est restée assise sur les genoux de l'homme, le couple se moque de la chaisière qui s'en va et revient aussitôt avec un gendarme, l'homme et la femme se lèvent, s'éloignent, coup de sifflet, l'index du gendarme vers eux, le couple se retourne, se fige, tout le monde les regarde, l'index du gendarme se replie en crochet, tire sur une ligne imaginaire, le couple revient vers le gendarme qui les emmène vers une des guérites du Sénat. Max reprend Hans par le coude.

« Amusant n'est-ce pas ? Oui, Ensor fait aussi des pastiches de Rembrandt, les médecins Pouffamatus et Transmouffe examinant les selles du roi Darius après la bataille de

Gaugamela, pour savoir si la défaite est attribuable aux troubles intestinaux du roi, tout un programme! Les Belges en ont fait un grand peintre, mais ils n'arrivent plus à le contrôler, les bourgeois n'en dorment plus, il a peint un jour de grève avec manifestation, un type le crâne ouvert d'un coup de crosse, les habitants d'un deuxième étage qui vomissent sur les flics en contrebas, pendant qu'au dernier étage un homme à tête de porc bécote une femme qui fait la grimace, je vais revoir tout ça avec mon jeune génie, tu ne veux vraiment pas nous accompagner à Bruxelles? »

Hans n'a plus le temps, c'est ce qu'il dit à Max, ce qu'il ne dit pas c'est qu'il veut se rendre aux bureaux parisiens de la *Cunard*, des renseignements sur les transatlantiques, peut-être même prendre un *Queen Mary* du Havre à Southampton, pour voir ce que cela donne d'arpenter un pont en pensant à Lena, Hans invente qu'il doit être à Berlin dans deux jours, on se retrouvera à Waltenberg, au *Waldhaus*, en mars?

Oui, dit Max. Ce n'est pas qu'il tienne au voyage en mars à Waltenberg, mais son patron veut qu'il y aille. Max préférerait faire du reportage sportif, écrire un roman et faire du reportage sportif, défendre l'équipe de France de rugby qui va mal, voilà ce qu'il me faudrait, de l'invention, du jeu, ça me changerait du Rif et de Shanghai, tu sais ce que je vais rater à cause de Waltenberg? je vais rater les *Six Jours*, je vais rater France-Portugal en foot, France-Angleterre en rugby, à Colombes, et je vais rater, jeu de jambes de Max, il bat l'air de ses bras, un enfant le regarde, Battalina-Genscher, le mondial des mi-lourds, parce qu'il faut aussi que je fasse la session du conseil de la SDN avant de monter là-haut, je suis très content, vive Waltenberg et ses pignoufs! en attendant je vais continuer à trimer sur mon histoire savoyarde, je te laisserai des blancs pour les paysages et les objets.

Max s'arrête, bloque Hans par la manche, regard affectueux :

« Hans, tu ne veux pas qu'on aille ensemble la chercher en

Amérique ? Mérien me ferait une mission. Tu me dirais pourquoi tu as peur de la revoir, pourquoi tu es un homme si difficile. Qu'est-ce qui s'est passé, là-haut, dans le temps ? »

*

Le silence, le silence et l'immobilité ont dû le réveiller, Max tend l'oreille, au bout d'un moment quelques bruits métalliques, des voix, puis à nouveau le silence, Max n'aime pas, le train est à l'arrêt, il n'y a pas si longtemps ce genre de silence était une menace directe pour la peau de Max, la sienne et celle de quelques autres, silence en prélude de tremblement de terre ou d'apocalypse, c'était selon les idées et les croyances de chacun, idées et croyances qui, dans les minutes qui allaient suivre ne pèseraient certes plus grand-chose, le calme grotesque qui fait de vous une simple pâte de chair à l'odeur de trouille, collée à la terre, déjà prête au mélange.

Max tend l'oreille, dissipant ce qui lui reste de sommeil dans cet affût.

Quelques grincements. Ils viennent de l'extérieur, mais pas tout à fait, des grincements de métal et de bois, très clairs dans le silence, de petits chocs, on s'affaire à une extrémité du wagon. Max pousse le rideau de sa fenêtre, il fait très sombre, il doit être en Suisse, il gratte de quoi se faire une lucarne dans le givre de la vitre : deux réverbères à lumière molle, une horloge sans personne, quatre heures moins le quart, aucun bruit de machine, et le monde, ce qu'il en reste à cette heure, a cessé de défiler.

Sur un panneau Max lit *Landquart*, c'est l'entrée de la haute montagne, les Grisons. Le wagon cesse de bouger. Nouveaux chocs. Max sait maintenant qu'on accroche son wagon à un train d'altitude. Le silence à nouveau, une voix en allemand, un allemand chantant, et le wagon recommence doucement à rouler, accompagné par le bruit d'une locomotive à souffle plus court que celui de la *Mountain* que Max avait admirée avant d'embarquer gare de l'Est. Le quai glisse, puis quelques maisons, renfrognées sous une lune hésitante.

Il est en route pour Küblis, là où l'on prend l'autocar ou la voiture pour Waltenberg, son épaule gauche lui fait mal, et ça ira de pire en pire se dit-il en songeant pour la première fois de la journée à ses blessures, aux séquelles dont il a hérité pour sa vieillesse.

Le printemps 1929 a officiellement commencé depuis quelques jours et il fait encore plus froid qu'à Paris, la seule chose que Max distingue à travers sa propre buée ce sont les énormes congères que le chasse-neige a formées le long de la voie et qu'on pourrait toucher de la main tant elles sont proches du flanc des wagons. Parfois les congères sont moins hautes, laissant voir sous la lune un paysage entièrement feutré de neige, avec quelques gonflements comme de grosses bulles : des villages enfouis.

Même pendant les hivers de la Grande Guerre il n'avait pas vu autant de neige, sous les étoiles le paysage est blanc cassé, à perte de vue, une planète froide.

Le train ne va pas très vite, Max tente de se rendormir, épargner l'épaule gauche, il se couche sur l'autre côté, ferme les yeux, mais il entend battre le sang à ses tempes, une certitude d'insomnie, il s'en veut de s'être réveillé, ne pas s'énerver, respirer lentement, ne pas s'occuper du réel, reprendre un des rêves volontaires dont il se sert pour s'endormir, il ferme les yeux, il se fait policier, commissaire divisionnaire, homme calme, et il entre dans son intrigue préférée, une histoire de belle suspecte qui s'accuse d'un meurtre et dont il veut prouver l'innocence pour démasquer le mari, mais cette femme est étrange, plus elle séduit Max et lui donne le désir de la tirer d'affaire plus elle semble inextricablement coupable, et la recherche bienveillante du commissaire accumule au contraire les charges contre la femme qu'il veut innocenter.

D'ordinaire, c'est un rêve assez efficace, son esprit, incapable de sortir du labyrinthe et de sauver la femme, s'affole, se perd, renonce et s'abandonne à la sécurité de vrais songes que Max sent d'abord se mêler à sa chimère initiale, ils y provoquent des courts-circuits qui durent de plus en plus longtemps, des désordres, des événements sans raison : la suspecte qu'il est en train d'interroger devient tout à coup son ancienne institutrice ou un ami mort en compagnie duquel il sort acheter un bouquet de violettes dans une ville inconnue.

Max résiste à ces vrais rêves, il reprend l'initiative, presse sa suspecte avec délices, l'amène au bord de l'aveu, puis l'ami revient, se fait agressif, le bouquet disparaît, l'institutrice ôte sa blouse, le moteur devient fou et Max bascule dans un sommeil à part entière.

Ça, c'est la bonne hypothèse, mais dans ce train qui va mettre encore plus de trois heures à le conduire jusqu'au pied de Waltenberg, Max sent que son subterfuge ne marche pas, il est bien trop réveillé maintenant, les ennuis du jour vont commencer, il a soif, il sait que s'il descend de sa couchette et allume pour se verser un verre d'eau cela créera quelque chose d'irréversible, il ne pourra plus se recoucher.

Dormir ? à quoi bon ? le sommeil, le silence : des antichambres de la mort. Pas très gai ce matin, il se lève, boit son verre d'eau, un autre besoin lui vient, il ouvre la petite commode, la referme, sans se servir du vase de nuit, il ne les aime pas, même ceux de la *Compagnie internationale des wagons-lits et des grands express européens* avec le filet d'or et le monogramme bleu, il sourit, la formule de Mérien :

« Le journaliste, je le veux curieux comme un pot de chambre. »

Il met son manteau sur son pyjama et enfile ses charentaises, jeune homme il détestait les charentaises que sa mère lui achetait, il leur préférait des mules de cuir, même en hiver.

Une nuit, dans les tranchées, un camarade lui a dit :

« Quand ça sera fini je m'achèterai des charentaises, et le premier qui rigole je le nettoie. »

Max sort du compartiment et va jusqu'aux toilettes à l'extrémité du wagon.

Quand il revient, il n'a plus sommeil, ni envie d'avoir sommeil, il est seulement engourdi, avec une migraine qui menace, il ouvre une des fenêtres du couloir, livre son visage à l'air glacé, tend la main à l'extérieur pour prendre de la neige sur les congères si proches et se la passer sur les yeux et les joues, pas malin, une aspérité sous les cristaux, plus de main ou même plus de bras, ça part vite, comme à Véneux, début 18, une série de bruits ignobles, la tranchée qui va s'effondrer, puis ils s'étaient regardés : une mine volante, à côté ! tout le monde était là, Stéphane bouche ouverte, les yeux exorbités, main droite en moins, il ne hurlait pas encore comme il allait le faire dans les secondes qui suivraient, Max se souvient qu'à cet instant il avait pensé :

« C'est cela, être étonné. »

Puis les cris, que la gangrène avait transformés en gémissements quelques jours plus tard à l'infirmerie du bataillon, Stéphane qu'on rassure au milieu des odeurs de javel et de pourri :

« Si, tu as meilleure mine ! »

Et le toubib qui ne voit même pas l'utilité d'amputer plus haut :

« Ça s'est généralisé. »

Max referme la fenêtre, il contemple le couloir de son wagon-lit, les dessins sur les globes de lampe au plafond, il passe la main sur le placage en ronce de citronnier, la petite rambarde de cuivre, et marche doucement, pour bien sentir l'épaisseur de la moquette sous ses pas, tout est si ordonné, luxe, calme, il rentre dans son compartiment, renonce définitivement à la couchette, s'assied sur la banquette en face, contrarié qu'elle ne soit pas dans le sens de la marche, mais si tu es maniaque à ce point tu vas vraiment mal vieillir.

Le père de Stéphane c'était Mérien, François Mérien, le patron du *Soir*, plus d'un million d'exemplaires vendus par jour. Il y a six mois, en septembre, il avait dit à Max :

« Je vous envoie couvrir ce truc parce que je veux l'arrière-boutique, leurs histoires d'Europe, leur philo, leur politique, tous leurs débats, ce qu'il y a derrière, fric ? pouvoir ? trahison ? complot ? Ils vont parler des valeurs, très bien ça les valeurs, je veux tout le monde à poil ! vous serez installé avec eux au *Waldhaus*, tous frais payés, pas trop de bar, rompez ! et profitez-en pour vous détendre. »

C'était ça le patron, soupe au lait, mais il aimait bien Max, Max lui avait décrit une mort de Stéphane sans délais ni odeurs, la mort du héros, Mérien en avait su gré à Max, il n'avait pas cherché à vérifier ce qui se cachait derrière ce témoignage et, au fil des années, ce maniaque de la lucidité soignait son chagrin de père avec une légende de balle au front et champ d'honneur dont il n'aurait voulu pour personne d'autre.

« Que voulez-vous faire ? » avait demandé Mérien à Max au début de leurs relations, quand il invitait Max pour l'entendre parler de son fils.

C'était juste après ce qu'on avait appelé la Victoire. Max n'avait rien répondu, il était à la dérive ; avant guerre il voulait être écrivain, il y avait renoncé. Un jour Mérien avait insisté et Max n'avait rien trouvé d'autre que :

« Je voudrais être un curieux. »

Mérien l'avait embauché et en avait fait un reporter :

« À partir d'aujourd'hui, un sujet, un verbe, un complément ; et pour les adjectifs vous venez me voir ! »

Il lui avait également interdit les phrases de plus de quinze mots, puis il avait relâché les rênes. Max était devenu l'un de ses meilleurs reporters.

Au fil des années, Max s'était mis à aimer François Mérien. Le patron avait la réputation d'un homme vulgaire, mais Max savait qu'il réservait une heure de ses journées à la traduction de Pindare ou de Tacite, il avait connu Mallarmé, Jules Renard, Gabriel Fauré, et une fois par jour au moins il criait dans la grande salle des rédacteurs :

« On fait pleurer Margot et bander Marcel ! Et avec élégance ! »

Il avait des intérêts dans une fabrique de sirop vitaminé et en offrait des bouteilles aux hommes politiques que son journal à deux millions et demi de lecteurs terrorisait, un cadeau ambigu, certains ministres essayaient par Max de savoir si le sirop était une attention amicale ou si Mérien les trouvait finis.

Même Poincaré avait eu peur le jour où Max lui avait demandé des nouvelles du sirop :

« Dites à votre patron que j'en prends régulièrement. Et que je ne me suis jamais senti aussi bien. »

Un autre ministre avait offert d'inscrire le sirop dans la ration hebdomadaire des troupes coloniales, Mérien avait refusé et dit à Max en riant :

« Ce serait du Feydeau. Il vaut mieux que ça reste entre lui et moi. »

Max n'a jamais su si Mérien croyait vraiment aux vertus de son sirop.

Dans le train, trop tard pour se rendormir, trop tôt pour le petit déjeuner, Max essaie de réfléchir, le matin c'est l'heure des idées, avant midi on peut encore accrocher de la pensée à de la pensée et tirer à bout de crayon sur un carnet de notes, un crayon à mine *numéro deux* pas trop grasse mais suffisamment tendre pour tenir l'allure, une *deux B*. Après midi Max n'est plus bon qu'à vivre.

Il ferme les yeux, les rouvre, il fait jour, le givre a disparu de la vitre, le paysage est de plus en plus pentu, Max rêve, se souvient, se laisse aller, quitte les souvenirs, cesse de battre une mesure inutile avec son crayon, ces colloques européens, trouver de quoi écrire de vraies réflexions, avec plus de force que d'habitude, dramatiser, au fond c'est du théâtre, difficile, sur la scène les personnages refusent de s'abstraire, ou plutôt c'est Max lui-même qui a du mal à prendre du surplomb, tu te sens trop bien parmi ces gens-là, argent, puissance, toi tu étais pion, pas pauvre mais pion quand même, pour le superflu.

Max n'a pas repris ses études à la fin de la guerre, la vocation d'écrivain, j'aurais mieux fait d'être un bon notaire, avec épouse, dans une sous-préfecture, je n'entendrais pas un Wendel me dire vous savez, une situation comme la mienne, c'est le hasard, et si je reste c'est parce qu'il le faut bien, personne n'en voudrait.

Tous ces gens recherchent la compagnie de Max, ils ont besoin de lui, il est l'intermédiaire entre eux et ces foules qu'ils voudraient tous capter, organiser, orienter, maîtriser et dont ils voudraient surtout se faire aimer.

Des monomanes du collectif : une formule sur le carnet, Max n'en est qu'à moitié content, revenir dessus, des grands qui s'asservissent par la passion à ceux qu'ils dominent, et qui en deviennent encore plus autoritaires et plus inflexibles, rendre ça plus clair, trouver une image, une parabole comme les aiment les lecteurs de journaux, une fable :

« Max, trouvez-nous une fable ! » demandait parfois Mérien quand un article lui paraissait abstrait.

Une vie de grand reporter, tu bois du champagne avec Van Ryssel qui possède un cinquième des aciéries d'Europe, tu déjeunes à la table de Duissard dont la banque détient une belle portion des actions de Van Ryssel, et tu as même acheté un chapeau en compagnie de Merken, à Fribourg, ça te fait une belle jambe, Merken te met la main sur l'épaule en disant c'est le bon choix je vais faire comme vous, Merken t'imite, un melon gris anthracite, nous avons les mêmes goûts, oui, mais ce n'est pas toi qui retournes prendre la plume pour écrire *Qu'est-ce que la métaphysique ?* Toi tu rentres au journal pisser de la copie et tu n'as rien fait de cette rencontre, tu as eu Bergson comme prof pendant deux ans et tu n'as rien fait de

ça non plus, Merken il a au moins un chapeau, Max aime
aussi Willi Münzenberg, l'un des hommes que Moscou ne
manque jamais d'envoyer dans ce genre de réunion, et il y a
aussi Hans, qui doute de tout et qui est le seul écrivain vraiment neuf de l'après-guerre, Max se souvient même du grain
de peau des cuisses de madame de Valréas, leur égérie à tous,
celle dont la volonté fait ces colloques, et tous ces gens aiment
Max et veulent en être aimés.

Pendant toute sa jeunesse Max a cherché à les séduire, je
deviens le grand écrivain de ma génération, reçu partout, des
pages superbes que tu jettes avant de relire, et c'est quand
tu n'es plus foutu d'écrire la moindre page que tous ces gens
se mettent à te faire la fête pour de la copie de journal, les
fêtes chez les Valréas, ça fait plaisir, jusqu'au jour où Mérien
te lance :

« Pas de délire d'auteur ! Un article, c'est juste ce qu'on a le
temps de lire aux chiottes. »

Max sait tout cela, il oublie, rêve d'écriture à grande
durée, se rappelle à l'ordre, au quotidien, se refait ce qu'il faut
d'oubli pour garder un rêve, en profiter, comme d'un cigare
ou d'un alcool, relire Maupassant, Tourgueniev, suffisamment
vite pour se donner l'impression qu'on serait capable d'en
faire autant.

La Valréas ! l'égérie de tout ce beau monde, une baronne,
comme on en fait beaucoup dans ces milieux, mais avec de
vrais ancêtres, une fortune, les talents que donne la fortune,
de belles jambes, des dents pour de grands rires, du chien,
comme on disait avant-guerre, Max a couché avec elle, une
fois seulement, à la fin de la *Belle Époque*, un beau séjour, la
propriété d'un banquier, en Bretagne, avec un champ de blé
qui arrivait directement sur la plage, l'or du sable, le vert
des épis parsemé d'éclats rouges, des rubans, des ombrelles,
tout cela remué à grandes rafales par les averses et le vent,
mélangé à tout ce que déversait dans le soleil une chaudron-
nerie de nuages, éclats de métal fondu, roulements de dra-

peaux, violences d'opium, rafales de sable, avec une force qui donnait un sentiment de grandeur aux petites poupées endimanchées venues tuer leurs miasmes dans les embruns de la plage, et qui poussaient des cris de terreur enjouée chaque fois que la vague mordait une crinoline ou des chaussures, en mai 14, la fête.

Vers deux heures du matin, tous les couples avaient fini par se former, Max et madame de Valréas s'étaient retrouvés seuls au salon, Max est peu sensible au charme de la Valréas, ça lui a donné une petite audace :

« On dirait que *nous nous restons,* madame la baronne ? »

Était-elle vraiment éméchée ? Ce qu'il faut d'ivresse pour qu'on vous accorde de faire n'importe quoi ? Elle avait suivi Max, un verre à la main, et l'avait forcé à passer devant pour monter à l'étage en lui lançant :

« Le meilleur moment, c'est dans l'escalier. »

La baronne est une reine de la conversation, avec une parole qui s'appuie sur le mouvement des mains :

« Vous savez, je suis du Midi. »

Pas tout à fait. C'est plus calculé que volubile, elle prend soin de faire jouer les phalanges de chaque doigt et fait penser à un chef d'orchestre maniaque, ou à des pattes d'araignée, la voix est métallique, les yeux violets, le corps un peu maigre, mais avec des fesses qui n'ont pas peur du regard, une experte, elle sait que le jeu de ses doigts ne trompe que les niais, qui ne l'intéressent pas, et capte les hommes qui sont sensibles aux gestes bien huilés, elle a un rêve : réconcilier la France et l'Allemagne, aider à bâtir une Europe sans Soviets ni Yankees, de Dantzig à Bordeaux et Athènes :

« Sans oublier l'Italie, où il se passe des choses si intéressantes. »

Une Europe à poigne, avec des ouvriers qui arrivent à l'heure, payés sans injustice mais sans excès, des adolescents dociles, des familles nombreuses, des églises pleines et le respect de la réussite.

Max cherche à résumer tout cela en une phrase, pour un sous-titre du journal, il note : *Des valeurs d'union sacrée pour tout un continent.* Il pose son crayon, regarde son reflet dans la vitre et se dit à lui-même : *avec le droit pour la Valréas d'écarter les pattes quand bon lui semble.*

Dans le couloir une cloche, une voix :

« Petit déjeuner, premier service ! »

Déjà. Max se débarbouille, s'habille en vitesse.

Il est assis à une table du wagon-restaurant, il a une demi-heure avant l'arrivée à Küblis, il prend encore quelques notes, les grandes lignes de ce qui va se passer, quatre ou cinq personnes sont déjà en train de préparer la résolution finale du *séminaire,* ce genre de réunion ne marche bien que si les organisateurs savent où ils vont, ce n'est qu'un séminaire mais justement, c'est là que se mettent au point les idées dont on fait ensuite des campagnes politiques et des votes d'assemblées, une belle bagarre, Max a vu ce qui s'était passé à Londres il y a un an.

Six jours autour de quelques bouts de phrase, *la nécessaire organisation des forces vives de l'économie européenne,* ça, c'était à la demande de Van Ryssel et du cartel de l'acier, *le respect des* statu quo *frontaliers en Europe,* pour les Polonais et les Tchèques, *le respect des souverainetés nationales,* pour les Allemands cela voulait dire retrait des troupes d'occupation françaises et belges, et puis d'autres phrases, plus sibyllines, *laisser jouer pleinement l'initiative des industriels,* les syndicalistes exigeant qu'on ajoute *dans le respect de la justice sociale,* on ajoute donc, sous les sourires des banquiers et des socialistes, la carpe, le lapin et la sauce à la guimauve.

Et derrière tout cela d'autres querelles de mots entre philosophes ou économistes, même les artistes se mettent de la partie, apparemment à Waltenberg les choses vont tourner autour de la question des valeurs, de la valeur, qu'est-ce qui fait la valeur ? en économie, en morale, en art ? la valeur d'un petit pain, d'un tableau, d'une idée, d'une machine, d'une alliance, Max est épuisé rien qu'à l'idée de devoir en rendre compte, il n'aurait pas dû accepter la proposition du *Globe*, garder seulement son reportage pour *Le Soir*, le *Globe* est un hebdomadaire très chic, papier glacé, belles photos, articles de fond sur deux grandes pages, le prestige.

Au *Soir* c'est simple, une dépêche de cinq cents mots maximum tous les jours, les mots les plus courants de la langue, de l'enjeu précis, *entre les partisans des États-Unis d'Europe et ceux du nationalisme à l'ancienne qui l'emportera ?* ou encore *tension à Waltenberg entre les philosophes de la règle et ceux de l'être*, non, ça ne passera pas, Max entend la voix de Mérien, le journalisme, Marcel et Margot, tête de Marcel si on le fout devant les phrases de Merken sur *la spatialité de l'étant disponible intramondain*, rien à mettre pour la philo dans *Le Soir*, ou alors trouver un autre angle, en faire un combat, le sanglier, Merken est un vrai sanglier, à quoi ressemble Regel ? Le combat du héron et du sanglier, pour François Mérien ce débat de philosophes allait mal tourner :

« Les Allemands entre eux, en ce moment, ils ne se font pas de cadeaux. »

Avec *Le Globe* c'est autre chose, presque trop d'espace, Max vient d'y lire un article remarquable, trois pleines pages sur la théorie de la relativité, le grand papier d'un jeune physicien, un nommé Tellheim, on suit ça comme une histoire policière, on comprend tout et ce n'est pas simpliste, on a dit à Max que Tellheim serait au *Waldhaus*, l'idée de cohabiter dans les colonnes du *Globe* avec un savant pareil paralyse Max, il aurait dû rester à Paris, faire du reportage sportif, les mi-lourds, Battalina-Genscher ! Et le Vel' d'hiv !

Chapitre 10

1929

UN CŒUR D'ARTICHAUT

Où l'on voit beaucoup de philosophes, d'économistes, d'hommes politiques, d'artistes, et même le jeune Lilstein se réunir dans les Grisons suisses pour aider à la manifestation de la vérité.

Où Hans Kappler est pris de vertige en entendant chanter un *Lied* dans l'hôtel *Waldhaus*.

Où surgit l'armée suisse.

Où le jeune Lilstein se soûle au cognac français.

Où Max Goffard vit sa seule nuit de noces.

WALTENBERG, mars 1929

La philosophie doit constamment exercer au sein de l'humanité européenne sa fonction rectrice.

Ernst Cassirer

La montagne, le *Waldhaus*, le calme d'abord, la clientèle des skieurs, et le samedi matin en quelques heures ça se met à grouiller, la Valréas dans le grand hall comme l'Empereur à Austerlitz avec ses officiers d'état-major, ses secrétaires, son intendante, sa fille Frédérique, et Erna, la secrétaire des débats, elle les appelle sa brigade, et la femme de Merken, et la femme de Regel le rival de Merken, la salle prévue pour le séminaire de philosophie est trop petite, peut-être mais pas question d'installer les philosophes dans la salle des économistes, et le grand salon-bibliothèque est réservé aux séances politiques sous la présidence de monsieur Briand, les secrétaires particuliers commencent à se faire des croche-pieds, les femmes de chambre et les valets des grands invités se retrouvent, oui, c'était à Londres, il y a aussi tout le personnel de l'hôtel, plus paysan, qui surveille les valets des villes, voir comment ils font mais ne pas se laisser prendre à leurs grands airs, ils sont comme nous, ils obéissent.

Il y a les gens qui arrivent en voiture, certaines voitures
sont carrossées en bois précieux, et il y a ceux qui préfèrent le
téléphérique, plus amusant, à chaque fois une cabine avec
deux ou trois invités et les cabines suivantes avec leurs malles
et leurs domestiques, chaque fois que la cabine passe un
pylône elle plonge, certains pylônes sont très haut, quand
on est assis à l'avant c'est terrifiant comme un grand 8, on a
eu froid et Max a trouvé moyen de dire :
    « La dernière fois c'est là que le plancher s'est ouvert. »
    Des cabines avec des sièges recouverts de velours bleu nuit,
on change le velours tous les ans, la ronde des grosses malles
dans le hall, la ronde ce n'est rien, c'est quand on ne retrouve
plus une des malles que ça devient amusant, la femme de
Maynes par exemple, la ballerine, perdu sa malle principale,
pas hystérique, jamais en public, simplement au bord des
larmes.
    Le mari affolé. John Maynes, sir John, il refait l'économie
de l'Europe et il s'affole pour une malle, bon, celle de sa
femme, non, pas de bijoux dedans mais quand même, des
choses importantes, une malle-armoire, un côté penderie, un
côté tiroirs, non, pas de toile *monogram*, rien de grand public,
un vrai cuir anglais, sombre, de toute beauté, elle a dû rester
dans le train de Paris donc le train qui a continué vers Coire,
pas seulement Coire, il va jusqu'à Vienne et Istanbul, le mètre
quatre-vingt-dix de Maynes domine le grand hall, ne t'inquiète pas, je prends une voiture et je rejoins ce train.
    La Valréas dit pas question, pas à Maynes, à lui elle dit :
    « John, nous allons essayer de trouver une solution. »
    Elle ne le voit surtout pas lancé sur la route de Vienne,
une catastrophe, il va disparaître au moins deux jours, sans
compter les avalanches, tout ça pour des culottes de ballerine
stupide, oui, Maynes a fini par me confier que l'important
dans la malle-armoire c'était les sous-vêtements de sa femme,
c'est l'un des grands hommes du *séminaire*, il ne bouge pas
d'ici, nous allons trouver une solution, télégraphier.
    Dans le garage, la malle de madame Maynes était dans le

garage, la bêtise d'un domestique, pas un valet de l'hôtel, eux s'y connaissent, ce doit être le domestique d'un des participants, bon, tout s'est arrangé, madame de Valréas a embrassé la femme de Maynes.

La ronde a pu reprendre, bien lancée, des femmes de chambre en manteau sombre, chapeau cloche, elles jaugent les soubrettes de l'hôtel, elles comprennent vite, les soubrettes tu n'as pas à sympathiser, tu donnes tes ordres, mais fais attention à la gouvernante générale, elle n'est pas commode, elle te traite comme si tu étais une cliente mais si tu n'es pas au bon étage ou si tu empruntes l'escalier des clients c'est la réflexion tout de suite et une remarque au secrétariat de la baronne, chacun sa place, c'est la règle, et l'ascenseur est interdit.

Dans le hall Maynes est tout content de retrouver Édouard, le romancier français ami de Van Ryssel, ils n'ont pas encore pris possession de leurs chambres, la malle est retrouvée, ils prennent le temps de discuter, et la femme de Maynes sait qu'il ne faut pas interrompre son mari quand il parle avec un écrivain.

Quand elle perd une malle il lui suffit de prendre l'air triste et John n'est plus qu'à elle, c'est délicieux, mais un jour j'ai interrompu mon mari alors qu'il discutait avec madame Woolf, je n'aime pas cette femme mais il paraît qu'elle écrit des romans superbes, je leur ai dit si vous vouliez bien redescendre sur terre nous pourrions passer à table, John n'a rien dit, ils se sont levés aimablement et pendant tout le repas ils n'ont raconté que des futilités, j'aurais voulu qu'ils continuent à discuter avec nous, quand je les ai interrompus madame Woolf était en train de parler du précipice qui coupe en deux l'intelligence masculine, je croyais qu'elle aurait à cœur de poursuivre devant d'autres femmes mais là elle faisait très attention à ne rien dire d'intéressant, et chaque fois qu'elle risquait de le faire John se débrouillait pour ramener la discussion sur des bêtises, il est très anglais pour ça. Je n'ai rien dit, même après, je crois qu'il ne se rend pas compte de ce qu'il fait quand il est comme ça, si je lui faisais une scène il s'en rendrait compte et ça ne changerait rien, je préfère réserver mes scènes pour les femmes qui lui courent après.

Donc madame Maynes laisse son mari discuter avec son ami Édouard. C'est un Édouard très en forme, visage lisse, chapeau noir, grande cape, grandes jambes, il est très fier de ses longues jambes, Maynes ne le laisse pas en placer une, il a lu le dernier roman d'Édouard en français, ces histoires de roman dans le roman ce n'est pas ce qu'il y a de plus crucial dans votre livre, ce que j'aime beaucoup c'est quand vous vous occupez des cœurs d'or, des pères de famille qui veulent que la morale soit l'étalon-or de l'existence, votre personnage de juge, celui qui s'appelle Moulinard, je le trouve très drôle, regard de Maynes vers le beau jeune homme blond qui accompagne Édouard, Édouard ne l'a pas présenté, Maynes a envie de lui demander son nom, mais ça pourrait indisposer Édouard.

Si Édouard ne m'a rien dit c'est qu'il se méfie de ce jeune homme, qui ne doit pas lui être très attaché, ne rien dire, le jeune homme ne sera pas toujours avec Édouard, votre Moulinard, mon cher Édouard, plus il exige des enfants une transparence totale plus les enfants lui mentent, un cœur d'or qui réclame des paroles en or, la valeur absolue, et il n'obtient en retour que du mensonge, de la fausse monnaie, exactement comme en économie, on ne peut rien fonder sur l'étalon-or, c'était bon avant 14, votre roman est très exact, l'or est une bêtise, monsieur Churchill a rétabli l'étalon-or chez nous, ça a provoqué de l'inflation et du chômage, j'ai décrit ça dans un petit opuscule que je vous passerai, *Les Conséquences économiques de monsieur Churchill*, ce qu'il faut, c'est ce que vous faites dire à votre jeune héros dès le début du livre, *faisons crédit*, évidemment vous ne parlez pas d'économie, c'est bien le jeune homme qui décide de faire crédit au bon goût de sa mère ? il découvre que son père n'est pas son père, la confiance est morte, il vient de perdre son étalon-or, si j'ose dire, la croyance est morte alors il dit faisons crédit, et à ses amis il offre l'échange, c'est une superbe idée, ne protestez pas, Édouard, je sais bien que vous n'êtes pas un économiste mais il y a là quelque chose de très neuf pour l'action aujourd'hui.

Pourquoi ce jeune homme ne me regarde-t-il pas quand je parle ? il s'ennuie, je l'ennuie, non, moi quand je m'ennuie je regarde mon interlocuteur, il ne veut pas me regarder, il est beau, il le sait, un peu trop, ce doit être délicieux de le faire douter, Édouard le couve, il le gâte, l'offre généralisée de crédit mon cher Édouard, les échanges, voilà ce que vous avez capté, c'est de cela que nous avons besoin, de circulation, une belle circulation, sans croyance, ni étalon-or, regard de Maynes vers le jeune homme.

Du coin de l'œil la baronne surveille Maynes et Édouard qui ont fini par se lever, elle aimerait leur parler mais elle a Hans Kappler sur les bras, qui veut déjà rentrer en Allemagne, un des hommes clefs de la réunion, un grand humaniste, classé à gauche, un rassembleur, et il veut repartir à peine arrivé, pas à cause d'une malle mais à cause d'une femme, ça ne s'invente pas, il est dans le hall de l'hôtel avec madame de Valréas, il entend chanter, une répétition, *die Welt ist leer*, le monde est vide, ça vient du dehors, Schumann, pas une soprano, une belle voix ronde, Hans réfléchit très vite, il blêmit, madame de Valréas s'inquiète, Hans se fait rassurant :

« Ce n'est rien, chère baronne, l'altitude, j'aurais dû écouter mon médecin, la tête qui tourne. »

Pour la baronne c'est la chaleur, ce chauffage central, elle oblige Hans à passer sur la terrasse, appuyez-vous sur moi.

La voix qui chante vient d'en haut, une des chambres en façade. Hans n'arrive pas à la repérer, la baronne pose la main sur son épaule.

« Vous aimez Schumann, Hans, je le sais, c'est une surprise

que j'ai organisée en pensant à vous, c'est pour le dernier jour,
vous êtes vraiment pâle.

— Le mal des hauteurs, madame la baronne, le cœur, je ne
vais pas pouvoir rester.

— Hans, qu'est-ce que vous racontez ? Allons, tout le
monde a ça, l'organisme a besoin de s'adapter, rien d'autre, et
n'allez pas me raconter que c'est la première fois que vous
venez ici, l'avant-guerre, je sais tout. »

Les yeux violets de la baronne dans ceux de Hans, elle
hausse le sourcil, fait un demi-sourire pour affiner sa bouche,
retend le cou, il tremblait contre moi, je le tenais par le bras,
l'altitude avait bon dos, j'ai tout de suite compris que c'était
une histoire de femme, il cherchait à repérer la fenêtre
comme si c'était à la fois la mort et le salut, je ne l'ai pas lâché,
j'ai fait une erreur avec ce récital, un vrai récital, Hans, et je
ne vous dis pas tout, il tremble ma parole, une bêtise ce récital, Hans quittant le séminaire le jour où il arrive, c'est malin,
on m'avait dit il la connaît peut-être, il tremble, il se joue une
comédie, porter le fer dans la plaie tout de suite :

« Venez, Hans, nous allons dire bonjour à ma chanteuse, je
devrais dire cantatrice, diva, je ne sais jamais ce qu'il faut
dire, elle sera ravie.

— Il faut que j'aille d'abord me reposer, madame la
baronne. »

Non, il la voit, il lui fait la bise, il reste et il nous fout la paix,
trouver un argument, je suis sûre qu'elle lit vos livres Hans,
une jeune femme très bien, venez, ma parole il résiste, elle
s'appelle Stirnweiss, voilà, je lui ai dit le nom et il a repris
des couleurs, monsieur ne tremble plus, il sourit d'un air bête,
ce n'est pas celle à laquelle il pensait, monsieur redevient un
homme, avec épaules en arrière et regard en avant.

« Un beau programme mon cher Hans : Schubert,
Schumann, un récital de clôture, mon petit doigt m'a dit que
vous adoriez le *Lied* romantique, vous voyez que je ne suis pas
seulement une vilaine aristocrate à la solde du cartel de l'acier
et des capitalistes sans scrupules, j'ai un cœur et une âme, et

mon âme d'Européenne choisit la musique que mon cœur offre aux amis, allons ! »

Hans ne veut pas emprunter l'ascenseur, madame de Valréas a pris la main gauche de Hans et de son bras droit elle lui entoure la taille, ils suivent le grand escalier qui monte en spirale au centre du hall, Hans est un faux maigre, elle le guide, troisième étage, couloir de gauche, Hans est alerte, désinvolte, tu changes vite *comediante*.

« Stirnweiss, dites-vous, madame la baronne ? Je n'avais jusqu'à présent jamais vu passer ce nom, sauf peut-être dans un journal américain il y a quelques années.

— Impossible, Hans, je crois qu'elle a dû séjourner aux États-Unis. Mais il paraît que Stirnweiss est un pseudonyme. »

Le chant se rapproche, Hans l'entend distinctement maintenant, le *Lied* de la veuve, un pseudonyme, la voix est moins basse mais plus ronde qu'avant, avec plus de sentiment, elle est revenue au sentiment, c'est elle, le chant de la veuve, c'est ce qu'elle chantait, la fin de l'amour, *die Welt ist leer,* le monde est vide, c'est moi qui suis vide, je vais me retrouver devant elle avec toute ma bêtise, comme avant, quinze ans déjà, un geste idiot, je suis aussi vide qu'avant, plus une goutte de sang, un pseudonyme, et c'est sa voix, avec du sentiment, elle exagère presque, elle a toujours dû être sentimentale mais elle le cachait, c'est la Nietnagel qui ne supportait pas le sentiment, elle disait que le sentiment en musique c'est la musique militaire, tout sauf la voir maintenant, la main de la Valréas se fait plus ferme sur la hanche un peu molle de Hans, la Valréas s'en veut, je ne sais pas me taire, il a suffi que je dise pseudonyme pour qu'il redevienne blanc, cet homme a fait une guerre de héros et il devient tout blanc dès qu'on dit pseudonyme, où est passé Max ? jamais là quand on a besoin de lui, il pourrait s'occuper de son ami, le retenir. Sur le palier du troisième, Hans et madame de Valréas voient Maynes venir vers eux.

« Vous savez, Hans, c'est l'un de nos plus grands économistes.

— Oui, dit Hans, nous nous sommes déjà rencontrés, à Londres. »

Baisemain, *shake-hand*, quelques paroles amicales, on prend le temps, on ne va pas se donner l'air d'être pressé, Hans s'accroche à Maynes, je suis très heureux de vous retrouver, vous savez, je n'ai pas très bien compris ce que vous avez dit à Londres sur les travaux publics et l'effet multiplicateur ; Maynes ne va pas laisser passer une occasion de convertir quelqu'un comme Kappler, un Européen d'influence, à la cause des travaux publics, même sur un palier, c'est simple, ça tient en quelques mots, avec la permission de madame la baronne, ces travaux rapportent toujours plus que ce qu'on a investi, un mark dans des travaux publics en rapporte deux ou trois à l'économie générale, c'est exactement ce qui s'est passé avec les grandes pyramides, avec les tremblements de terre.

Maynes essaie de faire trembler la rambarde de vieux chêne qui court le long du palier, n'y parvient guère, sourit, même chose avec la guerre, ça a toujours accru la richesse, il faut savoir dépenser, les banquiers n'aiment pas dépenser mais leurs mines d'or c'est pareil, sourire très immobile de madame de Valréas, Maynes est un bavard, elle n'a pas lâché Hans, on dépense pour creuser des trous, ajoute Maynes, et on les appelle mines d'or, en fait ce sont de grands travaux, mais quand c'est pour l'or les banquiers appellent ça de la saine finance.

Madame de Valréas n'aime pas qu'on l'arrête en chemin mais Maynes raconte des histoires de banquiers, la prochaine fois elle dira à Van Ryssel :

« Ces histoires de travaux publics, vous y croyez autant que Maynes ? Il passe son temps à m'en parler, il est gentil mais je le trouve un peu systématique. »

Et Van Ryssel comprendra que madame de Valréas parle d'égale à égal avec les plus grands, il lui demandera quand elle a eu cette discussion avec Maynes, Van Ryssel est soupçonneux, on ne produit pas un quart de l'acier européen sans cultiver le soupçon, il est persuadé qu'au *Waldhaus* des réunions se tiennent et vont se tenir sans lui, il passe son temps à organiser des réunions secrètes et il croit que tout le monde en fait autant, madame de Valréas ne le détrompera pas, elle l'invitera à prendre le café avec Briand et Wolkenhove, et Van Ryssel se dira qu'il prend part à une réunion secrète, après ce sera plus facile, entre quatre yeux :

« Mon petit Van Ryssel, il faut que je vous demande un grand service.

— Vous n'avez rien à demander, madame la baronne, notre cause mérite tous les sacrifices et ce ne sont pas des sacrifices, c'est un investissement. »

Sourire de Van Ryssel, on a tort de l'appeler le crapaud, il peut être aimable :

« Mon comptable a fait le nécessaire, chère amie. »

Sur le palier, Maynes est lancé :

« Si l'on décidait d'enterrer profondément des bouteilles remplies de vieux billets de banque et si l'on donnait des crédits à des entreprises privées pour extraire de nouveau les vieux billets, ça pourrait faire disparaître une bonne partie du chômage. »

Hans est reconnaissant à Maynes de l'avoir arrêté sur le chemin du calvaire, madame de Valréas met de côté l'histoire des mines et des bouteilles, Maynes poursuit, cela dit il vaudrait mieux construire des maisons, et des barrages pour apporter l'électricité à ces maisons, mais pour beaucoup de mes collègues ce serait déjà du communisme, le mot communisme madame de Valréas n'en a pas besoin, c'est toujours pareil avec Maynes, on le laisse parler et il devient incongru :

« John, on vous écouterait des heures, vous êtes un vrai génie de l'économie, mais il faut que vous nous pardonniez, Hans et moi nous avons quelqu'un à voir.

— J'y pense, dit Hans, accompagnez-nous, nous allons chez madame Stirnweiss. »

La baronne trouve l'idée excellente, emmener Maynes avec eux au bout du couloir, Stirnweiss va adorer, et je sais bien que tu n'oseras jamais aller dans la suite de Stirnweiss sans ta femme, grand pendard d'économiste, tu aimerais mais tu as peur de ta dulcinée, tu te ferais hacher sur place plutôt que de venir avec nous, elle renchérit :

« Venez donc, John. »

À nouveau la voix dans le couloir, *Nun hast du mir,* tu m'as fait ma première peine, *la ré ré ré,* elle répète les premières mesures, la douleur, plus de rubato que jadis, mais pas de trémolos, Hans a l'impression que le chant frise par instant le trémolo, tu es injuste, le trémolo c'est toi qui en fais, elle, elle chante, elle a changé, un pseudonyme, mais c'est elle, Maynes a disparu, Hans et la Valréas sont à quelques pas de la porte, Hans demande :

« Cette extrémité de couloir, à quoi correspond-elle ? c'est la fin d'une aile n'est-ce pas ? l'aile nord ? je me souviens que l'aile nord donne sur un précipice, vingt mètres de bâtiment prolongés au-dessus du vide, une folie.

— Je n'en sais rien Hans, et puis pas vingt mètres, vous exagérez, et c'est soutenu par des équerres d'acier enfoncées dans le granit, bien plus solides que la tour Eiffel, et la vue est éblouissante, ce n'est pas un paysage qui se dorlote mais nous sommes au cœur des grandes Alpes que diable, des montagnes jeunes.

— Je suis sûr, madame la baronne, que ces chambres donnent sur le vide. »

Dès le début, dans l'hôtel, tout a circulé à grande vitesse, idées, regards, forces, paroles, dans les salles et les couloirs, sur les terrasses, au dancing, sur les chemins alentour, dans les chambres, au village aussi où l'on descendait parfois par le seul moyen d'accès permanent quand la neige encombrait la nouvelle route, le téléphérique à cabines jaune et noire, forces et rythmes, on ne parle pas à l'apéritif de la même façon que pendant les séances proprement dites, à l'apéritif ou au salon c'est la vitesse qui compte, on lance des mots en avant pour lever les pensées, on ne laisse pas aux pensées le temps de se déployer, on les tire comme des pintades, ce que nous voulons c'est l'abolition de la propriété privée, votre communisme c'est la misère pour tous avec des miradors, vous avez vu en première page cette photo de Venise ? tous les canaux pris dans la glace, c'est fou, les miradors c'est à cause de la guerre et la guerre c'est vous et votre acier, au congrès météo de Prague on parle d'un refroidissement de nos climats, où en est cette histoire de colonel qu'on a arrêté à Londres comme un malfrat ? un héros de la grande guerre, un Australien, cette époque est ignoble, l'Europe doit retrouver cette supériorité ethnique qui a fait sa force, le point Neuville c'est l'avenir de l'organisation du monde, une organisation qui ne sera ni capitaliste ni socialiste.

Elle sera scientifique tout simplement, c'est une crise de la culture, rien ne se fera sans retour à Dieu, pour sortir de la crise il faut de grands travaux publics, l'idée de Dieu n'est que le signe de la paresse de l'esprit, l'oppression vient de l'État, si l'État dépérit l'oppression dépérit, et entre-temps vous faites quoi ? certains parlent en regardant une jeune fille qu'ils croient prête à tout parce qu'elle s'est fait de longs cils, le fascisme est la forme absolue de la démocratie, d'autres regardent les mains d'un jeune homme, un affrontement de concepts, jamais de purs concepts, des concepts avec du pouvoir, de l'argent, des emplois, des rougeurs, des intérêts, des bénéfices, même le dévouement a son bénéfice, c'est quand les passions s'y mettent que la terreur entre en jeu, il faut beaucoup de sang pour que les hommes reviennent à leur froideur ordinaire, ça c'est une formule d'Édouard, plus loin on entend vous croyez vraiment que le spinozisme soit d'actualité ?

Parfois un cercle plus calme, après dîner, avec Maynes encore, l'une des vedettes du *Waldhaus*, très entouré, un livre célèbre sur les conséquences économiques des traités de 1919, des conséquences catastrophiques, il est riche, il défend le capitalisme, de façon très rusée, le jeune Lilstein lui a lancé *le communisme c'est les soviets plus l'électricité,* il a répondu en rappelant Edison *je vais rendre l'électricité tellement bon marché que seuls les riches pourront se payer des bougies,* il a dit à Lilstein à ce jeu-là vous perdrez toujours.

Cela n'empêche pas Maynes de haïr l'or, l'étalon-or, idées reçues, valeurs établies, il est en aimable conflit avec ceux qu'il appelle les petits boulangers du laisser-faire, oui, ces gens-là n'aiment pas la dépense publique, le déficit créatif, ils veulent un marché à l'état pur, le renard libre dans le poulailler libre.

« Pourquoi les petits boulangers ?

— Les petits boulangers, dit Maynes en regardant Lilstein d'un air rieur, c'est à cause des petits pains, les libéraux racontent tout le temps une histoire de petits pains, ce n'est pas le travail qui fait la valeur, vous avez très faim vous êtes prêt à payer très cher votre premier petit pain, belle croûte dorée, intérieur moelleux, tiède, mais plus vous êtes rassasié moins vous acceptez de payer, vous arrivez à la marge, l'utilité marginale du petit pain, poursuit Maynes, c'est cela sa valeur, une valeur relative, celle qui va venir croiser l'utilité d'un autre bien, le journal par exemple que jusque-là vous aviez refusé d'acquérir parce que vous pensiez d'abord à votre estomac, pour les petits boulangers c'est cela qui fait la valeur d'un bien, c'est un peu excessif mais ça va permettre de mettre enfin la valeur en équations. »

C'est là que Lilstein s'est emporté, équations d'escroquerie, la vraie valeur c'est le travail du producteur, donc de l'ouvrier, et l'un des assistants de Van Ryssel le traite de bolchevik, l'égalité dans l'esclavage. Le jeune Lilstein est maladroit, malpoli mais les femmes l'adorent, un Chérubin d'un mètre quatre-vingt. Vous trouvez vraiment ? Chérubin ? il n'est pas si mal, ma chère, mais c'est un grand poulain, un grand poulain osseux. Lilstein est très brusque, parole sans appel, votre valeur relative c'est le masque de l'exploitation.

Maynes a fini par dire en aparté à Lilstein :

« Je partage une bonne partie de vos vues sur l'exploitation des travailleurs, mais s'il y a une vraie guerre sociale comme en URSS, cette guerre me trouvera du côté de la bourgeoisie cultivée. »

Il se voit offrant sa poitrine aux balles du jeune Lilstein, ou le visant lui-même, cette image le rend plus amoureux de l'adolescent et il remarque qu'un autre homme aussi regarde Lilstein, c'est Édouard, il était là, Cadio regarde Édouard.

Édouard regarde aussi le jeune Tellheim, un invité personnel de la Valréas, un être discret, petite voix, gestes calmes, taille moyenne, arrondie, c'est un disciple d'Einstein.

Madame de Valréas l'a accueilli en lui disant mon cher Tellheim il est temps que mon petit monde se mette à la relativité, j'ai beaucoup aimé vos articles du *Globe*, quand vous racontez ça devient très simple, votre train blindé par exemple, avec les canons de la même tourelle qui tirent en même temps, l'un vers l'avant et l'autre vers l'arrière sur des cibles placées à la même distance, c'est bien cela ? et pour des chronométreurs installés sous chaque cible, madame de Valréas ralentit le débit de ses mots, vous voyez j'ai bien retenu, lance l'index vers la droite, l'obus tiré vers l'avant mettra moins de temps à toucher la cible, lance l'autre index vers la gauche, que l'obus tiré vers l'arrière, c'est épatant, vous nous raconterez aussi les ascenseurs, mais pas ce soir, pas avant de dormir ça me fait peur.

Le jeune Tellheim est génial et gentil, c'est rare ce mélange, Lilstein est fasciné par Tellheim qui n'a que quelques années de plus que lui mais les gens le regardent comme s'il avait déjà un prix Nobel, et Tellheim aime bien Lilstein, sa passion de vouloir l'avenir des gens.

Il trouve les idées de Lilstein simples mais belles, il se promet de mieux lire Marx, pour le moment il n'a pas trop le temps, je m'occupe de la structure de l'atome, je suis en correspondance avec monsieur Niels Bohr, mais dès qu'il aura un moment Tellheim lira le livre que Lilstein lui a prêté sur l'État et la révolution, il a dit à Lilstein pour moi la société communiste c'est comme un grand laboratoire de gens libres.

Lilstein et Tellheim se promettent de se revoir cet été à Berlin, à la piscine, un jeune philosophe chrétien, Moncel, s'empare de la parole, la science est comme une clairière dans la sombre forêt du mystère, l'homme élargit sans cesse le cercle qui borde cette clairière, mais en même temps, et par cela même, il se trouve en contact sur un plus grand nombre de points avec les ténèbres de l'inconnu.

« Max, demande madame de Valréas sans regarder Moncel, qu'est-ce que vous préférez ? Les petits pains ou les canons du train blindé ? »

Elle n'attend pas la réponse :

« Max, soyez gentil, racontez-nous vous aussi une histoire sur la relativité. »

Et Max ne supporte plus ces salonneries, en ce moment il devrait être aux *Six Jours*, avec ses amis les écureuils pistards, Grassin, Boucheron, Wambat, l'odeur d'embrocation, d'éther, de couchette sale, de frichti et de parfums de dames, Wambat qui lui disait l'an dernier : *les* Six Jours *ça me fait maigrir des fesses*.

Max va aussi rater France-Angleterre, il reste poli, souriant et réticent.

« Tellheim fait ça bien mieux que moi, chère baronne.

— Non ! À vous, vilain, sinon je vous transforme en crapaud.

— C'est un troupeau de moutons qui...

— Max ! Le troupeau de moutons et le tir d'artillerie pendant la guerre vous me l'avez déjà raconté l'an dernier et ça n'a rien à voir avec la relativité. »

La main de la Valréas est lancée paume en avant en direction de Max, de longs doigts en patte d'araignée.

« Chère baronne, c'est un troupeau de moutons mais pas pendant la guerre, pas de canon, un troupeau, une hyène, et plein de relativité, l'hyène tourne autour du troupeau, sale bête, les moutons se paient sa tête d'hyène, elle se rapproche, le poil en balai-brosse, grogne, montre les dents, mauvaise haleine, les béliers cornes basses, elle recule, les moutons lui chantent en cadence *ah la menteuse elle est amoureuse*, l'hyène va voir ailleurs, trouve un cadavre de vieux loup, de quoi manger pendant quelques jours, et ça lui donne une belle idée, elle se met la peau du loup sur le dos et file régler ses comptes avec les moutons, panique dans le troupeau, au loup ! au loup ! »

Les gens se rapprochent en entendant les cris, c'est Max, le reporter français, il est drôle, il raconte une histoire d'hyène déguisée en loup.

Max tourne le dos à la cheminée, pas celle de la bibliothèque mais celle du bar, une cheminée d'avant-garde, en plein milieu de la salle, une vasque en béton de trois mètres de diamètre surmontée d'une hotte circulaire en acier brossé, du métal d'aviation, avec un rideau pare-feu à petites mailles d'acier qui tombe de la hotte en entourant la vasque, un grand brasero plutôt qu'une cheminée, ça a de la gueule mais on ne peut plus s'accouder à la Chateaubriand pour raconter, on n'est plus le centre du tableau, il y a de petits centres partout à trois cent soixante degrés autour du brasero, des cercles adjacents, les gens vont de l'un à l'autre, les cercles diminuent, grossissent en fonction de l'intérêt.

Max veut toujours avoir le plus gros cercle, il crie, au loup ! les moutons détalent, un jeune bélier crie chef c'est pas un loup, chef, écoutez bien, c'est pas du loup, c'est du piaulement d'hyène, rien qu'une hyène déguisée en loup, chef, pas besoin de courir, de faire tourner le lait des femelles, rien qu'une hyène, ça se traite à coups de cornes, il veut ralentir, le chef l'engueule, Max fait aussi le chef, il agite les bras comme un coureur, cours, crétin, mais chef, cours j'te dis, tout le monde sait que c'est une hyène mais ça lui fait plaisir, et pendant ce temps-là les loups nous foutent la paix, mais chef les loups aussi savent que ce n'est qu'une hyène, justement, petit, ils ont horreur des hyènes, elle fait semblant, on fait semblant, tout le monde est content, et en même temps on s'entraîne à courir au cas où on se retrouverait avec un loup, mais chef moi je peux lui faire son affaire à cette hyène, un bon coup de corne, je vais lui apprendre ce qu'il y a sous la peau d'un mouton, eh bien vas-y dit le chef, elle aussi elle va t'apprendre quelque chose, Max se tourne vers les braises de la cheminée :

« Je n'ai pas encore réussi à trouver la bonne distance, voix nostalgique, vous trouvez que c'est mieux qu'une vraie cheminée avec chenets, manteau, tablette et plaque en bas relief ? Ce qui est amusant c'est qu'on peut regarder à travers le grillage d'acier, on voit les dames de l'autre côté, à travers les flammes.

— On peut aussi voir les messieurs, Max.

— Oui, mais moi ce sont les dames qui m'intéressent, avant on regardait les flammes en compagnie de la dame.

— Maintenant, mon petit Max, vous terminez votre histoire !

— À vos ordres, baronne : vas-y, dit le chef bélier au jeune bélier, elle va t'apprendre qu'il y a pire que les hyènes déguisées en loups, crétin ! Le pire c'est le mouton qui se croit déguisé en mouton ! »

Silence gêné dans l'auditoire, on guette madame de Valréas, son air bougon.

« Max je ne vois pas en quoi cette histoire a un lien avec la relativité. »

Un Polonais se glisse au premier rang, l'épaule de biais :

« Moi je vois très bien, cette histoire c'est un symptôme.

— Alors si c'est un symptôme, ça change vraiment tout », dit madame de Valréas.

De l'œil elle épluche le Polonais, puis s'éloigne de la cheminée.

« Non, attendez, madame la baronne. »

Le Polonais a peur d'avoir contrarié madame de Valréas, la voix est suppliante, mêlée d'une hargne qu'il voudrait diriger vers Max :

« C'est vraiment un symptôme, le symptôme du relativisme moral, des lâchetés rationalistes dans lesquelles l'Europe s'enfonce depuis le XVIIIe siècle, la relativisation généralisée des valeurs contre quoi... »

Max soutient le regard du Polonais, le coupe, un ton plus haut :

« M'étonne pas que ça vous déplaise le mouton hâbleur, depuis que vous êtes gouvernés par...

— Messieurs je vous en prie, nous sommes entre amis », soupire madame de Valréas.

Elle prend leurs mains.

Le Polonais sourit, baise la main de la baronne, ce Max est bien ce qu'on m'a raconté, chargé de saper la réputation de notre Pologne régénérée, il s'énerve dès qu'on dénonce leur relativisme moral, un agent franco-bolchevique, espion athée, dégrade toutes les valeurs, Max sourit à madame de Valréas, la baronne met la main de Max dans celle du Polonais, elle est contente, on lui raconte des histoires amusantes, les idées s'affrontent mais les gens se serrent la main, c'est la semaine de sa vie, autour d'elle il y a des Français, des Allemands, des Italiens, des Anglais, des Luxembourgeois, des Polonais, deux kilts écossais, des socialistes, presque toutes les nationalités d'Europe, des pacifistes, un général, des agrariens, des libre-échangistes, des fédéralistes et des nationalistes, un bouddhiste, des suffragettes, des chrétiens, des marxistes, des coloniaux et des conservateurs, des adolescents et des émancipateurs, des matrones, des contempteurs de la technique, un physicien, des économistes et des sidérurgistes, il n'y a pas de communistes au sens strict du terme mais certains des intellectuels présents sont en accord avec ce qui se passe à Moscou, c'est madame de Valréas qui les a invités, il faut les faire parler, savoir ce qui se prépare à Moscou, sinon leur révolution viendra nous tordre comme une colique.

Il n'y a pas de nazis non plus, parce que ce parti est déconsidéré, marginalisé, avec douze pour cent des voix il pèse de moins en moins dans la vie politique d'une république de Weimar qui retrouve enfin en ce début 1929 le chemin de la prospérité, madame de Valréas fait attention à mettre en vedette certains des participants, Neuville, bien sûr, mais sans oublier Wolkenhove, Kurt Wolkenhove, il est né au Japon, il a été élevé en Bohême et à Vienne, il dirige un mouvement qu'il a très simplement appelé *Europa*, c'est la grande idée du siècle, construire l'Europe, Aristide Briand préside le comité français d'*Europa*.

Wolkenhove est un ami de madame de Valréas, elle tente depuis quelques mois de le rapprocher de ses amis industriels, les idées c'est très bien mon petit Kurt, mais il faut savoir les appuyer sur des choses tangibles, si vous réussissez à convaincre les gens du cartel de l'acier et leurs banquiers, l'avenir de notre mouvement européen est assuré, madame de Valréas aime également beaucoup Hans, il a une passion, réconcilier la France et l'Allemagne, c'est lui qui a dit un jour *nous sommes tous nés en France*, il a remercié publiquement madame de Valréas, grâce à vous la pensée européenne va pouvoir réaliser le haut enseignement de Kant, il faut faire attention avec Hans, ne pas lui parler du cartel de l'acier, Hans pense aux peuples, il risque de ne pas être d'accord, il faut pourtant qu'il accepte la présidence du Comité pour les États-Unis d'Europe qui doit naître à la fin du *séminaire*, il est si inconstant, si difficile.

Hans a trouvé Elisabeth Stirnweiss très sympathique, il ne l'avait jamais vue, une blondinette jeune et ronde, nez retroussé, elle était en pleine répétition mais elle a accueilli Hans et la baronne avec joie

« Je vous présente Werner, mon pianiste, c'est aussi mon mari, et mon producteur, et mon intendant, et mon professeur, nous ne sommes d'accord sur rien, nous allions nous disputer, il trouve toujours que je suis trop sentimentale, il voudrait que je chante comme en répétition, mais le chant c'est la vie, c'est fait pour exprimer quelque chose, jusqu'aux larmes, si je mets des larmes il dit qu'il pleut dans ma voix, je trouve ça odieux, oui, je suis plus mezzo que soprano, c'est assez récent, on ne sait jamais ce qui se passe dans une voix. »

Hans a félicité Elisabeth Stirnweiss, le mari a trouvé Hans très intimidant, il a profité du départ de la baronne pour aller se dégourdir les jambes, en fait il va fumer un cigare, a dit Elisabeth Stirnweiss, je lui interdis de fumer quand nous travaillons, il ne supporte pas, mais je supporte encore moins son tabac, c'est à celui ou celle qui supporte le moins, je suis une de vos admiratrices, et moi je suis en train de devenir un de vos admirateurs, Hans ne pense pas tout à fait ce qu'il dit, il trouve qu'il n'y a pas assez de pensée dans ce que fait Elisabeth Stirnweiss, mais il dit pourtant à la jeune femme qu'il est en train de devenir un de ses admirateurs, c'est reposant de dire des amabilités à une artiste, et tant pis si on finit par les penser.

« Tout est donc bien, dit Stirnweiss dont la gorge rosit par endroits, parlons de choses gaies. »

Hans a pu assister à une après-midi de répétition dans la chambre d'Elisabeth Stirnweiss, elle chante sans se poser de questions, Hans trouve cela reposant, elle a un corps aux formes pleines et douces, quand elle respire on dirait qu'elle s'offre.

Le soir ils se sont retrouvés à la table de madame de Valréas, avec Briand à la place d'honneur, Max, le couple Maynes, la fille Valréas, elle s'appelle Frédérique, elle a fait un tour de passe-passe, elle s'est retrouvée placée à côté de Hans, madame de Valréas est assise à la gauche de Briand, Briand regarde en direction d'une table, la deuxième au fond, à côté du grand papyrus, madame de Valréas lui dit :

« Vous regardez le professeur Merken ? Je veux vous inviter à prendre le thé avec lui, un abîme vous sépare, je veux combler cet abîme. »

Hans est assis à gauche de madame de Valréas, Max et Maynes leur font face, Briand a regardé Merken, puis il s'est lancé dans un éloge de l'Angleterre, il aime provoquer son hôtesse, il parle avec nostalgie de ce qui aurait pu être, Max connaît son Briand par cœur, il attend le fromage et la salade, le changement de vin, un bourgogne 1911, Briand regarde l'étiquette, se laisse aller, choisit un chèvre et un peu de camembert pas trop fait, Max fait l'éloge de madame de Valréas, je suis sûr que vous saurez rapprocher le président et le professeur, les femmes sont toujours du côté de la réconciliation et de l'unité, la Valréas sait rougir juste ce qu'il faut, Briand laisse échapper :

« Pas toujours, pas toujours. »

Sourires, Briand se sert une belle part de salade, la goûte, porte son verre à ses lèvres.

Autres sourires, mélanger la salade à du bourgogne 1911, un vrai sauvage, non, chère baronne, les femmes ne sont pas toujours du côté de la réconciliation, et je ne pense pas seulement à la galanterie, qui va toujours de pair avec la magnificence, la main droite parcourt l'espace, désigne toute la table, Hans se dit que Briand a les bras plutôt courts, chère baronne, la Valréas est une baronne républicaine, elle n'a que faire de son titre, surtout quand c'est Briand qui le lui donne, mais quand même, l'étiquette, les couverts en argent, des couverts au monogramme des Valréas, apportés jusqu'ici par les gens de la baronne pour que tout soit décent, Briand est tassé sur sa chaise, avec l'âge il a parfois l'air d'un bossu, mais il ne s'affaisse pas, il est mal fagoté, si les ongles sont propres c'est que Max l'a vu les nettoyer dans l'ascenseur avec une carte de visite, Briand est content que la baronnie ne soit plus qu'un monogramme sur des fourchettes et la baronne en souffre, l'essentiel est que le titre reste dans la conversation.

« Pas toujours, répète Briand, notre Max est un démagogue, Max cherche le sourire des femmes, il en fait des réconciliatrices, mais il a tort. »

Belle voix de Briand, ample, il fait comme les chanteurs, il pense le son de la voix en avant de son visage, avec du clair-obscur, et en l'écoutant on oublie tout, les femmes ne sont pas toujours du côté de la réconciliation, il ne s'agit pas seulement de galanterie, je pourrais, ajoute Briand, raconter quelques histoires de ménades musiciennes qui ont des façons peu galantes de traiter leurs amants, mais passons, je pense surtout à la politique, toujours la politique, où les femmes peuvent être de vraies causes de catastrophe, sourire de Briand à la baronne qui se demande où le président Briand veut en venir, elle sait qu'il est son ami, elle sait aussi qu'il est capable de tout pour un bon mot.

Max a lancé son Briand, il n'aimerait pas être à la place de la baronne, elle a besoin de Briand, elle sourit à Briand pour lui montrer qu'on l'écoute, et dans un morceau de ce sourire il y a aussi l'idée que prendre de la salade avec un bourgogne cela ne se fait certes pas, au moins dans les manuels pour jeunes épouses, mais un Briand peut se le permettre, à condition de faire ça devant une Valréas, qui en a vu d'autres, cette idée de réunir Merken et Briand autour d'une tasse de thé n'est pas si intéressante, l'anglophilie de Briand.

« Je suis sérieux, dit Briand, les femmes et la catastrophe, je parle du passé, de l'Histoire, Jeanne d'Arc par exemple. »

Un silence, même Max se tait, madame de Valréas dit avec un petit rire de dents :

« Il y a quelques années que je ne suis plus tout à fait comme Jeanne d'Arc, cher président. »

Et Briand se lance, voix ample, le tragédien :

« Elle aurait dû rester dans sa prairie la Jeanne, à compter

ses moutons, à filer leur laine, au lieu de jouer à la guerrière !
On aurait eu de beaux mariages Plantagenêt, un royaume
franco-anglais, un royaume invincible, qui aurait tenu l'Europe en paix pour les siècles des siècles, ah, l'engeance des
vierges ! »

Briand tourné vers madame de Valréas tout en montrant
Max de sa fourchette :

« Et vous savez, la salade, je ne suis pas un sauvage, c'est
mon gastronome préféré qui a préparé la sauce en cuisine,
une sauce Goffard, c'est comme ça qu'on l'appelle désormais,
Max a mis ça au point l'hiver dernier, une sauce de salade
faite pour tenir avec du rouge : huile d'olive, huile de noix,
un vinaigre maison de très bon vin, sel marin, poivre doux,
moutarde de Strasbourg aux herbes fines, une lamelle
d'Emmenthal, un cœur d'artichaut.

— Un quart de cœur, dit Max.

— Va pour un quart ! »

Briand tient une feuille de salade et un petit morceau
de camembert au bout de sa fourchette, et n'oublions pas
le jaune d'œuf, sauce épaisse mais onctueuse, ça rehausse la
laitue, il fait tourner la fourchette à hauteur de ses yeux, ça
relance discrètement le fromage, de la main gauche il lève son
verre de vin, et avec le vin ça se contente d'accompagner,
encore bravo Max !

Derrière Briand, à une autre table, une petite, dans un
coin, deux hommes plongés dans leurs assiettes, ils parlent
sans même se regarder, Maynes les regarde, demande à Max
vous les connaissez ?

« Le grand, oui, dit Max, il s'appelle Münzenberg, Willi
pour les intimes, c'est-à-dire pour beaucoup de monde, il est
partout, à Paris, à Berlin, à Londres, ça m'étonne que vous ne
le connaissiez pas, c'est un homme capable de vous réunir
deux mille têtes et non des moindres en quarante-huit heures
dans un cinéma ou un music-hall à condition que ce soit
contre le fascisme ou pour défendre la Russie bolchevique.

— Un agent de Moscou ?

— Oh, c'est plus élégant, un homme de bonne volonté, un compagnon des grandes causes, un artiste, il est capable de créer un excellent journal en quarante-huit heures, ou de financer un film, il a le propos très libre, dit qu'il ne comprend rien à ce qui se passe en ce moment chez les Soviets, je ne connais pas l'homme qui est avec lui. »

Münzenberg a relevé la tête, il a regardé Max et Maynes, Max lui a fait un petit signe de la main.

L'homme qui est assis en face de Münzenberg lui dit ce séminaire m'ennuie mon cher Willi, vous avez raison camarade Vaïno, ces capitalistes et leurs chiens de garde sont ennuyeux, mais il y a ici deux ou trois jeunes gens qui devraient vous intéresser, l'un d'entre eux surtout, très convaincu, il veut la révolution, il est très cultivé, il ne fait pas son âge, dans deux, trois ans il sera très bien, il est déjà très bien, une petite tendance trotskisante mais d'après moi ça peut encore se soigner, je vous fais confiance, vous saurez lui demander de dénoncer deux ou trois saboteurs, il y a une jeune fille aussi, une philosophe, mais je pense qu'elle est moins convaincue, c'est la fille de la baronne de Valréas, notre baronne fasciste, plus tout à fait fasciste, je l'ai entendue dire plutôt les rouges que l'Amérique, cela peut nous intéresser, le mouvement international va avoir besoin de gens comme ça, la jeune fille a un tempérament très logique, elle vit chez Merken, le philosophe des ultra-conservateurs, mais elle devrait rentrer à Paris un de ces jours, elle n'aime pas le vieux monde, croyez-moi, ces jeunes gens sont pleins d'avenir, le jeune homme s'appelle Lilstein, enfin, je vous laisse juge, c'est vous qui déciderez, je veux dire les instances compétentes.

L'homme qui répond au prénom de Vaïno apprécie peu la réflexion sur les instances compétentes mais il n'en marque rien à Münzenberg, Münzenberg est un très bon animateur, il fait beaucoup pour la lutte contre le fascisme et Vaïno Vaatinen reconnaît sa valeur, il le trouve parfois désinvolte, Münzenberg lui a dit que c'était nécessaire à son travail, mais si on laisse trop longtemps Münzenberg loin de Moscou, à Paris ou à Londres il va se gâter, on devrait plus souvent le convoquer, vous savez qu'on nous observe ? oui, dit Münzenberg, c'est le Français, le journaliste assis à côté de Maynes, évitez-le, j'allais oublier, ajoute Münzenberg, il y a encore un jeune homme très intéressant, un physicien, un disciple de Niels Bohr, il est né en Prusse mais il vit en France, la mère fait de la couture, le père est ouvrier mécanicien, un jeune sans doctrine mais il a de vrais réflexes de classe, il s'appelle Tellheim, je l'ai vu blêmir quand ce Neuville a raconté l'expérience des deux ouvrières, quand il a développé son modèle d'organisation scientifique du travail, il a le culot de dire scientifique, mon jeune physicien l'aurait tué.

Neuville dans son canapé, le cercle des admirateurs autour de lui, bel exposé à voix lente, l'omniscience des riches, deux ouvrières, assises côte à côte, devant deux tas de stylos et deux présentoirs, le jeune homme est écœuré que Neuville en parle comme de cobayes, elles rangent les stylos verticalement dans les trous du présentoir, l'une prend une douzaine de stylos de la main gauche et les range un à un de la main droite dans le présentoir, quand elle n'a plus de stylos dans sa main gauche elle en reprend une douzaine qu'elle range de la main droite et ainsi de suite, le présentoir contient cinquante emplacements, quand elle en est aux deux tiers de sa tâche sa collègue a déjà fini et se détend, mains sur les genoux, elle n'a pas été plus rapide, mais pour le même rythme elle n'a pas rangé de la même façon, elle aussi a pris les stylos un à un dans le tas, mais des deux mains et en même temps, les deux mains ont fait la même chose au même moment, trajet direct du tas au présentoir sans phase intermédiaire, rationaliser, vous voyez elle a le temps de se détendre, avant elle travaillait dans le textile, elle faisait de la couture sur machine, des machines qu'on actionne avec les jambes, les pieds sur une plaque qui pivote pour actionner des poulies qui elles-mêmes entraînent le mouvement de l'aiguille, il paraît que le mouvement des membres inférieurs donnait des idées aux ouvrières, on leur mettait du bromure dans la nourriture à la cantine sans leur demander leur avis.

C'est quand Neuville a parlé du bromure en souriant que mon jeune physicien a voulu bondir, dit Münzenberg, je lui ai dit tout bas que l'indignation est un mauvais alcool, il a laissé Neuville pérorer, faire l'éloge du tri des stylos, sans bromure, oui, on pourra donc accélérer les cadences, pas trop fort au début, une mise au point, avec le même salaire puisqu'elles se fatiguent moins, encore plus de stylos et moins de main-d'œuvre, ou plus de quantité avec le même effectif, ou encore plus de quantité avec plus de cadence, je propose, poursuit Neuville, d'appeler ça une variable d'ajustement, comme les physiciens, Neuville sourit à Tellheim, nous devenons nous aussi scientifiques, l'organisation scientifique du travail il faut environ trois millions de moteurs pour trente grammes de chair humaine, ce qui fait deux milliards et demi de moteurs pour faire fonctionner une machine humaine, j'ai entrepris de calculer la valeur quantitative du travail de ces moteurs, si un ouvrier fait ce qu'on lui dit, comment soulever en cinq gestes, comment porter, comment marcher, quelle distance à chaque pas selon sa taille, comment poser en cinq autres gestes, sur quel rythme revenir, prendre à nouveau, on peut passer d'un rendement de douze à quarante-sept tonnes d'acier par jour, de douze à quarante-sept ! trois cents pour cent de gain, on met des caméras qui enregistrent les gestes, on fixe des lampes aux poignets, à toutes les articulations, on sous-expose la pellicule et on obtient un film avec l'épure des mouvements du travail, le système peut être mis en place en trois semaines, mettre la fatigue en équations, apprendre à calculer, je suis arrivé aux États-Unis en 1906, avec moins d'un dollar en poche, en même temps qu'un million de personnes. Je suis aujourd'hui l'un des hommes les mieux payés du monde.

Neuville raconte aussi son expédition dans le Grand Nord canadien, cinquante-trois cow-boys payés quatre dollars par jour, cent trente-trois chevaux, dont un pour transporter soixante-cinq kilos de chaussures des dames, tout l'équipement d'une vraie expédition dans un pays qui n'a pas encore de vraie carte, des tables en aluminium dernier cri, les verres en cristal, les casseroles françaises, cent quatre-vingts kilos de livres dont *Guerre et Paix*, quelques kilos de foie gras, et le fin du fin, cinq chenillettes ultramodernes, il y en deux qui sont tombées en panne, irrécupérables, j'ai organisé une séance de prise de vues pour nos caméras, une piste à flanc de falaise, on a fait plonger les deux chenillettes dans le ravin, on a vendu les images beaucoup plus cher que le prix des chenillettes, c'est la communication qui compte aujourd'hui, c'est avec la communication qu'on va pouvoir marier le capital et le travail, et avec les points Neuville.

*

Le mardi, troisième jour du *séminaire*, à l'heure du café sur la terrasse, soleil, drapeaux qui claquent, on joue avec une lorgnette fixée à la rambarde, cinq centimes les trois minutes, on se regroupe juste à côté, autour de la table d'orientation, on lance des morceaux de pain ou de cake à quelques choucas, d'énormes choucas d'hôtel suisse, au loin vers le nord-est c'est le col de la Géhenne.

« Je vois un point rouge », dit Max.

L'œil attiré par le point rouge distingue aussi un mouvement de serpentin blanc, la trace d'un mouvement sur la pente, un blanc moins vif que la neige.

« C'est l'armée, précise Merken qui a sorti ses propres jumelles et regarde aussi vers la Géhenne, l'armée suisse, anoraks blancs, chasseurs alpins, pantalons blancs, skis blancs, ils viennent sans doute de Davos. »

À la lorgnette Max finit par distinguer maintenant une belle file régulière, blanc cassé sur le blanc éblouissant de la neige, avec un serre-file en rouge vif, ils sont encore très loin, un serpentin et un point rouge, Max prend un ton réjoui :

« Mesdemoiselles, voilà de la jeunesse athlétique qui nous arrive à ski, tout en blanc, avec un bel officier rouge. »

Un peloton entier, courbes appliquées du peloton, l'officier est plus à l'aise, ses courbes sont plus amples, le bonheur de la grande descente, aucun heurt, de purs virages Telemark, Merken parle à Moncel, il a rangé ses lunettes, personne n'ose les lui demander, Moncel fait de temps en temps oui de la tête, la relation heureuse, le plaisir de glisser, des corps en mouvement qui s'incorporent l'espace en lacets, la neige vierge, l'espace qui provoque, c'est pour cela que j'aime skier, dit Merken, se faire de l'espace, et ces mots ne sont pas exacts, on ne se fait pas d'espace, c'est plus angoissant, euphorique et angoissant, on découvre que l'espace persiste quoi que nous fassions, le moment où il n'y a plus de but, ça s'ouvre.

Max reste plongé dans sa lorgnette, l'armée suisse qui met ses officiers en rouge, vous savez, il va falloir qu'on leur explique, nos tout premiers mois de Grande Guerre, trois cent mille et quelques morts, notre riche expérience devrait servir à quelque chose, encore un de ces types qui veulent mourir debout très vite avec de vraies blessures, j'entends déjà le chef de tir, visez bien la tache rouge, un bon skieur de moins, je ne saurai jamais skier comme ça, il me fait penser à mes officiers de dragons, Max regarde encore un moment, Bournazel aussi, on ne sait pas s'il est mort en rouge ou en gris, je suis sûr qu'il avait gardé son manteau rouge, pour la légende, Max laisse sa place à Elisabeth Stirnweiss, Stirnweiss le corps penché en avant sur la lorgnette c'est aussi un beau spectacle, qui ne dure pas.

Stirnweiss propose la place à Hans qui refuse poliment, vous êtes gentille mais ça me fait mal aux yeux, il retourne discuter avec la jeune Frédérique, la fille Valréas, il ne pense plus à Schumann ni au reste, il regarde cette jeune brunette qui parle de philosophie avec les cadences d'un reporter sportif.

Il y a deux jours Hans a eu une longue conversation avec
Max, il lui a avoué sa tentative de voyage sur le *Queen Mary*,
entre Le Havre et Southampton, un désastre, Max, j'ai eu le
mal de mer, je ne pensais plus à rien, surtout pas à Lena, mais
ça m'a remis d'aplomb, j'ai décidé de devenir adulte, fini les
dérivatifs, je ne rêve plus, et fini le journal à la Renard, oui,
un grand roman, sur la dégradation des valeurs, Max s'est
montré réservé, ça va faire du jus de concepts sur sept cents
pages, tant pis a dit Hans, et puis tu me corrigeras, à ce
moment-là une jeune brunette est venue embrasser Max sur
les deux joues en riant, Max a présenté Frédérique de Valréas
à Hans, quand je l'ai connue elle courait toute nue dans les
escaliers, Frédérique ne s'est pas fâchée, j'avais trois ans, et le
jour où ça vous arrivera, Max, je vous dénoncerai à mon tour.
     Depuis cette rencontre Hans et Frédérique ont bien eu
une demi-douzaine d'apartés, j'ai trente-huit ans, elle en a dix-
neuf, Lena a disparu, il va prendre la jeune fille par la main, ils
iront se promener en forêt, c'est elle qui lui prendra la main.

     Sur la terrasse Frédérique dit à Hans :
     « Vous m'écoutez, monsieur Kappler ? Je vous parle et
vous êtes ailleurs, ma mère m'avait prévenue, les auteurs sont
insupportables, on croit qu'on parle avec quelqu'un et il est
ailleurs, avec lequel de vos personnages êtes-vous en train de
vous promener dans ce bois ? Une jolie femme ? »
     Frédérique joue à celle qui est vexée, mais elle est ravie
d'avoir pris Hans en faute, il est pataud comme un ours en
peluche.

     C'est Max qui a de nouveau hérité de la lorgnette, Hans
et Frédérique s'éloignent du groupe, Max cherche cinq centimes, puis cinq autres, les mouvements sur la neige, le style
Bournazel, encore un qui slalomait sur les pentes, à cheval.
     Max propose de nouveau sa place à Hans qui refuse, à
Stirnweiss qui a subitement disparu, il replonge dans la lorgnette, Hans ! viens voir, très chouette, bel officier couleur de
sang, Hans est très occupé à l'autre bout de la terrasse, Max

appelle Tellheim, venez! résistance de la neige, angle de la pente, résistance de l'air, coefficient d'élasticité des corps, vous me calculez la formule de tous ces beaux zigzags, vous nous dites si le temps passe *relativement* plus vite pour eux que pour nous, Tellheim à la lorgnette, les gens s'amusent, tout est relatif, bel officier, Tellheim disparaît.

Et la bagarre a commencé, pas exactement ce qu'on s'attendrait à trouver derrière ce mot, un pugilat dans le caniveau, non, moins vulgaire, une rivalité de bonne compagnie, mais une rivalité de tous les instants, une lutte pour occuper l'espace, marquer les points, avoir le dernier mot, capter l'attention.

Ça a commencé en contrebas, devant l'entrée de l'hôtel, l'arrivée du groupe de chasseurs alpins, quand mademoiselle Stirnweiss a aidé Lena Hellström à enlever son bel anorak rouge.

Elle lui a dit je ne comprends pas comment vous faites, je n'oserais jamais faire de telles excursions, une demi-heure dans ce froid et j'ai une meute de chats dans la gorge, une promenade à skis pour moi c'est une faute professionnelle, vous, vous mettez un anorak rouge, vous prenez vos planches, vous partez dix heures en montagne avec des chasseurs alpins et ça ne vous fait rien, au moins dix heures de randonnée, Hellström vous êtes un danger public!

Tout le monde regardait, Tellheim s'est demandé si Max savait quelque chose quand il a dit à Hans *très chouette*, puis il s'est dit je la veux, peut-être qu'il ne s'est même pas dit cela, que son corps s'est simplement déplacé pour se trouver sur la trajectoire de cette grande femme aux cheveux roux, descendre de la terrasse, aller jusqu'à l'endroit où les militaires sont en train de déchausser, être là, être pris d'une colère inexpliquée contre Lilstein qui se trouve devant lui on ne sait comment, et devant lui il a aussi Max, et même Hans, parce que Frédérique de Valréas sait vivre, on ne laisse pas un homme regretter d'être avec vous, même un tout petit regret, on le prend par le bras, comme un vieil ami, un oncle, venez, quinze athlètes, vous serez mon alibi, elle l'emmène vers la nouvelle arrivante, sans aigreur dans la voix, venez, Hans.

« Non, a dit Lena Hellström à son amie Stirnweiss, pas dix heures d'excursion mais trente, trente heures, nous sommes partis hier matin, un détour par le col de la Hirschkuh, nous avons fait un igloo devant le refuge, nous avons passé la nuit dans un grand igloo, le froid suisse est très clément, un froid pour touristes, ce n'est rien à côté du Montana, j'ai dormi avec quinze hommes.

— L'armée a accepté de vous emmener ?

— J'étais en mission.

— Vous vous moquez de moi, a dit Stirnweiss.

— Non, une vraie mission, j'ai étudié l'effet des berceuses de Mozart sur le sommeil des chasseurs alpins en patrouille, je leur ai chanté du Mozart à la veillée dans l'igloo, une seule lampe à huile, tous ces hommes, ils m'ont appris des chants de montagne un peu rudes, c'était très bien, soyez gentille Elisabeth, je ne peux plus faire un pas, pouvez-vous me commander un bain chaud, dites à la gouvernante que je veux un immense bain chaud, bonjour Hans ! »

Hans ne tremble pas, il est d'un calme qui l'étonne lui-même, il dit gentiment :

« Que je suis heureux de vous revoir ! *Madame Hellström* ?

— Oui, Hans, c'est mon vrai nom, de jeune fille, l'autre, Hotspur, c'était un pseudonyme. »

Et déjà Tellheim coupe la conversation, vous skiez admirablement, et Lilstein ne dit rien mais c'est lui que Lena regarde, et Max dit :

« Je suis sûr de vous avoir déjà vue.

— Moi aussi, dit Lena, vous avez un visage qu'on n'oublie pas.

— Dites des oreilles, vous reconnaissez mes oreilles ?

— Vos amis vous appelaient Max, 1926, Paris, la grande brasserie, la *Brasserie de la Paix*, vous me regardiez dans le jeu de miroirs et moi je vous écoutais raconter une épouvantable histoire de marchands d'acier, ne faites pas le surpris, c'était ma période brune aux yeux bleus, vous jouiez avec un verre et des morceaux de sucre, vous faisiez rire vos amis et vous aviez des larmes dans la voix, j'ai failli venir à votre table mais il paraît que cela ne se fait pas, c'était à vous de venir me parler ! »

Lena se tourne vers Hans :

« Les hommes osent rarement se déplacer. »

Et Lilstein, Tellheim, les autres personnes présentes font un petit cercle autour de Lena, elle se débarrasse de son bonnet, secoue la tête, libère une belle masse de cheveux lourds, Lilstein se dit que c'est la femme de sa vie, Hans présente Frédérique à Lena, regards en demi-cercle, en coin, tournoi de regards, à un moment Lena Hellström a crié John ! et elle a plaqué un gros baiser sur la joue de Maynes, Paris, dix ans déjà !

Tellheim s'aperçoit que quand Stirnweiss regarde les hommes ils se sentent beaux et nonchalants mais qu'ils redressent leur silhouette pour parler à la belle skieuse aux cheveux roux, madame Maynes sourit à Lena Hellström et caresse la joue de son mari.

Merken est resté sur la terrasse en compagnie de Moncel, ils continuent à parler d'espace, un Merken lyrique, glisser, laisser miroiter ce qui est libre, la pente heureuse, l'espace dispensateur de l'être, Merken jette un regard en contrebas vers les skieurs, laisse échapper une remarque qui surprend Moncel, sur les animaux et les femelles.

*

L'antithèse de Merken dans ce séminaire c'est le maître de la philosophie classique, Regel, l'homme qui avait le plus de *self control*, Merken est un sanglier, Regel a des allures de héron au long cou, fragile et vif, un matin les gens s'attardent un peu au salon avant de se répartir en séminaires, Regel entre en chantant :

« Prom'nons-nous dans les bois pendant que le loup y est pas, prom'nons-nous dans les bois... »

On ne croyait pas Regel capable de jamais blaguer, et il se met à parler à tout le monde et à personne en haussant le ton, en criant :

« Aaah, l'infamie, l'infamie et son cortège de fauves qui se déguisent pour mieux sauter à la gorge des naïfs. »

Regel bras vers le haut, la tête baissée :

« L'infamie, et pire que l'infamie, le moment où l'infamie se découvre au lieu de nous laisser jouir encore un peu de nos rêves après qu'elle nous a laissés si longtemps les forger, nous savons tous ce qui va se passer, et nous voudrions rêver ! »

Il chante à nouveau :

« Loup y es-tu ? Que fais-tu ? »

Les gens présents ne comprennent rien, la jeune Frédérique a le premier réflexe, Regel ne voit plus les meubles, attention, il va se faire mal ! On n'ose pas retenir Regel, poser la main sur lui, alors tout le monde se met à écarter les chaises, les tablettes, les fauteuils qui pourraient se trouver sur son chemin, Regel avance sans voir, droit devant, comme un palet de curling dont on dégage le parcours pour qu'il aille plus vite. Il répète :

« Loup y es-tu ? Que fais-tu ? Tu parles, ça fait longtemps qu'il est parmi nous, le loup. »

Il montre le mur du fond de la bibliothèque, un endroit sans étagère, avec du papier peint :

« Le loup, le plus ignare des gosses aurait depuis longtemps repéré ses oreilles dans le feuillage qui sert de décor à nos récréations, ah, les belles danses sans infamie ! les rondes, les fleurs et les idées, quand la brise amicale emplit l'espace de beaux concepts, l'infamie, et la belle accolade entre amis ! »

Regel s'est mis à valser :

« *Ich hatt' einen Kameraden, einen bessern find'st du nit,* même la mort ces salauds l'utilisent, *die Trommel schlug zum Streite...* »

Il revient vers le milieu du salon, les bras se sont calmés, la voix aussi, il prend un air rêveur :

« Toi infamie, tu es leur déesse, pour quelle raison devraient-ils accepter des principes et permettre au droit vétilleux des humains de les priver de ce que leur offre la copulation gluante du pouvoir et de la ruse ? »

On regarde Regel, grand, maigre, le nez en lame de couteau, très élégant dans son complet clair, pochette, cravate vert pin, se tient très droit, beaucoup de tenue, comme toujours, à part les yeux écarquillés, on hésite, il a peut-être décidé de faire une farce, mais Hans sent que Regel a perdu l'esprit, Max lui dit :

« Attends, il fait encore des phrases qui tiennent la route ! »

Regel se met à plaider :

« Mais pourquoi les flétrir du nom d'infâmes et de fauves ? Pourquoi ? Quand ils puisent plus de vigueur et d'éclat dans la volupté du mensonge et du viol que nous autres dans le lit morne du précepte et de la convention où nous n'engendrons que des crétins sans nerfs que la meute est déjà en train d'acculer discrètement au gouffre, c'était beau notre façon de nous extirper de la vieille meute, deux consciences enfin face à face, des vivants qui se reconnaissent l'un l'autre, chacun démontre à l'autre qu'il est là, sans tuer l'autre, et l'autre ne doit pas fuir, pas comme les animaux, on a besoin de l'autre, un combat avec une place pour le faible, le perdant, attaché à la vie, il reste et devient serviteur, et il gagne, on lui raconte qu'il gagne, le maître ne peut voir en son serviteur qu'une pure chose, donc il n'a personne en face de lui pour reconnaître sa propre conscience, alors que le serviteur voit dans le maître la forme achevée du soi, un vrai sujet, ce sujet le regarde, ça lui suffit, il se met au travail, et il peut contempler son propre moi dans les produits de son travail, un travail et un maître, un faux maître, c'était beau, sauf qu'on n'avait pas prévu que les maîtres pouvaient se mettre à tuer pour de bon, retour de la meute ! Des crétins sans nerfs que la meute est

déjà en train d'acculer discrètement au gouffre tout en leur
racontant qu'une je ne sais quelle grâce se mêle à la rosée des
montagnes. »

Regel s'est approché de la fenêtre.

« Voyez comme elle irise le feuillage des grands peupliers
pour rafraîchir notre présence au monde, la rosée ! Plus
besoin de penser, il suffit d'être, de célébrer l'être, de contempler la forêt, les peupliers, ils vont marcher au pas avec le
peuple des guerriers, les grands peupliers ! prom'nons-nous
dans les bois, oui, pendant qu'on nous dérobe l'espace
où nous aurions risqué de faire entendre une discordance
dans le concert nocturne qui se prépare ! *Ich hatt' einen
Kameraden, einen bessern,* pendant que, pour nous ménager
quand même de l'espace, on agrandit les cimetières ! »

Regel regarde Hans :

« Silence, Hans ! Je n'ai pas besoin d'aide, ce n'est pas du
délire, c'est un accès de lucidité, Berlin, la direction de la
faculté de philosophie, quarante ans de travail, le vote de
trente professeurs, une œuvre, douze heures par jour ! Une vie
de règle du jeu, d'avanies endurées dans le silence et la plus
pure des politesses même quand j'avais envie de mettre une
poubelle sur la gueule du plus puant de ces faux jetons, celui
qui a sablé le champagne quand ses petits copains ont tué
Rathenau, mon frère Rathenau, un des grands de l'Empire et
de la République ! Celui qui a sablé le champagne est parmi
nous, ça n'est qu'un sous-rien et il a osé dire le jour où les
petits salauds de l'extrême droite et du *Casque d'acier* ont tué
Rathenau, il a dit les grands ministères devraient être réservés à des gens d'origine plus intrinsèque, il y aurait moins de
rancœur et de violence, salauds ! J'avais le droit pour moi ! La
loi ! La réalité des suffrages ! J'avais oublié une chose et un
morveux de trafiquant, membre d'un gouvernement de morveux incapables de résister à la canaille des chemises brunes,
un trafiquant décide dans son bureau que je n'aurai pas le
poste de Berlin, que le poste est dû à quelqu'un de plus intrinsèque ! de plus intrinsèque ! au cher collègue qui me prenait

dans ses bras tout à l'heure, alors qu'il savait déjà tout, le cher collègue, bien avant le télégramme, plus intrinsèque, plus rayonnant! Évidemment, quand les partisans de ces gens-là éclairent aux flambeaux la force qui fait taire les lâches! Ça vous fait plaisir de me voir en marionnette gueularde? Oh, les philosophes! On me dit adieu, on fait le cercle pour applaudir mon vieil ami le professeur Merken, origine plus intrinsèque! Faites le cercle, pas le cercle, le ring, aujourd'hui les philosophes n'ont plus de place réservée, ils doivent boxer comme tout le monde! »

C'est Frédérique qui a osé protester auprès de Regel, elle a voulu le traiter comme s'il ne délirait pas, elle s'est dit qu'en discutant avec lui on allait le ramener à la réalité.

« C'est injuste, professeur, celui dont vous parlez ne s'est jamais compromis avec ceux que vous appelez les porteurs de flambeaux et les chemises brunes. »

Et Regel :

« Oh, lui, jamais! Lui, c'est de la pensée pure, jamais de propos obscène, le regard toujours droit, tellement droit qu'il ne s'arrête même pas sur celui qui lui parle, le regard dans la pensée, dans le pur, le magnifique déroulement des idées, si neuves, si nécessaires, si fortes, si vraies, et libre aux autres de trafiquer les votes, de crapuler dans la fange. »

La silhouette de Regel se tirebouchonne, se casse sur le côté, les coudes se pressent sur l'estomac, mains qui se referment, genoux pliés, Erna, sa propre secrétaire a essayé de le raisonner.

« Erna, vous êtes là? Erna, votre cher vieux mentor, on le jette, et vous n'êtes pas déjà en grève? C'est bien fait pour lui? Erna-la-rouge, qui voit le vieux social-démocrate servir d'essuie-merde aux bottes de la racaille, les petits camarades ultra-rouges d'Erna l'avaient prévenue, le vieux Regel c'est l'ennemi principal, vous ne dites rien, Erna? Vous aimez les loups? »

Et Erna aussi a tenu tête à Regel, c'était le bon moyen de le retenir parmi les gens, discuter avec lui comme s'il était sain d'esprit, elle lui a dit qu'il découvrait les loups bien tard, après avoir cru qu'ils feraient de bons chiens, elle s'est mise à parler comme dans un meeting, c'est au ventre fécond qui porte les loups qu'il faut s'attaquer !

Ça n'a pas calmé Regel.

« Ah, la belle joie révolutionnaire d'avoir eu raison ! la belle joie d'Erna quand les centristes sont à terre ! »

Erna poursuivant :

« La matrice, c'est là qu'il faut frapper la bête ! »

Hans comprend qu'elle va trop loin :

« Professeur, venez vous asseoir, nous pouvons réfléchir ensemble ! »

Regel :

« Réfléchir, dormir, rêver, on va disparaître, Hans, tous les *extrinsèques* devront disparaître pour laisser la place à de vrais fous ! »

Il part à reculons dans le salon. La folie le tord, le plie, le lance, le reprend, le détend et relance ses griffes comme par jeu, il se calme, à voix lente :

« Pas de quoi s'inquiéter, mes amis, une petite agitation, vous savez, il y a des moments où j'admire ce que dit Merken, c'est très beau, c'est de la poésie, mais on n'a pas le droit de poétiser la philosophie, pendant ce temps-là les peupliers, les guerriers, je ne veux pas qu'il vienne me serrer la main, prom'nons-nous dans les bois, pendant que le loup y est pas, loup y es-tu ? entends-tu ? »

Et Regel disparaît.

*

Une semaine d'idées, de batailles d'idées, de monocles, de magnificence, de galanterie, les hommes font les lois, les femmes font les mœurs, il y a les paneuropéens, les nationalistes, les internationalistes, les conservateurs, les partisans du grand dirigeable, les socialistes, les libéraux, des libéraux en économie conservateurs en politique ou le contraire, des progressistes, des partisans du cuirassé à quatre tourelles venus préparer la future conférence navale, des anticolonialistes, des économistes, des philosophes de la règle et de l'équilibre, des juristes, des impérialistes fiers de l'être, des batailles qui s'entrecroisent, les partisans de la Société des Nations par exemple, déchirés entre ceux qui gardent le col carcan en cellulo-toile et ceux qui se sont mis au col semi-dur en tissu serré légèrement amidonné, il pince moins les plis du menton, mais pas de col souple, on laisse ça aux mercantis.

On n'oublie pas ceux qui veulent seulement que la SDN joue le rôle de gendarme des frontières, et ceux qui rêvent d'une république universelle encore plus large que l'Europe, ceux qui dialoguent et ceux qui monologuent, la Merken par exemple, elle est fière d'avoir réussi sa manœuvre, son mari va à Berlin, il a fini par accepter le poste malgré le scandale, il lui a dit qu'il acceptait, à une condition, il allait avoir besoin d'une nouvelle secrétaire, il fallait engager la jeune Erna.

Madame Merken a cédé, en ruminant, pourquoi est-ce toujours à elle de céder ? enfin, il accepte de quitter Heidelberg, l'université millénaire où les professeurs sont béats quand ils sont invités à la table d'un fabricant de saucisses. Berlin, le vrai banquet, et silence sur tout cela, beaucoup de silence aussi sur l'Allemagne, unir, serrer, avancer, je ne suis que la femme d'un philosophe mais je sais deux choses qu'oublient les philosophes, on ne fait rien sans la politique et en politique les prudences ne servent à rien, l'avenir appartient à ceux qui sauront pousser les portes qui ouvrent sur le néant, les portes à coups de botte, déchaîner l'enthousiasme, appeler l'événement, le temps des événements, seule pourra survivre une philosophie qui marche avec ce temps, des gens audacieux sont prêts, ils sont grossiers, ils se moquent de la philosophie mais ils détiennent le secret qui remet l'Histoire en marche, je veux en être, silencieuse, mon mari est là pour philosopher ce silence mais il ne doit pas trop le savoir, il exerce, c'est tout.

Une semaine de batailles d'idées, au départ cela fait des conversations de bon aloi mais ça tourne vite, Max riant, disant je ne regrette pas d'être venu, j'ai l'impression d'assister à un match de foot avec des coups de crampons, non, trop simple, disons un match de soule, vieux sport de chez nous, un tiers football, un tiers rugby, un tiers catch, ou boxe, et avec une course cycliste, tout ça dans le même stade-vélodrome, l'équipe des paneuropéens d'*Europa* a pris la tête à la sortie du virage nord, Wolkenhove en tête, donne le train, soutenu par son allié Kappler, quinze mètres maintenant sur l'équipe des nationaux, le train accélère, la pédale magique de Kappler, les paneuropéens volent au-dessus de la piste blonde devant un public d'habits sombres et de plastrons blancs, clameurs, klaxons et jolies femmes, trente mètres maintenant sur leurs poursuivants, mais en queue de ce groupe de tête ça flotte un peu, trois hommes, les moins sûrs de l'équipe, dont Berthelot, le second de Briand, ils ont du mal à soutenir le rythme imposé par Wolkenhove et Kappler, signes d'essoufflement.

Et, derrière ce groupe, Bainville accélère, Bainville, la tête de l'équipe de poursuite, les nationaux, Bainville et le Prussien Kuhn, une alliance des contraires, la renaissance de l'Allemagne est la condition de la renaissance de l'Occident, surtout pas, l'Europe doit se ranger sous l'égide intellectuelle de la France, en attendant ils se relaient pour rattraper et battre les paneuropéens apatrides, Bainville et Kuhn ne sont plus qu'à une dizaine de roues de Berthelot toujours en délicatesse avec le rythme, les nationaux ont le renfort des conservateurs, les paneuropéens résistent et Wolkenhove dribble, part balle au pied dans le couloir côté droit, face à Kuhn arrière central, bonne couverture de balle par Wolkenhove, dribble à gauche puis une pichenette, la balle part à droite de Kuhn, Wolkenhove déborde Kuhn par la gauche, superbe feinte, Wolkenhove va rejoindre sa balle derrière Kuhn pris à contre-pied mais il est fauché par Tardieu défenseur de l'étalon-or, coup franc tiré par Maynes, la seule bonne monnaie c'est la pensée, crochet du gauche, le public debout, Regel encaisse le coup, Merken redouble par uppercut au foie car la grégarisation de l'homme veut aujourd'hui s'appeler Europe.

Regel recule, conserve sa garde basse, des mouvements du tronc très vifs, esquive, retrouve son jeu de jambes, la philosophie ne résoudra pas la crise de l'Europe, le concept de crise est consubstantiel à la philosophie, Regel très élégant, légers crochets du gauche pour tenir Merken à distance, l'Europe, a dit Hegel, est absolument la fin de l'Histoire, Merken perd l'équilibre, Regel ne frappe pas vraiment, boxe comme on entretient une conversation, lazzis du public contre Regel, boxe de femme, une élégance à la Al Brown, la philosophie et l'Europe sont dans une équation indéfectible, illusion de Regel! Merken le sanglier de la Forêt-Noire tente de passer sous la garde de l'adversaire, le désarroi de l'Europe provient d'un oubli de l'être, Maynes en sortie de mêlée, relance ses trois-quarts, coup de pied à suivre au-dessus du rideau des lignes arrière, Kappler et Wolkenhove, une ouverture de rêve, l'expression la plus propre est celle de concert européen, ils sont dans les vingt-deux mètres adverses mais Bainville dégage son camp, trouve une touche à gauche, à hauteur de la ligne médiane, jouée très vite, Van Ryssel à la réception pour les paneuropéens, les États-Unis d'Europe, attaque étouffée par les adversaires du fédéralisme, Jacques Seydoux, directeur adjoint du Quai d'Orsay, l'Union paneuropéenne sent le Boche à plein nez, balle récupérée par Regel, passe à Kappler.

Superbe passe croisée de Kappler à Briand, la cloche sonne, encore vingt tours, une prime offerte par la maison Van Ryssel au coureur le plus rapide sur le prochain tour, Merken relance ses lignes arrière, si l'on ne veut pas d'un anéantissement de l'Europe il faut déployer de nouvelles forces spirituelles, Kappler a pris le relais en tête, accélère l'allure, un remous malaxe les tribunes, public rompu de

fatigue et d'insomnie, hurle mais n'applaudit pas, Kappler
n'est pas français.

   Nouvelle contre-attaque de Merken à partir de ses vingt-
deux mètres, les huit quintaux du pack d'avants, ligne lourde,
impitoyable, nous sommes en route au sein de l'étant sans
savoir ce qu'il en est de l'être, longue balle en touche, c'est à
notre peuple, milieu de l'Occident, de maîtriser l'obscurcisse-
ment du monde, sur le terrain la Société des Nations applique
une nouvelle tactique très prometteuse, le WM, Stresemann
balle au pied, en demi offensif, en arrière du rond central,
calme le jeu, j'ai visité les usines de la *Cash Register Co.* à
Dayton, l'immense réfectoire avec devise de la firme : *The
world is my country,* Stresemann dribble, grande passe en
renversement sur l'aile gauche, les Européens doivent s'unir
très vite sinon ils ne seront qu'une province des firmes américaines, les joueurs en WM, une révolution en football, trois
défenseurs, deux demis défensifs, deux demis offensifs, trois
attaquants, l'Europe menace le caractère universel de la SDN,
Briand observe Stresemann, s'en est toujours méfié, Regel
en appui pour son chancelier, la balle à nouveau dans le rond
central, l'esprit de Weimar c'est celui de Kant, très beau
une-deux en profondeur entre Regel et Stresemann qui passe
sur l'aile droite à Wolkenhove qui centre, Kappler amortit de
la poitrine, petit lob au-dessus de l'arrière adverse, demi-
rebond, tir de volée, le destin de l'Europe doit être réglé par
un idéal, belle interception du gardien des nationaux qui renvoie aussitôt la balle vers le rond central.

   Balle captée par Henderson, ailier gauche des SDN et
représentant au *Waldhaus* de l'Empire britannique, il veut
l'Europe, Henderson a démarré le long de la touche en laissant le ballon derrière lui, nous venons de faire interdire
Dawn, film anglais dangereux qui racontait la prétendue agonie de miss Cavell en menaçant les relations anglo-alle-
mandes, Henderson suivi par Kuhn qui le marque de très près
et se fait piéger, s'aperçoit de son erreur, revient en arrière
au moment où le numéro 7 repasse la balle à Henderson,
Henderson veut aussi une charte sociale européenne, montée

des adversaires de la charte sociale, laissez faire ! laissez passer ! regroupement des nationaux avec les partisans du laisser-faire, refus de la charte sociale, tiennent le haut de la piste, les paneuropéens s'essoufflent, un peloton d'écureuils en cage, le public du vélodrome chante *Ramona*, des litres d'alcool pour noyer les brûlures du saucisson chaud, la machine ahurissante continue à tourner sur l'anneau de bois, pour le jeune Drieu l'Europe est une civilisation abstraite, machinale et surréaliste, sportive et droguée, onaniste, malthusienne et mystique, non artistique, au Quai d'Orsay certains demandent qu'on n'oublie pas la Russie, mais il faudra d'abord faire plier le bolchevisme, cette nouvelle forme de l'orgueil oriental !

Frédérique a dit à Max que son numéro sportif n'était pas du meilleur goût, il a répondu qu'il valait mieux que ce fût un numéro parce que ça pouvait mal finir.

*

Le grand *séminaire* du *Waldhaus* s'est achevé sur deux motions et un relevé de conclusions. Hans a finalement refusé d'être le président de l'Association pour les États-Unis d'Europe.

Les gens ont trouvé étrange la façon dont madame Hellström avait chanté pour le petit gala de clôture, heureusement qu'il y avait aussi la Stirnweiss, la voix assez prise mais c'était très bien, chanté, expressif, vivant.

L'une des motions repoussait aux calendes grecques le projet d'union politique de l'Europe, l'autre invitait la SDN à se saisir de la création d'une commission pour les affaires européennes.

Les philosophes se sont séparés sur des sourires. Le matin du départ, le professeur Regel avait retrouvé tous ses esprits, un télégramme était arrivé de Berlin.

« Il refuse, il a refusé le poste, ah, quel homme ! Merken refuse le poste de Berlin, il dit que ce poste est pour moi, quelle générosité ! »

Dans le grand hall Regel a donné une vigoureuse accolade à Merken, Merken a dit :

« Je rentre à la campagne, la philosophie se nourrit au soleil qui se couche sur les pentes des vignobles et des forêts, la terre seule fait les vraies volontés, c'est là que se guérissent le corps du peuple et le corps des idées. »

Pour Hans ce refus honorait Merken. Merken a répondu qu'il refusait de se prendre pour un démocrate, il y avait eu un malheureux concours de circonstances mais la philosophie n'avait pas à profiter des circonstances. Regel était très ému :

« Erna, le professeur et madame Merken vous offrent une situation remarquable, je vais vous regretter. »

Il a encore ajouté pour Merken et les autres :

« Je ne suis pas comme vous un homme de la terre, pour moi, c'est l'air des grandes villes qui rend libre, je vends ma propriété de Poméranie, je m'installe à Berlin, vous connaissez mon goût pour l'industrie des hommes, leurs entreprises, je vais acheter des actions pour soutenir nos usines, l'économie, la Bourse, le marché, tout cela est en pleine expansion, demain nous entrerons aux splendides villes ! »

La veille, la soirée avait été un peu folle, danses et poursuites dans des couloirs qui sentaient bon la cire d'abeille, la crème de nuit, le bois de mélèze, le tabac blond, les grands parfums, la tyrannie des belles femmes, on toquait à une porte, on obtenait une réponse ou on n'en obtenait pas, on se cherchait, on envoyait chercher entre salon, bibliothèque, fumoir, terrasse, allées du parc, salle de billard, salon de musique, on avançait à pas vifs, un homme cherchait une femme qui cherchait un homme comme dans une comédie, le mouvement final, le moment du partage des amants, on se hâte mais avec élégance, en tenue de soirée, on s'est dit des choses entre deux pas de danse, je voudrais vous poser deux petites questions, toutes petites, faites donc cher ami.

« Où et quand ?

— Si je vous répondais tout de suite vous seriez le premier embêté.

— Moi ? Pas du tout.

— Eh bien tout de suite, cher ami, et dans votre chambre par exemple. Ça vous gêne ? On risque de venir frapper ? Vous avez donné rendez-vous à quelqu'un d'autre ? Pour plus tard ? Vous n'allez tout de même pas me proposer le garage ? Je vous trouve chou mais pas au point d'aller faire de la gymnastique sur un capot de voiture, oh, je ne suis pas bégueule, je l'ai fait une fois, je ne recommencerai pas, ou alors, et puis il fait froid, votre chambre sinon rien, vous vous arrangerez avec votre femme, vous êtes bien placé pour savoir qu'elle ne viendra pas vous retrouver avant huit heures du matin, et je ne ferai pas de bruit, je sais me tenir, si vous hésitez encore une seconde c'est que vous avez prévu un autre rendez-vous, alors moi aussi. »

Un malin marchait dans un couloir qui n'était pas le sien, un veston sport à la main.

« Avez-vous vu la gouvernante ? J'ai de la couture pour elle.

— Si c'est la gouvernante que vous cherchez, vous ne la trouverez pas avant demain matin, en revanche je connais une autre personne qui demandait après vous au troisième, elle veut vous rendre un livre, attention, pas par là, pour redescendre au troisième il faut passer par le petit palier, sinon le grand escalier vous mène tout droit au troisième de l'aile gauche, alors que c'est dans l'aile droite qu'on vous cherche, et une fois au petit palier prenez à gauche. »

Lilstein a seize ans, il en paraît deux de plus, il est devant la porte de Lena, il est fou de faire ça, si elle t'ouvre qu'est-ce que tu fais ? tu te jettes sur elle ? ou tu lui dis je vous en supplie ? et si elle est avec quelqu'un ? si elle est seule tu l'invites à prendre un dernier verre en bas, et elle te répond non, merci, bonne nuit, à demain, non, pas en bas, elle peut dire entrez, ou te claquer la porte au nez, tu es en train de tout gâcher sur un coup frappé à une porte, mon enfant vous exagérez, vous devriez être au lit, tu tiens tant que ça à te faire appeler *mon enfant* ? qu'est-ce qu'elle est belle ! sois précis avec toi-même, y a-t-il la moindre raison objective pour qu'elle te dise entrez ? ce n'est pas une question de raison objective, pendant la promenade elle n'a pas cessé de te prendre le bras, pour te ralentir, pour te parler, pour te montrer un bouquetin, chaque fois une pression du bras, en t'appelant mon garçon, mais c'était pour faire passer la pression du bras, que veut dire une femme qui presse le bras d'un homme ? la question est de savoir si pour elle tu es un homme, elle maintenant ou jamais !

Elle ne te pardonnera jamais d'être venu frapper à sa porte, Lilstein vient de frapper à la porte de Lena, deux petits coups légers, désinvoltes, amicaux, ah, Lena, je finissais par croire qu'on n'aurait même pas le temps de se voir cinq minutes, c'est cela, être léger, amical, gai, mais pas de réponse, Lilstein frappe maintenant assez fort pour qu'elle entende, et plus fort encore pour qu'elle entende bien si elle est avec quelqu'un, que ça les dérange, pas de réponse, elle n'est pas là, pas encore montée se coucher, ou alors elle est déjà avec quelqu'un, il redescend par le grand escalier, jette un coup d'œil à chaque étage, se retrouve dans un salon, ne la voit pas, je viens de la voir lui dit quelqu'un, elle semblait aller vers le garage, ou vers la terrasse.

Lilstein ne trouve personne sur la terrasse. Il entre dans la bibliothèque qui n'est éclairée que par le feu de sa cheminée et une grande lampe de bureau. Il ne voit personne, finit par voir madame Merken dans un coin, elle regarde vers les rayonnages du haut. Lilstein n'aime pas cette femme, il ne veut pas qu'elle lui demande de l'aider à récupérer un livre, il sort en refermant doucement la porte. Madame Merken médite dans la bibliothèque du *Waldhaus*, c'est la bonne heure, la pénombre. Madame Merken a un surnom, on l'appelle le tank, beaucoup d'explications à cela, un tank avec de gros yeux verts, des regards lents, huileux, gros sourcils, elle a senti qu'on entrait puis qu'on ressortait en fermant la porte, tant mieux, elle préfère être seule, elle ne veut pas savoir où est passé son mari, elle se moque de ce que font les gens ce soir, elle médite sur la grandeur, la poésie de la grandeur, les chevauchées, les héros de légende, les femmes de légende, l'avenir, méditation interrompue par une nouvelle entrée, plus bruyante, un Français, c'est le jeune Moncel, l'air renfrogné, il est petit, maigre comme un clou, cheveux plats, lunettes cerclées, toujours en gris foncé, la voix aigre mais avec de l'énergie, il est venu pour être seul dans la bibliothèque, il aime bien penser à voix haute, tout seul au milieu des livres.

Quand il est seul le miracle s'accomplit, tout le monde se met à l'écouter, il devient le centre de ce séminaire, son éloquence emporte tout, cela peut durer une heure de belle solitude mais dans la bibliothèque il y a déjà cette grosse Allemande. Elle n'aime pas Moncel, il est silencieux, détestable, intrigant, mégalomane, bonsoir jeune Moncel, on ne le voit pas beaucoup ce jeune philosophe français en dehors des séances du séminaire philosophique, il répond en grognant, il joue avec un petit élastique, la Merken n'aime ni les grognements ni les élastiques ni les petits coqs, c'est ce qu'on appelle la politesse française jeune homme ? il se reprend, bonsoir madame, le jeune Moncel n'aime apparemment pas les femmes, pas trop madame, cela tombe bien, madame Merken non plus, surtout ce soir, Moncel dit que les femmes sont fausses, et en plus elles cherchent à nous rabaisser, je ne suis quand même pas là pour entendre ce petit Français maigrichon dévider ses clichés.

« Et les Allemands, jeune homme, vous les aimez ? sans doute pas plus que les femmes ?

— Mon oncle est mort à Verdun, madame.

— Certes, comme beaucoup d'Allemands.

— Ils n'étaient pas invités, madame. »

Invitation pour invitation, qu'est-ce qu'un jeune Français peut venir chercher à Waltenberg, en pays germanique ? il a sûrement noté qu'on y parle beaucoup de réconciliation, vous parlez très bien l'allemand et vous prenez des notes de forcené chaque fois que mon mari dit trois mots, cet hôtel est plein d'Allemands, de femmes, et vous venez vous y enfermer, je trouve cela très drôle pour quelqu'un qui ne nous aime pas, le jeune Moncel aime à ce point souffrir ?

« Non, vous les Germains, je suis là pour prendre la mesure de votre force, vous n'avez renoncé à rien et vous cherchez de nouveau à nous rabaisser.

— Vous rabaisser ? vos soldats africains sèment leurs bâtards dans nos rues, vous proclamez que votre frontière principale est sur le Rhin, et c'est nous qui vous rabaissons.

— Et où se trouverait cette frontière, madame, si elle n'était sur le Rhin ? »

La Merken s'est rapprochée, voix sourde, il faut vous calmer, jeune homme, ici on ne crie pas devant les dames, même les Allemandes, il n'y a plus qu'une seule vraie frontière, là-bas, le gros menton de madame Merken pointe vers la nuit des fenêtres, une frontière beaucoup plus à l'est que celle de votre myopie, la frontière qui fait face aux barbares des steppes, la frontière essentielle que les bêtises de votre pays rendent chaque jour plus fragile, pas le Rhin, non, de l'autre côté, à l'Est, d'autres grands fleuves, la Vistule voilà une frontière, nous n'en parlons pas mais nous y pensons, vous devriez y penser également, et l'ironie de l'Histoire c'est qu'en vous installant sur le Rhin pour nous humilier avec vos Sénégalais et vos Arabes, pour nous contenir comme vous dites, vous avez ouvert les portes de l'Est à d'autres invasions qui se déversent jusque dans vos propres villes par trains entiers, les odeurs, la cuisine de tribu, les pullulements de marmaille, vous n'avez rien à dire, Moncel ? vous préférez la vermine à Corneille et Goethe ?

« Je n'ai jamais pensé cela.

— C'est tout comme, et vous n'avez pas vu le pire, quand ces gens-là, qui vous envahissent, qui vivent à quinze dans une pièce, qui sont faits pour vivre à quinze dans une pièce en se racontant que les autres n'ont pas droit à l'au-delà, qu'est-ce qu'il peut y avoir de pire que leur présence à quinze dans une pièce, des milliers de pièces occupées chaque jour, et ils s'agglutinent dedans par tribus, ils s'y reproduisent, le pire vous savez ce que c'est, ayez l'honnêteté de le dire, monsieur Moncel !

— Le pire, madame, c'est quand ils sortent.

— Oui, monsieur le philosophe, ils sortent, ils deviennent couturiers, journalistes, restaurateurs, commissaires de police, philosophes, avocats, parfois on ne les reconnaît même plus, les pires des pires deviennent gynécologues, ils nous dépouillent, ils sont à Berlin, à Munich, à Paris.

— Et ils s'achètent des terres jusque dans ma Bretagne. »

Amusant, la chère Bretagne, Arthur, la Table Ronde, le Graal, seul le sang devrait donner droit à la terre, maintenant le petit coq m'écoute, il a arrêté de jouer avec son stupide élastique, il est en train de s'apercevoir qu'il existe de vraies idées, avec de la force, il le savait, nous, monsieur Moncel, nous disons qu'il faut l'union des forts pour triompher de la domination des faibles, au lieu de s'imaginer que la frontière doit longer le Rhin, vous cherchez vraiment à nous comprendre, nous les Allemands ?

« Vous n'êtes pas très faciles, madame. »

Moncel ne comprendra rien aux Allemands s'il ne se réconcilie pas avec la terre, les noces du fleuve et du rocher, avec les gestes forts et les êtres doux, connaissez-vous la *Walkyrie*, jeune homme ? la chevauchée des Walkyries, et le chant de Brunehilde ? Moncel ne connaît pas, au séminaire on ne leur permettait pas l'opéra, l'un de ses condisciples avait un jour fait une allusion à *Carmen* pour dire que *toréador* n'était pas un vrai mot espagnol, il avait été convoqué chez le supérieur, un mois de pénitence, cela cette femme n'a pas à le savoir, regardez donc là-haut, jeune homme, les quatre grands livres, le dernier, passez-le-moi, la chevauchée et le lyrisme, je vous demande cinq petites minutes d'attention, et je dirai à mon mari de vous accorder l'entretien dont vous rêvez depuis que vous êtes ici, je veux d'abord vous faire comprendre mon pays !

Moncel a un mouvement de recul. Il ne veut pas ? Vous nous haïssez à ce point ? Vous nous haïssez plus que la racaille ?

« Je ne dis pas cela, madame, mais je ne supporte pas.

— Alors vous êtes pour les invasions ? »

Moncel sait ce qu'il ne supporte pas, la présence de cette femme, son gros corps, l'odeur de poudre et de parfum sucré, avec des relents acides, les regards, les bras massifs qui pourraient l'emprisonner en un clin d'œil, les grosses chaussures d'excursionniste, une femme avec une tête de plus que lui, cette femme est à elle-même son propre mâle, si elle l'attaque il ne pourra pas résister, elle s'est mise entre la porte et lui, elle pourrait le jeter à terre, l'écraser, il faudrait au moins que je réussisse à saisir une des chaises, mettre une chaise entre elle et moi, elle a une très grosse poitrine, elle va me frapper et de dire qu'elle a été obligée de se défendre, on la croira, elle se moquera de moi, j'aurais dû ressortir dès que je l'ai vue dans cette bibliothèque, les mains de la Merken sont vraiment très grosses, des mains qui peuvent tout tordre.

Elle est capable de sortir de la bibliothèque en criant que Moncel l'a agressée, comme la bonne du presbytère de Rethel, elle était sortie dans la rue en hurlant, elle s'était déchiré le corsage, elle criait, et la voilà qui s'avance, qu'est-ce que vous ne supportez pas, monsieur Moncel ? entre la Merken et Moncel il n'y a plus que trente centimètres, l'odeur de sucre et de sueur allemande, Moncel obligé de relever la tête pour répondre au regard de la femme, il paraît qu'elle a des colères terribles, surtout ne pas la provoquer, je ne supporte pas les échelles, j'ai des vertiges madame...

« Comment ! un costaud comme vous ! avec ces bras d'athlète, ces jambes nerveuses... »

La Merken s'est emparée d'un des bras de Moncel, je sais que c'est ridicule, madame, la main est remontée sur l'épaule de Moncel, pesante, enveloppante mais pas agressive, une odeur lourde, sucrée, mais pas d'odeur de chou, allons ! les yeux verts de la Merken, la poitrine se gonfle, elle respire de plus en plus bruyamment, vous allez surmonter cela, vous avez des muscles, des reins d'alpiniste, madame j'ai horreur, la Merken le prend par l'épaule, la chair abondante et le petit homme, une tête de moins qu'elle.

Elle le mène vers une des échelles de la bibliothèque, la bonne du presbytère avait été renvoyée, une hystérique, mais le curé de Rethel n'a jamais été nommé à Reims, des gestes de plus en plus lourds, elle est capable de crier, elle lui entoure les épaules de son autre bras, il sent la poitrine de la Merken contre son épaule, la poitrine est plus souple qu'il n'aurait cru, et ferme, ayez confiance, ce ne sera rien, barreau après barreau, laissez-vous faire, doucement, il faut parfois obéir pour avancer.

Trop tard pour mettre une chaise entre eux, vous resterez libre de ne pas nous aimer monsieur Moncel, mais vous aurez appris à monter aux échelles, et le gain là-haut en vaut la peine, *citius, altius, fortius*, laissez-moi vous guider, douce-ment, s'il monte aux barreaux de l'échelle elle sera obligée de le lâcher, il ne sentira plus la pression de cette poitrine sur son épaule, ni celle du ventre contre sa hanche, la porte s'est ouverte, je suis sûr que la porte s'est ouverte et refermée, n'importe qui pourrait entrer, on est entré, on nous regarde, elle va crier, elle est trop près, il monte quelques barreaux, elle a lâché son épaule et son bras, il peut à nouveau respirer, moins d'odeurs, la main tremble sur les montants, allez-y, jeune homme, vous voyez que c'est beaucoup plus facile que ça n'en a l'air.

Moncel resterait bien là, pas trop haut, hors de portée de la Merken, pas de vertige non plus, il a sous les yeux les œuvres de Kipling, un Anglais qui n'a pas honte de son Empire, un livre qu'il n'a jamais lu, *Kim*, il n'a pas envie d'aller plus haut chercher les livrets de Wagner, trouver un prétexte, il y a un livre que je cherchais depuis longtemps, je vais descendre le mettre de côté et je reviens vous aider, si elle tient tant que ça à Wagner elle n'aura qu'à monter elle-même à l'échelle avec ses grosses pattes, elle a peur que je les voie ses grosses pattes, Moncel tend une main vers *Kim* et il sent deux mains se refermer sur ses mollets, mains fermes mais pas agressives.

Ce n'est pas si haut, jeune homme, continuez, prenez votre temps, lentement, je ne me sens pas bien, madame, est-ce que vous connaissez l'auteur de *Kim* ? celui qui a écrit *un jour tu seras un homme*, je voudrais redescendre pour le mettre de côté, non, continuez, le plus dur est fait, et les mains se font plus dures, calmez-vous, regardez vers le haut, elle lâche un des mollets, le tapote, allons, pas d'enfantillages, encore quelques petits barreaux, ça va se passer tout seul, allons, la main reprend le mollet, force la jambe à passer sur le barreau suivant, encore, maintenant l'autre jambe.

C'est de la folie, qu'est-ce que je fais là ? l'échelle tremble, n'ayez pas peur, regardez bien, l'échelle est fixée en haut par des crochets, cette femme n'a pas à me dire n'ayez pas peur, ce n'est pas de la peur, l'autre jambe maintenant, respirez, elle n'a pas à me forcer, la main droite est remontée jusqu'au creux du genou de Moncel, c'en est gênant, elle n'a pas à me tripoter, qu'est-ce qu'elle dirait si je lui tripotais le creux du genou, moi aussi je pourrais l'agresser, lui mordre le creux du genou, et les seins, allons, encore un, la voix de la Merken est de plus en plus douce, la solution c'est d'en finir au plus vite, lui donner sa saleté de livre et filer, ne pas regarder en bas, je n'ai pas de vertige, c'est bizarre, peut-être parce qu'elle me tient.

C'est la première fois que j'arrive à dépasser un cinquième barreau d'échelle, lui mordre les fesses, l'odeur de sucre, pour qui elle se prend cette femme ? à Paris, chez *Madame Blanche*, il y en a qui lui ressemblent et qui sont plus douces, Moncel est à proximité du sommet, la main sur un des livres de

Wagner, je l'ai madame, je redescends, non, ouvrez-le, lisez, depuis les hauteurs, la dernière scène, le passage à mi-voix, là c'est vraiment le vertige, c'est une folle, je veux descendre, je ne peux pas lire en haut d'une échelle, je vais tomber madame, non, je vous tiens, détendez-vous, la Merken a presque crié, respirez, lisez, la dernière scène, le chant de Brunehilde, le chant à mi-voix, vous ne craignez rien, lisez *trat ich vor ihm*, lisez, je me suis avancée vers lui, et vous pourrez redescendre, je ne lis pas très bien l'allemand, *trat ich vor ihm*, ça bouge madame.

Elle le prend sous les fesses, je me suis avancée vers lui, vous ne craignez plus rien, la grosse patte sous les fesses de Moncel, le pouce de cette femme, il frémit, faire ce qu'elle dit, vite, la Merken fait attention, ne pas faire mal, mais elle ne déplace pas sa main, c'est à cet instant-là que ça se passe, avant il n'y avait rien, désormais c'est fait, la Merken n'a aucun respect pour ce qu'elle tient dans sa main mais elle y fait attention, Moncel ne dit rien, chez *Madame Blanche* la femme l'avait pris fermement en lui disant viens par là, il était ému, elle l'avait serré très fort, à la base, tu te calmes mon petit, je ne vais pas te voler, tu dois en avoir pour ton argent, je suis honnête, moi ! elle lui faisait mal, pour le calmer, tu vois, ça n'est pas l'enfer, lisez, Moncel, *Ich vernahm des Helden*, oui, j'ai perçu du héros la détresse sacrée, madame, ça bouge, vous n'avez rien à craindre, je vous tiens, la main de madame Merken, pas de vertige, la plainte du brave des braves a frappé mon oreille, lisez, Moncel, lisez.

L'échelle tremble, le pouce, madame s'il vous plaît, *furchtbares Leid*, vous comprenez, Moncel ? traduisez, terrible souffrance du plus libre amour, continuez, je vous tiens, l'échelle, le pouce, madame, *mein Aug'*, c'est cela, Moncel, mon œil a contemplé ce qui me frappait le cœur d'un saint tressaillement, vous aimez ? vous nous comprenez maintenant ?

Oui madame, Moncel en haut de son échelle, la main droite de la Merken ferme et vivante, elle soutient Moncel, Moncel jette un regard vers le bas, les grands yeux, elle tend

la tête vers lui, le double menton a disparu, il ne la trouve
pas laide, quelqu'un est entré dans la bibliothèque, la Merken
a enlevé sa main, il ne sait pas comment il a réussi à redescendre, la Merken discutait avec la nouvelle secrétaire de
son mari.

Lena traverse le hall, avez-vous vu monsieur Kappler? elle
ne le trouve pas, un Écossais assis jambes croisées dans un
fauteuil la regarde s'éloigner, je ne sais pas ce qu'ont les gens
ce soir, c'est l'altitude, les médecins disent que l'altitude multiplie nos globules rouges, cela rend très actif, plus résistant,
parfois ça empêche de dormir, cela peut aussi provoquer des
migraines mais ce soir personne n'a la migraine, une femme
dit à Lena :
    « Monsieur Kappler? Il était avec la jeune mademoiselle de
Valréas, il y a à peine deux minutes. »
    Cette Frédérique, arrogante, je-sais-tout, la bêtise des
dix-huit ans, Lena cherche Hans dans les salons, elle sait que
Frédérique n'est ni bête ni arrogante, elle est surtout jeune,
c'est pour ça que tu ne l'aimes pas, vois les choses en face, elle
va faire ce que tu n'as pas réussi à faire pendant ces dix dernières années, une farandole passe, on essaie d'entraîner
Lena, elle se dégage, Lilstein la cherche.
    Max se réfugie comme d'habitude dans un rôle d'obser-
vateur, Hans lui paraît fou, il a cherché Lena pendant plus
de dix ans, elle est là, on dit qu'elle n'a jamais été aussi belle,
et Hans discute aimablement avec une jeune audacieuse que
surveille en même temps ce sanglier de Merken, la jeune
Frédérique est flattée, la philosophie et le roman la regardent,
Max est sûr qu'elle est en train de dire non à Hans, et Hans
sera libre mais d'une façon qui va déplaire à Lena, non, pas
sûr que la jeune fille dise non à Hans, elle lui donne une tape,
ils rient tous les deux avec tendresse, Hans parle à Frédérique
de sa promenade il y a deux jours, sur un chemin forestier,
des enfants jouaient, très jeunes, deux gouvernantes pour les
surveiller :

« J'ai fait semblant de me reposer, parmi les enfants il y avait une petite Frédérique.

— Aimante et docile ?

— Frédérique, je voudrais une petite fille de vous.

— Hans, vous savez bien que la maternité n'intéresse pas les jeunes filles, ou alors par inadvertance.

— Je pourrais m'en contenter, je donnerai tout, immédiatement !

— Pour tout exiger ?

— Vous allez rester seule ? Vieillir seule ?

— Je vais attendre, Hans, nous l'attendons toutes, comme Natacha au bal de *Guerre et Paix,* nous attendons et soudain il vient vers nous, le plus beau, le plus héroïque vient vers nous et il nous invite, puis il meurt à la guerre et nous devenons propriétaires terriennes, mais je n'aurai pas la patience d'attendre, je vais aller au-devant.

— Vous allez voyager ?

— Non, je crois que ça rend bête, mais je vais quitter ma mère, travailler, lire, écrire, marcher, me battre, pleurer, aller au-devant, il paraît qu'on finit toujours par en trouver un.

— Qui cherchez-vous ?

— Un nounours, Hans, un nounours, comme avant, avec des vigueurs de charcutier, et artiste, mais intelligent, avec, je ne sais même pas à quoi il devrait ressembler, à vous ? Ou à personne ? Ou alors, c'est tout simplement quelqu'un qui saura me manquer. »

Plus loin on entend des bribes de conversation de salon il paraît que les femmes sont à ceux qui les aiment le plus, oui, mais celui qui aime le plus se met à la merci de l'autre et il finit par en souffrir, on n'en sortira pas.

Max a vu que Lilstein avait l'air malheureux, il lui a dit si vous voulez qu'on vous aime ayez un jeu plus rentré, on devine trop en vous le poulain maladroit.

Et Lilstein s'est soûlé avec application, à l'allemande, au cognac français, dans un coin, sans bouger, avec des images qui tournent dans les miroirs, de soudains intérêts pour la forme d'un verre, d'un tabouret, des mots qui restent à l'intérieur, qui arrivent de moins en moins à se mettre ensemble.

Hans a retrouvé Michael Lilstein à trois heures du matin, en limite de coma, il l'a ramené dans sa chambre, l'a aidé à vomir, à onze heures du matin Lilstein s'est réveillé, nausée, migraine, vertiges, il n'a sur lui que le haut de son pyjama, aucun souvenir, à côté du lit Hans Kappler dort dans un grand fauteuil, il a dû le veiller, Lilstein n'ose pas sortir du lit, il ne voit aucun vêtement à proximité.

*

Le jour du départ Max a raccompagné Hans dans la vallée, jusqu'à la gare de Klosters. Max avait peur du moindre mot. Hans lui a dit :

« Ne crois pas que je t'en veuille, tu es plus malheureux que moi. »

Hans fait allusion à ce qui s'est passé l'avant-dernière nuit, il ne prononce pourtant pas le nom de Lena, il répète :

« Ne crois pas que je t'en veuille. »

Il ajoute :

« Nous continuons à travailler ensemble à notre projet. »

Max n'a pas compris ce que Hans voulait dire en parlant d'un projet, Hans lui a rappelé une autre conversation, celle du jardin du Luxembourg, les décors et les objets de ton roman, *La Folle*, tu sais bien, tu m'as promis que je pourrai les faire, l'histoire de l'unijambiste et de sa femme, au Luxembourg tu n'avais pas fini, tu t'étais interrompu pour me parler d'Ensor et d'un jeune écrivain, tu m'avais dit qu'on avait soigné cette femme, en 17 elle criait contre la guerre et on l'avait soignée.

« Ça va te plaire, a dit Max, un épisode très scientifique ! »

Pouvoir parler d'autre chose que de l'avant-dernière nuit : avec un peu de chance Max va pouvoir tenir jusqu'à l'arrivée du train sans qu'il soit question de lui et de Lena, 1917, un épisode très scientifique, une femme de héros qui criait contre la guerre, elle ne pouvait qu'être malade, on a utilisé les traitements les plus modernes, d'abord la diète lactée mais on manquait de provisions, la balnéothérapie, les diurétiques, les calmants, beaucoup de calmants, puis la fièvre provoquée, suivie de longues douches froides toniques, ça la mettait dans des tremblements à se casser les membres, on l'attachait, elle tremblait, ça n'a rien donné, alors on est passé à l'arme absolue, la faradisation, le dernier cri de la psychiatrie de guerre, l'électricité, le mari m'a raconté, je n'ai pas très bien compris s'il avait été pour ou contre, en tout cas on l'a invité à assister aux séances, le but c'était de lutter contre une névrose égoïste, d'où le recours à l'énergie électrique pour l'arracher par des chocs à son égoïsme négateur, la faradisation persuasive.

D'après les médecins ça permettait d'associer la technique moderne à la lutte morale, l'idée fondamentale c'est que la malade conservait une relative lucidité, une bonne volonté latente qu'on allait réveiller par une thérapie énergique, il fallait lui faire fuir son émotivité anxieuse, l'émotivité égoïste qui s'était emparée de cette femme quand elle avait vu son mari avec une jambe en moins, une hyperactivité anarchisante et autodestructrice, Hans, ça te plaît ce vocabulaire ? C'était un symptôme de psychopathie mais pas inaccessible à un traitement énergique.

Le corps médical français a lutté pour imposer à cette Hélène de Vèze la capacité de redevenir la femme honorable d'un combattant héroïque, elle avait fui dans la maladie, il fallait lui faire fuir la maladie, la lui rendre si épouvantable qu'elle n'ait plus qu'une pensée, échapper à l'éclat des étincelles au bout des fils de cuivre, au bruit des décharges avant l'application, au grondement des bobines, aux gros bracelets de cuir et de métal, aux exhortations des médecins, à la douleur.

On fait la même chose pour des organes malades, pour les

paralysies locales, on applique le courant à la main qui ne veut plus bouger, le malade hurle, la preuve que sa main existe, donc qu'elle peut fonctionner, ce qu'il sent dans la douleur il peut le retrouver dans la fonction, et pour la tête, pour le mental, c'est pareil, elle avait perdu le sentiment de la victoire et de l'honneur, du fait qu'elle était suisse elle était moins solide, même traitement.

Il fallait quatre bonnes sœurs pour la tenir, elle avait fui la guerre dans la maladie, quatre, cinq bonnes sœurs et un toubib pour la forcer à fuir la maladie dans la santé, le courant faradique utilisé avec un pinceau de fils de cuivre, on parcourait la peau, le ventre, les cuisses, les orteils, et pas de courant de ville, trop fort, trop d'aléas, on utilisait la machine de Faraday, courant progressif, mais il devait se faire sentir énergiquement, par chocs, la malade ne devait pas avoir le temps de s'accoutumer.

C'était une névrosée, tous les névrosés sont des simulateurs, ils simulent sans le savoir et c'est leur maladie, il ne fallait pas laisser le temps à la maladie de se protéger de la faradisation, d'où l'offensive fulgurante, sans prévenir, comme à la guerre, la surprise, le choc, cette femme a beaucoup résisté, une étrangère, elle a même servi de modèle devant les autres patients, ceux qui attendaient le traitement, elle résistait.

Un des médecins a dit que cette résistance venait d'une déviation grave du sentiment maternel. Elle n'avait pas d'enfant, pas de patrie, elle ne pouvait pas avoir le sentiment de la mère patrie ; et en même temps elle prenait son mari pour son enfant, or son mari était un défenseur de la mère patrie, elle en voulait à son mari d'avoir défendu une mauvaise mère.

Il était très fin ce médecin, une mauvaise mère, on a décidé de passer les pinceaux électriques sur les aréoles et les tétons, pas facile de prendre une décision pareille, il a fallu des bonnes sœurs volontaires pour la tenir, on a discuté la question de savoir si les patients masculins en attente auraient le droit de regarder, finalement on les a fait assister à ces séances, oui, trois séances, résultat incertain.

À un moment cette femme s'est mise à murmurer :
« Victoire, victoire. »

Elle regardait la machine de Faraday, c'était très beau, les médecins ont compris qu'ils avaient gagné, dans la salle tout le monde murmurait victoire, elle était très fatiguée, elle est toujours très fatiguée, mais elle est revenue parmi les siens, dans la communauté, une belle victoire, qui en a amené d'autres.

Deux des patients qui attendaient le traitement se sont levés un matin en disant qu'ils se sentaient mieux, qu'ils n'auraient pas besoin du traitement, on le leur a quand même administré. Avec la femme ç'avait été d'autant plus difficile que c'était une Française d'adoption, elle a eu beaucoup de courage, les médecins l'ont félicitée.

« Il faudra mettre tout ça dans ton roman, Max.

— Tout mettre c'est une spécialité allemande, Hans, en France on dit que ce sont des tartines. Le roman, ce n'est pas de l'encyclopédie.

— On ne contourne pas le savoir de son temps.

— Pas besoin d'importer en bloc, il suffit de faire tourner très vite, faire un vertige.

— *Nein*, c'est de l'esbroufe !

— Que je décrive ou pas, l'essentiel c'est que ça a transformé notre militante, avec un traitement d'accompagnement toute sa vie, le *nec plus ultra*, aux frais de l'armée.

— Et depuis des années ton Thomas de Vèze promène Hélène l'après-midi, quand il fait beau, un grand amour, elle peut parler ?

— Très lentement, elle ne dit que des politesses, les gens du pays l'appellent la folle, surtout ceux qui ont failli croire à ce qu'elle disait, ceux que les gendarmes ont interrogés à l'époque et qu'on n'a pas poursuivis, aucune poursuite, seulement des témoignages, on a conclu à une petite contagion d'hystérie d'origine étrangère mais la race restait saine, et ça n'a pas empêché Hélène d'avoir un gosse.

— *La Folle*, ce sera le titre de ta nouvelle ?

— De mon roman, Herr Kappler !

— Il va falloir que tu le nourrisses bien si tu veux qu'il ait l'air d'un roman, donc mettre un peu de savoir.

— Tu m'avais parlé d'un secret pour les descriptions ?

— C'est justement un secret.

— Je te l'échange contre un bel objet que j'ai vu dans la région.

— Aucun objet ne vaut un secret de fabrication, Max.

— Celui-là, si.

— Donne-moi au moins son nom.

— C'est une chaise à fessée.

— Vous les Français, tous cochons ! Elle est comment ? Tu l'as trouvée dans un bordel ? Comment installe-t-on la victime ?

— Ton secret de fabrication d'abord.

— Non, Max, ton secret, je te promets le mien ensuite.

— En fait, cette chaise, pas de quoi en faire un vrai secret, pas de mécanisme pour immobiliser la victime partiellement dénudée, pas de lucarne, c'est une chaise très chaste, elle ressemble à toutes les autres chaises de maître, avec des accoudoirs, on a seulement supprimé l'un des accoudoirs pour que le bras puisse frapper librement celui ou celle que le maître a renversé sur ses genoux, toutes les écoles de France en ont une, celle que j'ai vue était même une chaise pour gaucher. »

Hans refuse de mettre cette cochonnerie dans les décors du roman, Max tente de négocier, ce serait amusant, le lecteur part pour une rêverie cochonne entre adultes, il se réveille avec de petits enfants sous la main et c'est de sa faute... Comme tu voudras... À toi maintenant, les descriptions.

« Ça n'est pas non plus un vrai secret, Max, c'est simple, pour une description il faut une bagarre, un conflit, le conflit compte beaucoup plus que les détails sinon le lecteur s'ennuie, le vent et les arbres, si on montre le vent courbant les arbres, on a vite fini, mais si les arbres résistent on a une bataille, du répit, une reprise, des tensions, du drame, une forme, La Fontaine savait déjà cela, on peut aussi faire comme c'est la mode aujourd'hui, supprimer les descriptions, on enlève l'intrigue, les conversations, les objets, on met le personnage devant un miroir ou dans un rêve éveillé, il se parle, on casse la grammaire et la pensée, on se facilite la tâche, avec des phrases brèves, très sèches.

— Je préfère les bagarres, dit Max.

— Alors il faut aussi que ta phrase se bagarre avec elle-même, c'est pour ça qu'il faut décrire, pas pour ressembler, aujourd'hui la photo fait mieux, il faut décrire sans savoir où tu vas, Max, tu vois la lumière dans le feuillage ? De l'autre côté de la voie ? Les fleurs ? Je me dis que si je réussis à les mettre en scène sur une page, pas pour rappeler au lecteur ce qu'il a déjà vu et entendu, mais pour faire entendre ce qu'il y a d'inouï dans la langue, là, regarde, entre les affiches de chemin de fer, le feuillage et la robe violette de cette femme, là sur le quai d'en face, le couple, ne les fixe pas, la femme brune en robe violette, l'ocre du fond d'affiche derrière la robe violette et l'écharpe couleur de belladone, je ne sais pas encore, il y a toute la puissance du jour, ou il n'y a rien, mais si les mots se mettent à lutter les uns avec les autres autour de l'affiche et du visage de cette femme en robe violette, alors ma langue allemande servira un peu moins à donner des ordres, tu as vu ce visage, Max ? Nous avons connu la catastrophe, mais les belles femmes sont toujours à leur poste. »

Max ne trouve pas cette femme si extraordinaire, mais du moment que Hans ne parle pas de Lena il se sent prêt à admirer toutes les voyageuses des chemins de fer suisses qui passent à la portée de son ami.

« Une phrase en bagarre avec elle-même. Aujourd'hui la mode c'est le contraire, la phrase sèche, Max, c'est très bien, pas d'afféterie, ça claque, ça fait jeune, mais justement, c'est comme quand on donne un ordre, ça ne cherche pas, ça a déjà trouvé, la phrase sèche ça sait tout en dix mots, ça s'impose, ça pactise avec l'ordre, il faut que la phrase se batte contre l'ordre, Max, il faut qu'elle s'étire et qu'elle se batte en même temps contre tout ce qu'on lui a fait faire jusque-là, il faut inventer une phrase longue, différente de ce qu'elle était avant qu'on ait commencé, une phrase en désordre, des mots en clair-obscur, avec le sentiment qu'ils ont raté quelque chose, ne commence pas ta phrase si tu sais comment la terminer, parce que le lecteur saura aussi, et quand tu te relis tu enrages devant ce que tu n'as pas réussi à faire, et si ça se met soudain à chanter, ne serait-ce que des noms précis pour les plantes par exemple, au soleil couchant, la Nérine, les Chandelles de feu, l'Amour-en-cage, j'aimerais un jour faire un poème avec l'Amour-en-cage.

« Il faut laisser chanter, et quand ça se met à chanter tu dois te dire que le chant n'est que la vanité de ce que tu n'as pas accompli, tu voulais mettre à vif et tu décris, tu susurres, tu enrages, et tu recommences, au besoin tu abandonnes les fleurs, tu recommences avec les champignons, le sous-bois, les couleurs qui changent, quelque chose à faire avec le nom des champignons, Max, ou les mouvements d'une danseuse, ou le chant d'une femme. »

Hans a réussi à dire chant d'une femme sans s'interrompre, il a envie de donner une accolade à Max et de le congédier en lui disant embrasse-la pour moi, il ne dit rien, reprend en regardant la femme sur le quai :

« Il faut lancer les mots, sinon il ne restera bientôt plus que des phrases sèches et des langues de télégraphistes.

— Hans, mon couple, Thomas et Hélène, ils ont fini par avoir un gosse, je ne sais pas quoi faire avec les gosses dans les histoires. »

Chapitre 11

1969

DES FUNÉRAILLES
ET UN GUET-APENS

Où l'on enterre un grand écrivain tout en essayant de capturer un espion présent dans le cortège.

Où Henri de Vèze lit à voix haute un extrait du *Grand Meaulnes*.

Où l'on apprend ce qui se passa jadis à Waltenberg entre un sanglier et une jeune fille.

Où Lilstein vous met en garde contre les grands sentiments qui portent préjudice aux bonnes taupes.

GRINDISHEIM, octobre 1969

Un jour le moi cesse de tisser son roman.
Quels sont ceux qui s'en remettent ?

Charles Juliet

Quelqu'un a pris le coude de Max, Max n'a d'abord rien dit ; ils ont marché un moment sans un mot, dans le gros du cortège. Parfois à un tournant ils apercevaient les reflets de cuivre de la fanfare, les plumets noirs des chevaux.

« Vous êtes en retard, jeune Lilstein, où étiez-vous ?

— Il y a quarante ans vous aviez ce visage, Max, vous n'avez pas changé.

— Le visage de celui qui avait déjà tout vu, jeune Lilstein, et vous aviez une face d'ange, un gamin intolérant et beau comme l'ange qui dit non, vous vous tenez très droit, les joues lisses, un quinquagénaire très présentable, et vous me prenez le coude comme Hans le faisait quand nous marchions, je ne dis pas cela pour que vous me lâchiez, aujourd'hui j'ai besoin de familiarité, le bras amical c'est la nouvelle coutume en RDA ?

— C'est la première fois que je fais ça, j'avais vu monsieur Kappler le faire quand vous vous promeniez.

— Il faisait ça pour moi, pour faire plus français que les

Français, j'aimais bien, vous l'appelez encore *monsieur* Kappler ?

— Je vous admirais, à Waltenberg je n'étais d'accord avec aucun de vous deux mais je vous admirais, vous saviez tant de choses, toute une culture...

— Passée par l'Enfer, jeune homme, quatre ans d'Enfer, vous aviez revu Hans, après son dernier retour à Rosmar en 56 ?

— Deux ou trois fois.

— Seulement ? sans doute ce que vous appelez des *discussions négatives* ?

— Il fulminait, Max.

— Comme vous à seize ans, jeune Lilstein. Et au bout d'un an et demi vous l'avez aidé à repartir à l'Ouest ?

— J'ai dit à qui de droit qu'il ne fallait pas l'en empêcher.

— *Qui de droit* a marmonné dans sa barbichette, il a essuyé ses petites lunettes, et il a dit de sa célèbre voix flûtée *so sei es*, qu'il en soit ainsi. Quel ange êtes-vous, jeune Lilstein, pour que, devant vous, *qui de droit* se mette à parler comme l'Éternel, en plein pays de l'athéisme ?

— Quand monsieur Kappler a voulu revenir chez nous, c'est le secrétariat général du bureau politique qui a donné le feu vert, j'ai dit que c'était une erreur, qu'il ne tarderait pas à repartir, et quand il a voulu repartir...

— Vous avez fait votre autocritique, camarade, comme si le feu vert était venu de vous.

— Vous nous connaissez bien, Max.

— C'est l'âge, jeune Lilstein, vous savez bien, j'ai tout vu. Vous avez endossé l'erreur du secrétariat du bureau politique, c'est-à-dire celle de *qui de droit*, et *qui de droit*, pour vous récompenser, a laissé Hans repartir.

— Nous ne pouvions pas faire autrement.

— Et de toute façon *qui de droit* ou ses petits camarades vous auraient fait porter le chapeau, ça vous aurait coûté plus cher qu'une autocritique. »

Le matin, dès sept heures, dans une grande maison au centre de Grindisheim, le directeur de l'*Office fédéral de protection de la constitution* avait rappelé la consigne : pendant les obsèques on devait seulement surveiller le suspect, l'entourer, mais interdiction de l'approcher, on ne savait pas encore ce que serait la décision définitive, elle serait prise au sommet, à Bonn, à la Chancellerie, nous avons trente agents sur le terrain, pas de cafouillage, c'est le colonel Sebald qui coordonne l'ensemble des services, les ordres ne peuvent venir que de lui et il ne les prend qu'auprès de moi.

Autour de Max et Lilstein, la foule marche lentement derrière le corbillard à l'ancienne et la fanfare des syndicats, bannières, tubas, tambours et clarinettes. La fanfare a commencé par des marches funèbres, Chopin et Verdi, mais au fur et à mesure qu'on s'est avancé les airs sont devenus moins graves, les visages se sont détendus. Le cortège s'étire dans le chemin pavé qui monte en larges lacets à travers le vignoble de Grindisheim.

« Qu'est-ce qu'ils font comme vin, par ici, Max ?
— Vous ne savez pas ? Un Allemand qui ne reconnaît pas le vin sur pied en plein pays rhénan, à quelques jours des vendanges ?
— Dans un verre ça va encore, pour le reste je suis une fleur de pavé.
— Les feuilles, jeune Lilstein, les feuilles : charnues, gaufrées, nervures comme nos veines sur le dos de la main, pubescentes, raisin bien rond, taches brunes et rousses, la peau épaisse.
— Max, vous récitez.
— Ça vous va bien ! Et le sol, jeune Lilstein, je vous récite aussi ? »
Index de Max vers le ciel, regard vers la tête du cortège :
« Écoutez ça, surprenant non ? »
La fanfare joue *Lili Marlene*, sur un tempo très lent.

Hans avait écrit : *Puisqu'il ne m'est pas possible de parcourir une dernière fois le front de mer de ma ville natale, je désire que mes funérailles aient lieu à Grindisheim, dans le vignoble entre le Rhin et la forêt, je veux une fanfare, des fleurs, des couronnes, du soleil, et que l'on boive.* Le conseil municipal a choisi l'itinéraire, de la mairie au cimetière, en faisant un grand détour par les terrasses du vignoble et quelques passages dans la forêt au-dessus.

« Un sol sableux, dit Lilstein.

— Un bon point, et ça donne ?

— Un vin plutôt doux, comme disent les guides, Max.

— Deux bons points. Et si on laisse faire certain champignon malin ?

— Max, je ne suis pas non plus analphabète, cela dit, je préfère quand le vin est plus nerveux.

— Alors il faut encore monter. Hans aurait aimé que je vous donne de petits renseignements sur la vie et le vin, comme au bon vieux temps. Les parcelles juste avant la forêt, moins de lœss et plus d'ardoise, plus de vent, plus de froid, moins de brume, plus de soleil, du hasard en plus, mais un bon silex dans l'arrière-gorge, juste ce qu'il faut d'amertume pour donner envie de boire encore, la vie, quoi ! »

Max et Lilstein sont à mi-pente, Lilstein regarde en contrebas, puis vers le haut : la foule s'étire sur près d'un kilomètre. Les terrasses s'appuient sur des murailles de grès rose, de gros blocs que la lumière de fin d'après-midi vient adoucir. À certains virages il y a une fontaine ; Max a vu une date, 1853. Il fait un geste de la main, montre le cortège :

« Vous connaissez la formule, jeune Lilstein : *Un œil pour pleurer, l'autre pour mesurer la longueur du convoi ?*

— Le nom du raisin, Max ?

— Noblesse, rendement faible, saveur virile, jeune Lilstein, l'un de mes grands souvenirs c'est une bouteille que j'ai bue en 1922 à Weimar avec Rathenau ; il me demandait de faire savoir aux Français qu'en menaçant d'occuper la Ruhr nous étions en train de livrer l'Allemagne à l'extrême droite, du *Riesling*, jeune Lilstein, du grand ! Hans n'aurait jamais toléré qu'on fasse passer son cercueil dans des vignes médiocres. »

Pour le directeur de l'*Office fédéral de protection de la constitution*, si quelqu'un, dans le cortège, manifestait une quelconque hostilité envers le suspect, il fallait neutraliser le quelqu'un en douceur :

« Nous devons être les seuls à pouvoir faire des ennuis à notre suspect. Il saluera sans doute quelques personnes, ne vous préoccupez pas de les identifier, une autre équipe s'en charge ; si un parlementaire connu lui serre la main, ne vous mettez pas à croire que le parlementaire est un traître, notre homme connaît beaucoup de monde depuis longtemps, et le traître c'est peut-être celui qui fera semblant de ne pas le connaître ou bien celui qui sait que nous savons qu'ils se connaissent et qui va donc le saluer, ou encore quelqu'un qui se sait innocent et qui va le saluer parce qu'il sait que nous soupçonnerons d'abord ceux qui se tiennent à distance, et si vous pensez qu'on va avoir du mal à s'y retrouver vous avez compris ce qui fait la force de notre client. »

Dans le cortège, autour de Max et Lilstein, il y a beaucoup de personnes de leur âge, entre soixante et soixante-dix ans.

Il y a aussi des gens plus jeunes, souvent en couple. Des lecteurs ? Max montre une femme à Lilstein, tailleur de deuil, blonde, charnue, toque noire, foulard gris perle, des bottes de cuir sombre, elle est seule et belle.

« Par certains aspects, Hans aurait vraiment aimé ce cortège, elle vous plaît jeune homme ?

— C'est sans doute la représentante de l'association des femmes de trente ans lectrices de roman. Max, elle n'a pas de mari parce que la lecture c'est très exclusif.

— Continuez, monsieur le sociologue, et dites-moi, pour

qu'on vous ait laissé sortir de RDA et venir ici, vous devez être quelqu'un de très important ?

— Ou de totalement inutile, Max, je n'ai rien demandé, on ne m'a rien demandé.

— À la frontière les vopos faisaient grève ?

— Je suis venu par Vienne et la Suisse, je m'en fous, depuis qu'il est mort je suis comme vous, un somnambule.

— Et vous avez les yeux rouges, jeune Lilstein.

— Deux morts en six mois, Max, c'est dur, mais au moins je peux assister à ces obsèques-là.

— Oui, l'enterrement de Lena ça vous aurait coûté beaucoup plus cher qu'une simple gerbe. Si j'ai la force je vous raconterai, et si vous me faites deux ou trois petites confidences. »

*

Lilstein vous a dit :

« Vous savez, jeune Français, en 1956 j'avais rendez-vous avec Kappler, ici-même, à Waltenberg, pas au *Waldhaus*, le *Waldhaus* c'était pour vous, Kappler c'était à la *Konditorei*, le matin. »

Vous regardez Lilstein, il tarde à s'asseoir, il parcourt la grande salle du regard. À bonne distance, une table est occupée par un groupe d'une quinzaine de personnes. Les hommes sont en tenue de cyclistes. Ils sont bruyants.

« Ils montent jusqu'ici en Mercedes, dit Lilstein, avec les vélos sur le toit. Ils font un bon repas et ils se lancent doucement dans la descente. Les femmes se chargent de ramener les voitures. »

Il prend l'air grave :

« De vrais athlètes allemands. »

Il s'assied, vous regarde avec affection :

« Vous verrez, quand vous serez à Grindisheim, c'est dur un enterrement, tout ce qu'on a raté revient au galop.

En 56 Kappler et moi nous nous connaissions déjà depuis plus d'un quart de siècle, mon premier séjour à Waltenberg, en 29. Il savait beaucoup de choses sur la vie, il souriait, il me traitait comme un égal, j'avais presque seize ans, il m'appelait jeune Lilstein, et chaque fois que je vous appelle jeune homme, ou jeune Français, j'ai en mémoire la voix de Kappler.

En 56 j'ai voulu le dissuader de revenir en République démocratique, je n'ai pas réussi, il est revenu, s'est installé à Rosmar, devant la mer, il a tenu quelques années et il est reparti. Il avait déjà tenté une première expérience fin 46, ça n'avait pas marché. Il ne savait pas où se poser, il faisait l'essuie-glace entre l'Est et l'Ouest. »

Il s'interrompt, se lève pour saluer la patronne qui vient vers votre table. Vous vous levez avec lui. La patronne change très peu. Elle a pris de l'embonpoint mais conserve un visage doux. Lilstein commande deux décis de blanc et deux portions de *Linzer*, sans même vous consulter. Vous vous rasseyez, il poursuit :

« À propos, vous avez remarqué ? Au village ils ont fait disparaître la *Konditorei* ; Waltenberg change beaucoup. Les séminaires du *Waldhaus* se développent, on va y installer une sorte de forum des grands décideurs du monde occidental, ils cherchent des bonnes volontés. Vous n'auriez pas envie de vous rendre indispensable à ces gens-là ? Ils gagnent de l'argent mais ils ne savent pas écrire, ça vous ferait une bonne raison de faire les allers-retours, on pourrait en finir avec nos petites annonces pour bibliophiles. »

*

Dans le cortège, Max a demandé à Lilstein s'il connaissait la jeune femme au foulard gris perle, elle est à quelques pas derrière eux, le visage ne dit rien à Max mais Lilstein n'est pas si sûr, elle pourrait ressembler à Hans, une nièce, une fille ?

« Il n'avait pas d'enfants, dit Max, ni parents de cet âge, il me l'aurait dit, une maîtresse ? Je ne le vois pas se suicider alors qu'il a ce morceau de roi dans son lit, ou alors c'est qu'elle ne voulait plus y entrer.

— Et elle serait venue aux obsèques ? Max, elle lui ressemble.

— Non, elle n'a pas du tout sa tête.

— Elle regarde le monde comme il le regardait, comme si elle voulait à chaque instant arracher au monde une raison de vivre. En tout cas elle nous regarde comme si elle nous connaissait, je dois rêver, Max, pourquoi un suicide ?

— Peut-être pour les mêmes raisons que Socrate ?

— Personne ne l'avait condamné, Max, au contraire, nous l'avons laissé repartir à l'Ouest dès qu'il l'a demandé, nous n'avons rien dit, il jouissait d'un immense respect, un homme-siècle.

— Il voulait beaucoup plus, jeune Lilstein, il voulait que la RDA devienne le pays de ses rêves, c'était un peu exagéré. Il est revenu chez vous en 56 par provocation, au moment où vous faisiez les pires conneries, et parce qu'il s'est rendu compte que la CIA le manipulait, cette fameuse association pour *la liberté de la culture,* il y croyait vraiment, un vrai regroupement d'intellectuels pour la liberté et la culture, et il finit par découvrir que ses repas, ses billets d'avion, ses notes d'hôtel, tout était payé par la CIA, ça ne gênait pas des gens comme Spender ou Koestler, mais Hans n'a pas supporté, il a claqué la porte, il est rentré à Rosmar, au pire moment, Budapest, par provocation, et pour se punir, et ça n'a pas marché, et il est reparti à l'Ouest, et quand il ne vous a plus supportés, ni les uns ni les autres, il vous a jeté sa mort au visage.

— Il s'est tué par raideur, dit Lilstein, parce qu'il ne se pardonnait pas d'avoir rêvé.

— Ou parce qu'il ne retrouvait plus un livre qu'il voulait lire avant de s'endormir, ou le nom d'un camarade de classe, ou parce qu'un chien a aboyé toute la nuit, ou parce qu'il s'est rendu compte qu'il commençait à chevroter, comme moi, le retour de la bêtise, toutes les journées de travail qu'on laisse absorber par la bêtise, on peut se tuer pour ça, parce qu'on en a assez de vivre avec ses propres restes, ou à cause d'un grain de sable, vous m'embêtez avec vos questions, il avait déjà failli mourir par amour, en 1914, et il a voulu se tuer quand il a laissé sa maison de Rosmar la première fois, en 1934.

— Nous la lui avions rendue, restaurée.

— Oui, et vous êtes restés les mêmes, je veux dire votre charmant régime. L'an dernier vous êtes allés en Tchécoslovaquie faire encore un peu de restauration, ça aussi ça lui a beaucoup plu. »

Dispute à mi-voix au sein de l'*Office fédéral de protection de la constitution* : certains voulaient s'emparer immédiatement du suspect, en plein milieu des obsèques, il faut savoir saisir l'occasion, on oubliera vite que c'étaient des obsèques, on ne retiendra que la prise, je vous dis que ce type est un poids lourd, des années et des années que ça dure, nous lui devons la dénonciation, la mort de dizaines de nos agents à l'Est, non, je n'exagère pas, et même si ce sont des morts indirectes ce type est *objectivement* complice d'assassinats parce qu'il nous affaiblit. Moi, répond une voix, je trouve drôle que vous utilisiez le mot *objectivement* comme le font les gens d'en face.

Et celui qui a dit *objectivement* et vient de se faire adresser la remarque sur les gens d'en face devient pâle, parce que justement il vient d'en face.

Lilstein s'incline vers Max, chuchote très vite, voix prudente ou brisée, ou ironique :

« Hans n'a pas supporté d'avoir connu le socialisme réel.

— Si quelqu'un écrit ça dans votre bonne République démocratique, jeune Lilstein, on le fout en prison, vous êtes un provocateur, vous devez vraiment être quelqu'un d'important là-bas, vous savez ce qu'il a laissé sur sa table de nuit ?

Une citation de poète : *Ne me laissez pas entrer dans votre paradis, j'y souffrirais un tourment plus terrible que ceux de l'enfer, je choisis l'enfer, et ne désire que lui.* Vous savez évidemment que c'est le poète qui a composé votre hymne national, démocratique et populaire ?

— Et maintenant, Max, les Allemands vont se battre pour savoir à qui monsieur Kappler s'adressait en réalité, *votre paradis,* je vois déjà à quoi vont ressembler les prochaines semaines dans les journaux.

— C'est vrai ce qu'on raconte ? qu'aujourd'hui vous supervisez les relations interallemandes ? C'est-à-dire la vente de vos dissidents à la République fédérale ? Vous m'accordez une interview sur la question, et je vous raconte les funérailles de Lena ?

— Max ! La trêve, quelques heures ! »

La jeune femme blonde au foulard gris perle s'est approchée de Max et Lilstein :

« Bonjour, ma mère n'est pas bien, elle m'a demandé de venir à sa place, elle savait que vous seriez là, j'ai une photo, vous êtes Max, et vous Lilstein, ma mère m'a dit : *Max Goffard, tu le reconnaîtras sans peine, ce sera à peu près le même que sur la photo, avec les grandes oreilles, l'autre, c'est ce grand adolescent, à côté d'eux, maintenant il doit avoir dans les cinquante-cinq ans, il sera certainement là, à côté de Max.* Je suis la fille de Frédérique. Ma mère a ajouté : *tu leur diras que je les embrasse, tu resteras avec eux, ça les empêchera de se disputer pendant les funérailles.* C'est tout. »

Sur la photo, ils sont cinq, skis aux pieds, pantalons de golf, pulls norvégiens, Max a un béret basque sur la tête, Hans et Lilstein une casquette, Lena un béret de chasseur alpin, Erna un bonnet de laine avec un pompon, derrière eux la façade d'un hôtel, un immense chalet double, avec des fleurs aux fenêtres.

« Du kitsch d'époque, dit Max, c'est Frédérique qui avait pris la photo devant le *Waldhaus,* j'en avais pris une à mon tour, de Frédérique avec les quatre autres, vous l'avez ?

— Je l'ai vue, ma mère n'a pas voulu me la confier, elle m'a avoué que vous étiez une drôle de bande, tous amoureux les uns des autres sans qu'on sache exactement où on en était. Elle a ajouté que les hommes n'étaient pas très adroits.

— Le jeune Lilstein n'en dormait plus, dit Max.

— Max voulait passer de Erna à Frédérique, précise Lilstein en souriant, et un soir il s'est retrouvé dans le couloir, toutes portes fermées, enfin, pas toutes : il a eu le sort pour lequel monsieur Kappler et moi nous aurions donné notre vie, et il n'en était pas plus heureux que ça.

— Ça n'est pas tout à fait exact, dit Max, mais on comprend pourquoi nous étions fous : qu'est-ce que ces femmes sont belles ! Que devient votre mère, jeune fille ? Vous savez, pour nous elle est immortelle. »

Lilstein n'écoute pas la réponse que la jeune fille fait à Max, il est à Waltenberg avec les belles skieuses, il y a quarante ans, avec l'une d'entre elles, le versant d'une combe, une diagonale vertigineuse, un réveil à quatre heures du matin, ils étaient une dizaine, jamais je n'aurais raté une séance du séminaire mais elle voulait faire cette randonnée, elle avait tout son temps, elle était là pour le récital de la fin, besoin de grand air, c'est le guide qui était venu réveiller Lilstein, une randonnée à skis avec elle, toute une journée, en me levant je me suis cogné, le front, les combles, une chambre à deux lits, grosse poutre cirée, juste en avant du lit.

Max est parti dans une folie de questions, Maynes, votre mère vous en a parlé ? et Merken ? grands bonshommes ! et ce jeune philosophe qui faisait très boy-scout, Hans et moi on le mettait en boîte, un jeune catholique, il avait beaucoup plu à madame Merken, il s'appelle Moncel, aujourd'hui il s'occupe beaucoup de théâtre.

« Ma mère en sait moins que moi, dit la jeune femme, je le croise souvent, je suis actrice. »

Elle a dit ça avec gravité, elle ajoute pour Max :

« Je sais que monsieur Kappler n'aimait pas le théâtre.

— Ça n'est pas tout à fait ça, jeune dame, le théâtre, il s'en méfiait, par exemple il n'aimait pas *Lorenzaccio*. »

Lilstein s'est cogné, quand on se lève dans cette chambre sous les combles on oublie toujours qu'il faut faire attention, après il a fait attention, je me suis préparé en évitant la poutre, je suis sorti, j'ai oublié mon écharpe, je suis revenu dans la chambre, j'ai récupéré mon écharpe sur mon lit, j'ai fait attention et je me suis cogné la nuque en me redressant, mon frère a grogné, sans se réveiller, départ quatre heures et demie, encore nuit, trois quarts de lune, début de migraine, la migraine m'a toujours rendu bête, je vais être avec elle toute une journée et j'ai déjà la migraine.

Max et Hans étaient allés voir *Lorenzaccio* à Paris au début des années 50, à la sortie Hans a regardé Max d'un air malheureux, il ne supportait pas la pièce.

« C'était pourtant le TNP, poursuit Max, Gérard Philipe, Ivernel, grand spectacle, salle comble, public enthousiaste, pas du tout le public de la Comédie-Française, plutôt des gens en tweed, parfois sans cravate, mélange de bourgeois, de fonctionnaires, de petits employés, d'ouvriers endimanchés comme en Russie, beaucoup de jeunes gens, venus en couples ou en bande. »

L'index vers le visage de la fille de Frédérique :

« Vous savez, jeune dame, quand on parle du spectateur de théâtre on se trompe, ça n'est jamais un singulier, c'est presque toujours un couple, formé, ou qui va se former, ou éclater, qui sait ? L'unité de base c'est le couple et ce qui se passe dans le couple quand il va au théâtre, vous jouez pour des couples, avec Hans nous étions une exception, une paire de vieux amis. Je lui disais de regarder les couples, toutes ces femmes séduisantes, j'aurais voulu qu'on s'installe au balcon pour regarder les décolletés, il m'a traité de pornographe. Il trouvait la pièce bizarre. »

Skis et bâtons sur l'épaule, bonnet enfoncé, un pas volontairement lent, deux par deux sur la route, le bruit des fers à chaussures, certains se servent d'un bâton de ski comme d'une canne, au bout d'une demi-heure on quitte la route, un chemin déjà tassé dans la neige, avec quelques centimètres de poudreuse fraîche et givrée, l'air vif dans la gorge, la trachée, Lena parle avec une des jeunes Françaises, Lilstein est juste derrière elle avec un Anglais, le plus difficile pour moi c'est de garder le contact avec Londres, l'Anglais est aussi grand que Lilstein, grosses lèvres, front déjà dégarni mais il n'a pas quarante ans, c'est Maynes, il recherche la compagnie de Lilstein, le chemin serpente largement vers un premier col, ils vont vers Davos, le guide a une voix chantante, *moins vite, moins vite*, il retient deux hommes qui sont passés devant, *halte*, il les fait passer derrière, place Lena et Lilstein en tête, juste devant lui, c'est la première fois que Lilstein a envie d'embrasser un guide de haute montagne, il dit au guide nos amis anglais sont contrariés, on a fait passer une femme en tête de groupe.

« C'est un métier très dur, le spectacle, monsieur Goffard, dit la jeune femme. Il ne faut pas le calomnier. »

Max trouve qu'elle ressemble à sa mère, la même tonalité douce et sans appel dans la voix de jeune fille. Elle ajoute :

« Je préfère monsieur Moncel même s'il est injuste avec ce que je joue, dans ses articles du *Figaro*.

— Oh, il s'amende, dit Max, vous étiez aux *Cerisiers* l'an dernier ? Quand il est venu voir *Les Jours de la Commune* ? À la fin, la salle debout fait une ovation à la troupe du *Berliner*, la Weigel descend de la scène, imaginez, elle est au parterre, avec Aragon, Elsa, les dirigeants communistes, les intellectuels de gauche. Dans l'allée centrale un silence se fait à partir du fond, un homme s'avance lentement, soutenu par une amie, il va vers la Weigel, Moncel qui vient saluer la veuve de Brecht ! Et tout le monde lui sourit, grand spectacle ça aussi. »

Le guide dit à Lilstein :

« Fräulein Hotspur, pardon, Fräulein Hellström est une vraie montagnarde, elle connaît bien cette randonnée, elle l'a déjà faite plusieurs fois.

— Est-ce que c'était il y a longtemps, madame Hellström ?

— Vous pourriez m'appeler Lena, Michael, si vous m'appelez Lena au lieu de madame je vous apprendrai à poser vos questions plus élégamment, oui, j'ai fait beaucoup de randonnées ici, avec notre guide, avant la guerre, avant 14, vous ne le répéterez pas même si cela n'a pas beaucoup d'importance, regardez ! »

Elle montre un sommet qui commence à se teindre en rose, le Rikshorn.

« Vous voyez ces petits nuages, on dit qu'il fume sa pipe, beau temps, avec une petite tendance à l'instabilité, en montagne une petite tendance ça peut devenir un gros événement, une colère d'équinoxe. Ça n'était peut-être pas le bon jour pour une excursion. »

Ils croisent des traces de belette ou d'hermine, un virage tous les cent mètres environ, qu'y a-t-il après le col ? un autre col, c'est un théorème de montagne, tout col est toujours suivi d'un autre col, plus haut, une des Françaises crie :

« Mes lunettes ! J'ai oublié mes lunettes de soleil ! »

Le guide sourit, en sort une paire de son anorak, la lui montre, c'est son métier, penser à tout, et surtout aux gens qui oublient leurs lunettes, il avait aligné son monde devant l'hôtel, la liste à haute voix, gants, bonnet, biscuits, gourde, lunettes, lui-même porte un sac qui doit bien peser vingt kilos avec, accrochées dessus, deux spatules de rechange et une corde ; la Française avait dit oui sans vérifier si elle avait vraiment ses lunettes ; Lena a même pensé à emporter une espèce de petit coussin rouge qu'elle met entre son épaule et les skis, ça commence à monter plus raide, au bout d'un moment personne n'a plus parlé, la gorge en feu, le temps de s'adapter, le guide répète *moins vite*, Lilstein a tendance à accélérer, Lena pose une main sur son bras, appuie sur le biceps :

« Il faut obéir aux grandes personnes. »
Lilstein n'aime pas cette réflexion.

« Hans n'avait pas apprécié *Lorenzaccio*, dit Max, pas la pièce, Hans me disait ici vous la trouvez démesurée mais pour un Allemand ça passe, il ajoutait : ce que je ne comprends pas c'est ce succès en plein Paris devant tous ces gens, ça fait combien ? Six, sept ans à peine que l'occupation est finie, grand acteur de gauche, metteur en scène de gauche, théâtre populaire, civique comme vous dites, et ça raconte quoi ? Un tyran appuyé par une garnison allemande, je ne me trompe pas ? Le duc a plus de libido que Pétain mais c'est ça, un tyran appuyé sur l'Église et protégé par une garnison allemande, et en face les gens qui résistent sont des bavards ou des impulsifs, des incapables, tu te rends compte, Max, trois heures de résistance incapable, juste bonne aux conneries ou à la lâcheté, et il y a à peine une demi-douzaine d'années que la France est libre, et les gens applaudissent ce truc, un pouvoir de salauds, une résistance de crétins, le seul personnage qui réussisse son coup c'est cette femmelette poignardeuse, et le régime qui succède à ça est présenté comme dégueulasse, tout aussi dégueulasse que le précédent, il fait tirer sur les étudiants, et tout le monde applaudit, la droite, la gauche, le juste milieu, les activistes, les attentistes, les collabos, les résistants, tout le monde vient manger dans cette gamelle, Max, je n'aime pas cette façon d'être d'accord ! »

Lilstein accélère, volontairement, bon, elle a mis la main sur mon bras mais ça n'est pas une raison pour dire que je dois obéir aux grandes personnes, elle a dit ça pour pouvoir poser la main, ou bien elle l'a posée pour pouvoir dire ça, et puis elle sourit, c'est vrai qu'il n'y a qu'avec moi qu'elle sourit comme ça. Une main à nouveau sur le biceps de Lilstein, juste un petit *tiss*, *tiss* entre les dents, elle ne parle plus de grandes personnes, elle ne dit rien, c'est doux, je n'ai plus mal à la tête. Elle ajoute :

« Vous allez vous faire gronder. »

Une heure et demie de marche déjà, le sang à rythme normal, Waltenberg est tout petit dans la vallée, on distingue seulement la masse du *Waldhaus* et de l'annexe, quelques lampadaires devant l'hôtel, une mèche de cheveux s'est échappée du bonnet de Lena, joue sur la nuque, je voudrais être mèche de cheveux.

Puis la halte, un col d'où on voyait enfin une autre vallée, vers huit heures du matin, sans village, on est en plein col, on peut voir les deux vallées, le jour se lève vraiment, il fait encore très froid, les thermos circulent, et les petites gourdes de schnaps.

Le guide montre un autre col, beaucoup plus haut, les peaux de phoque, tout le monde skis aux pieds, l'un derrière l'autre, un des hommes s'écarte, commence à monter en canard, le guide dit non, vous ne tiendriez pas une demi-heure, il place Lena en tête, Fräulein Hotspur, pardon, Hellström, donnera la cadence, Lilstein est juste derrière Lena, de temps en temps le guide dit *halte !* Il passe en tête, s'encorde, confie l'autre extrémité à trois hommes, il avance à travers la pente en donnant des secousses sur les skis, une fois une petite plaque s'est dérobée, une seule, le guide n'est même pas tombé, Lena commente pour Lilstein et lui montre quelques nuages qui commencent à se concentrer.

Ils sont sur la terrasse de Chaillot, Hans a voulu voir la tour Eiffel, la perspective du Champ-de-Mars, c'est bon pour le moral les terrasses comme celle-là, s'il n'y avait pas ces baraques stupides...

« Ce sont celles de l'Otan, la défense du monde libre, Hans, ça vaut bien un peu de gâchis architectural. »

Max se retourne, montre la façade du TNP, c'est ça le théâtre, monsieur le romancier, si tu veux une salle comble il faut du quiproquo, il faut de la recette, sinon pas de théâtre, pas de *Lorenzaccio*, les gens qui ont acclamé Pétain viennent applaudir la bêtise des résistants, les gens qui ont acclamé de Gaulle viennent applaudir la mort du tyran, ce sont souvent les mêmes, les résistants qui rêvaient applaudissent la dénonciation du nouveau régime, les femmes mûres se font marquises, les jeunes filles meurent délicieusement, tout le monde croit au même moment à des choses différentes, c'est ça la communauté du spectacle.

« Ce guide connaît les lieux par cœur, dit Lena, l'été c'est une réserve, il est garde-chasse, il s'occupe des chamois et des mouflons, il connaît chaque arbre, chaque rocher à vingt kilomètres à la ronde, il a commencé avec son père quand il avait six ans, il m'a déjà ramenée à travers le brouillard. »

Vers midi ils sont arrivés à destination, un autre col. De l'endroit où ils sont, ils voient la grande vallée de Davos, à la jumelle on distingue des points noirs qui se déplacent sur les pentes.

Et puis la glissade, après cinq heures de marche, le retour vers Waltenberg, de longues transversales, quelques pentes à trembler, il y a deux écoles, ceux qui pratiquent le virage Telemark — une belle flexion du genou avant, suivie d'une flexion du genou arrière, le ski avant commence à tourner vers l'intérieur, courbe enclenchée, puis on se redresse lentement en rassemblant les skis, moins brusque, bien parallèles — et ceux qui, comme Lena et le guide, prennent des risques et font ce nouveau mouvement qu'on appelle le virage stem christiania, et même le christiania pur, une folie, on tourne en faisant une espèce de ruade skis l'un contre l'autre, Lilstein a essayé, il est tombé.

Lena n'a pas ri.

« Si vous me promettez de ne plus faire le fou, Michael, je vous apprendrai demain à faire des christianias. »

On passe parfois dans un bois de mélèzes, parfois un plat d'un kilomètre ou plus, on pousse sur les bâtons, le silence de la forêt, on débouche en plein soleil, on glisse à nouveau, Lena apprend à Lilstein les secrets du virage stem, il est euphorique, il n'a plus de migraine, elle se moque de lui avec des douceurs inattendues, le guide retient ceux qui voudraient prendre au plus court, on remonte vers un petit col, non, dit le guide, pas la Hirschkuh, il faudrait passer la nuit en montagne, Lilstein rêve de passer la nuit en montagne, Micha, vous serez sage, n'est-ce pas? ils sont tous les deux dans le refuge de la Hirschkuh, une flambée dans l'âtre, ils sont gelés, elle a quitté ses vêtements, s'est enveloppée dans plusieurs couvertures, il est à côté d'elle, non, il y a deux lits, chacun dort dans son lit, Lilstein a froid, Lena dit j'ai froid moi aussi, non, ils sont assis devant le feu, elle sourit, Lilstein pose la tête sur les cuisses de Lena, Lena ne dit rien, si, au moment où le guide dit *pas la Hirschkuh* elle marque une pause, s'appuie sur ses bâtons, regarde Lilstein, et d'une voix sérieuse :

« Pas de nuit en montagne, et pas de berceuse, vous ne skiez pas aussi bien qu'un chasseur alpin. »

Ils reprennent la descente, ils arrivent au pied du *Waldhaus* quand le ciel est déjà rouge cerise, elle se tourne vers Lilstein :

« Vous ne skiez pas si mal, nous aurions pu faire le détour par la Hirschkuh. »

Il lui lance une boule de neige, elle le poursuit, il tombe, roule sur lui-même, il est sur le dos dans la neige, elle le regarde, debout devant lui, le soir tombe, il n'y a personne alentour. Ils sont là, à écouter leurs souffles. Elle dit :

« Rentrons, il va faire froid. »

La fille de Frédérique montre la femme au bonnet de laine au centre de la photo :

« Qu'est devenu Erna? Ma mère a perdu sa trace.

— C'est une très longue histoire, n'est-ce pas, Max?

— Elle dirige le centre d'études Merken, dit Max, à Munich, la philosophie conservatrice, alors qu'à Waltenberg elle était très *front rouge*. »

Max regarde autour d'eux :

« Vous savez que nous avons du monde autour de nous,

Lilstein ? De la chaussette à clous. C'est pour vous qu'ils sont là ?

— Il y a beaucoup de chances qu'ils ne fassent rien, dit Lilstein.

— Combien ?

— Au moins une sur deux.

— S'ils vous coincent, ça vous vaudrait un vrai dilemme ; ils vous convertissent et vous devenez un agent de la CIA, ou bien vous niez, ils sont obligés de vous renvoyer au paradis socialiste. Et là-bas on vous fusillera, jeune indiscipliné, pour être venu aux obsèques d'un ami sans autorisation, pour faiblesse de cœur.

— Encore une chance sur deux de s'en tirer, Max, peut-être plus, on fusille de moins en moins aujourd'hui.

— Et puis, que vous ayez des faiblesses, ça doit rassurer vos petits camarades de RDA. Ils vont bien ? Vous me raconterez ce que vous faites au juste en ce moment ? Un petit entretien sur la vente, disons les échanges dissidents contre crédits non remboursables. Et vous vous entendez comment avec les popofs en ce moment ?

— Je ne suis pas sûr de mieux les connaître que vous, Max. »

*

« Ce qui est intéressant, vous avait dit Lilstein entre deux bouchées rituelles de *Linzer,* c'est qu'à Grindisheim tout le monde sera là, vous croiserez un tas de connaissances, des gens que vous aurez rencontrés à Paris, à Berne, à Rome, même à Singapour, pas tous, mais une bonne partie, entre le corps diplomatique, les journalistes, les intellectuels, les admirateurs de monsieur Kappler, les collègues écrivains, les gens qui seront là pour être sur la photo, ou parce que ça ferait bizarre de ne pas y être, et tous ceux qu'on appelle les Européens, beaucoup de monde, toute une vie, il y aura aussi beaucoup de policiers, d'agents de renseignement, de contre-espionnage, le gotha, ça va être très amusant, un mélange de gens calmes et d'excités, c'est comme une foire ou un festival, on peut y faire de très bonnes affaires, c'est risqué mais il faudra y être. »

*

La CIA aussi avait envoyé une grosse escouade à Grindisheim, avec un de ses patrons, plutôt jeune pour ce rang, un nommé Walker, aimable et doux, habillé de vieux tweed avec une petite pochette voyante, orange et noire. Il n'avait jamais besoin de répéter ce qu'il disait. Il s'était cantonné dans un rôle d'observateur en précisant que la situation devait rester *under control*. Sur le suspect il n'y avait rien de sûr dans aucun dossier mais il n'était pas très net non plus.

« Ça nous fait une belle jambe », avait dit le ministre ouest-allemand.

Pour d'autres responsables de Bonn, il ne fallait rien faire, une petite chance que ce fût vraiment un espion, mais de très grosses chances de provoquer un incontrôlable incident diplomatique.

Au fur et à mesure que le temps passe dans la grande maison au centre de Grindisheim la tension monte, on se dit les choses de plus en plus carrément :

« Vous vous foutez de provoquer un scandale, vous le cherchez, espion ou pas espion en réalité ce n'est pas votre problème, vous voulez foutre la pagaïe, vous ne voulez pas de la détente, vous cherchez à bousiller les accords de détente, la nouvelle politique à l'Est et nos bonnes relations avec nos alliés. »

Les gens de l'*Office fédéral de protection de la constitution* ont continué à attendre la décision de la Chancellerie en faisant surveiller le suspect. Dans la pièce principale de la maison la sono renvoyait en permanence des messages sur *walkies-talkies,* tout un réseau autour du suspect et des gens avec lesquels il bavardait. On lui avait donné un indicatif, Blanchot, ça donnait des échanges comme *ici Tartine, Blanchot arrive sur Mamie,* Mamie disait *bien reçu, Blanchot sous contrôle.*

Et, dans le cortège, des messieurs en deuil ou parfois une femme se plaçaient conformément aux instructions renvoyées par le central installé dans la maison.

Un homme s'est approché de la fille de Frédérique de Valréas, taille moyenne, barbe tout autour de la bouche, il a embrassé la jeune femme, elle a voulu le présenter à Max.

« Oh, je connais bien monsieur Poirgade », a dit Max.

Il a désigné Lilstein :

« Monsieur Lilstein, import-export. Monsieur Poirgade, spécialiste de stratégie. Alors, Poirgade, toujours au Quai ?

— Toujours, monsieur Goffard. »

Poirgade et la fille de Frédérique se sont éloignés.

« C'est amusant, a dit Max, l'héritage Valréas repris par un Poirgade, quand je dis amusant...

— Ils sont fiancés ?

— En tout cas ça expliquerait qu'ils se sauvent comme des voleurs. Mais Poirgade reconverti dans la femme, c'est un scoop. Après tout pourquoi pas ? Une belle fille, et elle a le carnet d'adresses de la vieille caste européenne. Vous ne m'avez pas répondu sur les popofs, jeune Lilstein.

— Max, regardez ! »

La main de Lilstein vers le fleuve, le soleil met des vapeurs de contre-jour sur le paysage, la main est maladroite, le regard de Lilstein revient vers Max.

« Les Soviétiques, je ne les vois pas souvent, nous nous faisons vieux, Max, on nous consulte de moins en moins. Je ne vous lis pas non plus très souvent en ce moment. Vous avez pris du recul ? La retraite ? »

La réponse de Max fuse :

« Jamais, je veux crever comme Albert Londres, en plein

voyage, un jour, en pleine enquête, un paquebot, un trou dans l'eau, une vraie mort de journaliste, ce serait superbe ! »

Max vient de boucler un grand reportage sur les camps de concentration, les complicités, les nazis et les collabos qui ont fui en 1945, leurs filières d'évasion, les couvents italiens, mais il a des problèmes, personne ne veut de ce papier, trois rédacteurs en chef déjà, à lui dire :

« Max c'est trop long, trop de détails, pas en ce moment, tout le monde connaît, il faut attendre une meilleure conjoncture, les lecteurs s'en foutent. »

Max est retourné dans les camps, Buchenwald, Birkenau, il a aussi retrouvé des survivants çà et là dans le monde.

« Des gens qui vous connaissent, Micha, ils sont aimables avec moi, une bonne conversation, je leur parle pour les mettre en confiance, quand ils sont en confiance ils parlent à leur tour, bel échange cordial, et en relisant mes notes je m'aperçois qu'ils ne m'ont raconté que ce que je leur avais dit. »

Une femme a accepté de parler, elle a demandé à Max de ne pas ajouter d'adjectifs, il y a les choses qu'on nous a faites, monsieur Goffard, c'était monstrueux, on peut en parler mais n'écrivez pas monstrueux, il suffit d'être précis, et puis il y a les choses qu'on nous a obligés à faire, pour celles-là on parle d'innommable et je ne sais pas si je réussirai à vous les dire, elle a essayé de raconter à Max, elle s'en voulait d'un croûton de pain dissimulé, de ne pas avoir prêté l'épaule à quelqu'un pendant une marche, d'être restée à l'infirmerie, elle croyait qu'elle devait sa vie à la mort des autres, elle avait beaucoup de mal à parler, d'autres personnes ont dit à Max qu'il allait apporter de l'eau au moulin de la propagande bolchevique, rappeler aux Polonais ce que leur ont fait les Allemands ou ce qu'eux-mêmes n'ont pas voulu voir, quelques photos, quelques phrases, une file de femmes et de gosses sur la page de gauche avec un officier SS, et sur celle de droite une photo de la nouvelle *Bundeswehr*, les Soviétiques savent très bien faire ce type de montage, ce n'est pas le moment, il est très bien ce reportage sur les camps nazis, mais plus tard, quand ça se sera calmé, parfois, jeune Lilstein, je ne trouve pas de sujet à la mode.

« Vous voulez me donner votre reportage pour un de nos journaux ? demande Lilstein.

— Jamais !

— Pourquoi ne pas écrire une biographie, Max ?

— Oui, celle d'Ulbricht ? Vous avez de l'inédit ? Sur le début des années 30 ?

— Vous ne voudriez pas quelques tuyaux sur Beria, Max ? Ça marcherait très bien, je ne sais pas grand-chose mais je vous donne ce que je peux trouver, comment on devient Beria, on part dans la vie pour être ingénieur et on devient Beria, une biographie, vous reconstruiriez tout un pan de l'Histoire, et vous vous me diriez ce que vous auriez trouvé, vous connaîtriez bien la vie de Beria. »

Ils sont sortis du sous-bois, l'air est plus frais, le vent du Rhin.

« Micha, gagnons du temps, dites-moi tout de suite ce que vous voulez que je trouve sur Beria. Vous préparez une intox ?

— Non, Max, c'est vraiment personnel.

— Une femme ? Micha vous êtes amoureux de la femme de Beria ! Elle vit à Berlin ? Vous me faites avoir un entretien ?

— Max, c'est sérieux, c'est seulement entre nous, vous travailleriez sur la biographie de Beria et vous pourriez m'apprendre pourquoi et comment j'ai survécu à tout ça, comment ça s'est passé, le fils d'une juive allemande bolchevique liquidée à Moscou pour trotskisme qui survit à sa mère. J'ai survécu à Auschwitz et à Staline, pas de balle dans la nuque en 46, ni en 51, je me demande si l'explication n'est pas du côté de Beria, au moins jusqu'à sa mort, pourquoi Beria m'a-t-il laissé vivre ?

— Peut-être parce que vous lui ressemblez ? Il vous a quand même foutu au trou en 1951, Micha, vous avez le souvenir indulgent.

— Bien sûr, mais au début ce n'était pas si dur, je veux dire en comparant avec les nazis, les heures et les jours sur un tabouret ça n'avait pas l'air d'être une vraie torture, ils appelaient ça la vis sans fin, le plus pénible dans l'histoire c'est qu'on ne vous frappe pas, si vous avez mal c'est que ça fait mal d'être tout le temps assis sur le bord d'un tabouret, de plus en plus mal, mais au fond vous ne vous dites pas que les types qui vous parlent vous font mal comme s'ils vous tapaient dessus avec une matraque, c'est cela l'astuce, vous vous dites que si vous avez mal c'est la faute de vos vertèbres, pas moyen de demander à la haine de quoi résister.

— Et vous avez fait comment ?

— Il me fallait de la haine, je me suis dit ça ne vient pas de Staline, ni de Beria, ça doit venir de quelqu'un d'autre, ce salaud d'Abakoumov, le type qui se venge d'avance, Max, je vous donnerai des tuyaux sur Abakoumov, il faut toujours avoir quelqu'un de haïssable sous la main, c'est comme ça que je ne me suis pas effondré, et parce qu'ils ne cherchaient pas à me détruire, dans les couloirs j'entendais d'autres bruits, très durs, mais ils ne faisaient pas ça avec moi, pourquoi ?

« Et avec mes tuyaux, Max, vous pourriez écrire une belle biographie de Beria, nourrie de détails vrais, par exemple le jeu favori, quand la petite bande se soûlait la gueule chez Staline, au moins quatre fois par semaine, vous ne connaissez pas le jeu favori ? Tout le monde y jouait, sauf la victime, ça consiste à placer une tomate sur le siège de Mikoyan avant qu'il ne s'assoie, des fois on fait même le coup à Malenkov, le type se lève pour aller pisser et on lui fout une tomate sur sa chaise, il pourrait regarder sur la chaise au moment de s'asseoir, mais à ce moment-là Staline se débrouille pour lancer *Anastase, qu'est-ce que tu complotes ces temps-ci ?* et mon Anastase fait bien attention à regarder Staline droit dans les yeux.

« Il oublie tout, et splatch, la tomate, de vrais collégiens, mais personne n'a jamais essayé de faire le coup à Beria, ils en ont peur, pas Staline, mais ce n'est jamais Staline qui met la tomate, Beria a trop de choses sérieuses à raconter, il faudra insister sur le caractère sérieux de Beria, Max, sa façon de gérer, on n'insistera jamais assez sur les capacités de *manager* de Beria, vous savez qu'aux États-Unis il serait devenu P-DG d'IBM ou de la *United Fruit* ?

— Oui, très bien ça, jeune Micha, à la mort de Staline Beria se réfugie aux États-Unis, quelques mois de taule, beaucoup d'entretiens avec des huiles, comme pour certains nazis, on repère ses capacités de manager, bride sur le cou, attention, pour le business seulement, pour les petites habitudes on le cadre, fini les adolescentes, ça n'était pas vrai ? Des maîtresses mais pas de mineures enlevées sur le trottoir ? Même votre femme pourrait confirmer ? Ce qu'elle dit c'est qu'elle ne voit pas comment vous auriez eu le temps, des rumeurs, de vulgaires rumeurs ? D'accord, mais nous ne voulons pas non plus de rumeurs, si vous avez une petite envie vous demandez à Ted, votre chauffeur, non, ce n'est pas ce que je veux dire, Ted connaît les personnes qu'il faut, vous voulez faire l'amour ? Achetez-le tout fait. Et Beria devient vice-président de la *United Fruit,* chef des opérations, on oublie le reste, comme pour Gehlen ou von Braun, beau chapitre !

— Oui, Max, très bien, Beria en manager yankee, ça me plaît beaucoup ! Beria fou de développement, devient maître mondial de la banane, et comme tous les maîtres mondiaux il a horreur des taxes, cinq pour cent de taxes sur ses bananes par un président guatémaltèque, alors Beria dîne en ville, joue au golf, au poker, peut-être avec vous, et la CIA lui installe un régime militaire au Guatemala pour protéger ses plantations de bananes hors taxes, des milliers de morts, la main lourde des militaires, de plus en plus sale au fil des années, mais pas de Goulag, juste la protection de la libre entreprise et des bonnes bananes, et Beria, grand manager, garde les mains propres.

« Une biographie, Max ! Vraie, fausse, plausible, vous raconteriez ça très bien, vous sauriez pourquoi il m'a protégé, avec des histoires de petites culottes si vous y tenez, pour la vente.

— Je n'ai pas envie », dit Max.

Vers cinq heures du soir à Grindisheim tout le monde s'est retrouvé près de la fosse, un millier de personnes rangées en demi-cercle.

Sur un signe de l'ordonnateur des pompes funèbres un homme s'avance devant les micros, il tire un livre de sa poche, l'ouvre, selon les dernières volontés de notre ami je lis ici en français un extrait du chapitre intitulé *La Partie de plaisir*, chapitre v de la troisième partie du *Grand Meaulnes*, dans l'assistance il y a un murmure, pas d'hostilité mais un peu de surprise, simplement ce qui se passe quand certaines personnes dans une foule reconnaissent celui qui est la cible de tous les regards et font circuler un nom inattendu, oui, il est parfaitement reconnaissable, c'est bien l'ambassadeur de France, pas monsieur Gillet, non, celui-ci c'est l'ambassadeur de France à Berne, monsieur de Vèze, je ne savais pas qu'ils se connaissaient, c'est drôle, un Français qui vient lire *Le Grand Meaulnes* en plein cimetière allemand, alors que le président du *Bundestag* est là, et de Vèze a commencé : *Tout paraissait si parfaitement concerté pour que nous soyons heureux et nous l'avons été si peu...*

Dans la voix lente et appliquée de De Vèze défile un monde de petits prés, de collines grises, de bruits de meutes et de châteaux à tourelle... *que les bords du Cher étaient beaux...* des haies, des taillis, une pelouse... *une grande pelouse rase où il semblait qu'il n'y eût place que pour des jeux sans fin...* connaissant Kappler, mon cher, je m'attendais à des réflexions plus aiguës que cette vieille carte postale, il a traversé le siècle et il nous fait lire par un Français son livre d'adolescent, moi ça ne m'étonne pas, vous savez, il y a au moins deux Kappler, celui des grandes œuvres presque illisibles dans l'entre-deux-guerres, la crise des valeurs et du roman, le martyr du clair-obscur, et celui des grands tirages à partir de 45, la phrase familière, la transparence réaliste, sa dernière manière, des histoires que tout le monde peut lire, il voulait même fonder une collection de littérature où on aurait réécrit les grands livres en langage simple, on les aurait condensés, élagués, il voulait même faire ça avec *Ulysse* et *La Montagne magique,* je crois qu'il aurait même simplifié son cher *Grand Meaulnes,* dites-moi, vous avez une idée de ce que va devenir la politique étrangère de la France maintenant que de Gaulle est parti ?

Puis le même ordonnateur a dit :
« J'appelle maintenant monsieur Max Goffard. »
Trois jours auparavant, le notaire avait convoqué Max :
« Vous êtes expressément concerné par une des dernières volontés de votre ami, monsieur Kappler demande que vous lisiez un petit extrait des *Scènes de la vie d'un propre à rien,* il précise, je cite, *une fois que Max aura fini de gueuler vous pourrez ajouter que la lecture d'Eichendorff doit se faire en allemand, il aimera beaucoup, depuis notre première rencontre toutes nos conversations ont eu lieu en français, maintenant c'est à mon tour de l'écouter parler allemand et de rire.* Monsieur Kappler ne veut rien d'autre que ces deux lectures, monsieur de Vèze et vous. »

*

Au *Waldhaus,* le visage de Lilstein est calme, vous avez tous les deux fini vos portions de tarte en même temps, comme un vieux couple. Il vous regarde avec bonté, puis il regarde la ligne du téléphérique et le village en contrebas de l'hôtel, les grands yeux clairs reviennent vers vous, il bâille, petit rire :
« L'avantage des grandes funérailles comme celles de monsieur Kappler vendredi prochain, c'est qu'on peut y exprimer ses grands sentiments. Dans notre métier c'est reposant, je vais aller enterrer l'un de mes deux grands amis et j'aurai

droit aux yeux rouges, alors qu'en général nous devons malheureusement éviter les grands sentiments, les rêves, l'emphase ça mène aux catastrophes, je veux dire aux désillusions catastrophiques, je ne veux pas que vous soyez comme ça, je ne vous aime pas quand vous êtes découragé, mais je ne veux pas vous voir verser dans les grands sentiments, moi j'ai appris à ne faire de sentiment que pendant les funérailles, on ne fait pas notre métier avec un cœur d'artichaut. On reprend un pichet ? »

Vous n'êtes pas très d'accord avec la proposition de Lilstein. Vous supportez assez mal le vin blanc. Mais vous vous sentez fiévreux. Vous dites oui. Lilstein lève la main, une jeune serveuse du *Waldhaus* surgit avec un nouveau pichet, le pose, repart, vous avez envie de regarder ses jambes, Lilstein vous regarde, vous lancez votre main vers le pichet pour détourner son regard, jolies jambes de la serveuse, vous revenez vers Lilstein, son regard n'a pas bougé, il sourit.

« Il faut se méfier des grands sentiments, jeune Français. Une dame que j'ai croisée avant guerre, une Autrichienne, elle luttait contre le nazisme, grande famille aristocratique, admiratrice des Soviets, grands sentiments, elle avait défilé un 1er mai sur la place Rouge, les larmes aux yeux, marxiste à cœur d'artichaut, vous allez voir, elle travaillait pour les services de renseignements de l'Armée rouge.

« Un jour, 1937 ou 38, à Francfort, son chef de réseau lui tend une lettre de Vorochilov, oui, déjà le vrai patron de l'Armée rouge, lettre manuscrite, cela se passait devant un petit lac, dans un jardin public, pour un observateur c'est une belle femme qui lit une lettre émouvante, elle lit, relit, les larmes aux yeux, son chef de réseau détourne pudiquement le regard, belle lettre, *je tenais à vous remercier au nom de l'URSS et du camarade Staline pour tous les sacrifices que vous faites, pour votre dévouement à la cause de l'internationalisme prolétarien et de la patrie du socialisme,* le chef de réseau lui parle à nouveau, déchirer la lettre, en confettis, pour l'eau du lac et les petits canards qui croient d'abord que ce sont des miettes, et qui repartent, qui plongent en montrant leur cul.

« Les gros canards, eux, n'ont pas bougé, ils savent distinguer entre miettes et confettis, Vorochilov en personne, *je tenais à vous remercier.* Quelques années plus tard elle se retrouve face à Vorochilov, larmes aux yeux, elle remercie à son tour, cette lettre a beaucoup compté à un moment très dur, ce n'est rien chère camarade, rien que de très normal, oh, si, cette époque était très dure, Vorochilov n'a pas envie qu'on lui rappelle cette époque en détail, elle continue quand même, cette lettre c'était dix fois plus que tout l'or du monde, c'était le cœur battant du prolétariat. Vorochilov lui sourit, elle sent qu'il ne comprend pas, elle comprend, une fausse lettre, elle se maudit de sa naïveté, Vorochilov a tourné les talons, elle ne peut même pas s'en prendre à son chef de réseau, il a été fusillé, méfions-nous des grands sentiments, même si ça compte, vous vous voyez, en larmes, sur le petit pont à l'entrée du village, avec une lettre de mon salaud de ministre ?

« Fusillé par qui le chef de réseau ? Devinez. Quant à elle, elle a cessé de faire du bon travail, et elle a disparu. Je ne veux pas que vous soyez comme ça. »

*

À la fin de l'enterrement, collation dans le grand hôtel de Grindisheim, Max et Lilstein ont commandé un thé, ils ont cherché du regard la fille de Frédérique, ne l'ont pas trouvée.

« Sa mère était une jeune fille impressionnante, dit Lilstein, Hans en a vraiment été amoureux. Elle, elle avait envie d'être amoureuse mais elle ne voulait pas que sa vie en dépende. Elle était vraiment la maîtresse de Merken ? »

Pour Max c'étaient des ragots, on en voulait à la Valréas, d'être très proche des Merken, des Boches, elle leur avait confié Frédérique pour un an à Heidelberg, la Valréas était la maîtresse en titre du grand philosophe, les gens en ont profité pour ajouter du scandale, Merken couchant avec la mère et la fille, des ragots.

À l'époque Frédérique fait peur au professeur, mais en philosophie seulement, elle est capable de lui réciter un de ses articles, vingt pages, deux heures après l'avoir lu, Max et Lilstein se souviennent, une superbe mécanique intellectuelle, timbre de voix très passionné, très à l'aise dans le séminaire du *Waldhaus* en 1929, une idée par minute, elle pensait que Merken était le plus grand philosophe de son temps, elle lui reprochait même de disputer un poste à Regel, la chaire de Berlin, elle le voulait au-dessus de tout ça, à Waltenberg elle lui parlait des réactions provoquées par les nouvelles en provenance de Berlin, en général les gens n'aiment pas ce genre de dispute pour un poste, ils n'aiment pas qu'on en parle, ils défendent Regel qui est malade à l'idée de perdre ce poste, on le dit même presque fou, Merken dit qu'il n'y est pour rien, Frédérique sait que la majorité des professeurs est pour Regel, en nommant Merken le ministre passerait outre à cette majorité.

Merken n'aime pas qu'une de ses étudiantes aille si loin, cette histoire de poste, c'est une fable, et si Regel est dans cet état ça n'est pas parce que le ministre va commettre un acte arbitraire, les gens comme Regel ont en permanence besoin de se heurter à de l'arbitraire, ça ne les rend pas fous, ils aiment ça, en fait Regel ne peut pas dire ce qui s'est vraiment passé dans le huis clos de l'assemblée des professeurs, ce serait commettre une faute contre l'institution et les bonnes règles, mais il y a une vérité même si on ne peut pas la publier, c'est que Regel n'était pas classé en tête pour le poste de Berlin, il aurait dû avoir la majorité mais il n'est arrivé que second, Merken n'y est pour rien, ce sont les amis de Regel qui se sont divisés, ils ont voulu profiter du scrutin pour prendre date en faveur d'un autre collègue, plus jeune et plus à gauche, très méritant.

C'était une bonne chose de faire figurer un jeune collègue dans ce scrutin prestigieux, oui, le résultat du vote est publié, mais pas les délibérations, pas l'argumentaire développé par chaque membre de la commission, il y a donc eu un troisième larron, les amis de Regel se sont divisés et certains ont voté pour le troisième larron.

L'un des meilleurs amis de Regel, un ami politique et un compagnon de vacances, a fait un très beau plaidoyer en faveur du jeune collègue méritant, membre du même syndicat que lui, c'est un autre des meilleurs amis de Regel qui s'est fait un devoir de raconter ça à Regel au téléphone dès la fin de la réunion, personne ne voulait faire élire ce jeune collègue, c'était seulement pour prendre date, il est donc vrai de dire que la majorité était favorable à Regel, Merken le savait, il ne s'est présenté que pour le principe, pour qu'il y ait un débat d'idées à la faveur de cette élection, mais les amis de Regel se sont divisés, le vote a donné le troisième larron en troisième position, Regel en second, et Merken en tête, alors que la majorité n'était pas pour lui.

Les amis de Regel étaient heureux de ce premier tour de scrutin, et au second tour, pour le vote définitif ils allaient tous se rassembler sur le nom de Regel, et Regel serait élu. À cela près que pour le règlement intérieur il ne pouvait pas y avoir de second tour, il n'y a de second tour que s'il y a plus de trois candidats, un premier tour pour voir l'état des lieux, un second tour pour n'en retenir que trois, mais là les candidats n'étaient que trois, donc le premier tour de scrutin était le tour définitif, le règlement c'est le règlement, et tout le monde le savait, à cela près que les amis de Regel l'avaient oublié dans leur belle précipitation à faire connaître un jeune collègue plein d'avenir, Regel n'a pas été victime de l'arbitraire du ministre, ils ont appelé le ministère au téléphone et le ministère leur a très légalement refusé l'organisation d'un deuxième tour.

C'est la bêtise de ses amis qui a fait perdre Regel, il a été victime de la bonne volonté souriante de ses amis.

On appelle ça une triangulaire, on ne peut pas raconter publiquement, parce que les délibérations se font à huis clos, mais c'est la vérité, c'est cela qui met Regel hors de ses gonds, ce qui lui a fait danser la gigue devant tout le monde, la jeune fille dit à Merken que cela n'empêchera pas les adversaires de Merken de l'accuser, de lui dire qu'il pactise avec la violence faite à Regel, non, ce sont des phrases, les gens qui sont hostiles à Merken ont leurs phrases prêtes depuis longtemps, quoi qu'il puisse faire, Merken et la jeune Frédérique sont sur une des terrasses de la façade nord du *Waldhaus*, la discussion est animée.

Ils sont seuls. Où est la mère de Frédérique ce matin ? tout de même pas auprès de Regel ? non, mais elle est aussi dans un drôle d'état, pendant tout le débat d'aujourd'hui madame de Valréas s'est comportée comme à l'époque où elle soupçonnait sa fille de lui dérober des soutiens-gorge, elle n'a pas cessé de l'observer, on a dû lui dire des choses, Merken n'aime pas les *on-dit*, le *on* derrière lequel il y a toujours quelqu'un et jamais personne, un monstre, des yeux en métastases par millions, des millions de langues de vipère et une seule et même corde vocale, ça cancane, quelle tristesse !

Frédérique proteste, cela suffirait à rendre triste ?

« La philosophie n'a personne à sauver, chère Frédérique, elle n'a pas à jouer le rôle du Christ après l'avoir récupéré sur une vieille étagère, elle est là pour nous ramener au néant, le reste, goût de la vie... volonté d'avenir... ce ne sont que des fables. »

Frédérique résiste :

« Ce n'est pas une raison pour se laisser envahir par l'humeur noire. »

Éloge de l'humeur noire par le professeur Merken, elle nous donne la force de jeter un encrier à la face de notre miroir, Merken veut se retirer, retourner au salon, Frédérique le retient, elle ne voulait pas irriter le professeur, elle ne comprend pas cette tristesse, Merken reste sur la terrasse, toute pensée est triste, dès que nous cessons d'être des chiens nous sommes tristes.

« Elle t'a fait une scène ?

— Frédérique !

— Ma mère t'a fait une scène ?

— Il n'est pas question de cela.

— Pourquoi cette tristesse ? C'est insultant ! Des chiens ? La chienne te salue monsieur le professeur ! Va coucher avec ! »

Frédérique quittant la terrasse, une sortie en désordre, Merken la rattrape.

« Frédérique, la situation...

— Tu ne risques rien ! Tout le monde s'imagine que j'en suis encore à te courir après, tu es triste, c'est fini, laisse-moi !

— Ce n'est pas de ce monde-là qu'il est question, c'est plus profond.

— Je n'aime pas cette tristesse, elle m'en veut. »

Frédérique se trompe si elle croit que c'est si facile, Frédérique ne veut rien entendre :

« Voyez-vous ça, il rentre de promenade, il retrouve sa Frédérique et il est malheureux, le pauvre homme ! »

Le pauvre homme supplie Frédérique de ne pas crier, vainement.

« Tu es triste ? Quand un homme est triste c'est qu'il a trouvé une autre femme, tu es triste parce que tu t'obliges à rester avec moi, tu n'aimes plus mes cris, tu n'as pas toujours dit ça.

— Je t'en supplie, Gretchen, ne crie pas, il n'y a personne. »

Chacun des deux dit *il n'y a personne*, Frédérique pour pouvoir continuer à crier, une colère qui se nourrit de colère, et le pauvre homme aussi dit *il n'y a personne*, il parle de sa vie en général, sans personne d'autre que Frédérique.

« Ne crie pas, j'ai besoin de toi.

— Il a besoin de moi et il est triste, alors que tu es si séduisant avec ton pantalon en accordéon et ta plume au chapeau, viens, plus près, je ne vois rien d'attristant, tes pommettes sont rouges, un beau mélange de mélancolie et de chaleur, et tu es malheureux, allons, déballe-le ce petit malheur, qu'on en fasse un petit bonheur pour dame, descendons sous les arbres, l'air frais des Alpes sur ton petit malheur.

— Frédérique, nous devenons ridicules. »

C'est à Merken de vouloir quitter la terrasse. Alors Frédérique :

« Monsieur le professeur a vraiment tiré tous ses coups ?

— Ne sois pas vulgaire.

— Qui a commencé à appeler l'autre *ma petite motte* ? »

Elle a crié le dernier mot.

C'est à ce moment-là que la Valréas est arrivée sur la terrasse, elle a compris.

« Frédérique, tu ne convertiras jamais le professeur à tes sornettes, ne l'embête pas avec ta révolution et ne crie pas, ces jeunes filles sont insupportables, elles veulent tout, tout de suite, elle vous a contrarié ?

— Certes non, chère amie.

— Nous parlions de la pensée, maman, et de la tristesse des tâches auxquelles elle nous astreint. »

Chapitre 12

1969

DEUX FOIS PLUS DE FORCE

Où Lilstein essaie d'obtenir de Max des secrets qui relèvent de la vie privée.

Où le piège se resserre autour de l'espion présent aux obsèques.

Où le nommé Walker invente un scénario violent pour capturer l'espion.

Où Max reconstitue la vie de son amie Lena dans l'entre-deux-guerres et un peu après.

Où Lilstein vous met encore en garde contre les grands sentiments.

Où se précise ce qu'était le talent de Lena quand elle chantait des *Lieder*.

GRINDISHEIM, octobre 1969

L'amante s'en alla dans l'ombre avec l'amant.

Victor Hugo,
La Fête chez Thérèse

Dans l'hôtel de Grindisheim, Max et Lilstein sont assis à l'écart, juste à côté d'un buffet où le maître d'hôtel vient d'installer avec précaution une grosse tarte aux myrtilles, la saupoudrant avec un sucrier à l'ancienne, cristal travaillé à pans coupés et bec en argent, la surface sombre du buffet, l'argent, les transparences du cristal, le rebord ocre du plat à tarte, le rouge sombre des myrtilles, les blondeurs de la pâte brisée. Lilstein :

« Cette tarte va me réconcilier avec les lieux, j'ai horreur de ce nouveau style avec du néon et du plastique partout, ils cassent les vieilles boiseries pour faire ça, vous vous souvenez du *Waldhaus*, Max, le salon-bibliothèque, Hans aimait beaucoup, il y donnait rendez-vous à Frédérique, les portes-fenêtres ouvraient sur la terrasse, le lac, les montagnes, avec le café et la tarte aux myrtilles sur des tables basses, ils ne faisaient pas encore de *Linzer*, les myrtilles recouvertes de sucre fin sur la table au coin de la porte vitrée, le plancher, c'était en marqueterie hongroise, les canapés, les fauteuils club bien fatigués, au lieu de ces saloperies en formica !

— Micha, à l'époque vous appeliez ça le confort bourgeois, vous vouliez le détruire, vous méprisiez les murs plaqués de teck, les gravures de Guillaume Tell, les armoires à grillage avec Balzac, Goethe et Dickens.

— Et les traités de botanique, Max, vous vous souvenez des traités de botanique ? Et les collections reliées de *L'Illustration* et de la *Neue Zürcher Zeitung* ? C'était reposant, et le piano ? Le piano à queue sur sa petite estrade ? La salle aux fauteuils rouge et or, un piano brun foncé, en marqueterie, toujours parfaitement accordé. »

Max s'est moqué de la nostalgie de Lilstein pour les valeurs bourgeoises, le confort des gens à privilèges. Lilstein a protesté, bibliothèque, piano, vieux fauteuils, plus personne ne recherche ce genre de privilège, les gens à privilèges ont d'autres goûts, ils veulent des haut-parleurs et des écrans, des choses qu'on a moins besoin d'apprendre, ils les financent, ils les diffusent dans la foule et ils les lui empruntent, ça fait croire à la fin des privilèges, ils n'ont plus besoin des gros romans, de la gravure, du teck, du piano, tout ça, et le sucre fin sur les tartes aux myrtilles, ça va mourir.

« Regardez, Max, ici ils ont gardé un seul meuble pour faire bibliothèque mais c'est à pleurer, j'ai jeté un œil, des bêtises, imprimées en gros caractères, surtout pas de livres littéraires, le *Reader's Digest*, vous vous rendez compte, une bibliothèque sans littérature, une littérature qui se dépouille de la littérature pour qu'on lui garde une place dans des bibliothèques où il n'y aura plus de littérature.

— Micha, on ne censure jamais la littérature chez vous ? »

Au bout de quelques minutes un serveur est passé, il a salué Max et Lilstein avec discrétion, il a contemplé le tableau, le sucre que le maître d'hôtel avait versé a été absorbé par les myrtilles, le serveur saupoudre copieusement la tarte, six serveurs dans la salle, tous aussi scrupuleux et verseurs de sucre à tout va, six passages de sucrier en quelques minutes, quand le maître d'hôtel est venu proposer sa tarte aux myrtilles après l'avoir saupoudrée une dernière fois Lilstein a dit non, le maître d'hôtel leur a proposé de la *Linzer* mais je ne vois pas pourquoi j'aurais commandé une *Linzer* à des ploucs qui sabotent leurs myrtilles.

Max et Lilstein n'ont plus parlé de Hans, Max n'y tenait pas, Lilstein n'a pas cherché, ils ont changé de sujet, Max n'a pas posé de questions sur les expulsions de dissidents et les prêts sans intérêt, sans doute parce qu'il savait déjà tout ce qu'il voulait, ils n'ont vraiment parlé que de Lena, et un peu de la mort de Staline, à cause de Beria, Max voulait absolument raconter la mort de Staline à Lilstein et Lilstein a eu envie de le laisser parler, pas parce que Max allait lui apprendre quoi que ce fût mais parce que ça lui semblait intéressant de voir ce que Max croyait lui apprendre, et aussi parce que quand Max voulait se lancer il fallait le laisser faire pour pouvoir ensuite l'écouter parler de Lena.

Et là on pourrait croire que c'est Lilstein qui a fait parler Max mais Max ne s'est pas fait prier, il n'avait jamais rien dit à personne, il a parlé à Lilstein parce que Lilstein a d'abord accepté d'écouter une partie de la mort de Staline, puis parce que Lilstein lui a demandé de parler de Lena et aussi pour laisser à ce qui s'était passé une chance de survivre à la grande poussière.

Max a raconté ce que Lilstein ignorait des dernières soirées du *séminaire* de 29 à Waltenberg, ils ont complété leurs souvenirs, Lilstein a aussi raconté sa randonnée à skis avec Lena :

« Au retour, je lui avais lancé une boule de neige, je me suis sauvé, elle m'a poursuivi, je suis tombé. »

Max écoutait, ils se sont rappelé les tangos de Lena, les soirées dansantes. Avec cette grande réunion de gens mûrs on aurait pu s'attendre à des soirées assez placides, mais il y avait aussi beaucoup de jeunes gens, au moins dans l'assistance aux débats, la Valréas y tenait, elle voulait les meilleurs étudiants d'Europe, elle payait tous les frais, y compris les tenues de soirée, il y avait aussi les clients venus pour le ski, au moins une bonne centaine, sportifs, pas mal d'Américains, c'était amusant, l'invasion brutale de la soirée par ces gens sortis tout droit d'un écran de cinéma, les robes de certaines Européennes sont soudain devenues des robes immettables.

Les Américaines riaient fort, fumaient, buvaient, couraient, embrassaient, sautaient, bras nus, jambes nues, dos nus, cous, poitrines, nuques, genoux offerts à tous les regards, beaux visages, frais et roses, les narines sans points noirs, et pas une chevelure sans sa parure, son bandeau d'étoffe, velours, satin, l'étoffe servant de fond à de petits blocs de pierreries ou à des médaillons d'or, d'argent, servant de support à une aigrette, elles avaient de longs fume-cigarette et des colliers de perles descendant jusqu'à la ceinture, cheveux courts dégageant la nuque, omoplates nues, robes tombant d'un seul tenant, robes tubes, très simples, souples, avec des effets de volant dans le bas, le tissu serré à mi-fesses se relâche ensuite pour libérer les effets de volant, tout le bas de la robe tourbillonnant dans les brusqueries de la danse, fouettant l'air, remontant dans le tourbillon, laissant voir un jupon couleur chair et le haut des bas retenu à mi-cuisse par une jarretière couleur chair.

Robes sans pinces ni plis, robes vertes, jaune d'or ou safran, champagne, Véronèse, parfois un chapeau doré, sans bord, des bas couleur plus foncée, bordeaux ou gris, ou bleu gaz, des couples soudains plus graves, bras gauche de l'homme et bras droit de sa partenaire tendus à l'horizontale vers un lointain que fixent les regards, raideur affectée, gravité caricaturée chez certains, tango pour trompettes, clarinettes, contrebasse, batterie, jeunes femmes arrivant sur la piste avec un appétit renvoyant aux oubliettes tous les propos sur la neurasthénie du monde moderne, dans des effets de marche au pas, fox-trot, charleston, quelques regards méprisants dans l'assistance, parfois de la haine, des gens qui

entraient pour éprouver le désir de détruire cette engeance,
de la coucher un jour aux pieds, puis ils s'en allaient, laissant
les autres au plaisir, au pot-pourri de la danse, femmes fre-
donnant, chantant *Don't Cry Baby* ou *Mí noche triste* à un dan-
seur élastique et sûr, tête renversée ou regard soudain plongeant dans les yeux d'un autre homme, buvant en riant le
verre tendu en bord de piste, la soirée tournant en folie après
les douze coups, une seule pensée, robes près du corps,
évasées pour les jambes, des jupons voyants, chaussures à
lanières, talons hauts, bijoux brillants, colliers très longs,
enroulés plusieurs fois, portés en sautoir, et elles sautent, les
jeunes femmes, elles sont dures comme des championnes et
rient en déployant la gorge et toutes leurs dents, Aristide
Briand devant le spectacle, il est né sous le Second Empire,
fait une réflexion sur des *poitrines de jour maigre* mais continue à regarder les femmes aux faux cils très longs, sourcils
épilés, redessinés au crayon, rouges à lèvres vifs, des fonds
de teint bronzants, du violet sur les ongles, chapeau cloche
brillant à frange de perles, bleu-gris, le regard en dessous, la
rage parfois, pas question que je lui laisse, femme interrom-
pant la conversation d'un couple, je vous l'enlève et je vous le
rends dans une seconde, vous n'aurez pas le temps de vieillir,
plumes de faux éventail, camaïeu orange et beige, parfois un
lamé or, et un boa pour celles qui venaient de l'annexe, l'annexe moins prestigieuse apparemment, mais avec beaucoup
plus de confort, des salles de bains ultramodernes, un téléphone moins capricieux, décolletés en V, bordés de petites
pierres étincelantes, cheveux surgissant en accroche-cœur,
fox-trot, tempo rapide, des pas marchés, très accentués, des
pas de fantaisie précipités, pivotés, croisés, pas du renard, et
sa variante, plus lente, le slow-fox, à pas glissés, cake-walk,
allure bizarre et contorsions, donner un gâteau à l'esclave
noir qui danserait le pas le plus compliqué, le corps exagé-
rément cambré en arrière, bras tendus en avant, marche en
levant les genoux aussi haut que possible, robe qui tombe sur
des franges inégales et qu'un mouvement des hanches ren-

voie vers le haut, au-delà du possible, dans l'insouciance de la musique.

« Vous guettiez les jupons, Micha, vous étiez deux à guetter les jupons, Briand et vous, un révolutionnaire et un social-traître, même combat, affût de jupons ! »

Lilstein s'est attendri, il a même raconté l'épisode de la cabine de douche à la piscine du *Waldhaus*.

« J'ai poussé une porte, elle avait oublié le verrou, un éclair Max ! »

Max a compris qu'il n'aurait pas fallu écouter, Lilstein s'était attendri au point de raconter cet incident de la cabine de douche et il était au bord des larmes, Lilstein t'a eu, tu as écouté, il te tient maintenant, c'est un échange, tu devras lui raconter quelque chose.

Il y a eu un silence, Lilstein n'est jamais aussi dangereux que quand sa bouche s'amollit, quand elle a l'air de faire un tas de reproches à la vie.

« Max, c'était comment avec elle ? »

Max a regardé le regard de Lilstein.

« Ça fait quarante ans que vous ruminez la question, jeune Lilstein, je ne vous dirai rien. »

Max ne va quand même pas raconter la seule vraie nuit de noces de son existence à cet Allemand cafouilleur, une main qui se pose sur la main de Max, dans le *Waldhaus* il est tard, tous les participants du *séminaire européen* se sont égaillés dans les chambres, Hans est invisible, Erna est invisible, Merken est invisible, Frédérique a disparu, Stirnweiss a disparu, Lena a disparu, les portes se sont refermées, Lilstein aussi a disparu, Moncel n'est plus là, Max est au bar, il picole, il est avec de jeunes Anglaises, le barman a sorti une carte de l'Écosse et des verres tulipes, la côte nord, la Speyside, le grand pays du whisky.

Carte posée sur le bar, on suit la route et on goûte à chaque distillerie en faisant chanter les noms et les arômes, verre après verre. Les jeunes Anglaises sont athlétiques, récurées, sans gêne, de la viande à boxeur. Elles veulent que Max prononce *Craigellachie* et *Mannochmore, Inverboyndie, Ballindalloch*. Il les fait rire, il essaie de leur faire chanter *Amélie cache tes genoux*.

Le barman vient de verser un énième whisky, Max s'en empare, une main se pose sur la sienne, une voix demande :

« Est-ce bien nécessaire ? »

C'est la seule femme qui n'intéresse pas Max, elle est belle, c'est le rêve de Hans, ce n'est plus que le rêve de Hans mais c'est tout comme, les femmes de mes amis n'ont pas de sexe. La grande bouche sourit à Max. Il y a quarante ans Lena lui a dit en écartant le verre :

« Est-ce bien nécessaire ? »

Et elle a bu le whisky, cul sec.

« Venez Max, je ne vous aime pas. »

Il aimerait bien savoir ce qui s'est passé il y a quarante ans, le jeune Lilstein, pour faire l'amour au souvenir de Lena avec ceux de son ami Max Goffard, si je lui dis qu'il a eu de la chance ce soir-là, ce petit cafouilleur, il ne me croira jamais.

Ce soir-là Max a fait l'imbécile, il a même dit à Lena :

« Les femmes de mes amis n'ont pas de sexe. »

Elle a répondu :

« Ne vous faites pas du sexe une idée trop conventionnelle. »

Lena avait deux fois plus de force que Max, ça pourrait tenir dans ce détail que le petit Allemand cafouilleur n'a certainement pas besoin de connaître, deux fois plus de force que Max Goffard plus du tout sûr de rien, c'était formidable et en même temps j'étais dans le rôle de la chèvre qui voit venir à elle une dame assez résolue, plusieurs dames dans la même, ou la même dans plusieurs rôles, plusieurs dames assez résolues et la chèvre se demande pourquoi elles se mettent à danser, j'avais bu beaucoup de whisky dans la soirée mais je n'ai jamais su ce que c'est que l'ivresse, Lena n'était pas ivre, les belles dames dansent et soudain elles lancent la chèvre en l'air, et la chèvre trouve ça drôle, on la rattrape gentiment et on la relance encore plus fort, et elle ne sait pas ce qui lui arrive, elle retombe et au dernier moment on la rattrape, on relance, un jeu, pas moyen d'arrêter, elle se retrouve en l'air, elle ne déteste pas, elle retombe, on la relance, ça commence à bien faire, elle retombe, on la rattrape avec les dents, des femmes qui dansent, qui se lancent du vin au visage, on relance la chèvre, le coup de monsieur Seguin et du loup à côté c'est du petit folklore.

Des femmes qui dansent, qui transpirent, qui luisent, elles crient, la chèvre affolée ne sait plus où aller, se rend compte que c'est aussi une très mauvaise heure, elles sont folles, elles se font mal, elles ne s'en rendent même pas compte, un carnaval sans lune, le prochain qui me parle de la douceur, de l'intuition, de la tendresse, des attentions, je lui casse les reins, frénésie, la chèvre a compris, une des femmes a un lambeau de chèvre dans la bouche, elle rit.

Elle tient une torche de pin flamboyante, secoue sa chevelure, secoue la torche comme une folle, quand on dit la chèvre c'est pour faire admettre l'idée au départ, mais ces folles sont foutues de s'attaquer à des tas d'autres bestioles, des ours même, un coup de patte d'ours sur une folle ça fait des dégâts mais elles s'en moquent, elles ne sont pas là pour panser les blessures, les femmes, elles crient, elles chantent, elles courent, s'arrêtent, meurent, renaissent, carrefour de forces, relancent la chèvre, la vie au plus fort d'elle-même, les cris accélèrent la course qui accélère les cris.

Elles ne sentent ni le membre tordu ni le coup de griffe, pour sentir ça il faut un point de repère, elles n'ont plus de repères, elles sont loin, reviennent, elles secouent leurs cheveux, crient, lancent les reins vers les flammes en s'ouvrant avec les mains, s'abattent, regards de folles, s'aspergent, vigne et vin, la mort surgit au milieu, pour saluer, elles prennent au passage leur ration de chair crue, se blessent, se nourrissent, implorent, s'échappent, elles ont mal, la folie dans les yeux, les mains, la bouche, elles appellent, la mort les regarde, joie de vie et de mort, se recroquevillent, fermentent, s'écartèlent, doigts blancs d'être crispés, la folie qui se déchire elle-même, qui engloutit.

Elles partent en tourbillon, roulent, s'écrasent, jettent la torche, la reprennent, se vengent comme des blessées qui n'ont plus rien à perdre, la mort réclame ses gages, la chèvre dans un cercueil de sensations, une force qui dure à petits cris tranchants et se déchire, elles repartent, des lambeaux de chèvre, un muscle de fleur, des murmures de chaos.

Il l'a échappé belle, le petit cafouilleur.

Au matin Lena était très douce, elle s'est installée devant sa psyché, gestes amples et lents, elle se peignait, elle regardait dans le miroir, sa vie dit-elle c'est de chanter en récital ou à l'opéra, le jour d'avant elle ne doit pas, le jour même ça fait une voix plate, le lendemain elle n'a pas très envie, elle chante très souvent.

« Fais le compte de ce qui reste, Max, et pour aggraver mon cas je t'interdirais d'aller ailleurs, je peux être une Carmen tout à fait démoniaque, c'est toute une gymnastique la jalousie, je ne me laisse jamais faire, je devance, des fois je me trompe mais au moins on ne se moque pas de moi, je suis très jalouse, je n'étais pas comme ça, mais avec les années je suis de plus en plus jalouse.

« Parfois je ne dis rien à mon amant, je reste aimable, aimante, et je me jette sur l'autre femme, pas de crêpage de chignon, ça c'est pour les midinettes, moi je saute dans ma voiture, je tamponne la voiture de l'autre, je la sors par les cheveux, j'ai fait ça en plein carrefour, à Duluth, et je lui ai donné des coups de manivelle, tu ne connais pas Duluth, il faut connaître pour savoir le scandale que ça a pu être, une grosse manivelle de De Soto, un énorme scandale, on n'a pas osé m'inculper, le juge avait peut-être été l'amant de cette couche-partout, il n'a pas osé faire quoi que ce soit, et mon amant non plus n'a rien dit, une action libre à l'air libre, rustique mais efficace, les hommes sont lâches.

« Je pourrais faire encore mieux, Max, tu sais ce qu'on peut faire pour retenir son amant ? pour en faire son mari ? On est jalouse de l'épouse, on veut un mariage, on coince son amant dans la cuisine, bonne discussion, on a senti qu'il veut rompre, rentrer chez lui, on ne le laissera pas faire, ça commence dans la cuisine et ça reste dans la cuisine, l'homme a fini ses études de pharmacie, il essaie de parler calmement, il va s'installer, racheter une officine, à Linz, la pharmacie principale, il est en train de constituer le dossier, un tournant dans sa vie, il a des enfants, deux jumeaux, ils entrent à l'école, ils vont avoir besoin de lui tous les soirs, on ne peut pas jouer avec l'éducation des enfants, parce que avec son amante on peut jouer ? l'homme tient le discours le plus maladroit possible.

« De toute façon un homme qui rompt et qui veut parler est toujours maladroit, ça explose, sur un mot, il a osé dire je ne te mérite pas, c'est là-dessus que ça explose, un salaud, un homme qui veut rompre est d'abord un salaud, très vite l'orage, dans une cuisine ça fait mal, la table soudain débarrassée d'un revers de main de femme, larmes dans la voix, dans les yeux, sur les joues, les mains de la femme lancées en avant, en bataille, en désordre, pas tant que ça, pas tant de désordre dans les mains, une main qui ouvre le dessus de la cuisinière, cuisinière à bois, une plaque retirée, la plus large.

« Cette folle va faire une bêtise, se faire mal, plonger la main droite, elle hurle, l'amant surveille la main droite, le ronflement du feu dans la cuisinière, combien ça peut faire l'intérieur d'une cuisinière à bois, l'appel d'air, comment soigner les brûlures ? les flammes se réveillent, mille degrés ? un bois bien sec, huit cents, onze cents degrés ? ronflement du feu, de plus en plus fort, la main, pas la droite, la gauche, elle lance la gauche vers le trou de la cuisinière.

« Qu'est-ce que le dossier professionnel de l'homme peut

bien faire dans cette main gauche ? les originaux de son dossier, la femme hurle, à genoux ! c'est un ordre qu'elle lance, l'ordre que peut lancer une femme en fureur et qui sait que sans originaux de diplômes l'homme pourrait à la rigueur ouvrir une épicerie mais surtout pas une pharmacie, et surtout pas à Linz, et il n'y a pas que son dossier, il y a des titres au porteur, la moitié du capital nécessaire est au-dessus du feu, dans la main de cette folle, la femme ne menace pas de les jeter dans une cheminée, ils auraient dû rester au salon, des papiers jetés dans la cheminée ça se récupère, là, le trou central de la cuisinière, mille degrés, définitif, cordes vocales à se casser, à genoux, la femme hurle, tu jures sur la tête de tes enfants, tu jures sur la Bible !

« Sur la Bible, Max, ridicule ! Mais à la fin il est resté avec elle. Il a divorcé. Il l'a épousée. Les hommes adorent qu'on les aime à ce point, une femme qui n'hésiterait pas à vous réduire à l'état de néant administratif en Autriche ça mérite bien un mariage, un remariage tout à fait harmonieux, une fureur de jalousie, des originaux de diplômes et des titres au porteur ce n'est pas n'importe quoi, ils se sont mariés.

« Plus tard la femme a divorcé de cet homme, elle le trouvait faible de caractère. Elle m'a dit j'avais épousé mon mauvais moi. C'est notre Elisabeth, Max, la douce blonde, Elisabeth Stirnweiss.

« Restons amis, Max, avec la vie que je mène j'ai besoin de parler sans que ça finisse en passion ou en dégoût. »

À Grindisheim, dans l'hôtel, les gens ont commencé à prendre congé, ils venaient saluer Max, toujours assis en compagnie de Lilstein, à un moment il s'est emporté :

« Je ne suis quand même pas la veuve Kappler ! »

Les gens le saluaient d'un air contrit et il riait. Un homme s'est approché et Max n'a plus ri, l'homme était manchot, un Allemand, il a dit à Max :

« J'avais rencontré monsieur Kappler il n'y a pas long-temps, nous avions parlé d'elle. »

Max a demandé à Lilstein de l'excuser, il s'est mis à l'écart avec l'homme, Lilstein est resté à la table, au bout d'un moment Max est revenu vers lui, Max n'a rien raconté mais il a forcé Lilstein à écouter sa mort de Staline, les dirigeants ont vraiment beaucoup tardé à faire venir les médecins, une beuverie à cinq, vous me corrigez si je dis des bêtises, jeune Lilstein, donc Staline, Beria, Malenkov, Boulganine, Khrouchtchev, la nuit du 1er au 2 mars 1953, vers quatre ou cinq heures du matin les convives repartent. Staline va se coucher, à midi pas de signe, le personnel de la maison s'inquiète mais interdiction de pénétrer dans la chambre du patron sans y être appelé, dans la soirée, vers vingt-trois heures quelqu'un finit par entrer, on ne sait pas exactement qui, on hésite entre la vieille femme de ménage, Matrena Boutoussova, ou le capitaine Lozgatchev, celui qui apporte le courrier du Kremlin, il ou elle découvre Staline allongé par terre, conscient mais incapable de parler, dans cette même soirée Staline est élu avec cent pour cent des voix dans les huit circonscriptions de soviets locaux où il s'était présenté, à trois heures du matin, le 3 mars, la petite bande, Khrouchtchev, Beria, Malenkov et consorts reviennent, ils apprennent que Staline a uriné sous lui, ils décident de ne pas entrer, par pudeur, dit Khrouchtchev.

Max s'est interrompu, a regardé derrière Lilstein, de Vèze venait vers eux, Max s'est levé, Lilstein en a fait autant, de Vèze a salué Max.

« Monsieur l'ambassadeur, permettez-moi de vous présenter monsieur Lilstein , monsieur Lilstein avait rencontré Hans il y a quarante ans, Hans l'aimait beaucoup, il disait que Michael Lilstein serait le sel de la terre s'il ne faisait pas trop d'erreurs.

— J'en ai fait beaucoup, dit Lilstein, mes respects, monsieur l'ambassadeur, je vous remercie de ne pas me fuir alors que je passe pour un vendeur d'âmes vivantes.

— Je m'en fous, cher monsieur Lilstein, du moment que ça me permet d'énerver les mouchards et les gens qui ont provoqué le départ de De Gaulle, et je suis très heureux de vous rencontrer. »

De Vèze s'est figé, Max a regardé dans la direction du regard de De Vèze, il a reconnu Philippe Morel, l'historien, il vient d'être élu au Collège de France, très jeune pour le Collège, il a une bonne quarantaine d'années mais c'est très jeune pour le Collège, Max sait pourquoi de Vèze s'est figé, Morel vient vers eux, il est seul, étonnant que Morel vienne vers eux, ou alors pour créer un incident, le mari trompé qui gifle le rival pendant des funérailles, le rival est ambassadeur, un scandale à la française, on va encore avoir l'air malin, de Vèze n'est pas du genre à prendre une gifle sans réagir, il est capable de devancer Morel, coup de poing, non, il ne peut pas, il va être obligé d'attendre la gifle, pour la bloquer ? est-ce que Muriel Morel vaut tout ce tapage ? Max pourrait s'avancer, c'est ça, je m'avance, je fais le pitre, monsieur le professeur, quelle surprise, savez-vous que Hans m'avait parlé de vous il n'y a pas longtemps ? non, Morel a fait un quart de tour à gauche, il repart en direction de la terrasse, de loin Max le voit saluer Poirgade.

Dans le groupe des surveillants, autour du patron de l'*Office fédéral de protection de la constitution* et du colonel Sebald, certains étaient à bout de nerfs, d'autres pas, ça ne sert à rien de s'énerver, si nous n'avons pas le feu vert maintenant on chopera le suspect pendant son voyage de retour, avant le passage de la frontière, sur la route, ça fera moins de bruit que pendant des obsèques, nous avons trente agents autour de lui, le ministre n'a qu'un signe à faire et nous sautons dessus, je suis sûr qu'il ne cherchera pas à s'échapper, les gens comme ça c'est parfois soulagé d'arriver au bout du chemin, si le ministre donne le feu vert on saute dessus en trois secondes.

« Ici Tartine, a dit la radio, Blanchot est très entouré, ça devient difficile, il est avec l'ambassadeur de France et un journaliste américain. »

C'est à ce moment-là que c'est devenu très chaud. Quand on a annoncé que le suspect était parti avec l'ambassadeur de France à Berne.

Walker est devenu tout blanc. La radio à nouveau :

« C'est l'ambassadeur de France qui a emmené notre client, dans une DS. »

C'est de Vèze qui a fait la proposition. Il était avec Lilstein, Max, et le correspondant du *Washington News*, Linus Mosberger. Mosberger est un roi de l'interview, il essaie de faire parler de Vèze, le départ de De Gaulle, le discours de Pompidou à Rome, avant le référendum, disant qu'il était prêt à de grandes tâches si cela se présentait, c'est-à-dire si de Gaulle perdait les élections. Faire parler un vieux gaulliste, lui faire dire ce qu'il pense de Pompidou, vérifier ce qu'on raconte, Pompidou a trahi son camp, il est supposé avoir trahi son camp parce que dans son camp on avait outragé sa femme.

« Est-ce que c'est vrai cette histoire, monsieur l'ambassadeur, Pompidou aurait lâché les gaullistes parce que certains gaullistes ont calomnié sa femme ? »

De Vèze trouve l'Américain très direct.

« Je suis sûr, monsieur Mosberger, que certains services américains pourraient vous en dire plus que moi sur le sujet. »

Et de Vèze soudain :

« Goffard, je vous emmène. »

Mosberger et Lilstein ont pris congé.

C'est Max qui est monté dans la DS avec de Vèze.

L'homme de la CIA, Walker, a demandé si on ne pouvait rien faire quand ils seraient sur la route. Il avait une voix douce :

« On leur crève un pneu au fusil à lunette, je fais ça moi-même si vous ne voulez pas, ou on crée un accident sur leur itinéraire, ils s'arrêtent, ils descendent, ils vont jeter un coup d'œil, on chope ce Goffard pour témoignage. »

Tout le monde s'est mis à lancer des hypothèses de Série noire, Walker avait pris la direction des opérations, un incident sur l'itinéraire de l'ambassadeur de France, il rentre à Berne, le meilleur endroit se situe à hauteur de Winzig, à une heure de route, ça laisse le temps de tout mettre en place, on a foncé, départ en catastrophe pour partir avant de Vèze, une dizaine de voitures, Walker dans l'une d'elles, foncer vers Winzig !

La DS de l'ambassade a quitté Grindisheim et deux kilomètres plus loin elle a déposé de Vèze et Max dans un petit aéro-club sur les bords du Rhin, juste devant un bimoteur, aile haute, gris métallisé avec une bande rouge le long de la carlingue.

« Max, si vous me promettez de ne pas raconter partout que j'utilise un avion-taxi au lieu de me traîner en DS, je vous dépose à Bâle. »

De Vèze a caressé le museau du bimoteur.

« C'est le même que celui qu'avait Eisenhower, un *Aerocommander*, un *680*, non, je ne suis pas si pressé que ça, en réalité c'est pour pouvoir piloter. Un ambassadeur n'a pas le droit de piloter son propre avion, alors je loue un taxi, toujours le même, un *Aerocommander*, aile haute, ça permet de bien voir le paysage. Et de temps en temps le pilote me laisse la main sur les doubles commandes. Mais ça reste entre nous ! Montez, nous causerons, Grindisheim-Bâle, on remonte le Rhin, beauté, légendes. »

Dans l'avion, de Vèze a surpris Max.

Max s'imaginait que de Vèze voudrait repartir d'une conversation qu'ils avaient eue tous les deux quatre ans auparavant, quand, un mois après la soirée à Singapour, il avait rendu visite à de Vèze dans son ambassade de Rangoon. Ils s'étaient installés dans le bureau de De Vèze, Max avait regardé l'ambassadeur avec une tendresse inexplicable et il s'était mis à lui raconter un voyage en Haute-Savoie, c'était il y a longtemps.

Un voyage accompli en 1929, Max sur les routes des Alpes
en compagnie d'une dame, une très grande dame, un voyage
de Waltenberg jusque dans les Alpes françaises, une route à
précipices, mais sans encombre, Max était allé voir les
parents de De Vèze avec cette dame.

« Elle avait accepté de venir avec moi, en amis, nous
sommes partis de Waltenberg, je lui avais tout dit, elle
connaissait l'état de votre mère. Quand nous sommes arrivés
à Araches elle a chanté pour votre mère, *a capella*, en allemand et en français, votre mère a pleuré et elle a serré Lena
dans ses bras, vous aviez cinq ans, monsieur l'ambassadeur,
Lena avait apporté un cadeau, un grand manège en bois, arti-
culé, nous avions acheté ça chez *Weber* à Zurich, leur *Nain
Bleu*, vous avez adoré. Un limonaire à deux étages, des chevaux de bois. À l'époque vous aviez un setter irlandais qui
était jaloux du manège et voulait jouer avec vous, j'ai beaucoup parlé avec votre père et Lena a chanté pour votre mère,
plus tard votre père m'a écrit que pendant des années votre
mère a chantonné tout ce que Lena lui avait chanté. »

De Vèze aurait pu reparler de tout cela avec Max, en guise
d'entrée en matière, puis lui dire à quel point il avait été triste
de ne pas avoir pu revoir Lena et d'avoir été absent lorsqu'on
l'a enterrée, il aurait aussi pu parler de Hans, de la façon dont
il avait fini par le rencontrer à Genève, ils avaient dîné
ensemble, sur un bateau qui faisait un tour du lac, de Vèze n'a
rien évoqué de tout cela, dans la cabine de l'avion il a surpris
Max, de but en blanc :

« Arlington, c'était comment ?
— Terrifiant, monsieur l'ambassadeur. »

C'est cela, l'enterrement de Lena à Arlington, terrifiant,
répondre tout de suite par un mot très fort, ne pas faire celui
qui est surpris et qui se réfugie dans des phrases anodines,
dépasser tout de suite le point où de Vèze attend Max.

« Terrifiant, j'ai pleuré, en plein cimetière militaire, je n'ai pas tenu, ils ont plié le drapeau et ils me l'ont remis, à moi, Goffard, un étranger. Et Leone Trice a chanté *Voi che sapete*, terrifiant, bien plus que ce qui s'est passé aujourd'hui, Arlington, des Américains en grande tenue, trois salves et les cornemuses, obsèques militaires alors qu'elle n'avait rien demandé.

« Deux ou trois types très haut placés s'étaient démenés à la CIA, au Pentagone, à la Maison-Blanche, vous imaginez l'assistance ? Amateurs de musique, barbouzes, généraux, esthètes, patriciens, libéraux, chanteurs et maîtres chanteurs, tout ça autour du cercueil de Lena Hellström, avec la bannière étoilée, c'était surtout la CIA qui organisait le spectacle, important pour eux de montrer que cette femme était des leurs, qu'ils ne travaillent pas qu'avec des tarés et des mouchards, les gens tout autour se demandaient depuis quand la CIA l'avait enrôlée.

« On ne peut même pas dire ça, ils ne l'avaient pas enrôlée, elle était leur grand-mère, elle les avait vus naître, et avant la CIA elle avait vu naître le truc qui avait précédé, l'OSS, elle avait commencé avant tout ça, elle chantait, elle avait d'excellentes fréquentations chez les Allemands, les Anglais, très aimée à Berlin, une jeunesse éternelle, la *Belle Époque*, le grand aigle sur un lac gelé, elle a commencé avec la guerre, en 14, avant même la naissance de l'OSS, par hasard, elle vivait en Suisse avec Hans, il l'a quittée pour aller jouer au héros ou plutôt elle l'a quitté quand elle a compris qu'il allait partir, qu'il ne serait pas déserteur pour ses beaux yeux, elle se croyait à l'opéra, elle l'a quitté sans dire où elle allait, ou plutôt ils se sont quittés, Hans a toujours dit *à cause d'une chose stupide*.

« Elle ne tenait pas trop à le revoir mais à tout hasard elle a décidé d'aller prendre quelques leçons de chant à Berlin avant de rentrer aux États-Unis, histoire de mieux maîtriser la musique, le monde s'enflamme et elle décide d'améliorer son chant. »

Max avait petit à petit reconstitué l'histoire de Lena, il avait le sentiment de pouvoir la raconter à de Vèze mais il n'a pas tout dit, il a eu peur de prononcer trop de choses définitives, de trop bien choisir une certaine façon de monter les événements, les séquences, peur de soudain se retrouver en porte-à-faux pour un mot de trop, il a revécu l'histoire de Lena comme il l'avait revécue sur sa chaise, au premier rang à Arlington, par éclairs, avec des instants de lucidité, de petits tableaux, des bribes de dialogues.

Il n'a pas tout dit à de Vèze, il est resté l'énonciateur murmurant du passé de Lena, énonçant parce qu'il le fallait bien, mais gardant en deçà du murmure ce qui ne comptait que pour lui, de Vèze captant seulement ce que Max laissait échapper dans sa direction, et s'en contentant parce qu'il ne fallait surtout pas inviter Max à préciser, laissant Max baigner dans son murmure, avec de temps en temps des regards vers le cours du Rhin, les berges de la rive ouest que dorait le soleil, Lena en 1914, à Berlin, accueillie chez des correspondants de son père, des gens riches, qui connaissent des gens titrés qui l'invitent à leur tour, elle chante bien, elle écoute bien, elle est rafraîchissante disent les maîtresses de maison, elle comprend ce qui se dit, son père l'a obligée à être présente à table dès l'âge de dix ans, il recevait beaucoup d'Européens.

Elle sait prendre l'air qu'il faut dès qu'un homme se met à parler politique, l'écolière qui s'ennuie et l'écolière attentive, c'est comme ça qu'elle a appris, les grands yeux qui s'ennuient ou qui s'éveillent selon ce qu'on lui raconte, et les hommes qui lui parlent n'ont qu'une envie c'est de voir les yeux passer de l'ennui à la gaieté, ils ne font plus attention à ce qu'ils racontent mais à la façon dont on les écoute, elle n'hésite jamais à interrompre, à faire des coq-à-l'âne, le contenu ne l'intéresse pas.

Ça fait plaisir aux Allemands de voir une Américaine qui n'est pas hostile, elle va jusqu'à ramener ses cheveux derrière son oreille droite, ils admirent l'oreille droite et la belle masse de cheveux roux, n'osent même pas se dire ce qu'ils ont envie de faire avec l'oreille droite, ils parlent et parlent rien que pour la voir sourire et refaire le geste, les cheveux, le lobe qui réapparaît, vous vous rendez compte, une femme qui ose toucher son corps en public, elle s'en moque, c'est une Américaine, quand elle s'ennuie avec un homme c'est terrible, vous êtes là avec votre habit ou votre uniforme, vos titres, le respect, et cette Américaine vous regarde comme si vous étiez un vieux pot.

Mademoiselle Hellström c'est un test, quand vous parlez devant d'autres personnes c'est par respect que ces personnes vous écoutent, elle c'est la seule alentour qui ait une pure attention pour votre visage et votre intelligence, chez tous les autres ce n'est que du savoir-vivre, alors devant elle vous parlez, parfois elle vous sourit et fait ce geste avec ses cheveux, il paraît que son parfum est français, elle dit à tout le monde que son parfum vient d'Amérique mais en réalité ce serait du parfum français aphrodisiaque à base de bergamote, non, *Jicky* je n'en mets plus depuis la guerre, celui-là il paraît qu'il y a aussi de la mousse de chêne, du vétiver et une pointe de cuir, une Américaine, à Berlin, qui touche ses cheveux et son oreille devant des hommes et une fois par semaine elle va prendre le thé à l'ambassade américaine.

Elle dit à ses amis allemands qu'elle n'aime pas ça, mais qu'elle y est obligée à cause de son visa de sortie des USA, en fait l'ambassadeur est un ami de son père et du président Wilson, trois anciens de Princeton, l'ambassadeur trouve le bavardage de Lena très intéressant, il envoie régulièrement des câbles à la Maison-Blanche, Lena a fini par savoir beaucoup de choses, sur la politique du Reich, sur le blocus, sur les changements à venir à l'État-major impérial, on dit que les Américains sont des veaux, Lena ne se rend peut-être pas très bien compte de ce qu'elle répète à l'ambassadeur mais c'est de l'or, elle chante dans des salons pour faire plaisir, et un jour pour lui faire plaisir on la prévient.

Il faut qu'elle parte, très vite, quitter le Reich, cela va se passer de plus en plus mal, elle repasse en Suisse en 1917, à la veille de la déclaration de guerre américaine, elle reste en Suisse, elle est malheureuse, elle continue à fréquenter les milieux diplomatiques, se plaint de cette guerre stupide, elle entretient la nostalgie de la *Belle Époque,* elle ne voit presque plus d'Allemands, mais beaucoup de Suédois et quelques Brésiliens, qui voient des Allemands, et elle voit aussi l'ambassadeur des États-Unis à Berne, elle reste en Suisse jusqu'à la fin de la guerre.

Au moment de l'Armistice elle rentre en Amérique, s'appelle de nouveau Hellström, elle a de gentilles conversations avec des conseillers du Président, elle commence à bien comprendre ce qu'elle fait, et elle le fait de mieux en mieux, elle chante aussi de mieux en mieux, voix gutturale, étrange, quand elle parle dans les salons c'est presque anodin, grande bouche, grands yeux, mais quand elle chante on dirait que la voix a traversé la misère du monde, à Washington un autre ami de son père lui demande si elle n'a pas envie de retourner en Europe, en France, Paris, Versailles.

Elle part, elle est reçue dans les salons des dames françaises, celles qui adorent faire et défaire la politique avec leurs amants ministres, elle croise aussi des amis allemands qui lui font des confidences, un groupe de jeunes Anglais, autour d'un économiste, un original, il s'appelle Maynes, il désapprouve le fait que les Français et les Anglais veuillent faire payer des réparations exorbitantes à l'Allemagne, il est brillant, c'est très agréable de sortir avec vous chère Lena, vous les attirez, il est homosexuel, elle l'aime beaucoup.

Elle finit par très bien connaître les disputes à l'intérieur de chaque délégation, les Français, les Anglais, les Allemands, elle transmet à Wilson, quand il vient en France on le prend pour un naïf mais il sait tout, vous faites un superbe travail chère Lena, je voudrais que vous m'accordiez une faveur, ce n'est pas Lena qui demande quelque chose en échange de tout ce qu'elle fait pour les États-Unis, c'est son président qui lui demande une faveur, permettez-moi d'assister à une ou deux de vos répétitions, voilà la récompense de Lena, à Paris : un président qui s'assied dans un coin et se fait tout petit pendant qu'elle travaille son chant, c'est tout.

Max laissant échapper vers de Vèze une partie de tout cela, un murmure, s'attardant parfois sur un désir, il aurait envie d'écrire une chronique sur ce congrès de Versailles, Lena avec des chapeaux invraisemblables, experte en discussions sur les frontières, le droit des peuples et le paiement des dettes de guerre.

Dans les années 20 il semble qu'elle ait interrompu ces petites activités parallèles, elle n'aime pas les républicains, Coolidge, Harding, Hoover, elle est de tradition démocrate, la nouvelle Europe l'effraie un peu, elle fait une cure d'Amérique, se concentre sur le chant, elle était au grand *séminaire* de 1929 à Waltenberg mais uniquement pour chanter.

Max dit à de Vèze :

« Un jour, demandez à notre ami Lilstein de vous parler de Lena, Hans a été l'amant de Lena pendant un an, Lilstein ne l'a jamais été, aucun des deux ne s'en est remis.

— Et vous, Max ? »

De Vèze n'a pas tenu, il a fait l'erreur d'interrompre Max, il le regrette aussitôt.

« Si vous aviez un vrai service de renseignements, monsieur l'ambassadeur, vous le sauriez, c'est comme si je vous demandais si madame Morel a fini par vous dire oui, vous me répondriez ? »

De Vèze s'en est tiré à bon compte, une grosse allusion à Muriel, il ne s'offusque pas, l'essentiel est que Max continue son histoire, de Vèze n'essaie surtout pas de relancer Max, il se concentre sur le pilotage, puis repasse la main au pilote mais n'ose même pas tourner la tête vers Max qui rêve en regardant le paysage, qui reprend doucement parce qu'il souffrirait maintenant de ne pas profiter de la situation pour revivre ces années, c'est sans doute Roosevelt qui a demandé à Lena de repartir en Europe, en 1933, en Allemagne surtout, à partir du moment où Hitler s'est installé, elle est très bien en cour comme on dit, pas le premier cercle, pas toujours, mais elle fait un immense travail.

À Berlin on a mis un opérateur radio à sa disposition, un Australien, oui, un Australien qui travaillait pour l'*Intelligence Service,* ce sont les Anglais qui ont fourni le radio, parce que Roosevelt se méfiait de ses propres services, des gens qui ne voulaient même pas intercepter les communications allemandes et japonaises, un gentleman ne fait jamais ça, ce sont les Anglais qui leur ont appris à faire les gentlemen mais eux au moins ils n'hésitent pas à espionner, Lena croise régulièrement son radio, jamais rien d'écrit, elle lui dit quelques phrases, il s'en va, il code, il transmet.

On pense qu'elle a même croisé Lilstein vers 1937, rien de précis, printemps 37, ça pourrait être une coïncidence, Berlin, librairie de partitions, un type qu'elle ne reconnaît pas tout de suite, sauf la voix, et aussi la grande taille, les yeux clairs, les cheveux ras, une petite moustache, un beau jeune homme dans les vingt-cinq ans, une véritable affiche de propagande aryenne, d'instinct ils ont joué à ceux qui ne se connaissent pas, le type l'a abordée en lui parlant de son récital de la veille, Beethoven, des airs de *Fidelio,* elle lui a dédicacé une partition, un admirateur croisé par hasard.

Sans doute un officier en civil, la marque que laisse sur la nuque une casquette d'officier, grande taille, le cheveu court et l'air arrogant, un hasard, encore que rencontrer un admirateur dans une librairie spécialisée en partitions de musique romantique ne fût pas un si gros hasard, il lui a dit qu'il jouait du piano, elle a répondu j'espère que vous avez une bonne cheminée chez vous car il ne va pas tarder à faire très froid, c'est très mauvais pour le piano.

Elle lui a tendu la main, grande dame, distante, j'ai bien voulu te dédicacer une partition, échanger trois mots, maintenant ça suffit, un sourire de statue grecque, sourire d'aveugle qui sait tout, elle savait beaucoup de choses, peut-être qu'un dignitaire de la Gestapo venait de lui demander de reporter un récital privé, peut-être que le même jour un autre dignitaire lui avait fait dire qu'il ne pourrait pas être là cette semaine, peut-être un signe, ou même d'autres sources qu'on ne connaîtra jamais, quelque chose de lourd se préparait, le grand type est sorti.

Deux flics étaient entrés derrière Lena dans la librairie, des distraits à grosses chaussures, l'un des distraits a voulu suivre le grand type, elle lui a foutu ses paquets dans les bras, puisque maintenant vous me suivez même dans les magasins, allez porter ça à ma voiture, les types n'ont pas dû oser faire de rapport sur l'incident, intéressant pourtant, la dame a parlé avec un monsieur qu'elle n'avait pas l'air de connaître, dans une librairie musicale, ils ont échangé des propos sur le rafraîchissement de la température et elle lui a donné congé, les distraits à grosses chaussures n'ont pas dû faire de rapport, pas eu envie d'expliquer pourquoi ils n'avaient pas filé le grand type aux gestes lents, à l'air arrogant et aux yeux clairs.

Si c'est vrai, ça a valu un petit sursis au grand type, et si c'est bien Lilstein la Gestapo ne le chopera que fin 37.

Quinze jours après le coup de la librairie, Lena a parlé avec Goebbels, une belle soirée, il venait de l'entendre chanter, ils étaient dans l'embrasure d'une fenêtre, on les regardait à la dérobée, en respectant leur intimité, ils parlaient de Goethe, Goebbels faisait attention, il était en train de s'apercevoir qu'elle connaissait Goethe bien mieux que lui, oui, j'ai aussi joué du Schiller, *Les Brigands,* quand j'étais encore au collège, en allemand monsieur le ministre, j'ai très tôt appris l'allemand, c'est très facile pour nous autres gens du Nord, Lena faisait presque un mètre quatre-vingts, rien qu'en se mettant à côté de lui elle lui disait moi au moins je suis une vraie Aryenne, il lui a demandé si elle accepterait de venir visiter une nouvelle usine d'automobiles.

Il était en train d'organiser une belle journée, il y aurait le prince de Galles, monsieur Neuville, monsieur Lindbergh, l'ancienneté aristocratique, la réussite capitaliste, l'audace aérienne, le peuple allemand, ses chefs, une voiture pour le peuple, la présence de madame Hellström donnerait à cette manifestation le couronnement de l'art, vous ne manquez tout de même pas de très grandes cantatrices dans le Reich, monsieur le ministre, des dames qui sont pour moi des exemples, elle a fini par accepter, ils en étaient à discuter de ce qu'elle chanterait, un Wolf, sur un poème de Goethe, et un Wagner, elle tenait à la chanson de Mignon, pour Wagner, elle laissait le ministre libre du choix, elle lui a fredonné quelques arias, Goebbels aux anges.

Au milieu d'une aria elle s'est interrompue, que préférez-vous, monsieur le ministre ? une amie de l'Allemagne qu'on ne fait pas surveiller par des crétins, ou une artiste qui rentre soudain à New York en disant que Berlin devient irrespirable ? je peux aussi faire poser la question au Führer par une de mes amies, ou la lui poser directement la semaine prochaine.

Goebbels savait pourquoi elle voulait se débarrasser de ses anges gardiens, femme mûre, les bourgeoises du Troisième Reich ne l'aiment pas, rendez-vous compte, elle a des amants et pas de mari.

La quarantaine gourmande, grosse consommatrice d'aviateurs, des lieutenants à beauté simple qui hésitaient à retourner chez une dame surveillée par la Gestapo ou qui ne voulaient pas avoir à rédiger au petit matin un rapport sur tout ce qu'ils avaient fait avec cette dame.

Quelques soupçons de poudre blanche aussi. Vous connaissez l'horreur des diplomates pour ce genre d'embarras, de Vèze. On a donc allégé le dispositif, elle a repris ses petites activités, audace, sang-froid, professionnalisme, à Washington on trouve qu'elle fait du grand travail et elle en profite pour adorer les aviateurs, une passion pour les meetings aériens, les nouveaux modèles, elle disparaît parfois deux jours avec un aviateur, à la campagne, une fois, j'étais à Berlin, elle rentrait d'escapade, je lui ai dit ce sont tes jours de jeune, elle a compris et m'a traité de cochon, on riait beaucoup.

Jusqu'à ce que ça tourne très mal, une nuit, elle est au volant de sa grosse Mercedes, la route entre Stuttgart et Tübingen, fin 37, sur la banquette arrière un type endormi qui pue le whisky, ce n'était pas une Mercedes, les grosses Mercedes ça faisait nazi, elle avait une voiture plus rare, plus aristocratique, de magnifiques roues à rayons, le type sur la banquette est en smoking, mais à côté de lui il y a une casquette et une vareuse d'officier de la *Luftwaffe*, Lena conduit vite, trop vite, elle aime ça, la conduite de nuit, on voit venir de loin les phares des gens d'en face, conduite sportive, double débrayage, pas de coup de frein, elle sait mettre un bestiau de douze cylindres dans une courbe, en dérapage contrôlé.

Nuit étoilée, elle chantonne et tombe sur un gros barrage de sécurité, pas la police de la route mais un mélange de gendarmes et de SS, papiers s'il vous plaît, le passeport américain, la voix des hommes toujours aussi métallique mais moins violente, on va la laisser tranquille, odeur de whisky, coup de torche sur la banquette arrière, le dormeur est en coma éthylique, silence général, les soldats se crispent, un sous-officier est allé chercher un officier, qui a envoyé chercher un autre officier, Lena a entendu quelque chose comme *Oberst* ou *Oberstleutnant*, elle n'a jamais rien compris à ces grades, ce doit être un commandant.

Quand il arrive les soldats se mettent au garde-à-vous, il boite, nouveaux coups de torche, la vareuse sur la banquette arrière, voix du commandant, douce et salonarde, puis-je m'enquérir de l'identité de votre passager chère madame ? elle descend, ouvre la portière arrière en bousculant un des soldats, elle murmure : il s'appelle Ulrich, c'est mon amant.

Elle allume une cigarette pour calmer une espèce de fureur, la jette à la deuxième bouffée, mon amant est soûl comme un Polonais, une beuverie avec des collègues, il ne peut plus aimer, je ne supporte pas, je vous le laisse, faites un rapport et ramenez-le à son maréchal, à cette heure il devrait avoir repris son service, ça lui apprendra.

Tout autour, une demi-douzaine de SS a subitement remplacé les gendarmes, un des SS tient une lanterne, le commandant a des cicatrices de brûlures sur tout le visage, il a reconnu Lena, il est sinistre, il jette un nouveau coup d'œil à l'intérieur de la voiture, le triage à l'entrée des Enfers, gestes lents, la lenteur des sadiques, les yeux dans les yeux de Lena, tout sauf un imbécile, un homme dans cet état à côté de vous chère madame c'est pour le moins surprenant, à cette heure, sur cette route ? puis-je me permettre une nouvelle question ? nouveau regard dans la voiture, sur la casquette et la vareuse, vous dites Ulrich, *Flugleutnant* Ulrich n'est-ce pas ? et la conclusion tombe : à côté de vous, dans cet état, n'est-il pas assez puni ? c'est un guerrier, l'aviation est un métier très dangereux, il est assez puni comme ça, vous pouvez y aller, madame, les bonnes beuveries entre compagnons sont une tradition du peuple allemand et de ses guerriers, parfois il faut boire pour oublier et être meilleur le lendemain, un homme est un homme, excusez-le pour une fois, dans cet état à côté de vous, assez puni, métier dangereux.

Le commandant fait signe à un SS qui s'avance, trace une marque à la craie à l'intérieur du pare-brise, mes hommages, chère madame, et toute mon admiration, il claque les talons, montre la marque à la craie, avec ça on ne vous embêtera plus, il passe en boitant à la voiture suivante, Lena repart.

Deux jours après, le Ulrich est convoqué chez Goering, trois généraux présents, Goering d'une voix sèche lieutenant Ulrich, quand un officier de ma *Luftwaffe* a dans son collimateur l'une des plus belles machines du camp adverse que doit-il faire ? Ulrich au garde-à-vous, voix métallique, impeccable.

Feu de toutes ses pièces, rafales courtes, coups au but, monsieur le Maréchal, éclat de rire général, qui résonne sur les parois de marbre du grand bureau, rafales courtes !

Goering rit aux larmes, il reprend, voix lente et sérieuse, le tueur, à l'avenir si une seule fois encore votre alcoolisme invétéré vous empêche de remplir une mission d'officier du Reich vous aurez six mois de corvée de chiottes et une interdiction de vol, rompez, et mariez-vous en vitesse à une jeune et bonne Allemande, nous avons besoin d'enfants. Ulrich ne comprend pas tout ce que lui raconte Goering mais il ne se défend pas, il boit beaucoup, il s'en tire à bon compte, d'habitude les convocations devant le gros coûtent beaucoup plus cher, il s'estime heureux, il va suivre la consigne du Maréchal, se marier.

C'est comme ça que Lena a réussi à emmener son opérateur radio jusqu'à la frontière suisse, avec du whisky répandu sur une vareuse de *Flugleutnant*, une couturière de l'opéra de Stuttgart lui avait apporté un châle un soir de relâche, à son hôtel, pour vous, cette nuit aussi il va faire très froid, très vite.

Au lieu de se mettre à l'abri, Lena prend quelques dispositions et file en voiture ramasser son radio avant qu'il n'entre dans la rue où on l'attend, elle a eu de la veine, un bon tuyau sur le froid, et pendant quelque temps à Londres, un instructeur australien des transmissions a répété à ses élèves espions c'est un métier très intéressant, moi, par exemple ça m'a donné la possibilité d'être l'amant d'une très grande artiste, une seule nuit, en voiture, en Europe, une très belle voiture, une Maybach *Zeppelin*.

Lena s'était vraiment fait peur, n'importe qui serait sorti d'Allemagne après un coup pareil, aurait fait un petit déplacement anodin à Lucerne par exemple, elle est allée à Lucerne, une visite à une très vieille amie, mais elle revenue en Allemagne aussitôt après, pas le genre à abandonner, et puis elle avait beau dire elle aimait cette ambiance, les uniformes auprès desquels sa robe pouvait resplendir, elle adorait les fêtes, la dernière fois que je l'ai croisée à Berlin c'était à l'Opéra, un gala pour la *Wehrmacht*, en 1938, au moment des négociations de Munich.

Elle rayonnait au milieu de tous ces uniformes, je le lui ai fait remarquer, elle s'est mise en colère, elle m'a dit *Goffard vous n'êtes qu'un petit Français,* elle m'a engueulé devant tout le monde, m'a traité de pense-petit, j'ai cru qu'elle allait me gifler, j'ai fait retraite, j'ai été malade pendant tout le reste de la soirée, je me rendais compte qu'elle venait de rompre notre amitié, c'était de ma faute, j'ai guetté le moment de lui reparler, elle m'a vu m'avancer, elle me fusillait du regard, les gens autour de nous, dignitaires nazis et généraux en grand uniforme, les salauds, ils guettaient le départ de la gifle, elle m'a lancé deux ou trois phrases, elle parlait entre les dents, une colère blanche, j'ai à peine entendu ce qu'elle me disait, j'ai quitté l'Opéra, j'ai pris ma voiture, j'ai quitté Berlin, je pleurais, j'ai pris la route de Munich, Lena venait de me dire *Max voyez qui je fréquente, allez vite retrouver vos camarades de poker, dites-leur de ne pas signer, on leur dit ne signez pas! voyez qui je fréquente.*

J'ai fait la commission, aux Anglais et aux Français, mais à Munich ils ont signé, ils se moquaient de savoir que des généraux allemands leur disaient de ne pas le faire.

Dans la cabine de l'avion, la voix de Max s'est faite plus forte, plus articulée, soucieuse de ne plus rien cacher à de Vèze :

« J'ai mis près de vingt ans, de Vèze, vingt ans à additionner tout ça, à trier, c'est devenu très clair un soir à Paris, début des années 50, au Cercle militaire, la salle des officiers supérieurs et des hôtes de marque, un dîner de généraux alliés, avec Marlene Dietrich et d'autres illustrations, des patrons de presse qu'on honorait pour leur participation aux efforts du camp de la liberté, quand Lena est entrée il y a eu un murmure, y compris Marlene, elles avaient chanté pour les bonnes œuvres des armées alliées dans l'après-midi, Lena était superbe, belle cinquantaine, un mannequin avec des talents et des idées, le type le plus important de la soirée c'était Gruenther, le patron de l'OTAN, il s'est levé le premier, il est allé vers elle.

« Il a piqué un salut militaire, devant une femme, une

civile, le paysan du Nebraska, pignouf, au lieu de claquer les talons et de s'incliner pour un baisemain il a fait le salut militaire, très sec, cour de caserne, les autres hommes se sont levés, elle était leur invitée, claquements de talons, courbettes, baisemain, seul Gruenther s'est trompé, il a salué militairement, pour tout le monde c'était une distraction, et il en rajoutait, fier d'être à côté d'elle, pas comme quand on a levé une belle femme, fier comme s'il avait été à côté de Patton.

« À ce moment-là j'ai à peu près compris, à Londres j'avais vu des officiers français piquer un salut devant des pères de famille en costume gris, avec un petit ruban à la boutonnière, ruban moiré, vert, bordure noire, vous connaissez, le genre de type qui fait dérailler un train avec un imperméable, elle ne portait pas de ruban, les autres officiers n'ont pas fait de salut militaire, elle a répondu à Gruenther en lui tendant la main, un sourire d'élégante, c'était parfait.

« D'autres éléments me sont revenus, en fin de compte je savais tout, il suffisait de retrouver l'angle, en 1947 elle a chanté avec Stirnweiss, Elisabeth Stirnweiss, personne n'a moufté, vous imaginez, madame Stirnweiss, avec sa carte du parti nazi, pas un des premiers numéros, rien de vraiment ignoble, une Autrichienne au grand cœur, mais quand même, elle avait chanté pour le Führer, elle avait dîné avec lui, Stirnweiss n'était pas nazie mais elle avait la carte du NSDAP, dans l'après-guerre ça suffisait à la cantonner dans des cours particuliers pour petits-bourgeois viennois pendant dix ans, le temps qu'elle perde sa voix.

« Et voilà notre évaporée de Lena qui accepte de chanter avec elle, oui, en 47 c'est Stirnweiss qui a demandé, ou qui a fait demander, et Lena n'a pas fait répondre, elle est venue chez Stirnweiss, Stirnweiss avait les larmes aux yeux, elles s'étaient croisées à Berlin et Vienne, dans les années 30, deux amies, Stirnweiss lui avait ouvert les meilleurs salons, la plus belle société, et Lena aimait beaucoup ça, elle était venue une fois avec Lindbergh, elle voyait le prince de Galles et sa

Simpson, mais Lena n'est jamais allée aussi loin que ces gens-là, elle aimait les fêtes mais se mettait en colère chaque fois que les nazis essayaient de vraiment exploiter sa présence, et les nazis faisaient marche arrière parce qu'elle avait quelques numéros de téléphone personnels et qu'elle n'hésitait pas à engueuler les gens.

« Et en 47 elle a rouvert le monde à Stirnweiss, par amitié, par insouciance, par goût artistique, et puis autre chose, elle avait dû en discuter à Washington avant de partir, il ne fallait pas laisser les gens de l'Est délivrer des certificats de *blancheur Persil* aux égarés de talent, avec ou sans la carte du NSDAP, comme Furtwängler ou Stirnweiss, ou Karajan, il ne fallait pas laisser des gens pareils filer à Dresde ou Berlin-Est, les Soviétiques venaient de rouvrir le Staatsoper, avec *Orphée, Eugène Onéguine, Rigoletto*, ajoutez une magnifique maison de la Culture sur *Unter den Linden*, la guerre froide commençait, des renversements d'alliance, les uns récupéraient von Braun, les autres von Machin, Lena a emmené Stirnweiss à Salzbourg, au festival, et personne n'a moufté.

« Mon petit camarade Linus Mosberger m'a raconté qu'un chroniqueur de New York a voulu lancer des piques contre Lena et son goût pour les ex-nazis, on l'a convoqué, il s'est tu, elle était très protégée, ça avait de l'allure le coup de Stirnweiss.

« On ne sait pas pourquoi mais il n'y a plus eu un seul Allemand de l'Ouest pour refuser quelque chose à Lena, personne n'a jamais rien dit, mais tous les grands s'entretuaient pour l'avoir à leur table, dans leur salon, pour l'écouter raconter Toscanini ou le *séminaire* de Waltenberg, ou le congrès de Versailles d'où était venu tant de mal, ils lui faisaient une confiance absolue, lui disaient tout, et vers la fin de la soirée chacun se mettait à raconter comment il avait secrètement résisté à Hitler, Lena écoutait, un jour elle a laissé échapper *beaucoup d'Allemands ont résisté à Hitler, c'est dommage qu'ils ne se soient jamais rencontrés.*

« Elle a toujours eu un côté un peu fou, en 1956 j'étais à

Berlin-Ouest, tout autour ça commençait à devenir tendu, les Polonais, les Hongrois surtout, l'été 56. Une des grandes avenues commerçantes de Berlin, je bouscule un type, il perd ses paquets, je m'excuse, je lui donne un coup de main, il soulève son chapeau, vieille politesse, j'en fais autant, on prend le temps de la courtoisie berlinoise, on se sépare, je ne l'ai jamais revu, j'avais eu le temps d'entendre quelques mots *elle est à Budapest, sans passeport diplomatique, il va faire très froid.*

« J'ai pris le train, je suis allé faire la commission à Lena, elle n'a rien voulu savoir, elle est restée à Budapest, elle avait beaucoup de cran, elle donnait une *master class* de chant, et entre les leçons elle s'occupait de diverses petites affaires avec des gens de bonne intention, pour faire évoluer les choses, elle adore cette ville, il faisait beau.

« Elle m'a emmené avec trois amis hongrois à quelques kilomètres du centre-ville, au bord du Danube, un hangar, ils ont sorti une barque à plusieurs places, pas une barque, un de ces machins très effilés pour faire la course, un *quatre barré*, les trois Hongrois rament bien, j'essaie de ne pas faire de bêtise, elle est à la barre, elle fait semblant d'être notre entraîneur, de donner la cadence en battant une mesure de chef d'orchestre, on rit comme des gosses, on vire devant le Parlement, c'était beau, un retour plus lent, revenir au point de départ mais cette fois contre le courant, pas pu m'asseoir pendant une semaine.

« Un autre soir nous sommes allés en bande au bord de l'eau, elle a beaucoup ri, une guinguette, elle a avalé une ventrée de goujons frits, elle les mangeait tels quels, avec l'arête, elle trempait le goujon dans la mayonnaise et hop, avec un coup de rouge pour faire descendre, après elle a réclamé un tango à l'accordéoniste, elle a dansé, à son âge, personne n'a rien dit, des jambes magnifiques, elle était très admirée, très suivie aussi, elle était repérée, les gens qu'elle fréquentait étaient dans le collimateur des services hongrois, des services qui n'y sont pas allés de main morte, cent kilos d'explosifs, mais elle n'était plus là. Une grande dame, de

Vèze, une grande dame. À Arlington, je n'étais pas le seul à pleurer comme une madeleine. »

Dans la grande villa au centre de Grindisheim, le chef de l'*Office fédéral de protection de la constitution* a fini par tirer une manière de bilan, pour consoler les hommes qui allaient se disperser :

« Il vaut mieux que monsieur Goffard soit parti avec son ambassadeur, vous n'étiez pas nés qu'il dînait déjà avec des Premiers ministres, il finissait la soirée avec eux, au poker, et il continue, on ne sait jamais ce qu'il va dire, il a ouvert trop de placards, je vous parie que dans une semaine il sera invité à la table du Chancelier. Pourquoi ? Pour comprendre il faut avoir des souvenirs, en 1945 les Américains avaient un plan pour nous, l'Allemagne comme une grande ferme, le plan Morgenthau, vous auriez tous grandi devant des culs de vaches, et de Gaulle voulait se faire donner la rive gauche du Rhin, celle où nous parlons en ce moment, Goffard a publié deux grands articles pour dire qu'il ne fallait pas recommencer les conneries de 1918, pour lui Morgenthau c'étaient les mêmes conneries que Poincaré. »

Du côté des Américains et de Walker les choses se sont beaucoup moins bien passées. Quand on lui a annoncé que Max et de Vèze avaient pris un avion de tourisme il est devenu blanc, il a fait stopper les voitures sur la route de Winzig, une belle fin d'après-midi sur une route de crête, il a juré devant le Rhin, tous des traîtres, il a même tapé du pied dans un pneu, il a réclamé une liaison immédiate avec la base aérienne de Schiltighaus, au micro il a retrouvé sa voix claire et douce, ce n'est qu'un avion-taxi, pas de statut diplomatique, il faut leur montrer ce qui arrive quand on veut rouler les gens dans la farine, non, pas d'avions de chasse.

« Je veux trois hélicoptères d'assaut, des *Cobras*, son *Aero* n'est qu'un traînard, et je veux des balles réelles, oui, j'ai les pleins pouvoirs, et cet ambassadeur français n'est pas net, salve d'avertissement avec de vraies balles, je veux des pilotes casse-cou, on va lui faire tellement peur qu'il se posera sur le premier chemin de terre ! Attention, il faut qu'il se pose côté allemand ! Et je veux des balles réelles ! »

*

Dans la salle du *Waldhaus* Lilstein continue à abuser de votre attention, il vous parle comme s'il se confiait à vous, comme si vous étiez sa dernière ressource, il vous demande si vous savez ce qui lui a fait le plus peur ces derniers temps, juste avant de venir à Waltenberg.

« C'est un de vos magazines français si attrayants, un reportage sur votre force de frappe, les pilotes d'avions porteurs de bombe atomique, non, pas des têtes inquiétantes, de bons garçons, des soldats de l'abîme avec les oreilles bien dégagées, une allure très saine, mais deux d'entre eux, ils sont en veille opérationnelle, prêts à bondir dans leurs *Mirages*, sur la photo ils lisent des numéros d'une même revue, on voit le titre, j'ai demandé à mon service de documentation de se renseigner sur la revue que lisent vos pilotes, on m'a répondu que *Planète* est une revue de parapsychologie, les ovnis, les bas-reliefs incas où un type tient son sexe érigé entre ses mains, des dieux de la fécondité, comme il y en a eu partout dès que des gens se sont mis à sculpter, pour *Planète* ce sont en réalité, en *réalité*, des pilotes extraterrestres qui serrent un manche à balai, *Gott verdammt*, jeune Français, ces types baladent l'enfer sous leurs fesses et ils lisent des revues de crétins qui confondent un gros *Pimmel* avec un manche à balai d'extraterrestre, ce qui m'a vraiment fait peur c'est que chez les Russes c'est pareil.

« Un soir avec les Russes à Berlin, un dîner, ça allait bien jusqu'à minuit, et ensuite ils se sont mis à se raconter des histoires de cartomanciennes, de magie, de Martiens, tous des membres du Parti, le KGB et l'Armée rouge, deux géné-raux, un demi-siècle de marxisme et tout ce que ces crétins trouvent à se raconter passé minuit ce sont des histoires d'extraterrestres, de voyance, de transmission de pensée, sur le coup ça m'a fait rire, en douce.

« Mais quand j'ai vu que vos pilotes lisaient des conneries du même genre, j'ai commencé à avoir peur, vous avez déjà vu les photos des Américains, les types chargés de tirer les fusées ont tous derrière eux un policier militaire avec un revolver prêt pour leur nuque, au cas où ils deviendraient fous, nous avons les mêmes, c'est rassurant, mais qu'est-ce qui se passe si le général qui donne les ordres à tous ces gens-là, ou son homologue soviétique, ou le Français dans son *Mirage* entend un extraterrestre qui lui dit fonce, mon vieux, fonce ? Notre travail de gens cultivés et sérieux c'est d'empêcher ce genre d'accident, c'est de faire circuler de l'information rationnelle, des régulateurs de tension, voilà ce que nous sommes, des régulateurs !

« Vous n'avez même pas intérêt à rester un marxiste ortho-doxe, je veux dire au fond de vous, si vous gardez tous vos rêves et toutes vos pensées la vie va devenir insupportable, vous n'aurez personne à qui parler en toute sincérité, à part moi, qui suis de plus en plus sceptique avec l'âge. »

*

C'est beau le Rhin vu d'avion, altitude trois cents mètres, vignes, bois, méandres, villages, les grandes écluses, le soleil qui s'incline éclaire la rive sur leur gauche.

« Regardez, Max, dit de Vèze, vers l'ouest, l'embranche-ment de la Moselle, ça fait petite vallée chatounette, c'était le grand boulevard des invasions, des massacres, on sera bien-tôt à hauteur de Bacharach. »

De Vèze prend l'air rêveur.

« Chut, monsieur l'ambassadeur, concentrez-vous sur le

pilotage, si vous me parlez de la Lorelei et de son peigne couleur de lilas, je vous dénonce. »

De Vèze sourit, beaucoup d'indulgence pour Max.

« Je me fous des légendes, Max, et des folies du fleuve. »

Il montre un des moteurs à travers le hublot :

« Admission, compression, explosion, échappement, des
milliers de fois par minute, vive la technique, Max ! Il y a mille
fois plus de beauté folle dans les pistons de ce machin que
dans toute l'histoire du Rhin. »

Il pousse sur le manche, le Rhin se rapproche.

De Vèze se tourne vers Max. Il sait que Max ne lui racontera plus rien sur Lena.

« Votre ami Linus Mosberger, quand nous étions tous
ensemble tout à l'heure, il en a profité pour me demander
une interview. Il aimerait qu'on parle de Pompidou. C'est vous
qui lui avez conseillé de faire ça ? Il est fiable, votre Linus ?
Vous le connaissez depuis longtemps ? »

Linus Mosberger, c'est une vieille histoire de contrat qui
fait encore le tour des salles de rédaction, une belle plume,
beaucoup d'expérience, de Vèze peut lui faire confiance, Max
l'aime beaucoup, Max et Linus se sont vraiment connus en
1938, à Prague. À cette époque-là Mosberger est *free lance*,
reporter indépendant, mais il vient de passer un contrat
avec le *Chicago Guardian*, il devient correspondant en
Europe, cinquante dollars par semaine, quatre-vingts dollars
par semaine en cas de guerre, et trois semaines supplémen-
taires après l'armistice qui aura mis fin à la guerre. À l'époque
c'est assez cher payé mais le journal pense avoir fait une
bonne affaire, la guerre sera courte.

Quand Max a rencontré Linus à Prague, en mai 1938, il a
eu peur. Linus rentre de Vienne. Il est blanc, la tremblote,
couvert de boutons, prurit géant, il essaie d'écrire deux ou
trois feuillets, un scoop, il voudrait s'en passer, ça ressemble
à une angoisse ce qu'il a.

Il y a trois jours, à Vienne, un homme très maigre a refermé une porte sur Linus, il a fait tourner le verrou, onze heures du soir, Linus est seul, enfermé pour la nuit, il passe entre les tables, Linus a un article à faire sur ce qu'il va découvrir, il veut commencer son article par là, l'homme qui referme la porte sur lui et qui tourne la clef, il fait noir, Linus n'a qu'une torche pour s'éclairer, il a envie de vomir.

« Je n'avais pas envie de vomir quand j'étais dans cette salle à Vienne, Max, c'est maintenant que ça me prend, maintenant que je n'ai plus rien à craindre, quand je suis ici, à Prague, devant mon *Underwood.* »

L'homme a mis le verrou, il fait noir, Linus circule entre les tables, sur un grand bureau il y a des registres, Max, je n'arrive même pas à écrire ça correctement, des registres, l'homme très maigre, avec son chapeau noir et son haleine qui sent l'oignon, il m'a laissé seul dans la salle, à ce moment-là j'étais en pleine terreur, Max, mais pas d'angoisse, j'étais à Vienne, dans une grande salle, j'agissais, pas de boutons sur tout le corps comme maintenant, une bonne terreur dans l'action.

Linus lit les inscriptions au porte-plume sur les registres, il déchiffre, sa torche faiblit, dans les registres il y a des noms et des dates, il repasse entre les tables, puis retour aux registres, six noms de suicidés.

« Max, je ne vais jamais pouvoir écrire ça, j'ai les mains qui tremblent sur le clavier, le whisky n'y fait rien, je suis revenu aux tables avec les noms en tête. »

Retour aux tables, des corps sur les tables, avec des éti-quettes, Linus repère les noms des suicidés.

« L'un d'entre eux s'est suicidé en se donnant des coups sur la tête, Max, ça a fait jaillir les yeux des orbites, un autre a une belle tête sereine, je relève le drap, des bleus partout, que des suicidés, j'ai voulu décrire ce que j'avais vu et je laisse tout tomber, le toubib de Prague m'a dit ce que j'avais, il m'a conseillé d'aller à Carlsbad, je vais partir, les champs de blé, de houblon, de colza, la section juive, j'avais payé le type pour qu'il m'enferme une nuit dans la section juive de la morgue de Vienne, que des corps de suicidés et des urnes. »

Linus avait donné trois dollars de bakchich à un fonctionnaire autrichien pour qu'il le laisse séjourner une nuit dans la morgue de Vienne, le fonctionnaire est revenu ouvrir à l'aube.

« Je lui ai demandé pour les urnes, il a dit *aucune famille n'est venue les réclamer*, d'après le fonctionnaire toutes les familles étaient déjà mortes. Max, je file voir les champs de houblon, non, tu ne peux même pas essayer d'aller voir, je ne sais pas où ils les mettent maintenant, il y en a de plus en plus, j'essaierai plus tard, depuis l'arrivée des nazis mon ambassade américaine à Vienne délivre vingt visas de réfugiés par semaine, vingt, et elle est pratiquement la seule, la morgue aujourd'hui c'est l'Histoire tout entière, Max, et je vais à Carlsbad. »

Max s'est tu, de Vèze s'est concentré sur le pilotage, à un moment il a dit, sans regarder Max :

« C'était comment quand elle chantait, Max ? »

*

En quittant le *Waldhaus,* Lilstein vous a dit :

« Le danger dans notre métier, ce sont les grands sentiments et les rêves, jeune Français, voyez ce qui est arrivé à Tellheim, un des grands hommes de l'équilibre Est-Ouest, il faisait partie de l'équipe qui a fabriqué la bombe d'Hiroshima, c'est un peu grâce à lui qu'il n'y a pas eu de guerre atomique, il nous a donné les renseignements qu'il fallait, les laboratoires soviétiques ont rattrapé leur retard, il les a renseignés pendant huit ans, il n'a été soupçonné qu'à partir de 1949, quand une bombe H a explosé au Kazakhstan, les Américains et les Anglais croyaient que l'URSS en avait encore pour dix ans avant de pouvoir faire ça, c'est Beria qui était chargé du programme nucléaire.

« En 49, Tellheim a quitté les États-Unis depuis déjà quelque temps, il est à Harwell, il a senti que l'*Intelligence Service* l'avait repéré mais il n'a pas tenté de se sauver, vous voyez la situation, tout le monde le soupçonne, dans son labo de Harwell on ne lui adresse plus la parole, il avance dans le vide, les Anglais l'interrogent, le relâchent, l'interrogent à nouveau deux semaines plus tard, lui, il est soulagé, il rêve de tout lâcher, de rentrer en RDA, son père est à la retraite chez nous, un protestant, membre du consistoire de sa ville.

« Au lieu de filer discrètement, Tellheim se rend aux interrogatoires, et il avoue tout, même ce qu'on ne lui demande pas — enfin, presque tout, soyons honnêtes, il a gardé deux ou trois petites choses pour lui — il a lâché, comme quelqu'un qui a trop cru à ce qu'il faisait et qui lâche d'un seul coup, le renard piégé, mais il n'a pas filé en se coupant la patte ou la queue, il s'est livré, d'après mes collègues russes c'est parce qu'il souffrait de sous-alimentation idéologique, il a bazardé la partie de lui-même qu'il ne pouvait plus nourrir.

« Le savant antifasciste a fini par lâcher et il a cédé la place au pêcheur à l'affût de ses dettes, un renard mélancolique, il vivait chez les Anglais, dans un monde dont il devait faire semblant de partager les idées, il avait deux pensées, celle qu'il méprisait et celle qu'il cachait, la pensée qu'il méprisait prenait de plus en plus de place, pendant que l'autre continuait à se défendre. Il n'a pas résisté à la tension, il a parlé aux Anglais qui auraient même préféré qu'il n'en dise pas tant.

« Aujourd'hui c'est un homme triste, il vit en RDA, c'est encore un bon physicien pour son âge, mais il ne pense plus beaucoup, dans les années 30, 40, c'était vraiment l'un des trois ou quatre grands de la physique mondiale, il s'est étiolé, il a cru à trop de choses à la fois, le marxisme-léninisme et la démocratie, la science, le libre débat, il célébrait les bienfaits du groupe mais c'était un des individus les plus singuliers de sa génération, un superbe orgueil, il voulait tout faire.

« Dans notre métier de régulateurs, c'est dès le départ qu'il ne faut pas trop croire à ce qu'on fait, quand j'étais jeune on m'a trop conseillé de lire Lénine, lisez plutôt Shakespeare, et *Faust*. »

*

Quand elle chantait ? Dans le petit avion Max ne répond pas tout de suite à la question de De Vèze, il ne le regarde pas, il regarde le Rhin, le paysage.

Le chant de Lena, s'il savait dire ce que c'était, il l'aurait écrit depuis longtemps, une fois j'ai essayé de mettre sur le papier mais je n'ai jamais réussi, je n'ai aucun allant, Malraux avait raison, pas assez d'audace, je suis incapable de raconter ça, juste un serrement du pharynx quand j'y pense, je pourrais dire quelques mots mais pas à de Vèze, trop compliqué, lui il aime les avions, les femmes, les récits d'aventures, les moteurs, les romans de mecs, Max se voit mal dire à de Vèze harmonie très simple, début du dernier *Lied*, Schumann, *ré* mineur, premier degré, quatrième, dominante, tonique, la voix au début sur une seule note, le *ré*, des accords simples, puis les septièmes diminuées, elle était devant nous, elle avait coiffé ses cheveux roux en grandes torsades repliées en spirales sur les côtés, l'encolure dégagée, les belles épaules, pas un seul bijou, le grand salon du *Waldhaus*, un seul Schumann, l'avant-dernier soir du *séminaire* de 1929, le récital, Stirnweiss est souffrante, madame de Valréas a dit nous ne sommes pas des négriers, Stirnweiss a chanté en premier, Mozart, puis quelques-uns des *Lieder* de *L'Amour et la vie d'une femme*, l'altitude lui a desséché la gorge, elle n'a pas fait attention, Stirnweiss a très bien chanté, sentiment, surprise, joie, amour, voix fragile, Max écoutait la Stirnweiss, pur plaisir du chant, tout le monde réconcilié avec tout le monde.

Puis on avait fait une pause, madame de Valréas avait fusillé quelques fumeurs et elle avait présenté cette artiste américaine qui adore l'Europe, Lena et son culot, le culot de commencer sur le dernier *Lied* du cycle que venait de chanter Stirnweiss, Stirnweiss lui avait dit en souriant je vous laisse le dernier, Lena avait accepté, au pied levé, une vacherie quand on y pense, alors elle chanta, *Nun hast du mir den ersten Schmerz getan...* tu m'as causé ma première douleur.

Très peu de basses à la main gauche pour les premières mesures, un début en récitatif hors mesure, sans les basses on a moins le sentiment des différences dans la mesure, le premier temps est sur un silence, et sur le troisième temps de la mesure le piano en *ré* attaque par son accord, idem au début du vers suivant, un solfège de sommeil et de mort, son homme est mort, Max tu as fait ton solfège ? j'avais quel âge ? dix, douze ans ? j'étais déjà sur le tapis du salon en train de bouffer mes tartines de beurre et sucre en poudre, j'adorais déchiffrer au clavier mais le solfège moins, pour les vers suivants, à partir de *Es blicket*, des harmonies plus tendues et le cliché du récitatif douloureux, les septièmes diminuées, le point culminant sur *leer*, dans le registre aigu du lied, Lena un autre jour allongée par terre, sur le dos, Maxie, sois gentil, passe-moi le gros livre à côté des croissants, in-quarto, papier glacé, au moins deux kilos, elle le pose sur son ventre, respire, bloque sa respiration, expire lentement, le livre redescend, qu'est-ce que tu fais, Lena ? gymnastique du chant, Max, diaphragme et muscles du bas, du très bas dit Max, si je puis me permettre ce n'est pas très loin d'un petit endroit, tu es sûre que c'est pour le chant, les muscles pubiens ? tout à fait Max, c'est là que ça commence, si tu veux de l'âme dans un aigu il faut partir de là, quelques minutes d'exercice, elle se relève, se met dos au mur, talons, fesses, dos et tête bien collés au mur, jambes écartées, les mains contre les côtes, les grands cheveux roux à la sauvage, elle expire, ça, dit Max, c'est plus décent, c'est toujours pour l'aigu ? Maxie, si tu savais ce que je suis en train de faire, oui, tu redresses ta cambrure, tu contrôles l'ouverture des côtes, ça je peux comprendre, elle rit, tu ne sais pas tout et tant pis pour toi.

Alors elle chanta.

D'abord ce dernier *Lied*, le triste, celui que son amie n'avait pu chanter, qu'elle lui avait laissé, le moment de la mort, comme celui qui devait être chanté avec une expressivité encore plus forte que pour les précédents, ceux de la surprise, du plaisir ou de la joie, le dernier, la mort, celui qui demandait une force de sentiment encore plus vaste et plus aiguë que les six autres, la douce Elisabeth l'avait laissé à son amie comme un hommage, pour qu'elle aille au-delà de ce qu'elle-même venait de faire, il y eut cette pause dans le salon du *Waldhaus*, pendant laquelle madame de Valréas avait fusillé quelques fumeurs, puis la reprise, à froid en quelque sorte, la deuxième partie du récital commençant sur le dernier *Lied* de Schumann, le plus dramatique, on attendait avec une certaine impatience d'entendre ce qu'une Américaine saurait faire de ce monument de la sensibilité romantique européenne, il y eut le silence.

Elle chanta, et l'on savait dans le public ce qui allait suivre, c'est pour ça qu'il fallait, dans un chant pareil, dès le départ, une puissance insoupçonnée d'émotion, l'annonce, dès les premières notes, de toute l'âme du morceau, la mort de l'aimé, toutes les femmes dans l'assistance sont prêtes à vivre, revivre, anticiper, imaginer, transposer, imiter en musique la mort de l'aimé, la douleur qu'elle fait éprouver, pas une d'entre elles qui n'ait un jour imaginé cette mort de l'aimé pour en essayer la douleur, et tous les hommes sont prêts à écouter ce qu'est la douleur d'une femme quand meurt le compagnon que la vie lui a donné, pas un qui ne se soit déjà fait mourir pour se donner le spectacle intime de la douleur d'une aimée au spectacle de sa mort à lui.

Et tous, hommes et femmes, savent ce qu'il faut là de timbre fragile, chute nostalgique d'un accent dans un autre, va-et-vient de syncopes qui se cherchent, douloureuses, errent, déchirées de cris, comme si l'âme découvrait soudain ce qu'elle porte en elle et ne peut taire, plaintes, angoisses, désirs, souvenirs et terreurs sans nom, syncopes harcelées de croches, tandis que les mouvements d'effroi prennent forme, se groupent en mélodie, et le moment finit par surgir où ils deviennent un chant suppliant venu calmer l'agitation errante de la douleur, puis retour du motif initial, chute d'un ton dans un autre, agitation violente d'accents chargés de résolution sauvage, tout ce qui fait que chacun, au même moment en est à se dire que se passe-t-il ?

Tout le monde attendait cette succession d'aventures tonales soutenues par un regard profond et perdu de belle Américaine, des cheveux à reflets rouges couvrant les tempes de leurs anneaux souples, des mains qui se joignent à se blanchir, une escalade chromatique pleine de farouche nostalgie, avec de soudains *pianissimi*, convulsions d'une douleur ne pouvant se prolonger.

Et revient toujours le premier motif, frémissant, chantant, exultant, sanglotant, s'avançant en triomphe revêtu de toute la splendeur grondante de la main gauche, mélodie avec quelque chose de pervers dans l'avidité avec laquelle elle est savourée et exploitée, jusqu'à ce qu'enfin, dans la lassitude, un long et doux arpège en mineur ruisselle, monte d'un ton, se résolve en majeur et meure avec une mélancolique hésitation.

Alors elle chanta, *Nun hast du mir...* tu m'as causé ma première douleur, tout le salon du *Waldhaus* soudain tendu vers cette voix.

Et il n'y eut rien de tout cela.

Pas du chant à proprement parler, presque du récitatif, le texte résiste, ne veut pas se laisser emporter, la diction reste en avant de la ligne mélodique, la voix reste quasiment sur une seule note, le *ré*, au début, une note répétée, et l'accompagnement au piano va dans le même sens, des accords assez longs, comme pour mettre la mesure en suspens, des accords de septième diminuée, peu de moyens pour le pathos, harmonies très simples, *ré* mineur, premier degré, quatrième, dominante.

Dans le salon on est pris au dépourvu, musique sans ailes, rien à quoi se confier, rien à quoi confier son âme, il faut qu'on la garde avec soi, encombrée du monde, le système tonal réduit à son schéma le plus simple, une grande simplicité des enchaînements d'accords, très peu de basses à la main gauche, un récitatif hors mesure, puis les harmonies se font plus tendues mais pas chantantes, on va vers l'aigu, les aigus magnifiques de Lena, elle disait les aigus ne sont pas en haut d'une échelle, pas dans Schumann, la voix doit être comme une vague qui retombe sur l'aigu, qui l'emporte, *leer*, le vide du monde, le point culminant, un *ré* bémol, très éloigné de la tonalité principale de *ré* mineur.

Pas éloigné en termes d'intervalle, mais en termes de système tonal, pour qu'il y ait un *ré* bémol à la clef il faut qu'il y ait au moins quatre bémols, en *ré* mineur on a juste un bémol, ici *si* bémol mineur, les oreilles perdues, amorce de cadence sur le cinquième degré, et ce *ré* bémol ne se résout que sur le *do* qui suit, à la voix la résolution se fait après le piano, la cadence ne s'achèvera pas, je me perds, Lena, tu me diras ce que tu faisais debout contre le mur l'autre matin ? ils sont dans une voiture qui monte vers un village de Haute-Savoie, j'ouvrais le bas du dos, Max, en redressant la cambrure j'ouvrais le bas du dos, c'est indispensable pour de beaux aigus bien libérés, pour dire le malheur, le salon du *Waldhaus*.

Auparavant, les autres chants, Stirnweiss, c'était plus allègre, la bague, le mariage, l'enfant, et le dernier *Lied* pour Lena, ma première douleur, une rupture avec tout le cycle.

Alors elle chanta, un autre temps qui commence, dans le cycle et pour le public, quelque chose est en train d'arriver, elle avait commencé en limite de récitatif, ni air ni mélodie, la diction en premier plan, en avant de la ligne mélodique, puis le *ré* bémol, *leer*, et pour la voix la résolution se fait après le piano, une tension, frottement d'un demi-ton, retard de résolution de la note, à la voix la descente du *ré* bémol sur le *do* ne se fait que sur la deuxième croche du quatrième temps, alors qu'au piano elle descend sur le troisième, en dissonance très forte, et c'est là qu'est la musique.

Elle chanta, en laissant l'âme sur place, avec les scories du monde, aucune des émotions qu'on s'était préparé à éprouver, ce fut froid, pas exactement froid, ce chant vous mettait devant la mort, vous disait je ne suis pas là pour vous mâcher l'émotion, pour prendre par la main votre émotion, on était simplement devant un chant de mort, avec tout le travail à faire soi-même.

La musique n'est pas là pour racheter la vie que vous menez si mal.

Max n'a pas répondu à de Vèze, et de Vèze a respecté son silence, puis il a fait admirer divers paysages à Max. Au loin, dans le crépuscule d'automne, ils ont vu la cathédrale de Strasbourg. Ils ont continué à suivre le cours du fleuve. À un moment de Vèze est devenu enthousiaste :

« Regardez, magnifique ! »

Il montrait la rive française du Rhin

« C'est interdit de s'approcher. »

Max ne voyait rien.

« Regardez, au bord du canal, le gros chantier, bientôt deux hyperboles de révolution, deux formes pures qui vont s'élancer vers le ciel, en envoyant de la vapeur d'eau. La matière au service de deux hyperboles de révolution, bientôt. Deux tours, près de cent mètres de haut. On ne peut pas s'approcher. Elles lanceront des milliards de gouttelettes et on ose dire que ça va défigurer le paysage, ça vaut bien toutes leurs cathédrales des guerres de Religion !

— C'est celle de Fessenheim ? a demandé Max.

— Oui, le chantier a démarré, neuf cents mégawatts prévus.

— Alors il faut que je vous déçoive, mon cher ambassadeur, pas de tours de réfrigération, c'est le Rhin qui va s'en charger, le *Vater Rhein*. Du nucléaire refroidi au courant de fleuve, pas d'hyperboles ! »

De Vèze a boudé quelques minutes, Max lui a demandé de lui raconter sa rencontre avec Hans à Genève.

« Vous saviez ? »

— Comme toujours.

— Kappler était très en forme. Nous avons fait une promenade en bateau sur le lac.

— Il vous a fait le coup de la turbine *Winthertur*? »

Hans avait fait admirer à de Vèze la belle machinerie du bateau; ils avaient aussi pu entrevoir Coppet, les grands saules, Hans s'était animé, il avait parlé du tombeau de madame de Staël et surtout des pages dans lesquelles Chateaubriand évoque l'âme de sa consœur.

« Oui, dit Max, Hans adorait ces pages, un Chateaubriand grand catholique, et qui fait guider l'âme de madame de Staël vers le Paradis par Byron, Voltaire et Rousseau! Des valeurs sûres, mais de quoi lui faire refuser l'entrée pour l'éternité!

— Kappler aimait aussi beaucoup le grotesque dans les *Mémoires*.

— Je crois, mon cher ambassadeur, que Chateaubriand pour lui c'était d'abord la sylphide, un type qui écrit une œuvre pareille tout en rêvassant à une créature de nuage ça le rassurait, ça justifiait les heures creuses. »

Walker n'a pas obtenu l'autorisation de faire atterrir l'avion de De Vèze.

Le lendemain, dans le *Boeing* de la CIA qui le ramenait à Washington, il a maudit l'Europe une ou deux fois puis il a fait le point avec son adjoint Garrick :

« Nous ne sommes même pas sûrs que Goffard soit cette saleté de taupe française ou même son fusible. »

Garrick lui a demandé si Lena Hellström avait pu lui apprendre quelque chose au début de l'année et Walker a répondu d'une voix douce :

« Elle est morte avant d'avoir pu trouver quoi que ce soit, et c'est irréparable. »

Chapitre 13

1991

LA RAISON EST-ELLE HISTORIQUE ?

Où Lilstein se retrouve dans une souricière et où l'on apprend qui était la taupe.

Où une jeune libraire observe sa clientèle tout en essayant de répondre à une question philosophique.

Où Lilstein se rend compte que *Les Aventures de Gédéon* sont très instructives.

Où l'on apprend aussi la fin de l'histoire de l'ours.

Chapitre 3

1991

LA RAISON EST-ELLE
HISTORIQUE ?

PARIS, passage Marceau, septembre 1991

Si la raison dominait sur la terre, il ne s'y passerait rien.

Fontenelle

Tout est calme, le calme sans tourment des librairies, il y a une jeune fille à la caisse, châtain foncé, visage carré, des yeux sombres, un nez légèrement en trompette, elle a jeté un regard sur Lilstein et s'est replongée dans ses notes.

L'ami parisien de Lilstein est déjà là, en manteau beige, il le salue mais ne le rejoint pas, ne jamais faire comme si on ne se connaissait pas, quand des gens se connaissent ça se voit toujours, c'est imperceptible mais ça ne trompe personne, nous ferons comme si on se connaissait déjà vaguement, jeune Français, signe de tête, signe de main, peu importe, on se connaît mais chacun s'abstient de déranger l'autre, ça permet de repérer les lieux, l'ambiance.

Lilstein feuillette un gros livre illustré, mon jeune ami m'a dit que je ne risquais rien, mais je n'aime pas trop, un passage donnant sur les Grands Boulevards, il suffit de bloquer les deux extrémités et ça fait une souricière, on me repère dans la librairie et on me cueille à l'une des sorties du passage, une voiture devant chaque sortie, bon piège, c'est ce que j'aurais fait, je m'en fais trop, tout est calme, ce manteau beige c'est nouveau, il ne l'avait pas l'an dernier, ça le rajeunit, amusants ces albums, une suite de dessins, des lapins, trois lapins et un canard en lisière d'un bois, le bois de Beausoleil, le canard a une idée fixe, *protéger les faibles contre les forts, tout simplement.*

Lilstein tourne les pages de l'album, s'attarde sur les dessins, une histoire de canard et de lapins, moi aussi j'ai été canard, les forts, les faibles, sympathique projet. Escorté par les lapins le canard fait la tournée des animaux du bois, *je vous conduirai vers un lieu de délices, le plus agréable des paradis,* c'est beau ce jaune pour la robe du canard, pas jaune, ocre, ocre clair, j'aime bien l'ocre, une couleur de choses achevées, quand on a enlevé l'éclat inutile, quelqu'un m'a dit ça un jour, le village aux toits de tuile, un rouge un peu rouillé, et cette herbe en plein soleil, un rêve de gens du Nord, le canard a l'œil en coin des séducteurs, *vous serez débarrassés de vos plus implacables ennemis,* les animaux l'écoutent.

Quand j'étais gosse j'aimais bien dessiner des animaux, un gosse des villes qui rêve de forêt, l'ocre, le refus de l'éclat inutile, c'est Lena qui m'a parlé de l'ocre, elle aimait, d'habitude pour les voix d'alto on parle de voix grise, elle cherchait des tons ocre dans la voix, elle disait il faut des heures pour mettre un bel ocre dans la voix, cette librairie manque de vertige, ce que j'aime dans les librairies de l'Ouest c'est le vertige, on entre, on ne sait plus où donner du regard, mais ici pas de quoi se perdre, beaucoup d'images, peu de textes, des livres pour enfants

Mon jeune ami m'observe, c'est maladroit, plus si jeune, il est vrai, malgré son manteau beige, il reste mon jeune Français, trente-cinq ans qu'on se connaît, il a l'air plongé dans sa lecture mais il m'observe comme s'il était en train de me faire une farce, moi je ne lui aurais jamais donné rendez-vous dans un passage, trop de risques, non, pas de risque avec lui, pas de souricière, il m'a dit j'ai un achat à faire, accompagnez-moi, à votre âge il est temps de vous initier à ce que nous appelons la bande dessinée.

Amusants ces lapins, ils observent le canard, ils s'interrogent sur leurs pattes de derrière, une patte avant posée sur la joue, ils jasent, ils écoutent les promesses du canard, *la bonne vie quiète et calme remplacera la terreur et l'effroi,* je n'aime pas les passages.

La jeune fille de la caisse a vu entrer les deux hommes, le manteau beige et l'imperméable gris, l'homme le plus vieux, celui qui s'est mis dans le coin des *Gédéon* et des *Babar,* il a la même taille que Gilles, Gilles est moins grand, c'est le plus vieux mais c'est celui qui se tient le plus droit, il a l'air gentil, timide et gentil, peur de se cogner, peur d'abîmer, mais il se tient droit, c'est la première fois de sa vie qu'il entre dans un endroit pareil, ils doivent se connaître depuis longtemps, ils n'ont pas besoin de toujours se parler et de sourire en se parlant, à cause d'eux j'ai perdu le fil de mon plan, à trois jours de la remise des dissertations je n'ai pas encore de plan, une question simple, pourquoi la pose-t-on ? parce qu'il y a une possibilité que la raison ne soit pas historique, qu'elle ne soit pas dans l'Histoire, qu'elle échappe à l'Histoire, ce qui voudrait dire que ce qui se passe dans l'Histoire n'est pas rationnel, attention, ne pas transformer le sujet, ça n'est pas *L'Histoire est-elle rationnelle ?* c'est *La raison est-elle histo-rique ?* cela dit, c'est lié, l'un des deux hommes a l'air de s'y connaître en bouquins, le barbu en manteau beige, que serait une raison qui ne serait pas historique ? si la raison surplombe l'Histoire, je ne sais même pas où je vais, trois jours avant la remise, le barbu a dû être insupportable dans sa jeunesse, comme Gilles, non, je suis injuste avec Gilles, il faut au moins douze pages, la dernière fois le professeur m'a dit vous ne développez pas assez, je suis trop laconique, maman répète qu'il faut quarante ans pour faire un homme, plus d'un an maintenant que je vis avec Gilles.

Le canard s'entretient avec le renard, avec l'escargot, avec Ursule la chouette, Salsifis le blaireau, Lilstein sourit, Ursule aussi est en ocre, les lapins sont tantôt gris tantôt ocre, un gris un peu dense, qui s'éclaircit en gris-bleu pour les murs de maison, les ciels, le clocher, un jeu sur les tons, il y a aussi un cerf, comme dans le poème de Johannes Becher, Becher n'a pas seulement écrit les paroles de l'hymne de la RDA, *Ressuscité des ruines,* il a aussi parlé de la nature, il a mis un cerf dans un de ses poèmes, *dans ta bonté, passant par la Forêt-Noire tu laisseras venir à toi un cerf craintif,* c'était en 53, la mort de Staline, la bonté c'est celle de Staline, Gédéon le canard veut maintenant convaincre le gros ours Martin, *vous pourrez paresser des journées entières sur l'herbe des prairies.*

Tout à fait le genre de choses à promettre au camarade gros ours, Lilstein connaît un ours qui aurait donné un sacré coup de patte à Gédéon il n'y a pas si longtemps, pas pour avoir paressé mais pour avoir invité les autres à le faire, on pouvait ne pas travailler, disons pas trop, un rythme lent, à condition de faire croire qu'on travaillait beaucoup, même pas de faire croire puisqu'en fait personne n'y croyait, faire comme si, si tout le monde sait faire *comme si* on est vraiment au pays des travailleurs et la paresse n'existe pas.

Ce n'était pas de la paresse, les gens se surmenaient de paresse mais ce n'était pas de la paresse, ils faisaient semblant de travailler parce qu'on faisait semblant de les payer, ou alors le contraire, pendant la guerre ça a dû être différent, mais je n'ai pas fait la vraie guerre, pas au sens classique, dans les camps on allait encore plus lentement, sauf quand un kapo s'approchait, et puis la guerre ne peut pas durer éternellement, les artistes ce n'était pas pareil, un vrai rythme, de vraies récompenses aussi, le *Berliner* à quatre jours d'une générale c'était un vrai cyclotron, les artistes, ils travaillaient vraiment bien, et vite, c'étaient les seuls à ne pas faire semblant.

Gédéon tient meeting au carrefour du *Bois-brûlé,* une haute futaie, des troncs avec des creux à pouvoir abriter un sanglier, il y a deux cerfs dans l'assistance.

Dans le poème de Becher, celui de 53, il n'y avait qu'un cerf, il venait s'asseoir sur un banc, devant le buste de Staline, Lilstein se souvient *tu te dresseras là, Staline, et dans ta bonté tu laisseras venir à toi un cerf craintif ; avec Lénine, le soir, il prendra place sur un banc, et Ernst Thälmann viendra les y rejoindre*, à l'arrière-plan les lapins regardent, ils ont l'air de s'amuser.

Pour qu'un lapin s'amuse il suffit de lui faire la bouche en *v*, tous les animaux sont là, ils ont tous la prunelle au coin de l'œil, ça dégage bien le blanc du globe dans le dessin, ça donne l'air attentif, le dessin c'est une bonne activité pour un retraité, je vais m'y remettre, une activité qui ne coûte pas cher, table, chaise, papier, crayon, quatre murs autour, tout dépend de l'espace que ça fait, neuf mètres carrés c'est une prison, on peut aussi vivre en ville dans neuf mètres carrés, mais si on n'a pas d'argent pour sortir c'est comme une prison, heureusement qu'il y a ces supermarchés, et une plaque électrique pour faire la cuisine, ma chambre fait dix mètres carrés au grand maximum, c'est ce qui reste quand j'enlève la surface des W.-C. et de la douche, chambre de bonne, il paraît que j'ai de la chance d'en avoir trouvé une boulevard de Port-Royal, surtout avec W.-C. et douche.

Le soir vers dix heures la voisine joue de l'accordéon, il faut que je refasse mon budget, la vie est très chère ici, la nourriture, j'étais bon en dessin, jusqu'à quinze, seize ans, surtout pour les objets, les téléphones *Belle Époque* je les réussissais très bien, et les voitures, j'ajoutais même de l'aquarelle, mais pour les corps j'étais beaucoup moins bon, je n'ai jamais su, c'est ma cousine Agatha qui était la spécialiste des corps.

Des nus superbes, de vraies académies, pendant la crise elle les revendait aux garçons du lycée pour s'acheter de la nourriture et des vêtements, un jour un garçon m'a montré un dessin de femme les jambes croisées autour de la taille d'un homme, la tête lancée en arrière, non signé, le style d'Agatha, vingt fois plus cher, je me suis dit qu'elle ne devait manquer de rien, elle est devenue dessinatrice industrielle en Amérique.

Nouveau coup d'œil de la jeune fille de la caisse vers Lilstein, l'homme le plus vieux, celui qui s'est mis dans le coin des *Gédéon* et des *Babar*, il n'est pas du genre à faucher, le patron me dit qu'il ne faut jamais se fier aux apparences, je suis injuste avec Gilles, il n'est pas si insupportable, la seule chose qui coince c'est le sac-poubelle, hier il est rentré à onze heures du soir, il a vu le sac au milieu de l'entrée, il a dit ça sent mauvais, j'étais déjà au lit, il n'a qu'à s'occuper de temps en temps de la poubelle, c'est lui le journaliste.

Quand je lui ai dit ça il n'a pas aimé, il a répondu que si les philosophes s'occupaient vraiment des sacs-poubelles on les croirait plus, ça n'a rien à voir, et les philosophes ne demandent pas qu'on les croie, ils essaient d'être rationnels, y a-t-il une date de naissance de la raison ? ça n'est pas le problème, la question de l'historicité de la raison n'est pas celle de sa date de naissance, ni celle de sa mort, on voit le piège, la formule tout faite, la raison est morte à Auschwitz, le genre de propos qui laisse l'usage de la raison aux salauds, aux dominants, attention à *dominants*, le professeur n'aime pas Bourdieu, j'étais au lit, Gilles est descendu dans la cour avec le sac-poubelle, en remontant il a sonné pour m'obliger à me lever, je ne me suis pas levée, le voisin a tapé contre le mur, je suis allée ouvrir, j'ai tourné le dos et je suis retournée dans la chambre, il avait pourtant ses clefs, il m'a dit non je les avais laissées ici.

Ne pas oublier Fontenelle, *si la raison dominait sur la terre, il ne s'y passerait rien,* ça sonne bien, oui, mais ça ne suffira pas, cela dit c'est la première branche de la tenaille, si la raison domine l'Histoire il n'y a plus d'événement, non, la tenaille ce n'est pas ça, première hypothèse, si la raison n'est pas historique l'Histoire ne peut pas être rationnelle, mais deuxième hypothèse, deuxième branche de la tenaille, si la raison est historique il n'y a plus d'absolu de la raison, c'est là qu'il faudrait insérer Fontenelle, Gilles a fait du bruit dans le séjour pendant une demi-heure, il a fini par venir se coucher, avec le journal, c'est fou ce que ça peut faire comme bruit un journal, soupir de Gilles, tu n'as pas vu mes clefs ? ça m'a vraiment énervée, mais il a pris sa voix de malheureux, comme quand il faut l'aider à faire ses comptes, il a dit je suis vraiment emmerdé, je ne les trouve nulle part.

Lilstein tourne les pages, le loup a l'air très méchant, peut-être simplement parce qu'il montre les dents, beaucoup de blanc aussi dans l'œil, c'est comme au cinéma, l'œil très ouvert, les comédies en noir et blanc, Cary Grant montre beaucoup de blanc dans ses regards, il faut que je rachète cette cassette de *Philadelphia Story*, à Berlin c'est Honecker qui a dû oublier de me la rendre, amusant cette vie où vous prêtez une cassette américaine au patron de votre République démo-cratique, il peut d'un geste mettre fin à votre carrière, tout le monde se surveillait, au premier qui ferait une erreur, mais regarder un film de Cary Grant et James Stewart ce n'était plus une erreur alors que ça aurait pu coûter cher à une époque, j'exagère, ça n'a jamais coûté très cher, cela dit, vous prêtez une cassette au patron de votre République démocratique, vous n'osez pas la lui réclamer et vous comprenez que les choses sont en train de changer le jour où il vous dit Micha il faut que je te rende ta cassette.

Honecker, pour les cassettes, ce n'était pas le pire, il les rendait, il en prêtait même sans faire d'histoires.

Ce n'était rien à côté de Matthias, l'ancien patron des syn-dicats, à la retraite, Matthias avait une superbe collection de cassettes, des enregistrements qui venaient de l'Ouest, il avait *Angel* avec Marlene Dietrich, il prêtait ses cassettes, c'est lui qui proposait, il montrait ses étagères, il levait l'index et disait :

« De chacun selon ses moyens... »

Il me tendait une cassette.

« À chacun selon ses capacités, la culture ça doit circuler. »

Je lui ai toujours rendu ses cassettes, mais au fil du temps il a prétendu que je lui en avais perdu, il me reprochait de ne pas venir le voir, quand je venais il était joyeux, et dans les cinq minutes il me lançait cette histoire de cassettes non rendues, sa femme lui jetait de drôles de regards, ils devaient en parler tout le temps, j'arrivais chez eux après le bureau, vers neuf heures du soir, ils m'embrassaient, j'évitais soigneusement de parler de films, on était bien au chaud, j'étais content de les voir, et Matthias ne tenait pas plus de cinq minutes, il trouvait toujours moyen de reparler des cassettes que j'étais censé lui avoir perdues, ce n'était pas vrai, et il savait que ça allait me donner envie de repartir plus tôt que prévu, sans cela j'aurais bien pris une tisane et une petite prune, mais je repartais sans rien prendre, sa femme disait *déjà ?* ce n'était pas tout à fait une question, ça avait encore le ton d'une question mais comme quand on connaît la réponse, comme si c'était la confirmation de quelque chose qu'elle avait dû dire avant mon arrivée, quelque chose comme :

« Tu verras, à peine assis il va repartir. »

Les gens comme Matthias, ils vous reprochent de ne pas venir, vous venez, ils vous reprochent les cassettes, vous partez, ils vous reprochent de partir, Matthias disait en me montrant à sa femme *c'est sa conception d'une visite aux vieux amis*, nous parlions dans l'entrée, la conversation pouvait redevenir douce, j'aurais presque pris cette tisane, avec une prune, mais Matthias finissait par me dire :

« File, ne te force pas ! »

Je tombais toujours dans le piège, je les aimais bien, *grâce à sa persuasive éloquence Gédéon convainquit l'assemblée, il leur fit comprendre qu'il y avait mieux à faire dans la vie que de se dévorer les uns les autres*, c'est bien dit, est-ce qu'il y a des magnétoscopes dans les prisons de l'Allemagne unie ? il faudra que je demande à l'avocat de Honecker, quand va-t-on me mettre en prison ? en sortant de cette boutique pour enfants ? non, la prison c'est officiel, avec ces gens-là ce sera interrogatoire d'abord, à la campagne, avec un médecin pour surveiller ma tension.

Pour les clefs j'ai dit à Gilles on verra demain, mais je me suis levée, je ne lui ai pas dit qu'il devenait impossible, il était rentré du boulot avec, elles n'étaient pas perdues, on avait décidé de toujours les mettre dans l'assiette sur le chauffage central, là où il y a les miennes, tu vois, on commençait à avoir froid, tous les deux en T-shirt, en cherchant les clefs j'ai retrouvé le Dilthey, il faudrait se servir de Dilthey, *Critique de la raison historique,* faire aussi passer la citation de *Faust, Au commencement était l'action* et ne pas se faire piéger, il y a aussi Ortega y Gasset, bien voir que la raison historique, l'affirmation selon laquelle la raison est historique, chez Ortega c'est le moyen d'en finir avec la raison pure, avec les Lumières et la Révolution, ne pas confondre la première *raison*, extra-historique, qui peut ou semble s'accomplir dans l'Histoire, avec la seconde, la raison historique qui renvoie littéralement à ce qui est advenu à l'homme, donc se servir d'Ortega pour glisser vers Heidegger, même si je n'aime pas, pour les clefs, ça a été fouille de l'entrée, du séjour, de la cuisine, j'avais sommeil, Gilles attendait le moment où j'allais éclater pour pouvoir me reprocher ma colère, je lui ai dit :

« Un bruit métallique.

— Quel bruit métallique?

— Un bruit de clefs qui tombent.

— Des clefs qui tombent?

— Tu es sûr de ne pas avoir entendu un bruit de clefs qui tombent dans une poubelle? »

Les biches, les perdrix, la hulotte, le marcassin, le héron, la faisane, les lapins, les chiens défilent sous les doigts de Lilstein, voilà que le canard les mène tous dans une vieille ferme abandonnée, ils vont bâtir la maison de la paix.

Quand ça allait bien au pays de Lilstein on disait la maison de la paix et du socialisme, le canard et ses amis n'en sont pas encore au socialisme, tant mieux pour eux, c'est seulement la paix, c'est déjà bien, la paix, la fin de la sauvagerie, dans le poème de Becher avec le buste de Staline et le cerf sur le banc en compagnie de Lénine et Thälmann il y avait aussi un accordéon, *un accordéon jouera pour leur dire merci, et ils souriront, reconnaissants et modestes,* ici il n'y a pas d'accordéon, pas de buste, il y a de la nourriture, Gédéon leur fait distribuer à manger.

Une plantureuse pâtée, ça c'est presque la voie vers le socialisme, nous avions presque réussi pour la pâtée, pas comme les Russes ou les Polonais, nos voitures étaient minables mais la pâtée ça pouvait aller, *composée de tous les détritus de cuisine trouvés dans le pays.*

Ce n'est plus du socialisme, c'est du sabotage, disons un dysfonctionnement des organismes chargés de la planification, *les détritus !*

On corrigera à la prochaine campagne de mobilisation, on fera une rectification, avec quelques mots abstraits.

Ce passage est trop calme, mon jeune Français ne sait pas organiser un rendez-vous, cette librairie est trop calme, c'est comme l'immeuble de Moscou en 1945, certains soirs tout était normal mais pas de cris de gosses, pas d'engueulades, trop calme, quelque part à l'un des étages on savait qu'un appartement allait recevoir de la visite, dans la nuit ou à l'aube, personne n'avait rien dit mais tout le monde savait, cette jeune fille à la caisse, avec son nez en trompette, sait-elle quelque chose ?

Et voilà le véritable ennemi, les chasseurs, chapeau à plume, culotte de peau, de vrais Bavarois, les salauds, une hécatombe dans la ferme de la paix, quand personne ne s'y attend, ils entrent en masse et ils tirent, cela dit, des animaux dans une forêt ça ne devrait jamais oublier les chasseurs, ça n'est pas parce qu'on dit qu'on est installé dans la ferme de la paix qu'on est à l'abri d'une opération *Barbarossa,* du gros plomb, pour la tête et le ventre des biches et des perdrix, mais dans le dessin il n'y a ni biche ni perdrix.

Il y en avait tout à l'heure dans la maison de la paix, mais il n'y en a plus dans le massacre, pas de sang non plus, que du vert, de l'ocre et du bleu pâle, un sanglier par terre, un cerf, un ours, du costaud, ça ne saigne pas, ça s'affaisse, de la bonne victime à gueule dure, pas de gosses par terre, pas de femmes, juste la mort des grands mâles, c'est tout, pas de trace de sang, massacre bien mené.

La chasse, le petit matin, ma première fois, la marche, l'arrière-pays de Rosmar, le chien, un teckel à poil dur, les camarades, le champ de carottes, le schnaps, le teckel disparaissait sous les feuilles de carottes, quand il marquait l'arrêt on voyait juste l'extrémité de la queue remuer à la verticale au-dessus des feuilles, j'ai tiré mon premier lièvre, bravo Micha, les camarades m'ont félicité, j'ai mis le lièvre dans la poche dorsale de mon blouson, j'ai continué, une belle campagne, la plaine, un petit vent de face dans les labours, parfois un mamelon, un boqueteau au bord du ciel, et le lièvre s'est mis à remuer dans mon dos, très drôle.

Il faut que je raconte ça à mon jeune Français, il parle toujours de cadavres dans le placard, c'est sinistre mais dans le placard ça ne bouge plus, tandis qu'un lapin qui se met à ruer contre vos vertèbres alors qu'on le croyait mort c'est déjà quelque chose, sans compter qu'il faut le sortir pour lui briser la nuque.

« Non, pas avec un caillou, il faut que tu apprennes à faire ça proprement, le tranchant de la main ! »

La naïveté militante du camarade Gédéon n'a servi qu'à offrir une cible facile aux ennemis de classe des travailleurs de la forêt, un joli massacre, voilà ce qui arrive quand on bâtit la maison de la paix sans liquider l'ennemi de classe, nous on avait liquidé l'ennemi de classe, quand je dis nous c'est pour tout ce qui s'est passé à partir de 17, et puis on a continué à liquider pour ne pas être liquidés, c'est ce qu'on disait quand on avait besoin d'en parler.

Ils ont encore une chance dans leur malheur les habitants de cette forêt, c'est l'ennemi qui les tue, pas leurs amis transformés en procureurs, c'est mignon, ces *Gédéon*, un vrai roman de formation. Je n'aime pas être ici, c'est une souricière.

Gilles n'a pas aimé mon idée de clefs dans la poubelle, en pleine nuit, deux impers sur nos T-shirts, des chaussures sans chaussettes, la cahute aux poubelles au fond de la cour, j'ai horreur des histoires de clefs, pas de lumière dans la cahute, la poubelle pleine, tu as pris la torche ? il a osé me demander ça, alors que ça fait un mois qu'il doit acheter une pile.

On a tiré la poubelle dans la cour, sous la lampe de la minuterie, on a entendu s'ouvrir une fenêtre, celui qui avait ouvert n'a pas allumé, Gilles a dit assez fort :

« Je parie qu'il va téléphoner à la Gestapo. »

On n'a plus rien entendu, on a enlevé les sacs, ça sentait.

À droite de l'entrée, Gilles avait laissé ses clefs sur une étagère à bouquins, à droite de l'entrée, je les ai trouvées quand on est remontés, posées sur la tranche de la *Critique de la raison dialectique,* les étagères à bouquins il n'y a rien de pire pour tout avaler, y compris les livres eux-mêmes, il y a deux jours j'ai encore perdu mon Kojève, j'en ai besoin pour cette dissertation, la raison historique ça peut être le contraire de la raison pure, de la faculté des principes, on voit bien l'enjeu, le lien entre la raison pure et la Révolution, liquider la raison pure pour en finir avec l'idée même de révolution, une raison historique à la Ortega y Gasset, c'est la fin de la raison dans l'Histoire, une raison historique est-elle encore une raison ? comment vais-je faire tenir tout cela ensemble ? revenir aux deux notions, la raison et l'Histoire, et les exemples, il faut des exemples, des renvois, la raison d'État par exemple, et en face la raison des droits de l'homme, la raison d'État comme exemple négatif face à l'exigence du droit, oui, mais peut-il y avoir des droits de l'homme là où il n'y a pas d'État ? l'État contre l'instinct, l'homme en animal raisonnable, raisonnable ou rationnel ? il faudrait creuser.

Pauvre Gédéon, *lui si heureux de voir les lapins danser le fox-trot au son d'un harmonica, lui dont l'âme avait été troublée d'aise devant les ébats des poussins sur l'herbe tendre des prairies*, charmante façon de parler cher Gédéon, mais il faut savoir grandir, regarder la catastrophe en face, celle qui vient après le fox-trot.

Au *Waldhaus* nous dansions le fox-trot, Lena dansait le fox-trot, Kappler me disait allez-y, jeune Lilstein, ça n'est plus de mon âge, il n'était pourtant pas très vieux à l'époque, *Fox-trot à Waltenberg*, ça pourrait être un titre de roman mondain, fin des années 20, Lena dansait aussi le tango, elle m'a collé contre elle, elle a monté sa cuisse contre ma hanche, elle était américaine donc on l'attendait sur le fox-trot et elle faisait exprès de commencer sur des tangos, Gédéon voulait une salle de bal et il a eu une catastrophe, j'ai mis longtemps à grandir, le fox-trot de Lena, quand on regardait ça valait son tango, les catastrophes j'en ai vu, dès les années 30.

Les pires ce sont les retours d'élastique, quand c'est vous qui avez fait la connerie parce que vous n'avez pas vu, non, c'est trop commode, trop de gens aujourd'hui qui disent je ne voyais pas, j'étais en enfance, le temps des illusions, j'avais trop à faire avec l'ennemi, j'ai trop longtemps cru, non, les illusions c'est de la veulerie, moi je ne me suis jamais fait d'illusions.

Amusante cette demi-page, des lapins qui dansent une ronde autour d'une tête d'ours mort.

Les ours, très représentatifs les ours, au Goulag un poète, un boukharinien, enfermé pour déviation boukharinienne même s'il n'avait jamais su ce que c'était que le boukharinisme, il avait raconté une histoire d'ours, il la tenait d'un Allemand, une blague silésienne, on discutait un soir pour tromper la faim, le poète boukharinien a voulu raconter la fable du lapin et du renard dans *Alexander Nevski*, on lui est tous tombé dessus, alors il a dit :

« La fable de ma vie je la connais, je croyais que je voulais faire la révolution, ma fable c'est la vôtre. »

On l'a laissé parler, empêcher quelqu'un de parler ça n'est drôle que si on sait qu'on pourra encore l'en empêcher, lui on savait qu'il n'en avait plus pour très longtemps, il était trop maigre, il a parlé comme un acteur pour sa dernière, il s'est éloigné de nous, il s'est mis un balai sur l'épaule, il est revenu vers nous en gonflant bien la poitrine, un chasseur en pleine forêt, marche pleine d'allant, soudain en face de lui un ours énorme, debout, plus de deux mètres, le rêve de tout chasseur qui se respecte, balai en joue, les brins contre son épaule, pan ! l'ours s'écroule, le chasseur s'approche, prudence, donne un coup de pied, rien, pose le pied sur l'ours.

Le poète boukharinien était au milieu du bloc, on avait fait le cercle, il avait posé le pied sur un tabouret, il tenait son balai verticalement, l'ours ne bouge pas, le chasseur reste un instant avec son ours, tourne autour, parade tout seul, décide d'aller chercher les gens du village, rentre en chantant, le vieux retournant vers la porte du bloc, il va vers le village, les petites fumées, les maisons bien chaudes, en chemin on tape sur l'épaule du chasseur, par-derrière, c'est l'ours, debout, à cinquante centimètres, l'ours fait un grand sourire, amical, on voit les dents, il lève la patte droite, une paume aussi grosse qu'une tête de chasseur, belles griffes, avec des traces de sang, l'ours descend lentement sa patte gauche, montre ce qu'il a entre les jambes, il sourit, dit au chasseur :
« Tu me fais un câlin ou je te bouffe ! »

Le chasseur s'exécute, l'ours le laisse filer, le chasseur rentre au village en vomissant tous les cent mètres, s'enferme dans sa maison, se rince la bouche, recharge son fusil, ressort de chez lui, fonce dans la forêt, plein d'allant, cherche l'ours, trouve l'ours.

Pour cette dissertation il me faut au moins deux exemples d'histoire des sciences, la raison qui est d'emblée historique c'est celle dont on peut construire l'histoire, l'histoire d'un concept scientifique, lequel ? Canguilhem ? le concept de réflexe, l'histoire d'une succession de théories, mais il y a l'autre raison, celle de l'homme raisonnable, qui renonce à tuer, tout ce qui dans la raison renvoie au raisonnable plutôt qu'au rationnel, je vais me planter, c'est toujours la même chose, je réussis à tenir les deux premières parties, décrire, passer par les œuvres, mais dès qu'il faut penser je me perds, ou je fous tout en l'air et je n'arrive pas à reconstruire, je fais des copies désespérées. Les vieux ne cassent pas les livres quand ils les ouvrent, on peut être tranquille, ils connaissent la valeur des choses, et quand ils fauchent c'est toujours bien ciblé, je suis sûre que c'est un vieux qui a fauché l'édition de *Tintin en Amérique* il y a deux mois, celle à sept mille francs, heureusement que c'était un après-midi où je n'étais pas là, c'est un vieux qui a fait ça, parce que avec les jeunes le patron fait très attention, tout de suite nerveux, il se lève, il va ranger à l'endroit où ils sont, il les frôle, il ne leur laisse pas une seconde :

« Je peux vous aider ? Vous désirez un renseignement peut-être ? »

Le *peut-être* du patron c'est un chef-d'œuvre, même les flics ne doivent pas en avoir un comme ça.

En fait cette histoire d'ours, j'ai laissé le poète la raconter, mais je l'ai reconnue, je la connaissais depuis longtemps, c'est Müller qui me l'avait racontée, Müller adorait cette histoire, il prétendait la tenir de Kappler, il me disait qu'un jour il la mettrait dans une de ses mises en scène mais il ne l'a jamais fait, ici c'est un livre pour enfants, le gros ours est mort et les lapins dansent autour de sa tête, une tête énorme, plus grosse que nature, par terre, on dirait la tête de Staline quand les gens se sont mis à danser autour.

Quand Becher a récité devant le Comité central son poème avec le buste de Staline, le cerf et l'accordéon, les gens pleuraient, c'était à la mort de Staline, moi je n'ai pas eu l'occasion de pleurer, j'étais encore à Magadan, pas le pire du Goulag, mais déjà très froid, j'ai vu des types pleurer à Magadan quand on a annoncé la mort de Staline, pas seulement parmi ceux qui nous gardaient, le buste de Staline je l'ai vu à terre plus tard, en 1956, entre deux rails de tramway, Budapest, sacrés Hongrois.

Mon jeune ami n'a parlé qu'une fois avec la demoiselle de la caisse, ils ne se connaissent pas, ou alors c'est qu'il est déjà venu acheter quelque chose ici, ça reste bizarre, un homme aussi sérieux, aussi important, dans une boutique pareille, il est élégant dans son manteau beige, une vraie trouvaille ce rendez-vous, trop bonne trouvaille, je passe mon temps à m'interroger sur cette boutique et j'oublie la prudence, je suis incapable de dire qui j'ai vu passer devant la vitrine dans les dix dernières minutes.

Ils ont drôlement dansé en 56, les Hongrois, la première tête de Staline jetée à bas, non, la première c'était avant, en 53, Berlin, dans un caniveau, c'est là que j'ai compris la catastrophe, à peine sorti de Magadan j'arrive à Berlin et j'ai droit au prolétariat allemand renversant les statues du grand chef, j'ai compris, j'avais compris avant, avant la guerre, j'ai compris très tôt, je n'osais pas prononcer le mot, mais le stalinisme j'ai su très tôt ce que c'était.

J'ai toujours su, le jour j'agissais et la nuit je réfléchissais, je savais, il y avait quelqu'un qui savait et quelqu'un qui agissait, deux quelqu'un sous le même nom, Lilstein, le Lilstein qui savait faisait attention à ne pas gêner celui qui agissait, et celui qui agissait essayait de ne pas trop étrangler celui qui savait, et ce n'était jamais le moment de mettre les choses au point, en face il y avait le danger contre-révolutionnaire, le danger fasciste, le danger nazi, le danger impérialiste, les faucons de Washington, aujourd'hui de beaux esprits nous disent vous auriez pu voir ce que vous étiez en train de faire, et avec qui vous le faisiez, je voyais, mais juste en face de moi il y avait des gens qui voulaient me faire passer par une cheminée ou me vitrifier à l'hydrogène, j'ai toujours préféré viser les gens d'en face.

Tendre l'élastique, j'ai su et je n'ai rien dit, j'ai agi, même à Magadan je n'ai rien dit, à la fin j'étais persuadé que j'allais crever dans cette saleté de Goulag et je n'ai rien dit, pas la trouille, pas non plus pour sauver l'essentiel, même au camp je n'ai rien dit parce que le Lilstein qui savait n'avait pas envie de rompre avec celui qui avait agi, deux Lilstein, tous les soirs il y en a un qui dit à l'autre embrasse le boucher mais change le monde, et l'autre rigole.

Deux siamois, ils ne supportent pas d'être ensemble, et ils savent que la séparation en ferait crever un, on ne sait pas lequel, les deux auraient crevé, peut-être que je pouvais me permettre de savoir parce que j'agissais, peut-être que j'ai fait certaines choses parce que je pouvais encore me dire que c'étaient des saloperies, en fin de journée on sonne un secrétaire, on tend une chemise avec une feuille à l'intérieur, on pourrait tendre la feuille, il y a trois noms dessus, mais avec une chemise ça devient un dossier, même si les types n'ont pas fait grand-chose, et il suffit de dire :

« Clore le dossier. »

À force de clore on a fini par faire un mur et quand on s'est mis à tirer comme des lapins les gens qui voulaient franchir le mur Lilstein a dit à Lilstein dépêchons-nous de faire quelque chose qui nous permettrait de nous passer de mur, espionnons mieux, rusons mieux, travaillons mieux, ça ira mieux, tu parles, je savais, j'agissais, je n'ai jamais rien dit, premier prix de silence, à Moscou un jour Markov m'a dit :

« Il ne faut pas trop boire. »

Il avait déjà sa maladie de foie, il m'a dit les gens crèvent parce qu'ils bavardent comme des pies, quelques verres de vodka et ils veulent s'exprimer, il n'y a rien en eux que le silence ou l'ébriété, d'habitude ils se taisent, ils votent les pires conneries en silence, et le soir devant trente personnes, au dixième verre, ils gueulent aujourd'hui nous avons fait une belle connerie, ils veulent sauver leur âme, témoigner à voix haute, à la vodka, ils savent qu'à cinq heures du matin une équipe va venir les chercher pour leur demander de préciser leur témoignage, à jeun cette fois, beaucoup moins drôle, quand je dis à jeun je parle pour eux, parce que les types qui leur posent les questions peuvent continuer à boire, moi je n'ai jamais cherché à témoigner, parce que je ne bois pas.

Il était bien Markov, il m'a protégé, j'ai protégé mon jeune ami français, c'est ça l'Histoire.

Avec Hegel et sa flamme, et l'ours.

Dans la raison historique, l'idée de raison modifie l'idée d'histoire, et réciproquement, Ortega y Gasset est logique, il liquide à la fois une conception de la raison, une conception de l'Histoire et une politique, sa politique à lui c'est comment faire tenir les masses tranquilles, faire la liaison avec le politique, il y a des énoncés qui sont là pour désaffecter le réel, pour ne laisser de place qu'au marché, reprendre Marx, même s'il n'est pas à la mode, le lien avec l'exploitation, il paraît que l'exploitation a disparu, quelqu'un comme moi qui est payé à mi-temps dans une librairie mais qui travaille sur les deux tiers du temps, est-ce qu'on peut dire que c'est de l'exploitation ? tu dérives, hors sujet, la bonne conscience qui sort du sujet, le patron me dit tout le temps qu'il va m'intéresser aux résultats, ça veut dire qu'il veut me payer au pourcentage, il sait que je ne veux pas, ce qu'il voudrait c'est que je travaille comme si j'étais au pourcentage mais pour un fixe, il faut que je garde un œil sur ces deux vieux, animal raisonnable ou animal rationnel, j'aimerais aussi caser que l'homme est un animal qui fait la cuisine, je suis sûre que Kant a copié sur Samuel Johnson.

Mon poète boukharinien et son ours, il racontait bien, le chasseur qui se rince la bouche, retour dans la forêt, fou de rage, trouve l'ours, pan, l'ours par terre, coup de pied, l'ours ne bouge pas, le chasseur reste avec sa victime, deuxième parade autour de la dépouille, le chasseur décide d'aller chercher les gens du village, rentre en chantant, en chemin on lui tape sur l'épaule par-derrière, c'est l'ours, debout, cinquante centimètres, grand sourire, les dents, la patte droite, une paume aussi grosse qu'une tête de chasseur, belles griffes, l'ours descend lentement sa patte gauche, montre ce qu'il a entre les jambes, sourit, dit au chasseur :

« Tu me fais un câlin ou je te bouffe ! »

Le chasseur s'exécute, l'ours le laisse filer, le chasseur rentre au village, vomit tous les cent mètres, maison, recharge son fusil, ressort, fonce, pan, l'ours s'écroule, coup de pied, l'ours ne bouge pas, belle forêt, troisième parade.

« Abrège ! Espèce de poète ! »

Dans la baraque certains types s'énervaient, mais on a laissé parler le poète, il était vraiment maigre, assez grand, une barbe, on ne voyait vraiment que ses yeux verts et ses dents, très bizarre, il avait encore toutes ses dents et elles étaient blanches, il a reparlé de griffes, de traces de sang sur les griffes, l'ours descend lentement sa patte gauche, montre ce qu'il a entre les jambes, tu me fais un câlin ou je te bouffe, le chasseur qui rentre, vomit tous les cent mètres, s'enferme dans sa maison, ressort, fonce.

Il trouve l'ours, quatrième coup de fusil, coup de pied, quatrième parade, encore tout seul, décide d'aller chercher les gens du village, une tape sur l'épaule, l'ours, grand sourire, patte qui se lève, les griffes, le sang, l'ours croise les bras et demande au chasseur :

« C'est vraiment pour tuer l'ours que tu viens dans la forêt ? »

L'ours et la flamme, avoir aimé la flamme au point d'en devenir nous-même l'aliment, c'est un poète français qui a dit ça, un grand, on a quelques chances de s'en tirer si on ne boit pas, si on ne fait pas de jeux de mots, si on ne cherche pas à témoigner pour sauver son âme.

À Magadan j'ai vu des types crever en criant pour sauver la flamme, en criant *vive Staline !* et *vive le Parti !* la salve crépitait et ils se repliaient comme des chiffons.

Sans oublier celui qui a fait rire tout le monde, dos au mur devant le peloton, un trotskiste, il a crié *vive le Tsar !* un fou rire, on ferme les yeux, on serre les paupières, les lèvres, les mâchoires, on glousse, on est coincés, on est en tenue de bagnard, un officier qui nous crie :

« Vous trouvez ça comique, mes petits copeaux ? »

Comique ou tragique on ne savait pas, d'autres pleuraient, l'officier a dit :

« Vous avez raison de trouver ça comique, mes petits copeaux, ou alors c'est le *tchaïfir* qui vous fait rire ? »

On a senti qu'il n'allait pas nous punir, il a souri, il nous appelait mes petits copeaux, les copeaux de Staline, parce que quand on fend du bois on laisse toujours des copeaux, il a ajouté :

« Le comique, ça n'offre pas d'issue. »

À part nous personne n'est entré dans cette librairie, où est la jeune fille ? elle a disparu, il n'y a plus que mon jeune ami parisien et moi, un traître et moi, ça y est, on va me prendre, pour la troisième fois de ma vie on va me prendre, au lieu d'admirer son manteau beige tu aurais mieux fait de fuir dès que tu l'as vu trop bien installé dans cette librairie minable, tu es pris pour la troisième fois et il n'y aura pas de quatrième fois, trop vieux, c'est comme quand on se dit je n'aurai plus le temps de relire tout Goethe, plus le temps de revivre une autre vie, personne n'entre dans la librairie, la fille a disparu, il faut que ça cesse, je peux au moins décider de faire cesser cette farce.

Non, elle est là.

Où était-elle ? où peut se trouver une vendeuse qu'on ne voit pas ? elle est là, à sa caisse, elle avait dû se baisser, rien d'anormal.

L'officier a crié :

« Feu ! »

Dossier du trosko-tsariste clos, il avait eu raison de crier *vive le Tsar !* ce condamné, on n'a pas pu lui enlever sa mort, tout le monde s'en est souvenu, certains condamnés à mort ne disaient rien du tout, ils faisaient parfois une tête d'enfant sans larmes, moi non plus à Magadan je ne disais rien, pendant un moment je me suis encore senti protégé, et je n'ai compris que ça commençait à aller mal que quand un autre bagnard, un chef truand, m'a donné un ordre :

« Gratte-moi les pieds ! »

Parmi les jeunes, il n'y a qu'avec Gilles que le patron soit souriant, c'est parce que Gilles est journaliste, d'habitude, les jeunes, le patron ne leur sourit jamais, il dit qu'ils n'achètent rien, je l'arrête, je rectifie, ce sont des acheteurs pour plus tard, quand ils auront de l'argent, il répond quand ils auront de l'argent je serai mort, pour la dissertation, l'essentiel c'est d'aller au plus vite là où ça fait problème, mais au fond c'est un double problème, si la raison est historique, c'est au détriment de la raison pure, mais quand la raison est pure elle n'a rien à voir avec l'Histoire, je dramatise cette tension, ça fait la première partie, et dans la seconde je cale Hegel et la ruse, la raison quand même dans l'Histoire, grâce à la ruse, avec quels exemples ?

C'est comme ça, le truand qui dit gratte-moi les pieds, un signe, on croyait jusque-là qu'on allait s'en tirer et soudain il faut se rendre compte que c'est fini, dans cette librairie c'est le contraire, je sais que c'est fini mais je ne vois pas de signe, un passage qui est une souricière, il suffit d'une voiture à chaque sortie, tu t'imagines qu'un ami ne peut jamais trahir, non, mais j'ai beau regarder je ne vois rien, gratte-moi les pieds.

Jusque-là aucun truand n'avait osé me dire un truc pareil, ils devaient savoir qu'à Buchenwald j'avais su mettre au pas les gens comme eux, mais ce jour-là, quand leur chef m'a dit toi, le politique, gratte-moi les pieds, j'ai su que je n'avais plus le choix, il avait dû apprendre quelque chose, il en savait plus que moi, il m'a regardé comme si j'étais déjà mort :

« Gratte-moi les pieds ! »

Les autres truands m'observaient, et puis il a dit :

« Non, pas maintenant. »

Je n'ai pas eu à lui gratter les pieds, je pourrais inventer qu'à cet instant j'ai soutenu son regard, ce type n'avait plus de nez, il avait une peau très brune, très granuleuse, le milieu du visage en agglomérat de bourrelets, une espèce de trou à la place du nez, et au fond des bourrelets deux yeux clairs, il aurait pu renoncer devant ce qu'il sentait en moi de force, une vie entière de force bolchevique, prisonnier à Magadan avec l'expérience de Buchenwald et Birkenau, mais non, il a dû simplement vouloir vérifier une dernière fois ses informations, c'était un pari, si on perd le pari les pertes sont trop lourdes, ses pieds étaient vraiment dégueulasses.

Il n'avait plus de nez, il sentait la crasse à dix mètres et il se coupait les ongles avec minutie en me disant gratte-moi les pieds, je n'ai pas eu à les gratter mais j'ai su que ma mort allait me rejoindre, elle venait de se mettre en route, elle hésitait seulement sur l'allure à adopter, c'était un signal, un truand vous disait gratte-moi les pieds et vous saviez que les gardes avaient donné le feu vert, que le commandant avait parlé aux gardes, que le responsable régional avait parlé au commandant, qu'à Moscou quelqu'un avait pris une décision, même pas, pour des décisions il faut une fiche, une signature ou une griffe, déjà trop, quelqu'un avait dû se contenter de remarquer :

« Il est encore là celui-là ? »

Et un subordonné comprend tout de suite.

On m'a mis dans une équipe qui partait couper du bois par moins vingt, très dur, surtout quand on était avec des jeunes, les jeunes au Goulag ils travaillaient comme des fous, ils voulaient prouver qu'on avait commis une injustice à leur égard en les condamnant, moi j'étais avec un professeur de sciences naturelles, à peu près mon âge, il me montre les arbres :

« Tu vois, eux aussi ils ont confiance, les arbres, ils ont vu les haches mais ils ont confiance, ils ne craignent rien, tu sais pourquoi les arbres ont confiance malgré les haches ? Parce que les manches eux aussi sont en bois, maudite soit la confiance, camarade. »

J'ai laissé dire le professeur de sciences naturelles, il n'était ni troskiste, ni droitier, ni stalinien, il aimait les sciences naturelles.

J'ai commencé à dormir comme un lièvre, les yeux ouverts. Quand je me suis vu sur le point de mourir j'ai su ce que j'allais leur crier :

« Vive Gogol ! »

Jusque-là je n'avais rien dit, ça allait être :

« Vive Gogol ! »

Pour les gardes, pour le truand, pour les types à Moscou, à Berlin, ce n'était pas très politique mais je n'avais rien d'autre, j'aurais pu dire bande de traîtres, ou vive la révolution, pas la vôtre, vive le socialisme quand même, *vive Gogol !* c'était beaucoup plus large, moins politique mais beaucoup plus large, ma haine me dictait autre chose, *bande de fumiers,* mais ça c'était trop prévisible, je boirais du *tchaïfir,* je continuerais à tenir ma haine en laisse et je crierais *vive Gogol !* oui, du *tchaïfir,* quatre cents grammes de thé dans un quart de litre d'eau, le tanin a de vrais effets d'opium.

C'est à ce moment-là qu'on m'a libéré, mort de Iossif Vissarionovitch, je suis vivant parce qu'une bande de larbins a tardé à entrer dans la chambre du moustachu pour lui porter secours, ivre mort, nous on avait le tchaïfir, le moustachu c'était la vraie vodka, il a mis trois jours à mourir, l'air furibond.

Pour *Tintin en Amérique,* celui qu'on lui a fauché, le patron m'a dit qu'il était le roi des imbéciles, qu'il ne voyait plus rien, qu'il était gâteux, je n'aime pas quand le patron s'en prend à lui-même, parce que tout de suite après il s'en prend à moi, il dit j'irai travailler chez Gibert, le service occasions de Gibert, les livres au kilo, il s'engueule et après c'est mon tour, il m'en veut, ton sacré mi-temps, si on était deux en permanence on n'aurait pas de fauche, ça va te servir à quoi une licence de philo ? à trier les pêches ? il est content de sa formule, la ruse de la raison, les passions qui agissent à sa place, la raison qui s'incarne en flamme, ça suppose une vision trop optimiste, revenir aux origines, *ratio,* c'est à la fois le pouvoir de connaissance et le contenu de la connaissance, il y a aussi la rationalité des fins et celle des moyens et le manteau beige qui vient vers moi.

La tête d'ours par terre ça serre le cœur du camarade Gédéon, tiens, chapitre suivant, Gédéon donne à des chats de gouttière le lait des chats domestiques, je ne vois pas le lien, une séquence où on vous raconte un massacre et la page suivante on donne du lait à des chats de gouttière, pas de transition, pas de lien, après tout il n'y en a peut-être jamais, il y a aussi des lapins prisonniers dans un sac, comment les délivrer? d'abord une séquence de massacre en forêt, Gédéon a disparu et sans transition on se retrouve avec des lapins prisonniers dans un sac.

Et moi on va me mettre dans le sac, mon ami m'a vendu à la CIA, un cul-de-sac, pendant des années je lui ai dit je veux que vous inventiez, je veux que vous m'appreniez des choses, je vais essayer d'inventer à voix haute devant vous, nous allons inventer deux rôles, jeune Français, nous deux et personne d'autre, quand nous serons ensemble personne ne pourra rien contre nous parce que nous inventerons, vous me verrez en train d'inventer et vous inventerez à votre tour, et aujourd'hui il invente de me mettre dans un sac, pendant trente-cinq ans je l'ai mis à l'abri de tous les dangers et il me met dans un sac, mais c'est fini pour lui, larbin des Américains, en façade il a une superbe situation, en réalité il devient un esclave, à sa place j'aurais préféré crever, à nous deux nous étions les maîtres.

Je vais crever.

Les chasseurs ont disparu, délivrer les lapins c'est la taupe qui s'en charge, une idée de taupe, passer par une galerie sous le sac, pourquoi faire simple, au lieu d'ouvrir le sac la taupe fait exploser un énorme pétard par en dessous, finis les camarades lapins, boum, *partis pour une destination inconnue.*

Belle formule, à Berlin nous avions *inconnu dans les archives* ou *inconnu à l'adresse indiquée,* j'ai connu des taupes plus malignes, une taupe ça n'est pas fait pour travailler à l'explosif.

Ces deux jeunes gens qui viennent d'entrer, le cheveu long, des *hooligans*, comme chez nous, baskets aux pieds, jean, blouson, l'un des deux a un sac *Coca-Cola*, je sais pourquoi, le sac c'est parce que dans un blouson on ne peut pas mettre de *walkie-talkie*.

Quant à l'autre il a un blouson un peu long, c'est quand on porte le revolver dans le dos, un étui à la ceinture dans le dos comme les Américains, maintenant il est au fond de la librairie, l'autre est resté à droite de la porte, normalement ils devraient faire entrer un couple, la femme me regarde, me fixe et pendant ce temps-là je ne regarde plus celui qui est au fond et je me demande pourquoi des bras me saisissent par-derrière, la prise de l'ours, mon jeune ami sourit, je ne tremble même pas, on m'emmène à la campagne, en forêt, on peut y faire du bruit, et personne cette fois pour me dire il va faire très froid.

Maintenant Gédéon s'attaque au loup, on a toujours raison de s'attaquer au loup, surtout quand on ne peut rien contre les chasseurs, le loup français s'appelle Ysengrin, terreur des fermes, *Gédéon et son ami le chien Briffault virent Ysengrin se cacher dans un tonneau pour guetter par le trou de la bonde les inoffensifs moutons qui passaient par là,* je n'ai jamais aimé les moutons, on finit toujours par les manger.

Le loup s'est caché dans le tonneau, sa queue sort par le trou de la bonde, Briffault plante ses crocs dans la queue qui dépasse, ne lâche plus, appendice caudal, dans les livres pour enfants la queue s'appelle appendice caudal, les petits Français ont bien de la chance, le loup ne peut plus sortir, il tient trop à sa queue, et la fermière remplit de lait le tonneau, quel gâchis, derrière il y a une belle bâtisse à colombages, on reconnaît bien la charpente.

Le manteau beige s'est arrêté devant les *Flash Gordon*, l'imper gris n'a pas bougé, les deux jeunes en baskets sont sortis, on ne fait pas d'*underground*, le patron n'aime pas, dommage, je les ai envoyés chez *Thé Troc*, là-bas le libraire est un copain de Crumb et Shelton, ils trouveront leur bonheur. Et quatre personnes à surveiller c'était dur, le cœur de la question, c'est de savoir si la raison est autonome par rapport à tout autre principe susceptible de la traverser ou de la transcender, ça c'est Hegel, tout ce qui est rationnel est réel, tout ce qui est réel est rationnel, sauf que la raison ne peut être qu'un produit de l'interaction des hommes et du monde, interaction dans le temps, donc l'Histoire, je suis sûre que le patron préfère quand c'est moi qui me fais avoir, j'ai horreur de surveiller, il me dit que la fauche c'est notre mort.

Le loup remue tout seul dans son tonneau de lait, il veut sortir mais le chien Briffault a planté ses crocs dans l'appendice caudal qui dépasse par le trou, il ne le lâche pas *ses pattes battirent si longtemps et si fort que la douce boisson se transforma en beurre, et la bête à bout de forces dut s'arrêter,* braves enfants, profitez-en, c'est permis d'être cruel si c'est contre les loups, les loups seulement, la difficulté c'est que quand on a appris la cruauté on peut difficilement s'en passer, surtout si on ne dit pas que c'est de la cruauté, une cruauté sans qu'on voie le sang, ce beurre doit être immonde, une masse d'au moins quarante kilos, ils l'ont sortie du tonneau.

Une énorme motte de beurre bien coagulé avec un loup à l'intérieur, ils vont tuer leur loup, non, ils laissent la motte dans la cour, ils vont rire ailleurs, et le loup peut s'échapper parce que dans la nuit le beurre s'est ramolli, grave inadvertance.

Dangereux, l'inadvertance, chez nous on pouvait aussi tourner la cruauté contre l'inadvertance, il suffisait de produire une belle preuve et si la preuve n'était pas assez belle on avait la preuve par la question, la question révélatrice, un beau sous-produit de la dialectique de procureur :

« Nous ne savons pas encore cher ex-camarade si vous avez seulement fait preuve d'inadvertance ou si vous êtes un authentique saboteur des tâches que nous confie le peuple de notre République démocratique, mais le seul fait qu'on soit amené à se poser la question et précisément à votre sujet... »

Indispensable le *précisément*, ne veut rien dire ici, mais efficacité garantie.

« ... cette simple question qu'on est amené à se poser à votre sujet est révélatrice en elle-même des dangers que vous pouvez représenter. »

Habile, ça, *que vous pouvez*, le pauvre est déjà en taule, il ne peut absolument plus rien, mais on lui prête encore pouvoir, on me l'a servie, la question révélatrice, sur mon tabouret, avec de petits coups au foie et dans les reins, le loup a réussi à se sauver, et voilà les fermiers qui mettent le beurre du loup en vente, à huit francs le kilo, dégueulasse, il faut que je demande à mon jeune ami combien cela pouvait faire huit francs à l'époque de ce livre, il saura certainement, sacrés koulaks, toujours les mêmes, vendre du beurre qui pue le loup, huit francs le kilo, et ils trouveront des clients, quand on propose du beurre, on trouve toujours des clients.

Il ne faut pas non plus que j'aie tout le temps l'air de surveiller ces deux vieux, vraiment sale la vitrine, il faudra que je la fasse, cela dit on a moins de pollution ici que sur le boulevard, la libraire de chez *Unilivres* m'a dit que si elle ne faisait pas la poussière tous les deux jours les livres ramassaient une espèce de cochonnerie grasse qui bousillait tout, elle m'a dit imaginez nos poumons, je n'ai pas voulu imaginer parce que en plus elle fume comme une cheminée, je lui ai dit :

« La cigarette, vous devriez arrêter.

— J'ai cinquante-trois ans, je n'ai pas peur de mourir, j'ai peur qu'ils me foutent à la porte. »

L'an dernier ils ont licencié sa première vendeuse, elle coûtait trop cher, la fille est rentrée chez elle à Orange, en province ce serait moins dur et elle avait ses parents à côté.

Derrière la vitrine de la librairie, au milieu du passage, un homme s'est arrêté, bizarrement vêtu, un ouvrier qui sort de son atelier, ou un peintre en bâtiment, ou un laveur de carreaux en tricot de corps, mais il ne tient à la main qu'un gros sac plastique marqué *Tati*, la jeune fille de la caisse le regarde aussi, l'homme a une tignasse blonde, les yeux très clairs, il ne regarde ni la librairie ni la boutique d'artisanat africain qui est en face, il est immobile au milieu du passage, le regard tendu vers l'entrée qui donne sur le boulevard, il est costaud, des muscles de boxeur, on l'entend crier :

« Les métèques, fermez vos gueules ! »

Voilà, c'est parti.

« Ici c'est la France. »

C'était trop calme.

Lilstein ne bouge plus. Ça y est, c'est maintenant, un provocateur, un incident, la police, on va m'embarquer, piège classique, voilà ce qu'ils ont préparé, un homme qui vocifère, qui entre dans la boutique, qui s'en prend à moi, la police, tout le monde embarqué, l'homme est vigoureux, une voix qui porte, un passant à quelques centimètres de lui, et lui c'est comme s'il ne le voyait pas, le passant est en soutien, ça y est, un autre passant, et ils ne disent rien, si jamais j'avais eu une escorte...

« les étrangers vos gueules, en France, déclaration, droits de l'homme, article un... »

Les deux passants ce serait pour bloquer mon escorte si j'en avais eu une.

« ... un étranger ça ferme sa gueule ! »

L'homme s'est tu, il me regarde, un piège, il y en a assez maintenant.

Lilstein fait trois pas vers son ami en manteau beige, il crie :

« Ça suffit ! »

Je l'ai protégé pendant trente-cinq ans, un salaud, le beige est une couleur de salaud.

« Vous entendez, Morel, dites-leur d'arrêter ce cirque, fini ! Vous êtes content ? Dites-leur d'arrêter ! Qu'on fasse taire ce voyou et ses insultes, c'est inutile, ça suffit ! Qu'on m'emmène ! »

Lilstein a pris le bras de Philippe Morel, le manteau beige est très doux, un cachemire, Lilstein parle avec violence mais à mi-voix, dans le passage l'homme au tricot de corps et au sac marqué *Tati* continue à crier, les deux passants l'observent, personne d'autre.

« Constitution, article deux, fermez vos gueules, surtout les réfugiés politiques ! »

La fille licenciée de chez *Unilivres*, elle a tenu un an et demi sans rien trouver, et le jour où elle a trouvé elle a pris, caissière au péage de l'autoroute, en province, elle fait la nuit, cent cinquante francs de mieux en fin de mois, certaines nuits elle fait presque deux mille voitures, des clients qui la traitent de fainéante quand elle ne sait pas leur dire s'il pleut à Paris, elle a de la chance parce qu'elle est sur un péage où il y a des gendarmes, le reste, les conducteurs qui disent des obscénités et qui filent, elle s'y est faite, et il y a deux acceptions pour *Histoire*, d'abord un mode de connaissance qui intervient là où il ne peut y avoir d'explication théorique rationnelle, on fait de l'histoire quand la théorie ne suffit pas à expliquer, l'autre acception c'est celle qui renvoie à la transformation des sociétés dans le temps, ce dingue avec son sac *Tati* fout la trouille aux gens. L'homme en imper gris a l'air préoccupé. Il regarde dans tous les sens. Ils vont partir sans acheter.

Philippe Morel sourit à son ami Lilstein, il ne fait pas attention à sa violence :

« Rassurez-vous, cet homme y va un peu fort, mais notre déclaration universelle, ce n'est pas encore tout à fait ça.

— Un métèque ça ferme sa gueule, surtout les réfugiés politiques !

— Rassurez-vous, Micha, dit Philippe Morel, ce n'est qu'un fou. »

C'est la première fois que Morel l'appelle Micha, de quel droit ? Hans l'appelait Micha, Max pouvait l'appeler Micha, de quel droit Morel l'appelle-t-il ainsi ? pas un droit, une supériorité que s'arroge le traître, je ne vaux plus rien, il m'appelle par mon diminutif, logique de salaud.

« Micha, calmez-vous, cet homme n'est pas dangereux, il va partir, je sais, vous vous souvenez d'un temps où cinq hommes en imperméables gris se seraient jetés sur lui, et sur vous, aujourd'hui il peut crier sur la voie publique sans être inquiété parce que nous manquons de professionnels en imperméables gris, c'est un progrès, vous n'en êtes pas persuadé ? Il va partir, Micha, et puis il y a étranger et étranger, vous ne faites pas partie de ceux qu'il n'aime pas. »

L'homme lève le poing vers l'avant, voix éraillée de couche-dehors :

« Je vais vous dire, moi, alors pourquoi ? Pourquoi les réfugiés politiques qui doivent fermer leur gueule en France, hein, pourquoi y vont pas la fermer chez eux ? »

« N'ayez crainte, Micha, c'est un fou ordinaire, vous êtes en France, pas de police après vous, pourquoi vous en faire à ce point ?

— Morel, dites-moi ce que je fais ici ! C'est une souricière ! »

J'ai protégé Morel pendant trente ans et il me trahit, il travaille pour la CIA, il me donne rendez-vous dans une souricière, plus d'un demi-siècle de métier et je finis dans une souricière, Morel raconte qu'il a un livre à acheter et on se retrouve dans ce passage où il n'y a que deux sorties, ils m'attendent, une ambulance, Morel m'a vendu, il a la désinvolture des gens qui ont retrouvé un bel emploi, larbin de la CIA.

« J'ai passé ma vie à vous protéger, Morel, je ne vous voyais pas lié à la CIA, vous aimez tant que ça le *Coca-Cola* ? On s'en va, on en finit, une ambulance ? Ou une camionnette ? Je ne supporte plus cet endroit, tous ces livres réactionnaires, vos petites manœuvres minables, livrez-moi et qu'on en finisse. »

Je tremble, je n'avais jamais tremblé, nulle part, je tremble comme Regel, le jour où il a fait une crise, il se tirebouchon-nait au milieu du salon du *Waldhaus*, je dois avoir cette allure, qu'on en finisse.

Il a fallu un moment à Morel pour calmer Lilstein, il n'y avait rien. Dans le passage le fou au tricot de corps et au sac Tati a fini par s'en aller. Morel a raisonné Lilstein, personne ne lui en voulait, tout allait bien.

La jeune fille de la caisse n'a même pas bougé, elle a l'ha-bitude de voir passer le fou, ici le patron me paie un mi-temps, un demi-smic, pas un sou de plus, alors que je fais vingt-cinq heures réelles, il dit qu'il m'apprend le métier, que j'ai le temps d'aller à la fac, que dans un bon hôtel-restaurant, pour le même salaire, je travaillerais dix heures par jour, tard le soir, soit la raison englobe l'Histoire, elle a la force de la surplomber parce qu'elle est une entité permanente qui résiste au flux temporel, soit il y a une historicité de la raison parce que la pensée ne connaît pas les mêmes possibles à l'époque de Platon, de Hegel ou de Heidegger, mais c'est encore rationaliser l'Histoire, on peut aussi dire que ce qui advient est soumis à la contingence, je me perds, l'hôtellerie plus on est fatiguée moins on sourit, moins on sourit moins on a de pourboires dit le patron, et la porte à la première revendication, un certificat à plus jamais trouver de place, signé par un hôtelier écologiste qui cultive lui-même son romarin, qui donne des interviews au *Nouvel Obs* et qui cotise pour les droits de l'homme, ici au moins, dans ma librairie, tu peux protester, mais j'ai pas les moyens de payer plus, et tu peux lire tes bouquins de philo, tu pars quand tu veux, je trouverai vite une remplaçante, une jeune, qui aime sa jeunesse.

Morel ne s'est même pas offusqué d'avoir été soupçonné de trahison par Lilstein :
« C'est normal, Micha, vous êtes sur les nerfs. »

Lilstein s'est calmé, s'en est voulu de s'être affolé, c'est à cause de cet endroit, un passage, et un endroit clos dans un passage, j'aime bien que les librairies donnent sur la rue et je ne supporte pas ces livres réactionnaires.

« *Régressifs,* cher Micha, *régressifs* est le mot qui convient, *réactionnaires* est inexact, et d'ailleurs ça n'existe plus, il n'y a plus de réactionnaires, c'était à l'époque où vous aviez des milliers de gens sous vos ordres, c'est *régressifs* qui convient, mais, regardez bien, oui, c'est le livre que je suis venu acheter, monument d'idéologie yankee, comme vous dites, Micha, je veux vous montrer jusqu'où ça peut aller, les livres *réactionnaires.*

« *Flash Gordon,* regardez bien, amusant, n'est-ce pas ? Des porte-avions, des avions, une attaque surprise contre les États-Unis, par porte-avions, des avions qui détruisent la flotte américaine au mouillage, oui, vous avez raison, rien de neuf, un décalque de Pearl Harbour, une histoire bien connue, mais n'empêche, cette page, en bas de la page, la date, oui, la date de parution, octobre 1941, vous y êtes ? Deux mois avant le vrai Pearl Harbour, deux mois avant !

« Amusant, n'est-ce pas ? Les Américains attaqués par une flotte ennemie, et ils ripostent, toujours en octobre 41, vous savez avec quoi ils ripostent ? Regardez bien, oui, avec des explosifs atomiques, belle histoire, deux mois avant Pearl Harbour !

« Roosevelt et ses amiraux lisaient-ils des bandes dessinées ? Oui, puisqu'elles paraissaient tous les jours dans beaucoup de journaux, celle-là est parue le 11 octobre 1941, dans au moins cent cinquante journaux, Roosevelt et ses amiraux ont tous dû lire ça dans un de leurs journaux, au petit déjeuner, deux mois avant l'attaque japonaise, un poignard dans le dos, faute de bien lire les bandes dessinées ! »

Lilstein s'est calmé, il tourne les pages de *Flash Gordon,* il sourit, il se sent mieux, Morel n'est pas un traître, Morel est historien, grand historien, Roosevelt et le poignard japonais dans le dos.

Morel et Lilstein ont fini par sortir de la librairie, ils se sont dirigés vers la sortie sud du passage Marceau, la jeune fille les a regardés partir, elle s'est retrouvée seule, elle a décidé d'appeler Gilles, ils se retrouveront chez le Turc, et ils reviendront prendre le café dans la librairie, je suis injuste avec Gilles, j'aime sa peau, mieux vaut que Gilles vienne ici à midi et demi, on mangera dans l'arrière-boutique, je vais aller faire des courses, salade mayo, deux friands, demi-bouteille de vin, tarte aux pommes, je ferai comme si on avait tout le temps, on fait comme si on ne savait pas, sans se presser, et quand je suis sur la table, avec mes pieds je peux caresser les oreilles de Gilles.

Lilstein s'est senti beaucoup mieux. Un peu avant la sortie du passage, un objet qui tournait dans une vitrine a attiré son attention, un plateau d'une cinquantaine de centimètres de diamètre, il représente les chevaliers de la Table Ronde, Lilstein s'est égayé, onze chevaliers miniatures debout devant leurs sièges, tout autour de la Table, et le roi Arthur devant son trône, des figurines en étain, d'une petite dizaine de centimètres de haut, elles ont toutes le bras droit à l'horizontale, tendent l'épée vers le centre de la Table, et au bras gauche un gros heaume surmonté d'un animal plus ou moins fabuleux, loup, dragon, sanglier ou hippocampe. Lilstein regarde les prix, six cents francs chaque chevalier, neuf cents pour le roi, cinq cents pour chaque siège, la Table vaut mille trois cents francs et Lilstein éclate de rire :

« Vous avez vu ? Pour faire tourner leur table, mille francs le moteur électrique ! »

Ils ont débouché sur le boulevard des Italiens, Lilstein répétait *mille francs pour faire tourner la légende, mille francs.* Morel est heureux de le voir à ce point détendu. Lilstein avait fait une petite crise de persécution, il avait douté de son ami, il avait failli briser près d'un demi-siècle d'amitié, il s'en est voulu, il a repris confiance, ils ont remonté le boulevard des Italiens vers l'Opéra, ciel gris, avec des crevasses bleues et quelques gouttes d'une pluie sans menace.

« On peut aller flâner avenue de l'Opéra ? a demandé Lilstein, j'ai envie de rester avec vous.

— Micha, vous êtes sûr que ça ne va pas vous fatiguer ? »

Lilstein a dit que c'était sans doute sa dernière occasion de promenade, les gens de Bonn, oui, je sais, maintenant il faudrait dire les gens de Berlin, mais je n'ai pas encore l'habitude, les promenades, les gens de Bonn ne me laisseront pas me promener avant longtemps.

Ils ont commencé à descendre l'avenue de l'Opéra, au bout de quelques dizaines de mètres Morel s'est arrêté. Il a demandé à Lilstein :

« Vous tenez tant que ça à descendre cette avenue ? Pas un cinéma, pas un restaurant, une seule librairie, avec des livres pour touristes, il n'y a que des banques, des bureaux de change et des agences de voyages. »

La main de Morel vers des enseignes autour d'eux :

« *Voyages Melia, Thomas Cook, Tourscope, Czech Airlines* [1] Il n'y a plus dans cette avenue que ce qui permet d'en foutre le camp. Venez ! »

Morel a pris le bras de Lilstein qui s'est laissé faire, ils ont enfilé la rue Daunou, ils ont débouché sur le boulevard des Capucines, vers la Madeleine.

Lilstein était mélancolique :

« Gorbatchev, *perestroïka, glasnost,* la vérité, le socialisme à visage humain, nous avons failli gagner, toute une vie justifiée, Morel, je vais me livrer aux gens de Bonn, je ne dirai rien sur nous, je suis confus de vous avoir soupçonné de trahison, je vous demande pardon, très sincèrement, s'ils m'interrogent sur vous je dirai que je suis venu vous voir parce que vous êtes historien, je leur ferai croire que je vous ai dit des choses pour un grand article sur la Guerre froide, ça vous donnera un moyen de pression, souvenez-vous, mes premières paroles à Waltenberg, *vous ne vous ferez pas prendre parce qu'il n'y aura rien à prendre*, Morel, vous n'avez rien à craindre. »

Ils sont allés jusqu'à la Madeleine, que Lilstein a trouvée laide. Morel a fait admirer à son ami la vieille vitrine de *Berck*, le philatéliste, et la boutique de moutardier juste à côté. Au loin, vers le nord, on voyait l'église Saint-Augustin, Morel a parlé d'un petit square à côté de l'église, il y avait écorché ses genoux et poussé des autos miniatures pendant quelques années, il a ajouté :

« Il y a aussi le Cercle militaire, on ne le voit pas d'ici, il est sur la gauche, juste avant Saint-Augustin, vous n'y êtes jamais allé ? Même par procuration ? »

Ils ont fini par prendre la rue Royale, vers la Concorde. Morel s'est attendri. Lilstein a fini par trouver une certaine douceur à la voix de Morel. Au croisement de la rue Saint-Honoré, Morel s'est arrêté, il regardait l'Obélisque, il a demandé :

« Micha, savez-vous pourquoi je vous ai trahi ? »

Chapitre 14

1991

NOUS NE VOUS AVONS JAMAIS SOUPÇONNÉ

Où l'on apprend les raisons qui ont animé la taupe après la chute du mur de Berlin.

Où l'on écoute d'ultimes révélations sur la vie de Lena et la mort de Hans.

Où il est question de savoir qui doit servir le thé à la Maison-Blanche.

Où des jeunes gens font la fête sans se préoccuper de ce que pensent les vieux.

PARIS, quais de la Seine, septembre 1991

*À quoi sert d'avoir un aspirateur électrique
quand le courant est coupé ?*

Graham Greene,
Notre agent à La Havane.

À la question de Morel, Lilstein n'a pas réagi.

Morel a poursuivi :

« Savez-vous pourquoi je suis allé trouver la CIA, Micha ? Parce que je suis meilleur marxiste que vous.

« Je vous ai trahi parce que j'ai compris que c'était fini. Vous m'aviez bien recommandé d'avoir deux âmes ? Je suis allé trouver les Américains quand j'ai compris que votre socialisme était foutu, que Gorbatchev n'en aurait plus pour longtemps, que mon âme rêveuse ne pourrait jamais redescendre sur terre, Gorby est en train de rater son coup, et tout le rêve avec lui.

« J'ai eu un temps d'avance sur vous, depuis longtemps, je voyais, forces productives, rapports de production, quinze millions d'Allemands sous la main et ne pas être capable de fabriquer autre chose que des voitures en celluloïd, il faut le faire !

« La *Trabant* sur l'autoroute, avec les Audi, les Mercedes, et le slogan officiel, *dépasser sans rattraper,* j'ai pris un temps d'avance sur vous parce que je suis plus matérialiste que vous Micha, vous aviez mis votre espoir en Gorbatchev mais sans *raison objective,* vous aviez trop foi dans les esprits que vous appelez à la rescousse depuis votre adolescence, moi je savais que Gorbatchev ne pouvait pas compter sur de *vraies forces sociales* comme on disait dans le temps, *perestroïka, glasnost,* du vent. L'avenir n'est pas une idole.

« Je suis historien, un historien sent bien ces choses, le rôle des conditions matérielles, et ça valait encore plus pour Honecker, vous vous souvenez de Honecker avec son panama et ses grosses lunettes rondes, saluant les défilés de la jeunesse en agitant un petit nounours jaune et rouge ? Il n'y avait plus que ça, les défilés, et un régime qui n'avait raison que deux fois par jour, comme une montre arrêtée, et pour avoir une tondeuse à gazon il fallait désosser une perceuse, et pour faire une perceuse on désossait un sèche-cheveux, et vous vendiez du dissident pour cacher votre vrai métier, c'était ça les conditions matérielles, la ménagère disait à son mari *va en ville et même si tu ne trouves rien rapporte-moi quelque chose* !

« Pas étonnant qu'il vous ait fallu un rempart pour protéger ça ! Et l'URSS, encore plus grotesque ! Les deux âmes, Micha ! Une rêveuse et une cynique, non, vous avez tort, ce n'est pas la cynique qui a gagné, c'est la rêveuse qui s'est révoltée, celle à qui vous aviez offert un grand jeu. Je veux continuer à jouer.

« Je suis allé voir la CIA parce que je suis meilleur marxiste que vous, je leur ai tout dit du passé, j'ai eu plusieurs entretiens, un beau bureau, vitré, au fond d'une salle immense, pleine d'ordinateurs, comme dans un grand journal ; quand mes interlocuteurs voulaient s'isoler ils baissaient les stores, mais pas souvent, ils étaient une demi-douzaine, six fonctionnaires et un magnétophone, des questionnaires, et personne ne s'écartait de son questionnaire, au début j'ai trouvé ça dangereux, faussement professionnel, j'ai cru que j'avais fait une bêtise de venir les trouver, je croyais entrer au royaume des vérités contraires et j'étais en face de pignoufs à questionnaires, avec un crayon pour cocher des cases, j'ai eu très peur, j'ai failli vous prévenir de disparaître. »

Lilstein ne dit rien. Plus rien à dire. Il regarde l'obélisque de la Concorde, à quelques centaines de mètres. Parler ne servirait à rien. Il n'est pas abasourdi. Cette trahison, il s'y attendait. Maintenant c'est à Morel de parler. C'est son jour. En un instant l'amitié s'est dissoute, sans colère. La colère c'était tout à l'heure, dans la librairie, avec le premier soupçon. Et maintenant que Lilstein aurait besoin d'elle, la colère n'est plus là. Lilstein écoute, il cherche à accrocher quelque chose dans ce que lui dit Morel, il essaie de reprendre la main, il a toujours réussi à reprendre la main, mais c'était parce que les autres ne le connaissaient pas très bien. Morel c'est différent, Lilstein a toujours tout dit à Morel, la transparence, c'est elle qui les a liés pendant tout ce temps, Morel sait qu'en ce moment Lilstein voudrait reprendre la main, donc inutile de chercher à réagir, Morel a dû prévoir.

Lilstein écoute l'homme qu'il a formé lui raconter comment il l'a trahi, parce que Morel ne s'est pas contenté de faire défection, il aurait pu passer à la CIA en couvrant son vieil ami, en donnant son nom mais en restant sélectif, en laissant de l'espace et du temps à Lilstein. Il n'a rien fait de tout cela. D'où la menace va-t-elle venir maintenant ? encore une voiture ? Lilstein s'écarte du bord du trottoir.

Morel fait un pas vers l'avant :
« Venez, Micha, je vais vous montrer, la Concorde, l'Obélisque, l'hôtel Crillon, l'ambassade américaine. »

À ces derniers mots, Lilstein s'est raidi. Il n'a pas voulu aller place de la Concorde. Morel a accepté de prendre à gauche, la rue Saint-Honoré, en direction du Palais-Royal. Lilstein l'a laissé parler, toujours en évitant le bord du trottoir.

« Un matin une femme m'a invité à déjeuner, Micha, à Washington, je l'avais vue passer plusieurs fois, elle entrait dans la salle où l'on me questionnait, certains hommes se levaient, c'était une Noire, une Afro-Américaine comme ils disent maintenant.

« Elle jetait un œil sur des papiers, elle échangeait quelques mots, me regardait sans rien dire, elle sortait, très belle, très souriante, le mollet musclé, effilé, mais pas trop, taille moyenne, elle m'a invité dans un restaurant français, oui, elle a tenu à payer, un restaurant avec des photos de Toulouse au mur et des fanions de rugby, rouge et noir, le patron est venu, lui a fait la bise en disant *bonjour Maisie,* une table dans un coin, et trois types sont venus s'asseoir à une autre table, entre nous et le reste de la salle ; Maisie a fait le menu, du cassoulet, un vrai cassoulet de Toulouse, fait de la veille, agneau, confit de canard, sans oublier les couennes et le jarret de porc, saucisse de Toulouse posée en spirale, chapelure au-dessus, pour le gratin et la dorure, la cuillère qui tient dedans à la verticale, quand le patron a demandé quel vin elle a lancé sans accent, *putain con un madiran !* Le patron a ri, son madiran est noir cerise, avec des arômes framboise et cassis, mais c'est un vin strict, il n'est pas là pour accompagner, il réclame qu'on s'occupe de lui à chaque gorgée.

« Déjeuner très costaud, Maisie est pourtant une femme mince, *je mange ce que je veux, ce soir fitness club, j'ai besoin d'énergie,* j'ai tenu à la servir, j'ai fait tomber un fayot dans son madiran, j'ai aussi renversé de la sauce sur la nappe, le rôle du Français maladroit, ils aiment bien. »

Lilstein et Morel sont à l'angle de la rue Richepance, devant les vitrines du *Nain Bleu,* dans l'une il y a des jeux électroniques, dans l'autre une collection de poupées du monde entier. Morel reprend :

« Maisie a une peau un peu claire, noire mais plutôt claire, au moment où je me faisais la réflexion elle m'a dit *un petit chef blanc a dû violer une de mes ancêtres,* elle a commencé par goûter un haricot, tout seul, elle a souri au patron, elle adore l'Europe, deux ans à Toulouse et un an à Berlin, sciences politiques à Toulouse et musicologie à Berlin, de très grands yeux, des dents pour sourire, en mettant ses pommettes en valeur, elle a ajouté *nous avons décidé de coopérer avec vous, nous ne vous avons jamais soupçonné, c'est pour ça que nous allons coopérer avec vous.*

« J'ai été très fier d'entendre Maisie me dire *coopérer,* ça voulait dire que je n'aurais pas un sou, mais en même temps c'était élogieux, *nous vous avons vu passer à plusieurs reprises mais nous ne vous avons jamais soupçonné, de notre part c'est une erreur.*

« Les Américains sont comme ça, Micha, conformes au cliché, ils ont fait une erreur, ça crée un problème, ils résolvent le problème, une belle femme, début de quarantaine, le visage qui va avec, pas de tirage de peau, de petites rides d'intelligence, regard clair, cheveux bouclés, elle s'est détendue, elle avait adoré le Midi, la marche dans le Midi avec des amis, elle est allée jusque dans le Gers, *on passait dans des cours de ferme et on s'amusait à identifier les bêtes à fois gras et les bêtes à confit,* ils couchaient chez l'habitant, au petit déjeuner les paysans leur servaient du foie gras avec des fritons, *j'entends encore la voix du monsieur qui me dit mangez donc, ça peut pas faire de mal, y a pas de beurre, y a que de la graisse d'oie.*

« Maisie a même eu envie de s'établir dans un de ces coins, un matin une camionnette s'est arrêtée, un pick-up, le conducteur est venu prendre le petit déjeuner avec eux, sur le pick-up il y avait des ruches, il venait de loin, il les emmenait vers la lavande, il lui a parlé d'apiculture, pendant un quart d'heure elle a fait des calculs pour voir si elle pouvait tout abandonner et devenir apicultrice itinérante entre sapins et lavande.

« À un moment elle a fait un signe vers l'un des hommes qui nous surveillaient dans ce restaurant de Washington, j'ai été surpris parce que l'homme a fait non, le signe qu'elle a fait ressemblait à un ordre, ce n'était pas une interrogation comme quand on écarquille les yeux en regardant vers quelqu'un, c'était le sourcil froncé, hochement vers le bas, et l'homme a fait non avec beaucoup d'autorité, je ne comprenais plus rien, ça ne vous aurait pas trompé, je m'étais raconté une histoire, elle n'était pas si chef que ça, le vrai chef était à l'autre table, et il envoyait promener mon Afro-Américaine, coude sur la table, main sous le menton, il a fait non de la tête.

« Je l'avais pris pour un garde du corps et il détenait le pouvoir, Maisie avait déblayé le terrain, on allait passer aux choses sérieuses, avec le vrai chef, je ne l'avais encore jamais vu, j'avais fait une erreur, je m'étais découvert devant une subalterne, la gentille, et voilà que je découvrais le méchant, trop tard, celui qui va vous dire *mon adjointe s'est trop avan-cée et vous êtes là pour faire seulement ce qu'on dit, plus ques-tion de coopérer,* mais l'homme ne voulait pas encore se lever, il envoyait promener son assistante afro-américaine, elle avait de l'allure, elle a souri, elle voulait sauver la face, elle a fermé les yeux. Alors l'homme s'est levé, un véritable athlète, il est venu vers nous, pas le genre à coopérer. »

C'est là que Lilstein a commencé à se détendre. Il est content de ce qui est arrivé à Morel dans ce restaurant amé-ricain, un flagrant délit de démesure, par excès de confiance en soi, Morel reste un amateur, il se laisse encore guider par ses réactions, surtout avec les femmes. Il y a longtemps, Lilstein a cru Morel invulnérable parce qu'il n'avait plus de femme, plus de Marguerite, mais il a suffi aux Américains de faire passer devant Morel une femme avec un peu d'allure pour qu'il ne voie plus très clair, Lilstein n'aurait jamais fait cette erreur, il aurait identifié cette deuxième équipe, il le rappelle à Morel tout en contemplant les poupées dans la vitrine du *Nain Bleu,* il lui rappelle les principes, il reprend la main en quelques phrases lentes, comme au bon vieux temps : les professionnels mettent d'abord un rideau, jeune Français, on observe ce qui se passe devant le rideau, et si tout va bien on passe à la scène proprement dite. Morel s'est fait piéger, c'est réconfortant. Ce dernier mot, Lilstein ne le prononce pas, il regarde autour de lui, il va échapper à l'enlèvement.

Morel a écouté les remarques de Lilstein, il l'a remercié, il a poursuivi avec une sorte de tendresse amusée dans la voix :

« L'athlète a sorti un paquet de cigarettes, il en a offert une à Maisie, l'a allumée, il est retourné à sa place. Ce n'était qu'un garde du corps, Micha, un simple garde du corps, porteflingue et porte-cigarettes, pour une dame qui veut ralentir sa consommation. Je m'étais fait peur. Maisie a inhalé une grande bouffée, elle a regardé sa cigarette en disant *moi aussi j'essaie d'arrêter, vous c'était il y a une vingtaine d'années, n'est-ce pas ? après six mois de passage par les* Gallia, *le jour où on vous a élu au Collège de France ? la fumée ne vous dérange pas ? nous allons vraiment coopérer.*

« Pendant toutes ces années ils n'avaient pas réussi à me coincer, Micha, et ils connaissaient pourtant le coup des *Gallia,* vous m'avez vraiment bien protégé. Vous n'auriez pas dû tant miser sur Gorbatchev. La CIA n'avait pas réussi à me coincer. Je leur ai tout dit du passé, mais cela n'aurait pas suffi à me rendre intéressant, il leur fallait un projet, ils ont la mystique du projet, du programme.

« S'ils ont parlé de coopération c'est que j'avais du futur à leur vendre. Je leur ai dit Gorbatchev va échouer. À l'époque ils ont beaucoup aimé mon analyse sur le futur de Gorbatchev.

« Maisie m'a invité une deuxième fois en précisant *c'est toujours moi qui paie,* le même restaurant toulousain, les mêmes gardes du corps porteurs de cigarettes, le même cassoulet.

« Mais à notre table il y avait un autre homme, élégant, nonchalant, veste en tweed, pochette, pantalon de velours, le vrai supérieur de Maisie cette fois, vous allez lui être très vite présenté, vous aurez de belles conversations au plus haut niveau, cet homme s'appelle Walker, on l'appelle Richard FT Walker, la manie américaine des initiales, FT c'est pour *Flame-Thrower*, Richard lance-flammes Walker, je ne sais pas pourquoi, mais ça dit bien ce que ça veut dire, avec vous il a promis de ne pas aller plus loin que le détecteur de mensonges, il tiendra parole, après tout vous allez être un de ses collaborateurs, il s'entend très bien avec Maisie, il est sous-directeur à la CIA, c'est le patron de Maisie, mais c'est plus compliqué, tantôt il lui parle comme à une subordonnée, tantôt comme à quelqu'un qui pourrait un jour lui donner des ordres, très ambiguës leurs relations.

« J'ai développé mes analyses sur Gorbatchev devant Maisie et Walker, l'échec à venir de la *perestroïka*, l'absence de vraies conditions matérielles, ils m'ont dit *vous faites du marxisme mais ce marxisme-là on aime bien.*

« Ça leur a donné de l'avance, sur le Département d'État et même sur les Anglais, grâce à moi, pour une fois, la CIA a eu raison avant tout le monde, ils ont eu raison devant leur président à qui Thatcher cassait les pieds avec son Gorby chéri, le pauvre rescapé agrippé au pouvoir, il glisse, et pour se rattraper il s'accroche à un nœud de vipères.

« Maisie et Walker sont très contents de moi, Thatcher disait *il faut donner des biscuits à Gorby, il ne faut pas laisser les Allemands de l'Ouest absorber la RDA, nous n'avons pas gagné la guerre pour rien,* elle est allée dire à Gorbatchev *ne lâchez pas la RDA,* les Français aussi avaient la trouille, personne ne voulait d'une grande Allemagne, pas tout de suite, pas avant quinze, vingt ans.

« J'ai dit aux Américains Gorbatchev c'est seulement un médecin qui fait mourir plus longtemps, j'ai aussi dit que pour l'unité allemande c'était fait, c'était malheureux, mais c'était fait, je leur ai vendu du futur, penser à la suite, renforcer les liens avec la Pologne, les Tchèques, les Hongrois, dans le temps on appelait ça des alliances de revers, j'ai dit que mes analyses venaient en partie de vous, ne faites pas cette tête Micha, j'avais vraiment besoin de vous mouiller dans l'his-

toire, vous allez comprendre pourquoi, j'ai ajouté à votre propos *on peut venir au secours de cet homme.* »

Lilstein et Morel ne sont plus rue Saint-Honoré, ils sont
passés sous les voûtes du Louvre, ils débouchent sur la place
du Carrousel. Lilstein est heureux de pouvoir s'éloigner de
la chaussée et des voitures qui rasent les piétons, il va vers la
pyramide de Pei. Morel le suit docilement, reprend son fil :

« Notre amitié a ému les Américains, ils veulent qu'elle
vive, avec eux en tiers, et j'ai besoin de vous pour continuer à
travailler, vous avez peut-être causé du tort à des innocents,
cher bouc émissaire, mais ne succombez pas au penchant
romantique, se livrer à la justice pour réparer l'ordre qu'on a
perturbé, encore faut-il croire à l'ordre...

« Je sais, Micha, vous aimeriez que la police allemande
vous arrête, vos nouveaux compatriotes, ils ne peuvent le
faire que pour vos actions d'avant-guerre contre Hitler, et
vous voulez les y obliger, ce serait amusant, une belle victoire
morale, mais après ? Un peu de prison, les tinettes dans la
cellule, officiellement vous n'avez pas de sang sur les mains,
officiellement, ils seraient obligés de vous relâcher assez vite,
vous deviendriez un coupable sans rêves, une Cassandre
gâteuse, payée de moins en moins cher par des journaux de
plus en plus vulgaires.

« Micha, je ne veux pas que vous saccagiez vos jours dans
la mélancolie, je vous offre de continuer à jouer le grand
jeu jusqu'à la fin, une belle fin, vous tendez un dossier à une
secrétaire et à ce moment-là, couic le bras retombe, un bel
infarctus en plein dossier, mieux, rupture d'anévrisme, la
mort de De Gaulle mais en pleine activité, un vrai cadeau,
voilà ce que je vous offre, vous êtes fait pour crever à la tâche,
c'est tentant, non ? Oui, vous avez raison, j'inverse les rôles,
aujourd'hui c'est moi le tentateur, le Diable, le monde à l'envers ? L'envers du monde de Goethe ? Non, le monde n'est pas
goethéen, on n'a pas besoin de le mettre à l'envers, vous avez

tort, je vais vous confier un secret, pas besoin de mettre le
monde à l'envers.

« Le monde n'a jamais eu d'endroit, sauf pour ceux qui sont
payés pour nous le faire croire, monde sans Dieu ni Diable, la
tentation circule en tourbillon, c'est tout, vous n'aviez jamais
eu l'audace de vous le dire.

« Les Américains, au moins ceux que je connais, mes nouveaux amis, croient en leur Dieu, ils se bagarrent avec le
Diable, et pour tenir le coup ils doublent ça avec une théorie
du mensonge nécessaire, ils croient que la vérité n'a pas de
contraire alors ils sont obligés de mentir, ils prennent la place
du Diable, ils sont persuadés qu'ils peuvent la quitter à
volonté, en priant.

« Ils ne m'ont même pas demandé de m'aligner sur leurs
positions, ils ont suffisamment d'alliés avoués, je vais faire un
article sur la guerre en Irak, sur le bombardement de l'autoroute à la sortie de Koweït City, toutes ces voitures grillées au
napalm par l'aviation US, plutôt des victimes civiles. Ils sont
tout à fait d'accord pour que je marque une réserve, le rôle de
celui qui se pose des questions, rien que pour faire le compte
des gens qui voudront répondre à mes questions.

« Ça s'appelle faire sortir le loup du bois, l'idée c'est de
continuer à se faire inviter là où c'est important, et de leur
dire ce qui s'y passe, mes petites entrées dans les grandes
maisons, j'y ai pris goût.

« Vous venez, Micha ? À quoi rêvez-vous ? Vous regardez
l'eau ? Souvenez-vous, on ne se baigne jamais deux fois dans
le même fleuve. »

Ils sont sur le quai du Louvre, à l'entrée du pont du
Carrousel. C'était stupide cette peur d'un enlèvement, Lilstein
regarde la Seine. Il a laissé quelques pas entre Morel et lui. Le
même fleuve ! Morel revient vers lui, lui dit d'arrêter de regarder l'eau qui coule, ça rend stupide, jamais deux fois dans le
même fleuve, Morel se moque de lui, Morel est invulnérable,
parce qu'il n'a pas de Marguerite, la sienne l'a plaqué, et ce

n'était pas une Marguerite, Morel est seul, c'est sa force, cet homme n'a jamais eu froid, il a eu un moment de désespoir en 56, il a failli devenir un bourgeois ordinaire et c'est Lilstein qui lui a offert un sens, et quand le sens s'est défait Lilstein lui a offert un jeu. Aujourd'hui Morel se moque du jeu comme du sens, il met la tête de Lilstein sous l'eau en riant, en lui disant *jamais deux fois dans le même fleuve.*

« Sortez du fleuve, Micha, le cher Gorby vous a abandonné, si cela peut vous consoler il n'en a plus pour très longtemps, vous le savez bien mais vous avez perdu l'habitude de croire à ce qui risquerait de vous faire plaisir.

« Il n'y a même plus de fleuve. Venons-en au fait, pourquoi nous sommes là, pourquoi vous n'irez pas à Berlin mais à Washington : mes nouveaux amis ne savent pas comment on fait la bonne *Linzer,* ils veulent essayer mais il leur manquera toujours le tour de main, ils ne vous demandent que quelques dossiers, pas beaucoup de noms, on ne vous demandera pas de salir votre nid, aucune importance, c'est du passé, gardez même vos anciens agents, et donnez-leur rendez-vous de temps en temps autour d'une bouteille, pour chanter *Le Chant des marais* et ces choses-là.

« Ce dont mes nouveaux amis ont besoin ce sont les informations que vous aviez sur vos adversaires : les chrétiens-démocrates, les socio-démocrates, les plouto-démocrates, les écolo-démocrates, les libéraux-démocrates, tous ceux qui tiennent aujourd'hui le haut du pavé, et qui veulent vous mettre en prison, nous voulons savoir avec précision ce que veut faire la nouvelle Allemagne en Europe, en Pologne, en Autriche, en Hongrie, en Bohême, la Mitteleuropa, tout ça.

« Quand monsieur Kohl dit *dans ce pays qui est le nôtre,* on surveille sa main, celle qui balaie l'espace devant lui, on veut voir jusqu'où elle va, vous nous aiderez, quand les anciens pays du pacte de Varsovie entreront dans l'Europe les Allemands auront le droit d'acheter toutes les terres qu'ils voudront, en Pologne, en Bohême, Gdansk, les Sudètes, ça va leur coûter beaucoup moins cher qu'une guerre mondiale, il va falloir surveiller, et puis vous connaissez très bien les Russes, l'Empire du mal est mort mais la Russie reste un empire.

« Voilà ce qu'on va vous demander. Dites oui, ça ne sert plus à rien de toujours dire non. Je sais, ça n'a pas beaucoup d'allure, larbins de la CIA, s'il n'y avait que ça je rougirais de vous le proposer, Micha. »

Ils sont au milieu du pont du Carrousel, accoudés au parapet. Lilstein n'en finit pas de regarder vers l'est. L'air est frais. La ville est belle dans le petit vent. Lilstein s'est gardé de réagir à la dernière phrase de Morel, il le laisse continuer.

« Je rougirais. Vous vous doutez qu'il n'y a pas que ça, le petit renseignement pour la CIA, tout ce que vous m'avez appris à mépriser, qui a son importance, au quotidien, nous ferons notre devoir, mais il va bien falloir s'amuser, Micha, mes nouveaux amis m'ont laissé deviner que nous aurons largement de quoi nous amuser tous les deux, ils n'ont pas fait ça volontairement, pas par cynisme, ce sont des cyniques mais c'est en s'épanchant qu'ils m'ont appris des choses, à leur insu.

« Walker par exemple, un jour quelqu'un a prononcé le nom de Lena Hellström, Walker a eu les larmes aux yeux, il a dit que c'était sa marraine, qu'elle l'avait tenu contre sa poitrine quand il était dans les langes, Maisie a ri en disant *FT, si vous devenez tendre on va vous retirer la direction des opérations.* Depuis ce jour-là Walker n'a plus parlé de Lena Hellström. Vous aimez quand je parle de Lena, Micha ?

« C'est Maisie qui m'a reparlé de Lena, au restaurant, Maisie avait l'air d'être tombée amoureuse de Lena, j'ai eu beaucoup de discussions avec elle, on parlait de choses sérieuses, et à la fin, pour se détendre, elle me demandait de lui parler de Lena. Et pour me faire parler elle me parlait d'elle-même, et elle a laissé ses propres amis me parler d'elle, Maisie me disait moi aussi je sais patiner sur la glace, et skier, et jouer Beethoven. C'est vrai, Maisie ne chante pas mais elle est capable de jouer les sonates pour piano, bon niveau de grand amateur, avec de la musique de chambre aussi, entre collègues, ils appellent ça le *National Security Chamber Orchestra*, ils jouent en public deux ou trois fois par an, Maisie est une femme très bien.

« Dans les bonnes années, à l'époque où l'on pouvait encore dire que les droits civiques étaient une revendication communiste, un grand professeur a dit en séminaire que la race blanche avait des capacités supérieures, Maisie était là, elle lui a lancé, silence de mort, le grand séminaire, une quarantaine d'étudiants, et des collègues du professeur, des assistants, le genre d'endroit où l'on peut croiser beaucoup de futurs dirigeants, des gens à la fois lucides et prudents, le prof est un peu vieux jeu dans ses opinions philosophiques mais en droit international c'est le meilleur, on le laisse dire même quand on n'est plus d'accord, Maisie ne s'est pas levée, elle a parlé de sa place, très calme, une voix de séminaire, elle ne regardait que son stylo, on la regardait, elle a dit *vous faites de la philosophie et vous ne lisez pas l'allemand, moi si, vous faites de la politique internationale et vous ignorez le russe, je le parle, je le lis et je l'écris, comme l'allemand, le français et l'espagnol, ce sont des choses que n'importe quel humain peut apprendre, vous jouez à l'homme cultivé mais c'est moi qui joue les sonates de Beethoven.*

« Jusque-là on peut dire que les propos de Maisie étaient courageux, un beau rôle féminin, elle a témoigné, naissance d'une nouvelle égérie des droits civiques, je suis l'exception mais je refuse de confirmer votre règle, il s'agit simplement de retard, et le retard ça se comble, elle avait raison, on pouvait deviner la suite, et la fin sur *j'ai fait un rêve*, elle avait un bel emploi tout prêt dans la comédie politique, égérie des droits civiques, discrimination positive, etc. Mais il y a eu autre chose.

« Et les gens qui étaient autour d'elle ont eu le sentiment

que Maisie était partie pour un très long chemin, qu'elle ne jouerait pas seulement à la représentante des Noirs.

« Bien sûr elle a dit *je suis la seule Noire ici*, ça suffisait à la faire regarder avec un mélange de sympathie, de léger remords, de mauvaise conscience prête à faire ce qu'il faut pour s'améliorer, on allait lui faciliter les choses, reconnaître tous les talents dont elle parlait, la défendre contre le professeur s'il le fallait.

« Elle a ajouté en relevant la tête, en désignant les autres étudiants présents, *vous vous servez du retard des Noirs pour faire croire à des étudiants blancs qu'il leur suffit d'être blancs, vos idées incitent à la paresse; les Noirs, eux, ont compris, il n'y a que le vrai travail qui doit compter, ce pays n'a pas besoin de nonchalance, dans dix ans il ne suffira plus d'être un Blanc nonchalant pour avancer.*

« Elle a aussi parlé de la force de l'individu, de la volonté personnelle et de l'aide de Dieu offerte à tous, elle n'a pas été applaudie devant le professeur, mais on a entendu des *yeah*, des *hear*, comme à la Chambre des communes, du discret, ça a marqué les esprits et le professeur n'a pas aimé.

« À la fin de l'année, au moment de l'oral, le doyen de la faculté et quelques membres du conseil d'administration se sont installés dans le public, un bel oral, elle a été reçue avec les félicitations, *summa cum laude.* »

Ils ont traversé la Seine, et pris à gauche sur le quai en direction de Notre-Dame. Lilstein essaie de réfléchir tout en écoutant Morel. Si les gens de Berlin ont lancé un mandat contre lui, il va avoir besoin des Américains pour quitter l'Europe. Qui serait le meilleur geôlier? Morel dit qu'il a besoin de Lilstein, mais si c'est faux il laissera tomber Lilstein dès que celui-ci aura confirmé ses déclarations devant les Américains. Et ceux-ci laisseront tomber Lilstein. Ils le renverront à Berlin. Lilstein se sera laissé prendre au piège d'une histoire d'Américaine et de cassoulet, Morel est vraiment un bon élève.

« Cela dit, Micha, notre Maisie a beau être une femme, elle a une faiblesse d'homme, elle travaille à la CIA mais elle veut aller plus loin, une *politician*, aujourd'hui elle écoute mais un jour elle ne voudra entendre que ce qu'elle veut entendre, elle nous le réclamera, elle sera notre amie, elle va d'abord tenter de nous prendre en défaut, nous prendrons l'air fautifs, tellement inférieurs à elle ! Nous lui donnerons ce qu'elle cherche, Micha, elle a une petite faiblesse, une ambition d'homme.

« Elle défendait les États-Unis devant moi, elle n'aime pas mon scepticisme, c'est le pays du *just do it,* quand elle était jeune son père répétait *c'est le pays où l'on peut te refuser une place au restaurant mais tu peux aussi accéder à la présidence de ce pays.*

« Elle n'a rappelé ça devant moi qu'une seule fois, la présidence, *just do it,* c'est pour ça qu'elle s'est installée dans le rôle d'une républicaine de choc, avec une culture européenne sans faiblesse, un discours très cohérent, les droits de l'individu, *je préfère être ignorée qu'assistée,* Lena la fascine, elle se demande si elle a vécu seule, a-t-elle eu un homme dans sa vie ? aimait-t-elle les femmes ? des questions américaines, Micha vous devriez avoir des choses à lui raconter là-dessus.

« Maisie mangeait des profiteroles en continuant à boire son madiran, en reculant le moment où elle allait réclamer une cigarette à ses gardes du corps, femme étonnante, pas du tout le style de l'Afro-Américaine des magazines, le genre féministe spécialiste des contes zimbabwéens, sa passion c'est l'histoire de l'URSS, du Komintern, et l'Europe, de Talleyrand à Bismarck, et Schubert, oui, *comme madame Hellström, mais je ne suis pas capable de jouer les sonates de Schubert, seulement l'accompagnement de certains* Lieder.

« C'est une presbytérienne, comme l'était Lena, dans le restaurant toulousain de Washington elle mangeait ses profiteroles avec un mélange de faim et de gourmandise, il fallait la voir, surtout après la pioche qu'elle avait faite dans le plateau de fromages, *no matter, fitness,* nous irons l'écouter jouer du piano.

« Pour son père, quand on était noir il fallait être deux fois meilleur, la même chose que ce que le vieux Hellström avait dû dire à sa fille, il était blanc, du Sud, démocrate presbytérien du Sud, *quand on s'appelle Hellström il faut être deux fois meilleur,* et les gentilles petites filles avec leur ruban dans les cheveux, la Noire et la Blanche, se mettent à faire de leur mieux, piano, chant, deux fois de leur mieux, à soixante ans de distance, et avec de grosses différences, Maisie dans les années 60 c'est encore une *negro,* dans une école de nègres.

« Quartier nègre, avec des bus pour nègres, des toilettes idem, cela dit entre nègres il y a des différences, le père par exemple est professeur et pasteur presbytérien, il y a aussi des baptistes, un jour dans l'église baptiste une explosion, quatre petites filles meurent, le KKK, jamais retrouvé les coupables, l'une des filles était la camarade de classe de Maisie. »

Morel s'est arrêté. Il a pris le bras de Lilstein. Il le regarde dans les yeux, lui dit qu'il n'y aura pas de piège, qu'il n'y aura pas de voiture pour l'enlever, Lilstein doit lui faire confiance parce que c'est leur seule issue à tous les deux, parce que la solution s'appelle Maisie, que Lilstein le veuille ou non.

« Le père de Maisie n'est pas démocrate, Micha, il est républicain, un Noir enregistré comme électeur républicain en plein sud des États-Unis, parce que la première fois qu'il a voulu se faire enregistrer au bureau de vote il est tombé sur un bon démocrate sudiste qui lui a fait passer un test de capacité pour Noirs, un grand saladier de haricots secs, pour être inscrit sur les listes électorales il fallait deviner combien il y avait de haricots dans le saladier.

« Le père est reparti, il est revenu une autre fois et il est tombé sur un républicain qui a accepté de l'enregistrer mais à condition que ce soit comme électeur républicain, toute une enfance de petite Afro-Américaine à se faire répéter *tu peux accéder à la présidence,* Maisie me disait qu'elle aurait aimé rencontrer Lena, qu'elle était fascinée, une Américaine fascinée par l'Europe c'est fascinant, *moi* disait Maisie, *l'Europe m'intéresse mais elle ne me fascine pas,* une Maisie très méthodique avec les profiteroles, n'a pas versé tout le chocolat chaud d'un seul coup, d'abord sur le premier chou, une belle petite nappe noire, Maisie approche le nez pour ne pas rater les arômes de chocolat, elle rit, raconte, *à Toulouse il y avait encore une pâtisserie qui s'appelait* Au bon nègre, *je faisais exprès d'y aller.*

« Micha, elle est aussi gourmande que vous, je rêve de nous voir tous les trois dans un salon de thé à Washington, le patron avait apporté le chocolat chaud dans un petit pot d'argent, avec le monogramme de la Compagnie générale transatlantique, Maisie se servait des cuillerées très méthodiques.

« À chaque fois un peu de chou, un peu de glace, un peu de chocolat, *vous voulez goûter ? non ? le chocolat vous donne des migraines ? moi aussi, mais si je fais très attention je réussis à passer au travers, ce qu'il ne faut pas mélanger c'est l'alcool, le chocolat et le manque de sommeil, quand j'ai réussi à bien dormir je sais que je pourrai faire un bon repas, avec du vin et du chocolat, à condition d'éliminer ensuite,* fitness, *j'ai étudié le déclin de la diplomatie européenne au* XXe *siècle, c'est un grand professeur autrichien qui m'a formée, cette madame Hellström m'intéresse beaucoup, elle a vraiment connu tout le monde, je l'aurais écoutée pendant des heures, on se serait installées à Vienne, chez Demel, devant une* Linzer.

« Maisie a dit *Linzer* de façon très innocente mais je crois qu'elle sait beaucoup de choses, Micha, elle parlait de Lena et de *Linzer,* vous n'avez plus envie de m'interrompre ? De vous sauver ? Je trouve votre silence déloyal. C'est parce que nous parlons de Lena ?

« Maisie m'a demandé si je savais que Lena avait été enterrée à Arlington, j'ai répondu oui, il y avait eu un papier dans *Newsweek,* je ne lui ai pas encore dit que votre ami Max m'avait tout raconté, la petite colline, Arlington, cornemuse, uniformes de parade, belles médailles posées sur un coussin, trois salves, tout le tralala, non, on ne lui a pas fait le coup de la prolonge d'artillerie, mais il paraît que les gens étaient émus, du gratin et des gens du peuple, des mélomanes, des voilettes, des étudiants, tous des admirateurs, madame Hellström était une rassembleuse, il y a même eu un gag.

« À qui remettre le drapeau qui recouvrait le cercueil ? Pas de famille présente, elle avait des cousins, des petits-cousins, mais quand on est des presbytériens du Sud un peu consé-quents on ne va pas se faire remarquer devant le cercueil d'une femme qui ne voulait pas de mari, c'est Max qui a eu l'honneur, Lena avait tout organisé.

« Le garde d'honneur a donné le drapeau à votre ami Max, qui ne croyait plus à rien depuis longtemps, et surtout pas au drapeau américain, il avait perdu la foi en même temps que son canotier, au début du siècle, il a tenu bon quand on lui a mis le drapeau dans les mains, l'œil sec, comme tout le monde, Lena n'était pas une sentimentale, Max disant en arri-vant au cimetière *j'ai l'impression qu'il y a quelque chose d'in-telligent en moi qui m'empêche de pleurer,* et Max s'est retrouvé en larmes quand Leone Trice s'est mise à chanter, tout le monde s'était préparé à entendre du Schumann, du costaud, ou même une mélodie de Schubert, on s'attendait à être au bord des larmes mais à tenir bon, un moment sans chichis, un instant couleur ocre, comme elle les aimait.

« Et voilà que Leone Trice s'est mise à chanter *Voi che sapete,* les gens étaient assis, et le chant, au lieu de s'élever dans l'air, s'est adressé directement à eux, *vous qui savez,* Max en larmes, un demi-siècle qui lui revenait dans les larmes, et il caressait le drapeau sur ses genoux, Arlington c'est à cause de ce que Lena avait fait pendant les deux guerres, un cime-tière militaire, Max ne vous a pas tout raconté ? De quoi parliez-vous donc ? Sur un coussin il y avait des décorations, Max m'a dit dans son langage à lui *quelques putains de déco-rations à faire pâlir n'importe quel héros de roman d'aventures.*

« Maisie veut tout savoir sur la préparation de la *Linzer*, nous allons lui obéir, Micha, c'est une adjointe de Walker, le grand homme de la CIA, un héros de la guerre de Corée et de la Guerre froide, il veut devenir conseiller à la Maison-Blanche, Maisie fait ce que Walker lui conseille de faire, elle suit son sillage, la bonne petite Noire républicaine, c'est à elle que nous aurons affaire, elle veut tout savoir sur Lena, Lena qui a tenu Walker enfant dans ses bras.

« Maisie mangeait ses profiteroles après le cassoulet, elle aurait voulu que Lena lui raconte ce qui s'est passé pendant la guerre, pas seulement la légende d'Arlington, Maisie est curieuse, elle veut le bon dossier.

« Celui qui n'existe pas encore, Lena en 1943, la tension avec ses chefs, les voyages en Espagne ou au Portugal, des pays neutres, Lena devait y croiser du monde, de vieilles relations, elle revenait à Washington, repartait pour Lisbonne via l'Irlande, elle était l'un des rares civils à avoir le droit de voyager par avion, les grands hydravions transatlantiques de la *Panam*, ceux qu'elle prenait déjà avant la guerre, des oiseaux de luxe reconvertis dans le transport de généraux et de ministres, bref, une tension avec ses chefs, Lisbonne, ça ne vous dit vraiment rien ? Aucune fiche là-dessus ? Une vraie scène à faire, un dîner dans un restaurant pour amoureux avec vue sur le port, *chère Lena, quel bonheur de vous avoir retrouvée, c'est l'enfer et vous êtes quand même là*, la pénombre du restaurant, avec des mouchards portugais quelques tables plus loin.

« Le type lui caresse la cuisse, elle lui embrasse l'oreille, un vieil ami, il lui pelote la cuisse sous la nappe avec la main droite, la gauche il l'a perdue avec tout le bras, à Stalingrad ? Est-ce un militaire ? Ou un agent de renseignement ? Qu'est-ce qu'il fout là ? C'est Lena qui lui coupe sa viande, elle rit, elle le fait rire, elle lui tend une bouchée en riant, la main droite de l'homme peut rester sous la table, Lena laisse faire, deux Lena, l'une, celle du haut, mange, tend une fourchette, babille, celle du bas se laisse caresser les cuisses, l'homme est-il un héros de la *Wehrmacht* ? Ou un civil ? Un aristocrate écœuré par le régime ? Vaste problème, elle a une petite expiration, sans doute quand la main entre dans la culotte, pas trop, je veux dire pas trop d'expiration, juste de quoi montrer à l'homme qu'elle ressent quelque chose.

« De toute façon les mouchards ont déjà pris note, vous n'avez jamais eu aucune fiche là-dessus, Micha ? Vous m'écoutez n'est-ce pas ? Je vous trouve plus attentif, la dame s'est laissé outrageusement caresser par le dénommé Berg, elle souriait, posait les lèvres sur l'oreille de l'homme, à un moment il lui a dit vous n'êtes pas seulement belle, vous êtes pire, la main de l'homme remontait parfois au-dessus de la table, la dame a embrassé la main, la main est redescendue, la dame est devenue hystérique, elle caressait les joues du dénommé Berg en riant, beaucoup de détails comme ça dans les notes des mouchards, un Allemand estropié qu'on ne peut plus contrôler, une cantatrice hystérique, pour les mouchards ces deux-là n'en ont plus pour longtemps, le restaurant est sombre, beaucoup d'amoureux étrangers, mais ça n'est pas une raison, les détails sont obscènes, les mouchards les ont soignés dans leur rapport.

« Le dénommé Berg a été rappelé, on ne l'a plus jamais revu, si une fois, vous vous souvenez ? Quant à l'Américaine hystérique qui fricote avec un Allemand en pleine guerre elle n'est pas restée longtemps à Lisbonne, en Amérique on a dû rouvrir son dossier.

« Toujours la même histoire, elle fréquentait les Fritz depuis 1915, on n'avait jamais éclairci son rôle à partir de 1933, c'était peut-être simplement une hystérique, les mouchards de la police secrète portugaise ont fait leur rapport, et leurs chefs ont aimablement diffusé ce rapport dans leurs circuits administratifs, et quelque part dans ces circuits il y a eu quelqu'un pour passer le rapport à l'ambassade allemande, et quelqu'un d'autre pour en faire autant avec les Américains, une petite soirée chaude qui a coûté assez cher, Lena était censée recueillir des informations sur l'état d'esprit de l'armée allemande, et Berg devait être chargé de sonder les Américains sur une éventualité d'armistice, on peut imaginer que notre Lena aurait donné aux Allemands des informations sur l'état d'esprit de Roosevelt et de ses conseillers, on a dû marcher sur des œufs, parce qu'elle était assez lié à Kennedy, le père, le germanophile.

« Ne vous énervez pas Micha, je ne suis pas en train de traiter votre Lena de nazie, ça n'est pas ça le dossier, ce sont des ragots, mais si je le sais c'est parce que, comme vous, je sais la suite, que Maisie aimerait bien savoir, parce qu'elle a quelques intuitions très féminines, notre Maisie.

« Et aussi parce que c'est une musicienne capable de s'intéresser à un truc que personne n'avait vu à l'époque de l'enterrement à Arlington, un petit dièse, sur la liste de toutes les gerbes il y en avait une qui venait de la part des *Amis du Voyage d'hiver*, elle est certaine que vous avez des choses à lui dire là-dessus, elle a aussi trouvé une note venue de vos collègues de Bonn, ceux qui veulent vous mettre en prison, il est question d'une ancienne fonctionnaire de votre ministère, je veux dire le vrai ministère, une ancienne fonctionnaire de votre *Aufklärung* qui leur aurait parlé, on l'aurait chargée d'une mission en 1956, peu de chose, accompagner une dame pendant un voyage en auto de Budapest à la frontière autrichienne, une évacuation musclée, fin août 56, ne vous énervez pas Micha.

« Je sais, tout le monde connaît cette aventure, cent fois racontée, mais il y a un petit alinéa, *j'étais chargée de dire à la dame américaine* "il va faire très froid", *juste ces cinq mots*, c'est ce qui intéresse Maisie, ce qu'a dit votre ancienne fonctionnaire, ce petit bout de phrase, *il va faire très froid*, il semble que Lena n'en avait jamais parlé, elle a dit au *debriefing* en 56 qu'elle était sûre à cent pour cent que les Soviétiques allaient attaquer, elle a raconté son enlèvement avec beaucoup de précision, mais elle n'a pas cité cette petite phrase, *il va faire très froid,* ni tout ce que ça pouvait lui dire.

« Maisie pense que Lena aurait dû vous dénoncer dès 1956, Micha, elle veut savoir pourquoi ça n'a pas été fait ; vous, vous l'avez expulsée de Hongrie en 56 et ça lui a sauvé la vie, elle aurait dû se trouver dans le local de Budapest que les services secrets du pacte de Varsovie ont fait sauter la veille du retour des chars russes, Lena était en contact avec des résistants, pardon, des comploteurs, mais vous savez aujourd'hui on dit plutôt des résistants, des gens des beaux quartiers, des communistes éclairés, des cosmopolites, des amis d'Imre Nagy, boum, cadeau de Markov, trente communistes éclairés suppôts de l'impérialisme en moins, mais pas Lena, partie en voiture juste avant, malgré elle, et ça lui sauve la vie.

« Maisie veut remplir quelques-uns des petits vides qu'il y a dans ce dossier, elle vous interrogera là-dessus, et sur l'année 1943 et la suite, vous n'étiez pas là en 43 mais il paraît que vous devez savoir.

« Après sa séance hystérique de main dans la culotte avec le manchot, Berg, colonel ou civil ? Il était bien aux obsèques de Hans Kappler ? J'ai rêvé ? Bref, Lena était donc rentrée de Lisbonne par le premier avion, dans les notes des mouchards il manque évidemment le plus intéressant, l'enveloppe, glissée très vite dans la culotte de Lena.

« Toute petite, l'enveloppe, microfilm d'un rapport, sur une estrade au milieu de la salle une chanteuse de fado couvre presque la conversation, une main sous la table, la dame hystérique est rentrée aux États-Unis dans son bel hydravion, avec des informations sur ce qui se passait en Pologne, un rapport, ça vient de plusieurs sources, des voies de chemin de fer qui arrivent au beau milieu de baraquements, des cheminées, des femmes, des gosses, juifs. »

Lilstein et Morel se sont arrêtés à hauteur du pont des Arts. Ils contemplent les bâtiments de l'Institut. Morel montre l'aile gauche de l'ensemble :

« C'est l'emplacement de la tour de Nesle, une époque qu'on se figure pleine d'amours tragiques. Pour une galanterie plus joyeuse nous avons un autre emblème, regardez au loin, là-bas, la statue équestre, celle du roi Henri IV. À l'époque... Je vous ennuie avec mes histoires de rois ? Vous n'allez tout de même pas sauter dans un taxi ? Au retour du Portugal, avec son microfilm, on n'aurait pas voulu la croire, elle en aurait été désespérée, elle est revenue dans le plus bel avion du monde, elle regardait l'aile par le hublot, une merveille de la technique, on lui a dit que c'est la même aile que pour les gros bombardiers qu'on envoie sur l'Allemagne, elle se voyait faisant son rapport, les paroles de Berg, le microfilm, et on envoyait bombarder des rails en Pologne. Et voilà qu'à Washington on la remercie et on ne fait rien. On ne la croit pas ?

« Non, on la croit mais on trouve ça secondaire, une Lena désespérée, on ne fait rien ! La question est de savoir si elle a gardé ce désespoir pour elle ou si elle en a fait quelque chose qui n'entrait pas dans ses attributions, je sais trop de choses Micha ? Comment j'ai fait ? Si je vous disais que j'ai fini par parler avec de Vèze, ça vous plairait ? Vous me voyez prenant des pots avec l'homme qui m'a pris ma femme ? Ou bien c'est tout simplement Maisie qui m'a fait part de ses hypothèses ? Mais je préfère parler de Lena, de ce qu'elle a pu ressentir, de ce qu'elle a pu raconter à son ami Max, qui parlait parfois avec de Vèze lui aussi, on aurait pu sauver des gens grâce à elle et on n'a rien fait, elle a pu avoir une crise, l'avenir qui devient un fantôme aux mains vides.

« Maisie se demande ce qui s'est passé chez Lena, si absolue dans ses choix, *vous savez Philippe*, oui, Maisie m'appelle Philippe, parfois *dear mister Morel*, mais le plus souvent Philippe, *vous savez, Philippe, je me méfie des caractères absolus, un agent est écœuré de voir que les services dorment sur leurs dossiers et sabotent les informations qu'il apporte, donc il livre tout ce qu'il sait à des gens plus actifs.*

« À l'oncle Joe par exemple, Lena et l'oncle Joe, voilà ce que soupçonne Maisie, l'oncle Joe, lui au moins il fait régner l'ordre et la pureté, et il avance, donner à l'oncle Joe les moyens d'arriver plus vite en Pologne, Staline n'est pas un tyran, toute la presse américaine a cessé d'en faire un tyran et l'appelle oncle Joe, puisque les Américains refusent de bombarder ces installations, je fais passer tout ce que je sais à l'oncle Joe, tout ce qui se raconte dans l'entourage de Roosevelt.

« Voilà, Micha, à un moment donné pour une raison ou pour une autre, pour une histoire de voies de chemin de fer qu'on laisse arriver dans des baraquements ou une histoire de fonctionnaire qui roupille, votre Lena aurait perdu confiance, plus aucune estime pour ses collègues, ni pour ses supérieurs, elle n'a pas trahi, elle aurait simplement commencé à parler plus librement avec des gens différents, des gens qu'elle aimait bien mais dont, au départ, elle n'avait jamais aimé les idées, certains de vos sympathisants aux États-Unis, des scientifiques, des intellectuels.

« Elle connaissait bien l'entourage de Roosevelt et elle connaissait tout aussi bien les gens qui pouvaient être en contact avec Moscou, Maisie pense que c'est en pleine guerre que certaines choses sont passées aux Russes par l'intermédiaire de Lena, des fuites d'ordre diplomatique avant la conférence de Yalta par exemple, ou même avant celle de Téhéran, des fuites qui permettent à Staline de savoir jusqu'où il peut se mettre en colère, et quelles quantités de matériel on est prêt à lui livrer, ou de simples recommandations orales, les choses auraient commencé bien avant votre libération, dès 1943.

« Et en 45 c'est peut-être ça qui vous a sauvé la vie. Vos relations d'avant-guerre avec Lena, à la Libération vous n'avez pas droit aux grosses pattes des trieurs staliniens, vous filez vous retaper en Asie, quelques mois, puis vous revenez à Rosmar, vous avez toujours le profil d'un de ces hommes qu'on continue à liquider en masse à Moscou, communiste des années 30, vous avez une dangereuse photo dans la tête, camarade Lilstein, je suis sûr qu'en 1932 vous étiez là quand Ulbricht et Goebbels ont fait leur réunion commune à Berlin, la grande salle du *Friedrichshain,* ça a mal tourné, bagarre générale au lieu de la confrontation des deux points de vue antibourgeois, mais vous êtes un des témoins, Ulbricht et Goebbels à la même tribune, sur la même photo dans votre tête, pas le genre de chose dont on peut se vanter.

« Et puis vous avez résisté, résistant de l'intérieur, prisonnier des nazis, profil cosmopolite, on pourrait vous monter une petite fiche de collaborateur cosmopolite des Anglais ou même des nazis, on ne le fait pas, en 1945 on hésite, en 46 on vous épargne, Micha, on vous donne des responsabilités, il y a donc des choses plus importantes dans la vie que la chasse aux trotsko-cosmopolites, normalement vous seriez bon pour une balle dans un couloir et voilà que quelqu'un parle d'une femme et dit peut-être que Lilstein pourrait lui redonner confiance et la garder à nos côtés, c'est cela, quelqu'un dans l'entourage de Beria dit que vous pourriez reprendre contact et redonner confiance à une amie américaine qui commence à douter des vertus d'oncle Joe, à partir de 46, madame Hellström doit se poser un tas de questions.

« Le Rideau de fer, les tensions, la Pologne, la Tchécoslovaquie, cette femme vaut bien plus que son poids en or mais depuis quelque temps elle n'envoie plus rien à l'oncle Joe, elle a perdu confiance. Et elle chante à Berlin, belle surprise, pour qui ?

« Vous êtes venu l'écouter, *Micha que je suis contente !* elle a confiance en vous, elle se rend compte qu'oncle Joe tourne mal mais si vous êtes là c'est que rien n'est perdu, c'est seulement l'entourage d'oncle Joe, une partie de l'entourage, sa face négative, et vous refaites surface, un si vieil ami, la face positive d'oncle Joe, vous papotez avec Lena, devant tout le monde, il y a les Russes, les Américains, les Anglais, les Allemands, les Français, on vous regarde, et entre les patatis, les patatas et les grands regards de Lena, les grands yeux bleu profond de Lena, vous êtes là, tout n'est pas fini, la cause de la paix n'est pas morte, à Berlin en 37 Lena vous a sauvé, et vous l'avez sauvée six mois après.

« Alors elle se décide vite, tout le monde commence à craindre une autre guerre mondiale, il faut rétablir l'équilibre pour la paix, retrouver un ami c'est se retrouver soi-même, elle vous caresse la joue, elle vérifie que vous êtes toujours aussi jeune, elle pleure d'émotion, *Micha vous n'avez pas changé, comment faites-vous ? Vous mettez une crème ?* elle rit, *je suis sûre que vous mettez une crème de nuit, comme les dames,* elle énumère les crèmes et vous dit en se moquant de vous *moi j'utilise l'eau, il faut que ça diffuse, les pattes-d'oie surtout, une bonne eau du robinet, mon esthéticienne n'en revient pas, mais l'eau, il n'y a pas mieux, mon esthéticienne a fini par être d'accord,* elle vous caresse à nouveau la joue, le haut de la pommette, elle dit *l'hydratation c'est ce qu'il y a de mieux, mon esthéticienne utilise un autre mot qui ressemble mais je ne sais plus lequel, peu importe, et elle a même renoncé à jouer avec son crayon autour de mes yeux, mauvais le crayon ça n'empêche qu'il faut aussi une bonne crème, mais pas trop* c'est tout.

« Patati, patata, Micha, les bisous, elle aurait pu vous dire quelque chose comme ça, rien que ça.

« *Il faut que ça diffuse, eau du robinet, pour les pattes-d'oie, et pas de crayon,* ça a l'air bête, mais si on sait que les mots viennent d'atomistes aussi compétents que Tellheim ou Mzilar, et en droite ligne des labos américains et anglais, ça prend vraiment du charme, à l'époque Beria a dû adorer.

« Ça ne vous dit vraiment rien, Micha ? Vous êtes fatigué ? Si on prenait un verre à une terrasse ? Vous ne voulez pas ? Si ? Regardez, de l'autre côté de la rue, la petite terrasse, le bistrot qui s'appelle *L'Écluse,* allons-y, pour moi c'est senti-mental, je vous expliquerai, deux bonnes bières, ça nous fera du bien. Donc Beria a dû adorer ces histoires de maquillage. Vous ne m'interrompez pas mais ça ne vous dit rien ? Maisie a pourtant retrouvé un résumé de cette rencontre de Vienne dans le dossier de Lena, là aussi les mouchards avaient fait leur relevé, sans plus, des propos de bonne femme sur son maquillage, personne n'a eu envie de traduire, et on ne dit presque rien sur vous, vous vous rendez compte ? Ils ne vous ont pas identifié ! Vous ne voulez rien me dire ? Vous préférez que je brode ? Que je vous fasse rentrer à Rosmar dès le lendemain de cette rencontre, retour de Vienne à Rosmar, pas le bureau, mais la base aérienne de Rosmar et Moscou en vol direct pour le camarade Lilstein tout seul, Moscou, Markov, il écrit sous la dictée de Lilstein, à côté de Markov il y a un autre homme, d'après Max il paraît qu'il s'appelait Kolymaguine.

« Kolymaguine ne prend en note que quelques mots et dit soudain à Markov *il faut aller voir le camarade commissaire*, il dit à Lilstein *vous venez aussi avec nous*, et le grand commissaire les reçoit tous les trois immédiatement, c'est Kolymaguine qui parle n'est-ce pas ?

« Extraction par diffusion, filière à eau, Micha, quand Maisie raconte ça elle enrage, elle est sûre que Lena vous a même dit *une bonne eau bien lourde*, les mouchards n'ont pas remarqué, des crétins, Maisie m'a demandé si je connaissais beaucoup de femmes qui donnent publiquement leurs recettes de beauté, Kolymaguine a continué devant le camarade commissaire, *diffusion, eau lourde, ça recoupe les deux autres sources, la dame a parlé d'hydratation en disant que ça n'était pas le bon mot, le seul bon mot qui y ressemble dans ce qui nous intéresse c'est hydrure, elle ne veut pas prononcer le mot parce qu'il est trop précis, hydrure d'uranium, donc extraction par diffusion, filière à eau lourde, hydrure d'uranium 235, et pas de crayon, c'est-à-dire pas de graphite, ça recoupe, camarade commissaire.*

« Et Beria se met l'index gauche devant les lèvres en regardant la feuille de notes de Markov, il y a deux autres feuilles sur le bureau, il compare, coude sur la table, l'index passe sur la pommette, *votre opinion, camarades ?*

« Kolymaguine dit *c'est la bonne piste camarade commis-*

saire, Beria se tourne vers Markov, *vous garantissez la source ?* Markov dit simplement *oui camarade commissaire*, Beria à Lilstein, la même question, et vous dites *oui camarade commissaire.*

« Beria est content, *si ça marche vous serez tous les trois sur la première liste*, vous avez été ému, Micha ?

« Plus tard Markov a dû vous dire quelque chose comme *il y a deux listes, la première, si ça marche, c'est celle des héros de l'Union soviétique, la seconde c'est celle de l'ordre de Lénine, et si ça ne marche pas ceux de la première liste sont fusillés, ceux de la seconde sont envoyés au Goulag, nous devons être fiers d'être sur la première liste.*

« Beria a vraiment de quoi être content, il dirige l'espionnage, le contre-espionnage, la police et la recherche atomique, tout ça à la fois, un excellent manager, il est content de vous et de Markov, une bonne équipe, sous la direction d'un bon manager, plus d'un an de gagné.

« Les informations sur la bombe, Maisie pense que Lena a dû vous les faire passer, Micha, au moins partiellement, une histoire très intéressante.

« Une histoire de noyau, le noyau des savants qui ont eu les premières idées, qui sont allés trouver Roosevelt pour lui dire qu'il fallait passer au stade pratique, la bombe au départ ce sont des savants qui persuadent les hommes politiques et les militaires, et ces mêmes savants décident entre eux de partager le secret avec l'allié soviétique, de ne pas laisser l'exclusivité aux militaires américains, trop dangereux un truc pareil dans une seule main, ce n'est pas Beria qui est allé chercher les savants, quelques savants ont simplement, dès le début, décidé de démultiplier leurs connaissances à eux, ils ont une vision mondiale, aucun camp ne devra détenir un avantage décisif, ils ont envoyé des informations par divers canaux.

« Pour Maisie, dans ce truc atomique, votre amie Lena a été l'un des plus grands intermédiaires, parce qu'elle n'aimait pas Truman et qu'elle vous aimait bien.

« Maisie se trompe n'est-ce pas ? Lena n'a pas été une simple intermédiaire entre Moscou et le noyau des savants, elle faisait partie du noyau, une vieille amie de Tellheim, l'époque où ce petit monde discute très librement, juste avant qu'on les enferme dans leurs labos atomiques du désert, l'époque où on discute, on s'accorde, on met les choses en musique.

« Lena adorait mettre les choses en musique, c'est la raison principale, la mise en musique, le mépris pour Truman c'est secondaire, et elle a aimé Eisenhower, il faut dire qu'il l'a mise à l'abri de McCarthy, il a envoyé Walker s'occuper de McCarthy, c'est amusant : avec tous ses défauts McCarthy avait tout compris, et c'est Walker qui a dit à Eisenhower qu'il fallait arracher Lena aux pattes de McCarthy.

« Devinette cher Micha, qui a glissé quelques renseignements à McCarthy en 1954 pour le mettre sur la piste de Lena ? Et la faire défendre par Eisenhower en personne ? C'était risqué mais elle devenait intouchable à jamais, belle manœuvre, vous acceptez les compliments tardifs ? Mais manœuvre ratée, parce que ça s'est retourné contre vous, l'histoire McCarthy en a fait la grande amie d'Eisenhower.

« Et Lena a des principes, on ne trahit pas un ami, donc plus rien pour vous, elle ne met plus en musique, et ensuite elle a adoré Kennedy, elle a fait campagne pour Kennedy, elle a fait partie du clan, je suis sûr qu'elle n'a travaillé que pour eux, dès qu'Eisenhower a pris sa défense elle a dû vous envoyer paître, au temps de Kennedy aussi, ou bien vous avez compris qu'il y avait des choses qu'il ne fallait plus lui demander, d'ailleurs lui avez-vous jamais demandé quoi que ce soit ? Je pense qu'elle devait vous apporter ce qu'elle avait envie de vous apporter, c'est tout.

« Et un jour elle a arrêté, vous n'avez rien dit, il y a même eu mieux, comme avec moi, les rôles inversés, n'est-ce pas ? J'aime beaucoup ce petit bistrot, disons que j'aime beaucoup ce qu'il était, il a beaucoup changé depuis l'époque où j'y

venais, fin des années 50, début des années 60, il s'appelait déjà *L'Écluse,* à peine une cinquantaine de places à l'intérieur, j'y ai vu passer les meilleures chanteuses de l'époque,
Barbara, Anne Sylvestre, Cora Vaucaire, je venais avec ma
femme. Il n'y a plus rien, et c'est cher, mais de temps en
temps je m'installe une petite demi-heure, le temps de lire
le journal.

« C'est vous qui avez donné des choses à Lena, en 1961,
Cuba, la crise des fusées, moi, vous me faites dire à mon
ministre préféré *il faut tenir, les Russes vont lâcher,* ça c'est
pour mettre monsieur K dans la panade, votre ami Markov,
quand est-il entré au *Politburo* ?

« Et quand monsieur K risque de se faire éjecter par ses
va-t-en-guerre, on le soutient, on fait passer aux Américains
un petit message, *vous n'envahissez pas Cuba et on retire les
fusées,* je sais, à Washington c'est Linus Mosberger, le vieux
copain de Max, qui a servi à faire passer le message directement à Kennedy, mais je suis sûr que le même message est
parvenu à la Maison-Blanche par l'intermédiaire d'une
grande dame du chant lyrique, il faut toujours que ça se
recoupe.

« Markov a mis Khrouchtchev dans la panade, puis il
l'a aidé à en sortir, et enfin il l'a évincé, Lena a bien fait un
voyage éclair entre Vienne et Washington à l'époque ? Pour la
musique ? Le bilan pour elle c'est Kennedy gagnant et pour
vous c'est Markov gagnant.

« Cela dit, si toutes ces histoires d'uranium et d'eau lourde
dans les années 40 finissaient par se savoir les Américains
seraient capables de déterrer notre Lena d'Arlington pour la
virer dans une décharge municipale, mais Maisie ne fera pas
ça, on ne touchera pas à Lena, elle s'y est quasiment engagée,
elle s'y engagera devant vous, elle m'a dit *j'ai un cœur, la
preuve c'est que je mets la main dessus chaque fois que j'écoute
une sonnerie aux morts ou l'hymne national, surtout quand ça
se passe à Arlington.*

« J'ai ça en commun avec Maisie, Micha, les émotions de cimetière, Arlington, la bannière étoilée sur le cercueil, la musique, le pliage impeccable de ladite bannière, en onze mouvements, j'ai compté, très bien le pliage, je trouve ça si beau que j'ai voulu aller en voir un vrai, à Arromanches, le baisser des couleurs à Arromanches, beau site, dix mille soldats américains enterrés là, devant la mer, on baisse les couleurs vers six heures moins le quart, pas de cornemuse, une sonnerie aux morts enregistrée, dix mille tombes, j'attendais les belles casquettes blanches, la garde d'honneur, il n'y en a pas eu, sans doute des problèmes d'argent, ce sont des civils qui amènent le drapeau et qui le plient, pantalons avec des poches aux genoux, des gardiens, ils plient avec de faux plis, on a pourtant dû leur apprendre, mais sans la menace de dix jours d'arrêts s'ils cochonnent le travail, ça manque de classe, quand je veux voir un bon pliage je me rabats sur le cinéma, les obsèques du héros, des fois c'est même au début du film, ça enlève de l'intérêt à la suite.

« Micha, vous saisissez le jeu de notre nouvelle amie américaine ? Il faut que vous saisissiez ! Pourquoi la chère Maisie veut-elle tout savoir sur Lena ? Pour faire un rapport ? Pour se mettre en vedette en révélant une énième affaire de taupe ? Pour nous écraser ?

« Ou bien parce que Walker a protégé Lena ? Parce qu'il l'a tirée des griffes de McCarthy et qu'en 54 il a été aveugle ? Parce qu'elle était sa marraine comme il dit si bien ? Maisie agirait pour protéger Walker ? C'est beau. C'est aussi beau que si nous n'agissions que pour protéger la mémoire de Lena.

« Il paraît que Walker aime bien travailler sous protection, en Corée il était lance-flammes, sous la protection de Garrick qui était tireur d'élite, il a continué à travailler avec Garrick mais Garrick est malade. Peut-être que Maisie remplace Garrick, une belle amitié entre Maisie et Walker, vous y croyez, à l'amitié ? J'aimerais y voir plus clair, Micha, imaginons qu'un jour Walker ait dit un truc un peu gros.

« Quelque chose comme *je ne laisserai jamais Maisie entrer à la Maison-Blanche, même pas pour y servir des cafés, même pas avec un grand nœud blanc dans les cheveux*, Walker est prudent, il avait l'air de mettre seulement en doute les compétences de Maisie, il n'était pas raciste, il a choisi de dire un truc qu'il ne pensait pas, pour mieux contrôler, mais des mots pareils ça renvoyait quelques années en arrière, l'histoire des cafés et du nœud blanc c'était devant deux patrons du Parti républicain, du *boss* à l'ancienne, bien réactionnaire, Walker est libéral, républicain libéral, il ne pense pas un seul des mots qu'il a dits à ces types, il les a quand même dits, pour les faire rire, les mettre dans sa poche.

« Walker veut devenir conseiller à la Maison-Blanche, il ne doit pas passer pour un libéral, il en a malheureusement la réputation, bien qu'il ait participé au programme *Phoenix* au Vietnam, la liquidation de dizaines de milliers de civils par la CIA, mais il garde une réputation de libéral, avec une pipe, des vestons en tweed et des études à Princeton.

« Et pour se défendre d'être un vilain libéral il ne peut quand même pas crier sur tous les toits *j'ai aussi liquidé des civils*. Alors il fait une bonne blague sur les servantes, le café, avec un nœud dans les cheveux, ça devrait suffire, ils ont ri, Walker a donc l'appui discret de la droite républicaine pour le prix d'une blague.

« Un jour Maisie a souri à Walker, un sourire encore plus grand qu'à l'habitude, les pommettes, les dents, encore plus belles, les grands yeux éclatants, elle lui a tendu une tasse de café en souriant, il a compris qu'elle connaissait la blague.

« Et qu'elle lui offrait la paix avec un grand sourire, Walker a compris qu'il aurait fallu la tuer mais pas faire des astuces sur le service du café à la Maison-Blanche, même devant deux *bosses* républicains, l'un des deux *bosses* avait dû évoluer, ou les deux, ou la femme de l'un d'eux, ou un assistant, peu importe, c'était trop tard, Maisie ne s'est pas mise en colère, cela voulait dire qu'elle le tenait, pas besoin de colère, l'un des deux *bosses* devait être prêt à témoigner, et l'autre confirmerait.

« Elle a parlé avec Walker de plus en plus régulièrement, de choses et d'autres, elle souriait, *FT c'est si bon de vous avoir pour patron et pour ami, rien ne pourra briser notre amitié,* et Walker ne peut qu'être d'accord ou la tuer, il ne peut plus la tuer, ils sont alliés, Maisie aidera Walker à accéder à la Maison-Blanche et Walker l'aidera à son tour à le rejoindre. Voilà le nouveau pacte.

« Ils parlent, Walker aime éduquer Maisie, lui transmettre l'histoire et la tradition de la maison, ils vont ensemble à la machine à café.

« Walker est inquiet, c'est un libéral, c'est la vieille CIA de la guerre froide, celle qui faisait copain-copine avec la gauche non communiste, ou ex-communiste, celle qui a coulé McCarthy.

« Les nouveaux patrons de la Maison-Blanche n'aiment pas les vestes en tweed et les libéraux, bien sûr Walker a cassé du communiste, du Viet, du civil, *Phoenix* et les mains sales, mais là il en a trop fait, ces libéraux quand ça joue au dur ça va trop loin, Walker a vraiment besoin de l'appui de Maisie, il lui parle beaucoup, se confie à elle pour qu'elle se confie à lui, il sait qu'elle a ses entrées dans la famille du Président, cette blague sur le café c'est la connerie de sa vie, pour la faire oublier il se confie de plus en plus, il revit sa vie devant Maisie, quelqu'un qui l'écoute comme ça ne pourra qu'être avec lui, et Maisie finit par repérer des coïncidences dans ce que lui raconte Walker.

« De sacrées coïncidences. Elle est devenue son alliée, elle l'a écouté, elle l'a compris, elle a pris pour allié celui qui voulait lui interdire de faire le service du café à la Maison-Blanche, *un pays où l'on peut t'interdire l'entrée du restaurant mais tu peux y devenir président,* elle ne fera jamais le service du café, ce sont des plantons de l'armée qui le font, des types d'un mètre quatre-vingts, qui aiment beaucoup Maisie parce qu'elle fait attention à eux, Walker et Maisie ont parlé de l'histoire de l'Europe, la spécialité de Maisie, la guerre froide, et l'histoire de Lena est une superbe illustration de ces années.

« Walker n'avait pas vu les coïncidences, Maisie lui a parfois montré ce qu'elle voyait, c'est-à-dire tout ce qui a pu se passer entre 1943 et disons l'arrivée d'Eisenhower à la présidence, quand Walker a défendu Lena contre McCarthy, Maisie n'a montré ça qu'à Walker, des coïncidences dans du clair-obscur, on ne voit pas grand-chose et ça vaut mieux.

« Walker est devenu le parrain de Maisie, il s'était moqué d'elle, elle avait repéré des coïncidences, Walker s'en est rendu compte, jusque-là il n'avait rien vu, Maisie a vu, elle sait tout ce que Walker ne savait pas, elle a fini par dire *FT, je suis sûre que cette femme savait sauter hors de son ombre.*

« Maisie peut parler ou se taire, Walker a enfin tout compris : il est grillé.

« Et quand on demandera son avis à Walker pour le poste de la Maison-Blanche histoire de le faire parler de lui il dira que c'est à Maisie de franchir le fleuve, de devenir conseillère dans le Salon ovale.

« Lui, il est trop vieux, Maisie saura inventer les nouveaux scénarios pour passer au XXIe siècle, vous voyez le tableau, Walker plaide bien, *c'est Maisie qu'il vous faut, elle pèse des millions de voix,* et ça marche, on est même soulagé de le voir soutenir Maisie, Maisie devient conseillère à la Maison-Blanche et parfois c'est elle qui invite Walker resté à la CIA à participer à des réunions dans le saint des saints, imaginez le saint des saints, Micha, vous n'avez jamais pu y entrer, imaginez !

« Un jour donc Walker comprendra qu'il n'ira pas plus loin, il est devenu le débiteur de celle qui connaît toute l'histoire de Lena, il regardera faire Maisie, il est déjà l'auteur d'une phrase qui se répète beaucoup entre Langley et Washington, *les bas-côtés sont pleins de mecs qui se sont trompés sur Maisie.*

« Et plus vite notre petite princesse saura des choses sur les erreurs de Walker et la vérité de Lena mieux elle se sentira, je ne sais pas jusqu'où elle ira, mais Walker, lui, n'ira pas plus loin, directeur-adjoint pour les opérations, et Maisie va beaucoup nous aimer, nous allons lui permettre de connaître toute la richesse du personnage de Lena, toutes les coïncidences, grande cantatrice et grande enseignante, grande amoureuse, grande Américaine, elle a été encore plus que ça et Maisie va être très heureuse de l'apprendre.

« Non, je ne pense pas qu'ils déterreront Lena d'Arlington, nous n'allons pas le permettre, vous allez m'aider et nous allons les aider à la conserver dans leur cœur, elle aura joué un jeu un peu personnel par moments mais tout bien pesé elle aura toujours joué pour la liberté, c'est ce qu'ils ont envie de croire, parce que Maisie ne veut pas tuer Walker.

« Walker va devenir son meilleur soutien, il va la faire entrer à la Maison-Blanche, à la place qu'il aurait dû occuper, Maisie conseillère pour la sécurité, et la mémoire de Lena sera pieusement veillée, ce sera une belle passation de témoin, Maisie ne tuera pas FT, je commence à la connaître, elle va le protéger, ils vont travailler ensemble, il n'a rien compris aux femmes, ni à Lena ni à Maisie, Maisie entre à la Maison-Blanche et elle le fait parfois inviter, il va atteindre l'âge de la retraite, il ne supportera pas et Maisie va l'aider, elle lui obtiendra un supplément exceptionnel de trois ans, *Richard, je suis désolée, je n'ai pas pu faire plus.*

« Et Richard la remerciera, un bon délai de grâce, trois ans de travail comme il aime, bouffée de bonheur procurée par sa fidèle amie, Maisie c'est son meilleur investissement, il avait fait une erreur, il a rectifié, il touche les dividendes, un Walker avide de confiance, il n'est pas vieux, il signe la prolongation à la CIA pour trois ans, lit les clauses, une espèce de mission au rabais, il revient vers Maisie, elle est scandalisée du traitement qu'on inflige à son cher FT, elle va en parler au directeur de la CIA, deux mois après c'est le directeur lui-même qui dit à Walker devant Maisie qu'il n'y a pas moyen de faire autrement, et seul le premier semestre est garanti, la mouise, Walker prend son coup de vieux en quelques semaines, paie cher sa bouffée de bonheur, plus de laissez-passer permanent, il faut renouveler l'autorisation tous les mois, et la peur que même cette mouise ne se prolonge pas.

« Elle ne se prolongera pas, au cinquième mois le planton du parking l'informe que son laissez-passer n'est plus valable, ça n'empêchera pas Maisie de recevoir Walker de temps en temps, pour parler, *FT, vous allez bien ?* Walker répond oui, il fait bonne figure, visage de plus en plus chiffonné mais il a de l'allure, Maisie est contente de voir que Walker garde de l'allure malgré ce qui lui arrive, un signe de souffrance maîtrisée, une belle souffrance d'homme qui ne renonce pas.

« Maisie veut seulement la vérité sur Lena, toutes les facettes, Micha, vous allez lui raconter, depuis le début, tout ce que Hans a pu vous raconter, tout ce que Max savait par Hans et par lui-même, tout ce que vous savez vous-même, nous offrons à Maisie un secret qui ouvre beaucoup de portes, elle va aimer, elle le gardera, chacun aura un beau rôle, et nous retournerons à Waltenberg. »

Lilstein devient blanc, voix sifflante :
« Jamais, Morel ! Plus jamais Waltenberg ! »
Lilstein debout, il quitte la terrasse de *L'Écluse*, Morel paie en vitesse, Lilstein a traversé, il est reparti sur le quai en direction du pont Neuf, il faut que Lilstein se calme, mais la voix de Lilstein monte :

« Leur *Forum*, une poubelle ! Jamais ! Des marchands de robinets, des vendeurs de rien, il y a même un chef d'orchestre de Boston qui donne des leçons d'animation pour femmes de patrons, des cocktails de nouveaux riches, tout le monde reste debout, en 29 il suffisait d'avoir des idées et on entrait dans le cercle, même Neuville me paraît aujourd'hui sympathique, même Merken je trouvais ça superbe, quand il parlait c'était le même silence que pour Lena quand elle chantait, la moitié de l'auditoire pensait *quel salaud* et en même temps ils admiraient, Merken poétisait la philosophie, un travail de pervers, mais ça avait une gueule superbe, et le concert le soir, aujourd'hui les chefs d'orchestre ne conduisent plus d'orchestre, ils donnent des leçons d'animation à de grosses folles !

— Calmez-vous Micha.

— Des marchands de rien ! Et les philosophes qu'on invite, des publicistes, qui lèchent les bottes des marchands de rien !

— Micha, je n'ai rien dit, regardez, la statue équestre d'Henri IV, au milieu du pont, je vais vous dérider, elle date de la Restauration, calmez-vous, c'est Louis XVIII qui a passé commande, le sculpteur est un ancien bonapartiste, statue équestre du bon roi Henri. Vous savez ce que fait le sculpteur ? Il bourre discrètement le ventre du cheval de proclamations napoléoniennes, bulletins de la Grande Armée, Ulm, Austerlitz, Iéna, il a dû en pleurer de rire.

« Vous imaginez, Micha, l'inauguration, toutes ces voix de ministres, et cachée dans le ventre du cheval la voix de Napoléon : *on dira voilà un brave... j'ai sauvé la Révolution qui périssait...* la voix de l'Empereur, dans le ventre du cheval, *vous êtes de la merde dans un bas de soie*, le sculpteur entre la haine et le plaisir, j'adore cette histoire à plusieurs voix, un legs aux générations à venir, vous voyez, Micha, ça vous a détendu, comptez sur moi, plus de Waltenberg, marchons, Micha, pas de voiture, pas d'enlèvement, on reprend le jeu.

« Et pour le moment, l'urgence c'est l'Allemagne, ce n'est plus une mère blafarde ni un conte d'hiver mais ça reste la question allemande, depuis des siècles.

« Mes amis d'Amérique n'ont pas aimé la façon dont la nouvelle Allemagne a refusé de les aider quand ils sont allés faire un tour en Irak, Micha on ne vous demande même pas de changer d'orientation, vous gardez les mêmes cibles, vous gardez vos vieilles taupes et vous êtes des nôtres, ne faites pas cette tête, ne me dites pas que la foi vous manque, vous restez dans la cuisine du Diable, nous continuons à faire la tambouille et c'est un plaisir, avec de nouvelles techniques, passionnant les nouvelles techniques, il faut que je vous montre mon réseau de train miniature.

« Je l'ai complètement rénové, commande électronique, nous allons avoir de beaux après-midi, nous ne sommes même pas obligés de tout leur dire, personne ne peut vous atteindre, Micha, il y a des craquements de naufrage mais ce n'est pas une raison pour défaillir.

« Et nous parlerons de l'essentiel, Micha, j'ai un beau projet, la jeunesse, pensez à la jeune fille qu'il y avait dans la librairie tout à l'heure, il faut repartir de zéro, sur le front invisible, avec des jeunes, une dizaine, je connais un bon petit groupe d'étudiants, ils dînent une fois par semaine dans un restaurant que je fréquente, près d'un an que je les observe, nous irons dîner un vendredi, leur jour, j'ai une petite table sur la mezzanine, contre la balustrade, c'est très commode pour observer.

« Ces jeunes sont passionnants, un journaliste tout frais sorti de son école, un étudiant en médecine qui sera un grand, non, pas un chirurgien, à Paris nous avons une formule pour le chirurgien, la force du bœuf et le cerveau qui va avec, ce garçon veut déjà se spécialiser dans ce que nous appelons médecine interne, les cas que personne ne comprend, lui il essaiera, il étudiera les symptômes que personne ne comprend et de temps en temps il comprendra, il y a aussi une jeune fille avec un nez en trompette, très forte en philosophie, oui, vous avez compris, c'est la jeune fille de la librairie, mais elle n'a pas voulu s'enfermer dans la spéculation, ce sont ses paroles, elle fait aussi des études de sciences politiques, je vais me débrouiller pour qu'on l'oriente vers mon séminaire, en février, une belle horloge, elle sera un jour ministre ou directrice générale du plus grand journal de France.

« Ajoutons un jeune Japonais, physicien, il travaille sur les plasmas, il est en séjour dans l'école d'où sortent nos rares prix Nobel, en France il a appris à rire, il y a un Allemand, un Franco-Allemand, très doué en informatique, il a déjà un contrat pour le centre de calcul IBM, et il y a deux sœurs, l'une fait du droit et l'autre ne sait pas encore ce qu'elle va faire, c'est la plus douée, autour d'eux il y en a encore cinq ou six, ces jeunes sont pleins d'énergie, ils dînent, ils sortent, ils s'amusent, ils travaillent, ils vont nager, ils rêvent, donnent des coups de pied quand ils rencontrent une boîte de conserve, les filles protestent, essaient de rendre les garçons plus polis, je les ai tous observés, c'est un restaurant vietnamien près du Collège de France, avec sauce piquante et gros ventilateurs au plafond, pas cher du tout, ils sont une dizaine de jeunes, ils passent tout en revue, ils sont intolérants, exigeants, l'autre soir ils taillaient tout en pièces, nos ministres, le mari de notre Premier ministre, madame Cresson, ce mari raconte qu'il a appris Mozart et l'élégance à sa femme, ils n'en ont rien laissé.

« Ils se moquent de nos vedettes de cinéma, de nos journalistes, de l'argent, des grands airs, de tout, ils imitent nos chanteurs, vous connaissez Johnny Hallyday ? Ça ne m'étonne pas, c'est écrit partout. La semaine dernière le jeune Japonais a cité une déclaration du chanteur *j'ai compris que la transformation du corps passait par celle de l'esprit*, l'un des garçons s'est levé et s'est mis à faire des haltères en prenant des airs d'abruti, un autre s'est installé à califourchon sur sa chaise et a fait le tour de la table en faisant *vroum vroum*, Micha, ils faisaient ce que je n'ai jamais osé faire dans ma vie, ils faisaient du scandale.

« Ils se poursuivaient en riant autour de la table, ils se sont mis à chanter les succès de Johnny, ils s'engueulaient, s'embrassaient, commandaient des bols de riz, versaient la sauce piquante en riant, échangeaient leurs plats, trinquaient à la bière chinoise, imitaient leurs professeurs, les envoyaient aux oubliettes.

« Le journaliste a fait une imitation de son rédacteur en chef qui veut mettre le journal à l'informatique, tout informatique, le futur médecin a donné un coup de main au journaliste, il faisait le gros dos et le journaliste tapotait dessus comme sur un clavier d'ordinateur, le rédacteur en chef tente d'écrire son éditorial et la machine refuse, il y a un programme informatique dans la machine qui bloque les phrases longues, les mots longs, les mots rares, les mots répétés, le rédacteur en chef s'énerve, plus il s'énerve plus la machine fait *blip-blip* au lieu de valider la phrase, elle refuse d'écrire *politique, responsable, inadmissible, constitution, institutions* et même *république,* trop long, refuse aussi *éhonté,* pas assez courant, et refuse d'écrire des noms propres quand il y a le mot *fraude,* un vrai gag, Micha, ils ont tenu cinq minutes là-dessus, tout un éditorial très politique, très précis, qui devient *on ne peut, devant l'opinion, faire de telles choses,* il ne restait plus que *on, opinion* et *choses,* le rédacteur en chef c'est le fameux Coqueret, celui qui a aussi une émission à la télévision.

« Après ce sketch le tourbillon a recommencé, ils se coupaient la parole, se la rendaient, mélangeaient des chansons d'aujourd'hui à *Sole mio* et *Marinella,* se prenaient par l'épaule, chahutaient, se racontaient des films, des livres, le duel Eltsine contre Gorbatchev, et un duel de top-modèles, vous savez ce que... vous connaissez bien nos mœurs, j'ai oublié les noms de ces mannequins, je n'ai gardé que trois chiffres, 88, 61, 92, c'est autre chose que vos nageuses, ils parlaient très vite, de la fabrication des tresses africaines, la nouvelle mode, très chère, je sais maintenant que ça peut coûter cinq mille francs, avec des fils d'or dans le tressage, un garçon a lancé sa main en vol plané au-dessus de la table, entre les bouteilles, il imitait l'enlèvement d'une statue.

« Celle de votre cher Dzerjinski, une grue géante dans la nuit de Moscou et l'archange de la Tcheka s'élève dans les cieux, ils riaient, une des filles a dit au jeune informaticien toi tu dois être un surdoué, il a répondu ça n'existe pas, il n'y a pas d'enfants surdoués, il n'y a que des gosses de cons, un vrai groupe, dès que l'un d'eux prenait un peu d'ascendant les autres lui sciaient la branche en riant, et ça repartait, à une table à côté de la mienne un homme a dit quelques mots au patron qui a répondu *c'est la vie monsieur, l'avenir, moi je pleure Saigon, eux ils refont le monde,* l'homme a dit *il va être beau le monde,* le patron a ri, il a ajouté *de toute façon nous ne serons plus là.*

« J'aime cette idée de refaire le monde, Micha, la salle s'énervait, les gens trouvaient ces jeunes bruyants, vulgaires, trop d'alcool, à ce moment-là le journaliste s'est relevé, beau type, grand brun, cheveu très court, vêtu d'une salopette en jean, il a tapé du couteau contre son verre, encore une faute de goût, et il s'est mis à réciter un poème, *La Chanson du mal-aimé,* je sais, vous connaissez, il y a plus de trente ans vous m'avez dit que vous connaissiez des kilomètres de poèmes par cœur, vous voyez, ça continue, dans le restaurant il s'est passé quelque chose, les gens se sont arrêtés de manger, non, le garçon n'a pas oublié les Zaporogues, il a tout récité, lentement, la demi-brume, les vagues de brique, la cicatrice, les gens qui vendent leur ombre, le beau navire, les ruches qui brûlent, le cul de dame damascène, les démons du hasard, la descente à reculons, les cafés gonflés de fumée et les corps blancs d'amoureuses, long poème, il connaissait le secret, Micha, surtout ne pas accélérer.

« Ne pas jeter les mots, au contraire, suspendre, faire attendre les rimes, les mots, les rythmes, si vous allez trop vite les gens se mettent à attendre le moment où vous arrêterez, ils n'écoutent plus, si vous suspendez ils attendent au contraire chaque petit événement, ça vous dit quelque chose ce que je raconte ? Ralentir, faire attendre, l'interprétation comme suspens, oui, c'est la dernière conférence de Kappler, à Fribourg, trois semaines avant sa mort, il parle de Goethe et du travail de l'acteur dans *Faust.*

« À la fin de *La Chanson du mal-aimé* la salle a applaudi, le patron est arrivé avec une grosse omelette norvégienne, cris, étincelles, la petite bande a chanté *joyeux anniversaire* à l'une des filles, les cadeaux ont surgi, la fille poussait des cris de joie, oui, Micha, c'était celle de la caisse, tout à l'heure, elle a failli me reconnaître, elle a pris la main du garçon à salopette et elle ne l'a plus lâchée. Le visage d'une jeune fille, Micha, quand elle a le sentiment de tenir l'homme de sa vie !

« Elle le tenait de la main droite, mangeait de la main gauche, c'est l'avantage des restaurants asiatiques et des omelettes norvégiennes, vous pouvez manger sans cesse de tenir la main de la personne qui vous accompagne, le patron a offert le champagne, les autres tables se sont animées, tout le restaurant a trinqué, un vertige, on buvait du vertige comme dans le temps quand il y avait une noce, puis les jeunes sont partis, je les ai suivis un instant à travers la vitre, ils allaient vers la Seine en jouant à saute-mouton, il était onze heures du soir, ils entraient dans la nuit, ils n'avaient pas encore dépensé le dixième de leurs forces.

« Ce ne sera pas un vulgaire recrutement. Pour le compte de qui ? Je vais leur raconter *L'Histoire des Treize*, et personne ne pourra plus leur faire croire qu'ils sont là pour purger une peine.

« Ils iront aux États-Unis, Yale, Columbia, tout ça, ils auront d'autres amis, ils reviendront, circuleront, certains pourront prendre le secrétariat d'un club de réflexion, les gens ont la maladie de l'ombre partagée à quelques-uns, *Bilderberg Group, Institut Montaigne, Boston Thinking Group, Fondation Jean-Jaurès, Schiller Gesellschaft*, même les Russes s'y mettent, la *Société Stolypine*, des gens qui se racontent tout, il faut savoir glaner, nos jeunes apprendront vite, ils se retrouveront aux sports d'hiver ou à la Martinique, à Bruxelles, à San Francisco, ils feront des tours de planète quand nous faisions quelques heures de train.

« Il se fait tard, Micha, essayons d'être encore quelque chose, initions la jeunesse à la recette d'une bonne *Linzer*, ces jeunes, ils cherchent, ils veulent savoir, ils veulent refaire, ils veulent pouvoir, et n'oublions pas le plus important, ce qui nous a si longtemps permis de nous lever le matin en écartant la mélancolie qui voit trop vrai, n'oublions pas le risque, Micha, vous savez, ils n'en ont pas l'air mais ils sont parfois mélancoliques ces jeunes, ils croient que tous les plaisirs sont permis, nous allons leur montrer qu'il en reste au moins un de défendu, avec du risque chaque matin.

« Votre ami Kappler, il était comme nous, mais il ne jouait pas, c'était un puritain, c'est pour ça qu'il a passé sa vie à faire l'essuie-glace entre deux mondes et qu'il s'est tué, il n'a trouvé ni le plaisir défendu ni ce que vous appeliez la troisième rive.

« Nous ferons inviter certains de ces jeunes dans l'antre des magiciens, à Washington, je suis sûr que mon étudiante de Sciences-Po va plaire à Maisie, et puis nous en enverrons un ou deux chez ce brave Walker pour le distraire dans sa retraite, aigreurs, crudités, dissonances, il saura les intéresser, il leur parlera de Lena, oui, Micha, j'ai aussi rencontré Walker en privé, la dernière visite de Walker à la vieille dame, un chalet au bord d'un lac dans le Vermont, elle se sent lasse, elle se blottit de plus en plus contre elle-même, *FT que je suis heureuse de vous voir, c'est si doux*, la promenade le long du lac, Micha, Lena marche lentement au bras de celui qu'elle a connu bambin, les grands yeux de Lena dans ceux de Walker, *FT, pourquoi êtes-vous venu ? — Lena nous avons des ennuis.*

« Vous m'aiderez à reconstruire ça Micha ? Mars 1969, Lena est cardiaque, Walker est venu lui proposer de se refaire un peu de printemps, un voyage avec lui, il faut absolument que nous redonnions de la voix à ce qui s'est passé ce jour-là, Micha, cela ne doit pas mourir, Walker est venu demander quelque chose à Lena, c'est si beau ce bord du lac, ils marchent lentement, quand il m'a raconté ça Walker était assis dans sa cuisine, il me parlait lentement, il essayait de décrire le bord du lac, il essayait de ne perdre aucun des mots qu'elle avait dits, il répétait très lentement la proposition qu'il lui avait faite, 12 mars 69, *Lena il y a à Paris quelqu'un qui fait pour les Russes ce que vous avez fait pour nous pendant cinquante ans, vous êtes la seule à pouvoir repérer quelque chose, une recherche de tonalité, Lena, des notes dispersées, vous pourrez peut-être retrouver la clef, l'armure à la clef,* voilà ce qu'a dit Walker, Micha, cela se passe sous Nixon et Brejnev, ceux que vous avez appelés les bergers galeux, on a mis Lena Hellström sur la piste de la taupe, sept heures d'avion, elle est cardiaque, joyeuse, elle regarde par le hublot, l'océan, les nuages, les cathédrales de nuages sous les ailes du *Boeing*.

« Elle guette l'Europe, elle fait une confidence à Walker, *je vais en profiter pour retrouver un homme que je n'aurais jamais dû cesser d'aimer, j'aurais dû l'épouser avant la guerre, la Première Guerre, une dispute, il voulait aller jouer au soldat, nous aurions pu rester en Suisse, une vie sans histoire, je voulais le convaincre, il est parti.*

« Micha, Walker m'a dit qu'il ne fallait pas que cette histoire retombe en poussière, Lena avait retrouvé ce Hans Kappler dans l'entre-deux-guerres, au moment où ils auraient pu tout recommencer, 1929, le *séminaire* de Waltenberg, vous vous souvenez ? Qu'est-ce que vous avez pu me casser les pieds avec ce séminaire ! En 29 Kappler a dit à Lena qu'il était parti faire cette saloperie de Première Guerre mondiale parce qu'elle l'avait giflé, c'était le plus pénible de ses souvenirs, mais Lena ne se souvenait de rien, Kappler s'inventait sans doute des souvenirs pénibles pour justifier sa rupture à l'époque, *FT, je ne l'ai jamais giflé, il disait que si, il paraît que ce jour-là il cherchait à m'embrasser mais que je voulais discuter, il m'aurait dit qu'il n'était pas venu pour discuter, je le connais, il n'aurait jamais dit une chose aussi vulgaire, d'après lui c'est là que je l'aurais giflé, je suis restée très froide, je l'ai giflé et il est parti à la guerre, il y a si longtemps, FT, je ne me souviens de rien, c'était peut-être une gifle pour gagner du temps.*

« Walker me racontait ça comme si c'était lui qui avait pris la gifle, Micha, il avait le menton dans la paume de sa main droite, il parlait de deux amants qui se retrouvent quinze ans après au *Waldhaus,* je lui ai dit que vous étiez là également, Lena pensait que Kappler s'était inventé une gifle pour se justifier, parce que en 1929 il était à nouveau amoureux, pas de Lena mais d'une jeune fille, il ne s'intéressait vraiment qu'à la jeune fille alors que Lena voulait vivre de nouveau avec lui, *je skiais, je chantais, j'étais belle, FT, mes grandes années, il n'a pas voulu, je crois que la jeune fille n'a pas voulu non plus, c'était trop tard,* dans l'avion de Paris Lena était heureuse, elle disait *nous avons eu le temps de nous calmer, je vous aide, FT, et ensuite je vais le rejoindre à Genève, je lui ai écrit.*

« Max en voulait beaucoup à Walker, il disait que ce voyage avait tué Lena, sa dernière mission. À Paris on a dû lui ouvrir les dossiers pour qu'elle voie les dégâts que fait la taupe, elle sait beaucoup de choses et elle meurt dans cette ville, sans avoir revu Kappler, qui meurt six mois plus tard.

« À Paris elle n'a rien trouvé sur la taupe, ou elle n'a rien dit, Micha. À l'époque vous ne m'avez pas prévenu, même pas mis en garde, pourquoi ? Il n'y avait vraiment aucun danger ? Elle ne trouverait rien ? Elle est morte à Paris sans avoir démasqué personne ? En souriant ?

« Un arrêt du cœur, Micha, elle n'aimait pas plus Nixon que vous n'aimiez Brejnev. Vous avez encore fait un peu de *régulation* avec elle ? Vous m'en parlerez ? Arlington, cette gerbe au nom des *Amis du Voyage d'hiver,* qui l'a envoyée ? C'est Max ? Qu'est devenu Max ? Vous ne savez pas ? Disparu ? De Vèze m'a raconté que la dernière fois qu'il a vu Max c'était dans un jardin, un chat a sauté dans les bras de Max et Max a dit *Orphée, c'est l'heure !* Il s'est éclipsé avec le chat, personne ne l'a jamais revu.

« Nous écouterons ce que Walker aura raconté aux jeunes gens que nous lui enverrons, et vous raconterez Waltenberg à Walker, nous avons besoin de lui, c'est un homme qui souffre, il faut aussi que nous trouvions quelques têtes en

Russie, en Espagne, un bon petit groupe de jeunes amis, et une demoiselle qui fait du chant, je tiens absolument à ce que nous ayons une demoiselle qui fait du chant.

« Nous allons disparaître, Micha, déjà les paupières nous cuisent de plus en plus quand nous nous éveillons le matin, non, je ne suis pas fou, ne soyons pas en retard, grand jeu, troisième rive !

« Et même si je suis fou, n'oublions pas le plus urgent, votre salut, aujourd'hui Kohl est au zénith, une grosse Allemagne au centre de l'Europe, avec de l'argent pour acheter des terrains, Maisie n'aime pas du tout, vous auriez quelque chose sur monsieur Kohl ? »

Composition CMB Graphic.
Achevé d'imprimer par la
Société Nouvelle Firmin-Didot.
à Mesnil-sur-l'Estrée, le 31 août 2005.
Dépôt légal : août 2005.
1ᵉʳ dépôt légal : juin 2005.
Numéro d'imprimeur : 75334.

ISBN 2-07-077396-5/Imprimé en France.

15923